AF238053

ACCESO GRATIS *a la Lectura en la Nube*

Para visualizar el libro electrónico en la nube de lectura envíe junto a su nombre y apellidos una fotografía del código de barras situado en la contraportada del libro y otra del ticket de compra a la dirección:

ebooktirant@tirant.com

En un máximo de 72 horas laborales le enviaremos el código de acceso con sus instrucciones.

DERECHO DEPORTIVO 2023

DERECHO DEPORTIVO 2023

Directores:
Enrique Ortega Burgos
Miguel María García Caba

Coordinadores:
Remedios Roqueta Buj
Carmen Pérez González
Lucas Ferrer
Juan de Dios Crespo
Pablo Cazorla González Serrano
Silvia Verdugo
Alberto Ruiz de Aguiar Díaz Obregón
Manuel García-Villarrubia Bernabé

tirant lo blanch
Valencia, 2023

Director de la colección:

ENRIQUE ORTEGA BURGOS

© Enrique Ortega Burgos
Miguel María García Caba

© TIRANT LO BLANCH
EDITA: TIRANT LO BLANCH
C/ Artes Gráficas, 14 - 46010 - Valencia
TELFS.: 96/361 00 48 - 50
FAX: 96/369 41 51
Email: tlb@tirant.com
www.tirant.com
Librería virtual: www.tirant.es
DEPÓSITO LEGAL: V-1817-2023
ISBN: 978-84-1169-503-9

Si tiene alguna queja o sugerencia, envíenos un mail a: *atencioncliente@tirant.com*. En caso de no ser atendida su sugerencia, por favor, lea en *www.tirant.net/index.php/empresa/politicas-de-empresa* nuestro procedimiento de quejas.

Responsabilidad Social Corporativa: http://www.tirant.net/Docs/RSCTirant.pdf

Índice

RELACIONES LABORALES DEPORTIVAS
COORD. REMEDIOS ROQUETA BUJ

DERECHO INTERNACIONAL Y COMPARADO
COORD. CARMEN PÉREZ GONZÁLEZ

DERECHO DEL FÚTBOL Y SOLUCIÓN DE CONFLICTOS
COORD. LUCAS FERRER

TAS-CAS. ARBITRAJE DEPORTIVO

COORD. JUAN DE DIOS CRESPO

ORGANIZACIÓN Y REGULACIÓN DEL DEPORTE

COORD. PABLO CAZORLA GONZÁLEZ SERRANO

DERECHO PENAL Y DEPORTE

Coord. Silvia Verdugo

DEPORTE PROFESIONAL

Coords. Miguel María García Caba,
Alberto Ruiz de Aguiar Díaz Obregón y Manuel García-Villarrubia Bernabé

RELACIONES LABORALES DEPORTIVAS

Coord. Remedios Roqueta Buj

La igualdad salarial entre los y las futbolistas profesionales

JOSÉ LUIS ROQUETA BUJ

Máster de Formación Permanente en Derecho Deportivo. Universidad de Valencia

1. INTRODUCCIÓN

En Europa existe una gran desigualdad o brecha salarial entre los futbolistas y las futbolistas, que suele justificarse por la falta de audiencias en el fútbol femenino y una supuesta falta de atractivo para las marcas. Al mismo tiempo, estas consideraciones permiten mantener la invisibilidad y situar el deporte femenino como una propuesta secundaria.

2. NORMATIVA APLICABLE

La normativa legal española que actualmente regula la prohibición de discriminación por razón de sexo en el ámbito laboral se recoge fundamentalmente en el Título IV de la Ley Orgánica 3/2007, de 22 de marzo, para la igualdad efectiva de mujeres y hombres, y en los arts. 9.3, 17.1, 22.3, 24.2, 28, 64.3 y 7.a), 85.1 y 90.6 del Estatuto de los Trabajadores. Estas previsiones legales, a su vez, han sido desarrolladas en virtud de la habilitación prevista en el art. 46.6 de la Ley Orgánica 3/2007 por el Real Decreto 901/2020, de 13 de octubre, por el que se regulan los planes de igualdad y su registro, y el Real Decreto 902/2020, de 13 de octubre, de igualdad retributiva entre mujeres y hombres.

Esta normativa resulta aplicable en todas las empresas comprendidas en el art. 1.2 del ET, incluidos los clubes o entidades deportivas.

3. MEDIDAS ESPECÍFICAS CONTRA LA DISCRIMINACIÓN RETRIBUTIVA

3.1 El principio de igual retribución por trabajo de igual valor

De conformidad con el art. 28.1 del ET, el empresario *"está obligado a pagar por la prestación de un trabajo de igual valor la misma retribución, satisfecha directa o indirectamente, y cualquiera que sea la naturaleza de la misma, salarial o extrasalarial, sin que pueda producirse discriminación alguna por razón de sexo en ninguno de los elementos o condiciones de aquella"*. El principio de igual retribución por trabajo de igual valor en los términos establecidos en el art. 28.1 del ET vincula a todas las empresas, independientemente del número de personas trabajadoras, tal y como subraya el art. 4.1 del Real Decreto 902/2020.

Como ha declarado el Tribunal de Justicia de la Unión Europea, el concepto de retribución, en el sentido del párrafo 2 del art. 157 del TFUE, comprende todas las gratificaciones en dinero o en especie, actuales o futuras, siempre que sean satisfechas, aunque sea indirectamente, por el empresario al trabajador en razón de la relación de trabajo, independientemente de que sea en virtud de un contrato de trabajo o de disposiciones legislativas o de que tengan carácter voluntario[1]. Por consiguiente, el hecho de que determinadas prestaciones sean pagadas una vez finalizada la relación de trabajo no excluye que puedan tener un carácter de retribución, en el sentido del art. 157 del TFUE.

Por lo que se refiere en particular a las indemnizaciones concedidas al trabajador con ocasión de su despido, hay que señalar que éstas constituyen una forma de retribución a la que tiene derecho el trabajador en razón de su relación de trabajo, que le es pagada en el momento de cesar su relación de trabajo, que permite facilitar su adaptación a las nuevas circunstancias resultantes de la pérdida de su empleo y que le garantiza una fuente de ingresos durante el período de búsqueda de un nuevo trabajo. De ello se deduce que las indemnizaciones concedidas al trabajador con ocasión de su despido están comprendidas, en principio, dentro del concepto de retribución en el sentido de los arts. 157 del TFUE y 28.1 del ET[2]. El derecho a participar en un sistema de prejubilación convencional o en

---

[1]   STJCE de 30 de marzo de 2000 (Asunto C-236/98) y STJCE de 26 de junio de 2001 (Asunto C-381/99).

[2]   SSTJCE de 17 de mayo de 1990 (TJCE/158) y 9 febrero 1999 (Asunto C- 167/97).

un plan de pensiones de empresa también está incluido dentro del ámbito de aplicación de estos preceptos y, por tanto, está comprendido en la prohibición de discriminación que dichos artículos establecen[3].

Por lo demás, el art. 28.1 del ET exige expresamente la aplicación del principio de la igualdad de retribución entre hombres y mujeres sólo en el caso del mismo trabajo o en el caso de un trabajo del mismo valor y no en el de un trabajo de distinto valor. Sin embargo, como subraya la STJCE de 4 de febrero de 1988 (Asunto 157/86), si este principio *"prohíbe que los trabajadores de determinado sexo empleados en una tarea de igual valor que la de los trabajadores del sexo opuesto reciban una retribución menor a la de los otros por razón de sexo, prohíbe a fortiori semejante diferencia de retribución cuando la categoría de trabajadores peor pagados realiza una tarea de superior valor".*

Y, en fin, tal y como recalca la STJCE de 27 de marzo de 1980 (asunto 129/79), el principio de la igualdad de retribución entre trabajadores y trabajadoras para un mismo trabajo *"no se limita a las situaciones en las que hombres y mujeres efectúan simultáneamente un mismo trabajo para el mismo empleador".* Al contrario, también *"se aplica en caso de que se demuestre que un trabajador femenino, habida cuenta de la naturaleza de sus servicios, ha percibido una retribución inferior a la que percibía un trabajador masculino, empleado con anterioridad al período de empleo de la operaría femenina, y que efectuaba el mismo trabajo para su empleador".*

3.2 El principio de transparencia retributiva

3.2.1 El principio de transparencia retributiva: objeto

A fin de garantizar la aplicación efectiva del principio de igualdad de trato y no discriminación en materia retributiva entre mujeres y hombres, las empresas deberán integrar y aplicar el principio de transparencia retributiva entendido como aquel que, aplicado a los diferentes aspectos que determinan la retribución de las personas trabajadoras y sobre sus diferentes elementos, permite obtener información suficiente y significativa sobre el valor que se le atribuye a dicha retribución (art. 3.1 Real Decreto 902/2020).

---

[3] SSTJCE de 24 de octubre de 1996 (TJCE/193), 13 de julio de 2000 (Asunto C-166/99) y 9 de diciembre de 2004 (Asunto C-19/02).

El principio de transparencia retributiva tiene por objeto identificar las *"discriminaciones, en su caso, tanto directas como indirectas, particularmente las debidas a incorrectas valoraciones de puestos de trabajo, lo que concurre cuando desempeñado un trabajo de igual valor de acuerdo con los artículos siguientes, se perciba una retribución inferior sin que dicha diferencia pueda justificarse objetivamente con una finalidad legítima y sin que los medios para alcanzar dicha finalidad sean adecuados y necesarios"* (art. 3.1 Real Decreto 902/2020).

3.2.2 Los instrumentos de transparencia retributiva en las empresas

El principio de transparencia retributiva se aplicará, fundamentalmente, a través de registros y las auditorías retributivos.

A) El registro retributivo

Los clubes o entidades deportivos, al igual que el resto de los empresarios, están obligados a llevar un registro con los valores medios de los salarios, los complementos salariales y las percepciones extrasalariales de su plantilla, desagregados por sexos y distribuidos por grupos profesionales, categorías profesionales o puestos de trabajo iguales o de igual valor. Cuando en un club o entidad deportiva con al menos cincuenta trabajadores, el promedio de las retribuciones de los trabajadores de un sexo sea superior a los del otro en un veinticinco por ciento o más, tomando el conjunto de la masa salarial o la media de las percepciones satisfechas, el club o entidad deportiva deberá incluir en el Registro salarial una justificación de que dicha diferencia responde a motivos no relacionados con el sexo de las personas trabajadoras. Estas previsiones han sido desarrolladas por los arts. 5 y 6 del Real Decreto 902/2020, de 13 de octubre, de igualdad retributiva entre mujeres y hombres. En fin, las retribuciones son uno de los posibles contenidos que pueden ser contemplados en los planes de igualdad que se establezcan en los clubes o entidades deportivas (arts. 45 ss. Ley Orgánica 3/2007).

B) La auditoría retributiva

De acuerdo con los arts. 46.2.e) de la Ley Orgánica 3/2007 y 7.1 del Real Decreto 902/2020, la auditoría salarial resultará obligatoria para todos los clubes o entidades deportivas que estén obligados a tener plan de igualdad, fundamentalmente cuando cuenten con cincuenta o más trabajadores (art. 45.2 Ley Orgánica 3/2007), computados de acuerdo con lo dispuesto en el art. 3 del Real Decreto 901/2020.

La auditoría retributiva implica las siguientes obligaciones para el club o entidad deportiva (art. 8.1 Real Decreto 902/2020):

1ª) La realización del diagnóstico de la situación retributiva en la entidad.

2ª) El establecimiento de un plan de actuación para la corrección de las desigualdades retributivas, con determinación de objetivos, actuaciones concretas, cronograma y persona o personas responsables de su implantación y seguimiento.

4. LA CUANTÍA SALARIAL DE LOS Y LAS FUTBOLISTAS PROFESIONALES

La cuantía salarial será, según el art. 8.1 del Real Decreto 1006/1985, la *"pactada en convenio colectivo o contrato individual"*.

Así, el Anexo II del Convenio colectivo para la actividad de fútbol profesional, negociado por la Liga Nacional de Fútbol Profesional y la Asociación Nacional de Futbolistas Españoles (BOE 8-12-2015), fija un *"sueldo mínimo garantizado"* por temporada a favor de los futbolistas, según participen en Primera o en Segunda División, y cuya cuantía para la temporada 2016/2017 es de 155.000,00 euros (1ª División) y 77.500,00 euros (2ª División) y a la que habrá que añadir el plus de antigüedad que corresponda a cada futbolista (arts. 21.2 y 26)[4].

El art. 23 del Convenio Colectivo del Fútbol Femenino, firmado por la Asociación de Clubes de Fútbol Femenino y la Asociación Nacional de Futbolistas Españoles y el Sindicato Futbolistas ON (BOE 15-8-2020), se limita a establecer la retribución mínima anual garantizada en función de lo que las jugadoras profesionales estén percibiendo a la entrada en vigor del presente convenio y del porcentaje de su jornada.

---

[4]   El apartado 5 del Anexo II del CCFP determina que *"el Futbolista en edad comprendida entre dieciséis (16) y dieciocho (18) años que actúe en los equipos de la LNFP tendrá derecho a percibir el Salario Mínimo Interprofesional vigente en cada momento, y con independencia de la División en que participe"*.

En este sentido, dicho precepto distingue los siguientes supuestos de hecho:

1º) *"Cada Futbolista Profesional a la que se aplique este convenio, deberá percibir como mínimo la cantidad bruta anual de 16.000 euros a tiempo completo o la cantidad proporcional que corresponda en función de la jornada pactada con la Futbolista, con los límites establecidos en el apartado del art. 7 del presente convenio"* y que *"dicha cantidad tendrá efectos retroactivos desde el 1 de julio de 2019".*

2º) Las Futbolistas que *"estén percibiendo a la entrada en vigor del presente Convenio un salario anual entre 12.000 euros y 15.999,99 euros, con contrato a tiempo parcial inferior a un 75 % de la jornada ordinaria, pasarán a tener una jornada de al menos el 75 % de la jornada ordinaria y a percibir un salario de 16.000 euros brutos anuales, o la parte proporcional del mismo en función de la jornada que tuvieran, respetando, en todo caso lo establecido en el Art. 7 del presente convenio en materia de jornada".*

3º) Las Futbolistas que *"estén percibiendo, a la entrada en vigor del presente Convenio, un salario anual entre 16.000 euros y 30.000 euros, con contrato a tiempo parcial inferior a un 75 % de la jornada ordinaria, pasarán a tener una jornada de al menos el 75 % de la jornada ordinaria y a incrementar su salario en 2.000 euros brutos anuales, respetando en todo caso lo establecido en el Art. 7 del presente convenio en materia de jornada".*

En definitiva, y a pesar de lo confusa que resulta la redacción convencional, las futbolistas deberán percibir como mínimo la cantidad bruta anual de 16.000 euros si están contratadas a tiempo completo o la cantidad proporcional que corresponda en función de la jornada pactada si están contratadas a tiempo parcial —como mínimo 12.000 euros, ya que la jornada de los contratos a tiempo parcial no puede ser inferior en cómputo global al 75 % de la jornada ordinaria de trabajo efectivo establecida en el convenio durante la vigencia del mismo (art. 7 CCFP)—. Las Futbolistas que estén percibiendo, a la entrada en vigor del presente convenio, un salario anual entre 16.000 euros y 30.000 euros, con contrato a tiempo parcial inferior a un 75 % de la jornada ordinaria, pasarán a tener una jornada de al menos el 75 % de la jornada ordinaria y a incrementar su salario en 2.000 euros brutos anuales. Cantidades que se encuentran a años luz del sueldo mínimo garantizado a los futbolistas profesionales que participan en Primera o en Segunda División en el Anexo II del Convenio colectivo para la actividad de fútbol profesional (CCFP) (BOE 8-12-2015).

La retribución mínima garantizada *"respetará, en todo caso, lo establecido en el artículo 26 del presente Convenio y lo dispuesto en la Disposición Transitoria*

Primera" (art. 23 CCFF). De conformidad con esta disposición transitoria, *"aquellas Futbolistas jugadoras cuya jornada aumente como mínimo al 75% de la jornada ordinaria prevista en el presente convenio, procederán a regularizar su salario en los términos establecidos en el artículo 23, párrafos 2 y 3 del presente convenio, compensando y absorbiendo con la retribución total allí pactada, cualquier incremento salarial (incluido el importe del salario por hora) que hubiera podido corresponderle como consecuencia del aumento de la jornada"* (DT 1ª CCFF). *"Del mismo modo, las futbolistas que perciban un salario anual superior a 30.000 euros cuya jornada se incremente como mínimo al 75% de la jornada ordinaria prevista en el presente convenio, verán compensado y absorbido, cualquier incremento de salario que les hubiera podido corresponder como consecuencia del incremento de jornada con el salario real que esté percibiendo (incluido el importe del salario por hora), sin que tenga derecho a incremento salarial alguno por esta causa"* (DT 1ª CCFF).

La retribución mínima garantizada anual *"se entiende referida a cada temporada, que va de 1 de julio a 30 de junio del año siguiente por lo que la Futbolista Profesional cuya permanencia en el Club/SAD sea inferior, se le garantiza la parte proporcional que le corresponda en razón al tiempo que durante ese periodo se haya mantenido vigente la relación laboral"* (art. 23 CCFF). Y así la retribución anual mínima corresponde a la prestación de servicios durante la temporada completa; por ello, cuando la prestación de servicios sea inferior, se generará el derecho a la parte

Durante la prórroga del presente convenio *"se establecerá un incremento del IPC, referenciado desde el 1 de julio de 2019 a 30 de junio de 2020, para cada año y sobre todos los conceptos salariales del convenio, cantidad que se abonará a cuenta de la revisión salarial que se acuerde en el siguiente convenio colectivo"* (art. 5 CCFF). Para el caso de que no se acordará revisión salarial, se consolidarían dichos incrementos.

Como en la legislación laboral común, el nivel retributivo pactado en convenio colectivo tiene el carácter de mínimo y la fijación por contrato individual de trabajo de las condiciones retributivas en cada caso aplicables, salvo que no exista convenio, tiene por objeto la mejora de lo pactado a nivel colectivo. Esta libertad contractual estará, lógicamente, limitada por el principio de no discriminación establecido en el art. 17.1 del ET, como concreción del art. 14 de la Constitución Española.

5. EL PRINCIPIO DE IGUALDAD ENTRE MUJERES Y HOMBRES EN LA NUEVA LEY DEL DEPORTE

La Ley 39/2022, de 30 de diciembre, del Deporte, como explica en su preámbulo, se inspira en el principio de igualdad de trato entre mujeres y hombres.

El art. 22.1.a) del nuevo Proyecto de Ley del Deporte reconoce a todas las personas deportistas el derecho a *"la igualdad de trato y oportunidades en la práctica deportiva sin discriminación alguna por razón de sexo, edad, discapacidad, salud, religión, orientación e identidad sexual y expresión de género, características sexuales, nacionalidad, origen racial o étnico, religión o creencias, seroestatus, o cualquier otra condición o circunstancia personal o social"*. Además, se atribuye al Consejo Superior de Deportes la función de velar por garantizar *"el cumplimiento de convocatorias, participación, regulación y cuantas normas correspondan en relación a las competiciones oficiales, en lo referido a la igualdad de género y la discapacidad"*.

¿Qué medidas se contemplan en la nueva Ley del Deporte para promover la igualdad entre mujeres y hombres en el ámbito del deporte?

Las federaciones deportivas españolas y las ligas profesionales estarán obligadas:

1ª) A realizar un informe anual de igualdad entre mujeres y hombres respecto de las competiciones que organicen que será elevado al Consejo Superior de Deportes y al Instituto de las Mujeres así como al Consejo para la Eliminación de la Discriminación Racial o Étnica, como organismo de igualdad a nivel estatal para la promoción de la igualdad y no discriminación, así como a las comisiones de deportistas creadas en el seno de la respectiva federación, asociaciones y sindicatos de deportistas (art. 4.4). La estructura y plazo para la presentación del citado informe se determinará por el Consejo Superior de Deportes. Dicho informe será de carácter público y se elaborará con la participación de representantes de todos los estamentos miembros de las asambleas de cada federación incluyendo clubes, deportistas, jueces y juezas, así como personal técnico.

2ª) A contar con un protocolo de prevención y actuación para situaciones de discriminación, abusos o acoso sexual y acoso por razón de sexo o autoridad en el seno de aquellas, que deberán poner a disposición de las entidades deportivas integrantes de las distintas competiciones, para su suscripción por éstas (art. 4.5). A efectos de dar cumplimiento a lo anteriormente señalado, el Consejo Superior de Deportes pondrá a disposición de las federaciones deportivas españolas y las ligas profesionales un protocolo, en los términos indicados. De acuerdo con dicho protocolo, deberá ponerse en conocimiento del organismo sancionador dependiente del Consejo Superior de Deportes cualquier actuación que pueda ser considerada discriminación, abuso o acoso sexual y/o acoso por razón de sexo o autoridad.

3ª) A elaborar un plan específico de conciliación y corresponsabilidad con medidas concretas de protección en los casos de maternidad y lactancia, que deberán poner a disposición de las entidades deportivas integrantes de la federación (art. 4.7). Este plan, que también se aplicará dentro de la estructura de la propia entidad, será objeto de comunicación al Consejo Superior de Deportes para su aprobación o modificación en el plazo y con la estructura que se determine por resolución de la persona titular de la presidencia. El Consejo Superior de Deportes podrá destinar ayudas para la realización de tales planes, priorizando a las federaciones deportivas con menos recursos propios, en aras a garantizar la elaboración de los citados planes de igualdad.

4ª) A garantizar "*un trato igualitario entre ambos sexos en eventos y competiciones deportivos*" (art. 4.9). A tal efecto, deberán garantizar la igualdad en las condiciones económicas, laborales, de preparación física y asistencia médica, y de retribuciones y premios entre deportistas y equipos femeninos y masculinos de una misma especialidad deportiva.

De esta forma, los convenios colectivos negociados por las ligas están obligados a garantizar un trato igualitario en materia salarial entre ambos sexos en eventos y competiciones deportivas. Sin embargo, los convenios colectivos vigentes en los ámbitos del fútbol profesional femenino y masculino son negociados por ligas profesionales diferentes, por lo que esta obligación quedará en papel mojado. En cambio, como la federación en ambos casos es la misma, las y los futbolistas que sean llamados para jugar con la selección nacional tendrán derecho a cobrar lo mismo, tal y como ocurre con las selecciones noruega y estadounidense. En efecto, como pone de manifiesto SELLÉS, en Noruega se ha acordado un modelo nuevo para las retribuciones de los hombres y las mujeres del equipo nacional. El patrón consiste en una combinación de becas y un acuerdo de mercado por separado. Según las cifras oficiales que anunció la federación noruega, las integrantes del equipo femenino pasarían a cobrar 640.000 euros. Lo llamativo es que una parte de esa cantidad será aportada por la selección masculina. La selección femenina estadounidense de fútbol también ha ganado la batalla por la igualdad salarial. Las jugadoras serán compensadas por la Federación con 24 millones de dólares y recibirán el mismo salario que los hombres por sus partidos internacionales.

Por consiguiente, la nueva Ley del Deporte constituye un paso valiente pero también bastante limitado, pues en rigor sólo afecta a la Real Federación Española de Fútbol respecto de los y las futbolistas internacionales de la selección. En este sentido, en el art. 4.8 de la nueva Ley del Deporte En cumplimiento de la Ley Orgánica 3/2007, de 22 de marzo, se garantizará *"la igualdad de premios entre ambos sexos siempre que los eventos deportivos se organicen o se encomienden a un tercero por una Administración Pública, o se financien total o parcialmente a través de fondos públicos"*. A tal efecto, también se considerará financiación aquella que sea en especie o que consista en la cesión de instalaciones que sean de titularidad o responsabilidad municipal. De la misma forma, se garantizará que el sistema de primas otorgadas, cuando las personas deportistas compitan con las selecciones nacionales correspondientes, se realice de acuerdo con los mismos criterios para mujeres y hombres.

Un segundo objetivo para luchar contra la brecha salarial en el fútbol femenino es incrementar su visibilidad mediática y social. A tal fin, el art. 4.6 de la nueva Ley del Deporte dispone que *"en cumplimiento de lo dispuesto en los artículos 29.2 y 36 a 39 de la Ley Orgánica 3/2007, de 22 de marzo, y posterior desarrollo en la materia, se promoverá la igualdad en la visibilidad de eventos deportivos en categoría masculina y femenina en los medios de comunicación"* y que *"especialmente en los medios públicos, que estarán obligados a programar, en horarios de audiencias equiparables, si así lo permite la organización de las competiciones de que se trate, la retransmisión en directo o en diferido de los eventos deportivos homologables, si se trata de una competición equiparable, ya sea liga, torneo o similar, de hombres y mujeres"*.

6. CONCLUSIONES

A la vista de lo expuesto, es evidente que difícilmente llegará a corto plazo en España la igualdad salarial entre las mujeres y los hombres en el ámbito del deporte profesional.

En el marco normativo español hay un sinfín de normas encaminadas a promover la igualdad retributiva entre hombres y mujeres por el desempeño de la misma función en el orden laboral y como se ha explicado específicamente en este trabajo en ámbito deportivo, pero al mismo tiempo, y bajo mi parecer la brecha salarial existente entre el deporte profesional masculino y femenino, tiene como único motivo la capacidad de generación de recursos de cada uno de los deportes o competiciones.

Por ello, entiendo que, para acortar esta brecha, se debe de tener en cuenta la sostenibilidad económica de cada competición, y promover el incremento de los ingresos de explotación en cada uno de los deportes o competiciones, para que finalmente, se pueda llegar a un punto de equilibrio económico en cada competición, y así poder aumentar el salario mínimo profesional, para que la brecha salarial se pueda ir reduciendo.

No hay que perder de vista que al final los clubes deportivos femeninos son los que deben de costear estos sueldos y si no son capaces de generar recursos para atender los incrementos salariales, no podrán subsistir y tendrán que desaparecer, cosa que ya sucedió con algunos clubes de futbol masculino.

Para acelerar la disminución de esa diferencia salarial de mínimos, se debe de impulsar todo tipo de normativas laborales (orden legislativo), como por ejemplo el desarrollo de los derechos audiovisuales, la promoción de ayudas públicas, para que se pueda equiparar ese nivel retributivo tanto de las mujeres como de los hombres.

7. REFERENCIAS BIBLIOGRÁFICAS

ROQUETA BUJ, *La igualdad retributiva entre mujeres y hombres: registros y auditorías salariales*, Tirant lo Blanch, Valencia, 2021.

ROQUETA BUJ, *Derecho Deportivo Laboral*, Tirant lo Blanch, Valencia, 2022.

SELLÉS, "Noruega, primer país en acordar la igualdad salarial en las selecciones masculina y femenina", Iusport, 9 de octubre de 2017, https://iusport.com/art/47639/noruega-primer-pais-en-acordar-la-igualdad-salarial-en- las-selecciones-masculina-y-femenina.

"El fútbol femenino y la brecha salarial", https://www.lavanguardia.com/vida/junior-report/20200831/483072645906/brecha- salarial-futbol-femenino.html.

La negociación colectiva en el ámbito del deporte profesional

REMEDIOS ROQUETA BUJ
Catedrática de Derecho del Trabajo y de la Seguridad Social
Universidad de Valencia

1. INTRODUCCIÓN

La regulación estatal aplicable a los deportistas profesionales debe completarse con lo establecido en el convenio colectivo correspondiente. En efecto, es tan amplia la diversidad de situaciones en las distintas modalidades deportivas, que la regulación estatal no podría tener un carácter unitario si pretendiese abarcar muchos aspectos del quehacer deportivo. De aquí que el RD 1006/1985, de 26 de junio, por el que se regula la relación laboral especial de los deportistas profesionales, invoque constantemente a la negociación colectiva como fuente de integración del régimen jurídico normativo de los deportistas profesionales[1].

---

[1] En efecto, son muchos los artículos del RD que se remiten expresamente a los convenios colectivos: a) Art. 6.2, sobre el sistema de prórrogas del contrato. b) Art. 7.2, sobre la libertad de expresión. c) Art. 7.3, sobre la participación en los beneficios que se derivan de la explotación comercial de la imagen de los deportistas. d) Art. 8.2, sobre las retribuciones. e) Art. 9.2, sobre la duración de la jornada legal. f) Art. 9.3, sobre los tiempos de concentración y desplazamientos. g) Art. 10.3, sobre las vacaciones anuales. h) Art. 11.4, sobre la cesión temporal de deportistas profesionales. i) Art. 14.1, sobre la compensación por preparación y formación. j) Art. 17.1, sobre faltas y sanciones. k) Art. 18.1, sobre los derechos colectivos.

2. LOS CONVENIOS COLECTIVOS EN VIGOR EN EL ÁMBITO DEL DEPORTE PROFESIONAL

Al amparo de la legislación laboral general se han negociado las siguientes normas convencionales[2]:

1°) El Convenio colectivo para la actividad de fútbol profesional (CCFP), suscrito por la Liga Nacional de Fútbol Profesional —LNFP— y la Asociación Nacional de Futbolistas Españoles —AFE— (BOE 8-12-2015), que establece y regula las normas por las que han de regirse las condiciones de trabajo de los futbolistas profesionales que prestan sus servicios en los equipos de los clubes de fútbol o sociedades anónimas deportivas adscritos a la LNFP (art. 1), y en vigor desde el día 1 de julio de 2016 hasta el día 30 de junio de 2020 (art. 4)[3]. Sin embargo, no fue denunciado por ninguna de las partes negociadoras con al menos seis meses de antelación a la fecha de su finalización y se ha prorrogado por cuatro años. Por consiguiente, los jugadores de la Liga tienen asegurada la vigencia de su convenio colectivo hasta el 30 de junio de 2024[4].

2°) El Convenio Colectivo del Fútbol Femenino (CCFF), firmado el 18 de febrero de 2020 por la Asociación de Clubes de Fútbol Femenino (ACFF) y la AFE y Futbolistas ON, que establece y regula las normas por las que han de regirse las condiciones de trabajo de las futbolistas profesionales que prestan sus servicios en los equipos de los Clubes de Fútbol o Sociedades Anónimas Deportivas, que participen en el Campeonato Nacional de Liga de Primera División Femenina (art. 1) (BOE 15-8-2020). Este convenio colectivo comenzará su vigencia el día 1 de julio de 2019, y finalizará el día 30 de junio de 2020 (art. 4). El mismo quedará prorrogado en su totalidad por períodos sucesivos de una temporada futbolística (1 de julio a 30 de junio del año siguiente) si no fuera denunciado, por cualquiera de las partes, con al menos tres meses de antelación a la fecha de su finalización o a la de cualquiera de sus prórrogas

---

[2]   Por todos, ROQUETA BUJ, R., *Derecho Deportivo Laboral*, Tirant lo Blanch, Valencia, 2022.
      Nótese que la legitimación negocial se rige por la DA 17ª de la Ley 39/2022, de 30 de diciembre, del Deporte.

[3]   Cfr. la STSJ de Murcia de 2 de junio de 1992 (AS/3273) y la STSJ de Cataluña de 9 de junio de 2011 (Rec. 3305/2010).

[4]   Cfr. la STSJ de Galicia de 17 de febrero de 2022 (Rec. 3701/2021).

(art. 4). Y, una vez denunciado y llegada la fecha de vencimiento, el convenio colectivo estará en situación de ultraactividad por un período de un año, coincidente con la temporada siguiente a aquélla que fuera la última de vigencia de este (art. 5). Pues bien, como la AFE lo denunció el 28 de enero de 2021, el convenio colectivo se encontrará en fase de ultraactividad normativa hasta el 30 de junio de 2022.

3°) El III Convenio colectivo del baloncesto profesional ACB, adoptado por la Asociación de Clubes de Baloncesto (ACB) y la Asociación de Baloncestistas Profesionales (ABP) (BOE 17-10-2014), que regula el régimen de prestación de servicios de los jugadores que participen en las competiciones profesionales de baloncesto masculino de los clubes o SAD integrados en la ACB (art. 4), y que estuvo en vigor hasta el 30 de junio de 2017 (art. 5)[5]. Al llegar esta fecha sin alcanzarse un nuevo acuerdo, el convenio quedó prorrogado exclusivamente por un año más, finalizando su vigencia y efectos el 30 de junio de 2018 (art. 5). Pues bien, tras un largo proceso de negociación, la ACB y la ABP firmaron en el 2019 el IV Convenio Colectivo de trabajo ACB-ABP para la actividad del baloncesto profesional (en lo sucesivo, CCBP) (BOE 17-3-2021). El nuevo convenio colectivo se basa en los acuerdos alcanzados en febrero de 2018, cuando los jugadores se declararon en huelga durante la Copa del Rey. El paro finalmente no se realizó, ya que la ACB y la ABP alcanzaron un principio de acuerdo que se siguió negociando durante los meses siguientes y que finalmente se firmó el 9 de enero 2019 por Antonio Martín y Alfonso Reyes, presidentes de ambas entidades. La vigencia de este Convenio, independientemente de su fecha de publicación en el Boletín Oficial del Estado, abarcará, a todos los efectos, el periodo comprendido entre el día 1 de julio de 2018 y el 30 de junio de 2022, ambos inclusive, salvo que otra cosa se disponga en su texto para algún aspecto concreto (art. 5).

4°) El Convenio colectivo para la actividad de baloncesto profesional de la Liga Femenina organizada por la Federación Española de Baloncesto (CCBPF), suscrito por la Asociación Nacional de Baloncesto Femenino (ANBF) y por la Asociación de Jugadoras de Baloncesto

---

[5]   Cfr. la STS de 29 de abril de 2003 (Rec. 126/2002), la SAN de 10 de septiembre de 2001 (Proc. 1058/2001) y la STSJ de Castilla y León de 10 de septiembre de 2001 (Rec. 1058/2001).

(AJEB), en vigor desde el día 1 de agosto de 2007 hasta el día 30 de abril de 2008 (BOE 15-1-2008). No obstante, denunciado el convenio, se mantendrán en vigor las cláusulas normativas del mismo hasta su sustitución por un nuevo convenio, de conformidad con lo establecido en el art. 6 del mencionado convenio. Este convenio no se pudo renovar porque se disolvió la Asociación Nacional de Baloncesto Femenino.

5°) El IV Convenio colectivo del balonmano profesional (CCBMP), suscrito por la Asociación de Clubes Españoles de Balonmano (ASOBAL) y por la Asociación de Jugadores de Balonmano (AJBM), en vigor desde el día 1 de agosto de 2016 hasta el 30 de junio de 2020, salvo prórroga de este (BOE 26-1-2017). Denunciado el convenio se mantendrán en vigor las cláusulas normativas del mismo hasta su sustitución por un nuevo convenio (art. 5 CCBMP).

6°) El Convenio Colectivo para la actividad de Ciclismo Profesional (CCCP), suscrito por la Asociación de Equipos de Ciclismo Profesional (ECP) y por la Asociación de Ciclistas Profesionales (ACP), y en vigor desde el día 1 de enero de 2010 hasta el día 31 de diciembre de 2012, salvo prórroga de este (BOE 1-4-2010). Este convenio fue denunciado en octubre de 2012, pero por diferencias irreconciliables entre las partes negociadoras no ha sido posible su renegociación.

7°) El Convenio Colectivo del Fútbol Sala, firmado el 21 de septiembre de 2016 por la Asociación de Jugadores de Fútbol Sala (AJFS) y la Liga Nacional de Fútbol Sala (LNFS) —en vigor durante las temporadas 2016/2017, 2017/2018 y 2018/2019 (art. 4)— (BOE 5-4-2017). Denunciado el convenio, se mantendrán en vigor las cláusulas normativas del mismo hasta su sustitución por un nuevo convenio (art. 5).

3. LA NATURALEZA DE LOS CONVENIOS COLECTIVOS EN VIGOR EN EL ÁMBITO DEL DEPORTE PROFESIONAL

Los convenios colectivos que han sido publicados en el Boletín Oficial del Estado gozan de una presunción de ser estatutarios y, por consiguiente, estarán dotados de eficacia personal general y eficacia jurídica normativa [arts. 3.1.b) y 82.3 Real Decreto Legislativo 2/2015, de 23 de octubre, por el que se aprueba el texto refundido de la Ley del Estatuto de los Trabajadores (ET)].

La eficacia normativa de estos convenios significa la atribución, entre otros, de los siguientes principios:

a) El principio de automaticidad, de suerte que su contenido se aplica directa e inmediatamente sobre las relaciones individuales de trabajo incluidas en su ámbito de aplicación, sin requerir, por tanto, de la incorporación de su contenido en los respectivos contratos de trabajo.

b) El principio de imperatividad, es decir, la prevalencia de la autonomía colectiva manifestada en el convenio colectivo sobre la autonomía individual y, especialmente, sobre las facultades unilaterales del empresario. El efecto imperativo, a su vez, se concreta en los principios de inderogabilidad e indisponibilidad, que se recogen expresamente en el art. 3 del ET, en virtud de los cuales serán nulos los contratos individuales de trabajo contrarios o peyorativos de lo estipulado en el convenio colectivo y los actos de disposición o de renuncia por parte de los deportistas profesionales de los derechos en él reconocidos[6]. A este respecto, hay que tener en cuenta que el art. 3.5 del ET establece que *"los trabajadores no podrán disponer válidamente, antes o después de su adquisición, de los derechos que tengan reconocidos por disposiciones legales de derecho necesario"* y que *"tampoco podrán disponer válidamente de los derechos reconocidos como indisponibles por convenio colectivo".*

Por último, se pueden realizar las siguientes consideraciones en cuanto a la vigencia de las normas convencionales antes reseñadas:

1°) Las personas deportistas profesionales, como regla general, cuentan con un convenio colectivo en vigor o en régimen de ultraactividad normativa, no existiendo, por tanto, los riesgos inherentes a un vacío normativo convencional. Con todo, y salvo que el propio convenio lo permita, en principio, no cabe actualizar las retribuciones con arreglo a un convenio colectivo en fase de ultraactividad[7].

2°) El vacío normativo convencional puede haberse producido en el ámbito del ciclismo profesional. En cualquier caso, en virtud de la doctrina jurisprudencial dictada en relación con el art. 86.3 del ET,

---

[6]   Por todas, la STSJ de Andalucía de 12 de diciembre de 1997.

[7]   Por todas, las SSTS de 8 de noviembre de 2016 (Rec. 102/2016) y 17 de septiembre de 2019 (Recud. 1524/2017).

en su versión anterior a la Reforma Laboral, en caso de desacuerdo de las partes para revisar el convenio anterior, se mantendrá la aplicación de determinadas condiciones del convenio colectivo con carácter contractual[8]. Esas condiciones contractuales, carentes ya de ese sostén normativo del mínimo convencional, podrán ser modificadas, en su caso, por la vía del art. 41 del ET. De este modo, se salvaguarda el justo equilibrio entre los intereses de los clubes o entidades deportivas, por un lado, y los de los deportistas profesionales, por otro.

3º) En cualquier caso, en virtud del art. 86.3 del ET, en la nueva redacción dada por el Real Decreto-ley 32/2021, de 28 de diciembre, de medidas urgentes para la reforma laboral, la garantía de la estabilidad en el empleo y la transformación del mercado de trabajo, si no se logra un nuevo convenio y tampoco se solventan las diferencias en mediación o arbitraje, se mantiene la vigencia del convenio colectivo *sine díe*. Además, la DT 7ª del Real Decreto-ley 32/2021 determina que *"los convenios colectivos denunciados a la fecha de entrada en vigor de este real decreto-ley, y en tanto no se adopte un nuevo convenio, mantendrán su vigencia en los términos establecidos en el artículo 86.3 del Estatuto de los Trabajadores en la redacción dada por el presente real decreto-ley"*. Lo que significa que el nuevo régimen de la ultraactividad de los convenios colectivos posee un carácter retroactivo, siendo de aplicación a aquellos convenios colectivos, como el CCCP y el CCFF, denunciados con anterioridad al 31 de diciembre de 2021.

4. LA MODIFICACIÓN DE LOS CONVENIOS COLECTIVOS

En cuanto a la modificación de las normas convencionales, debe distinguirse según éstas se encuentren denunciadas y vencidas o en vigor.

4.1 La modificación de los convenios colectivos denunciados y vencidos

Una vez termina la vigencia de los convenios colectivos, lo normal es que éstos vengan seguidos por otros que las partes han negociado. Puede

---

[8]   SSTS de 22 de diciembre de 2014 (Recud. 264/2014), 18 de mayo de 2016 (Recud. 100/2015), 20 de diciembre de 2016, Recud. 217/2015) y 25 de julio de 2018 (Recud. 3584/2016).

suceder, sin embargo, que las negociaciones se encallen, máxime en el contexto actual. Si no se alcanza un acuerdo en el seno de la comisión negociadora, el banco económico no puede imponer unilateralmente su voluntad a la representación sindical. En estas circunstancias, la parte del convenio colectivo que aborde dichas condiciones de trabajo se mantendrá en vigor en los términos previstos en el art. 86.3 del ET.

4.2 *La modificación de los convenios colectivos en vigor*

En principio, la modificación de los convenios colectivos en vigor en las diferentes modalidades deportivas debe realizarse de común acuerdo por las partes que ostenten legitimación negocial para proceder a la negociación de estos[9]. Es más, como señala la Sala de lo Social del Tribunal Supremo, en su sentencia de 28 de septiembre de 2011 (Rec. 25/2011), la cláusula "rebus sic stantibus" no se puede aplicar *"cuando las obligaciones han sido pactadas en Convenio Colectivo, pues tal institución es impredicable de las normas jurídicas y el pacto colectivo tiene eficacia normativa ex art. 37 CE"*, de suerte que nunca alcanzaría a justificar la supresión o modificación de este por unilateral voluntad de la empresa[10]. Lo que obliga a ésta última a tener que seguir negociando dicha supresión o modificación si pretende llevarla a buen puerto, pues no puede imponerla unilateralmente, aunque puedan existir fundadas razones para ello[11].

---

[9]   Cfr. STS de 3 de abril de 1995 (Rec. 8961/1991). Y, de ahí, como AFE se niega a iniciar el proceso de revisión del CCFP en vigor propuesto por el Presidente de la Liga en fecha 3-9-2018, dicha negativa fundada en causa legal ha de hacer que devenga nula la constitución de la Comisión negociadora formada por la LNFP y el Sindicato Futbolistas ON —sindicato que goza de una importante afiliación en el ámbito de las personas que se dedican al futbol de forma profesional, pero sin que conste su implantación específica en los Clubs y SADs a los que se aplica el convenio colectivo de referencia— [SAN de 26 de diciembre de 2018 (Proc. 308/2018)].

[10]   Por todas, la STS (Sala de lo Social) de 15 de abril de 2011 (Rec. 53/2010).

[11]   SAN de 28 de noviembre de 2012 (Proc. 205/2012); y SSTSJ de Andalucía de 14 de septiembre de 2001 (Rec. 1818/2001) y de las Islas Canarias de 4 de mayo de 2006 (Rec. 1273/2005).

        Por lo demás, la modificación anticipada del convenio colectivo sectorial podrá realizarse de común acuerdo entre las partes negociadoras, y en este caso, del lado de los deportistas profesionales, entrarán en el mutuo disenso las organizaciones sindicales que lo hubieran firmado y tengan legitimación para negociar en el correspondiente ámbito sectorial. Por ello, la legítima negativa de la AFE a revisar el

No obstante lo anterior, el ET, con el fin de dotar a las empresas y organizaciones de trabajo de mayor flexibilidad interna o autonomía en la gestión de los recursos humanos, prevé dos instrumentos.

Por un lado, establece la prioridad aplicativa del convenio de empresa respecto del convenio sectorial (estatal, autonómico o de ámbito inferior) en relación con determinadas materias (art. 84.2 ET). Por otro lado, permite la modificación de las disposiciones de los convenios colectivos estatutarios por acuerdos de empresa en determinados ámbitos materiales (art. 82.3 ET).

En ambos supuestos, nos encontramos ante una norma especial de concurrencia de regulaciones colectivas, que otorga a los convenios o acuerdos de empresa preferencia aplicativa sobre los convenios de sector. Sin embargo, dichos instrumentos no son equiparables ni en sus exigencias ni en sus procedimientos.

Los convenios colectivos de empresa no exigen condiciones de justificación especiales, sólo pueden ser negociados por los sujetos con legitimación negocial (los representantes legales de los trabajadores) y, además, deben cumplir una serie rigurosa de requisitos y trámites, desde la constitución de la mesa negociadora mediante las formalidades que ordena el art. 89.1 del ET, y con estricto acatamiento a los mandatos de los arts. 87 y 88, hasta la publicación del convenio en el Boletín Oficial correspondiente como impone el art. 90.3, pasando entre aquel inicio y este final por todos los hitos y trámites que prevén los restantes números de los arts. 88, 89 y 90. En cambio, los acuerdos de empresa requieren la concurrencia de alguna causa económica, técnica, organizativa o de producción; en ausencia de re-

---

CCFP en vigor ha de hacer que devenga nula la constitución de la comisión negociadora para la modificación de dicho convenio colectivo, formada por la LNFP y el Sindicato Futbolistas ON [SAN de 26 de diciembre de 2018 (Proc. 308/2018)]. Según el relato de los hechos probados de la SAN de 16 de julio de 2018 (Proc. 109/2018), este último es un sindicato de futbolistas de ámbito estatal, que representa a futbolistas profesionales de todas las categorías oficiales. A 31 de mayo de 2018 cuenta con 2128 afiliados en situación de alta y al corriente del pago de sus cuotas. En cuanto a la situación profesional, del total de afiliados referido, 2096 afiliados son futbolistas profesionales en activo pertenecientes a alguna de las categorías del fútbol profesional español, 29 son futbolistas retirados y 3 son otros profesionales del fútbol. Sin embargo, a la vista de estos datos ni siquiera se puede colegir el número de futbolistas profesionales afiliados a esta organización sindical en cada una de las categorías del campeonato nacional de Fútbol antes reseñadas [Cfr. SAN de 26 de diciembre de 2018 (Proc. 308/2018)].

presentación legal de los trabajadores en la empresa, podrán ser negociados bien por una comisión de un máximo de tres miembros integrada por trabajadores de la propia empresa bien por una comisión de igual número de miembros designada, según su representatividad, por los sindicatos más representativos y representativos del sector al que pertenezca la empresa y que estuvieran legitimados para formar parte de la comisión negociadora del convenio colectivo de aplicación a la misma; su negociación no requiere el cumplimiento de las formalidades previstas para los convenios colectivos estatutarios; y, en fin, frente a las situaciones de bloqueo en los procesos de consultas, tras la posible intervención de la comisión del convenio o de su resolución a través de los procedimientos de mediación o arbitraje, se ha introducido una última instancia que posibilita su solución por la Comisión Consultiva Nacional de Convenios Colectivos, directamente o a través de un proceso de arbitraje que decidirá ésta última, designando al árbitro, cuya decisión tendrá la misma eficacia que los acuerdos alcanzados en el período de consultas.

De esta forma, los convenios sectoriales de ámbito nacional en vigor en las diferentes modalidades deportivas, que no pueden disponer de la prioridad aplicativa prevista en el art. 84.2 del ET a favor de los convenios de empresa (art. 84.2 ET), quedan expuestos al saqueo normativo de los convenios colectivos de empresa (art. 84.2 ET). Y lo están con independencia de lo que digan los acuerdos interprofesionales y convenios colectivos a que se refiere el art. 83.2 del ET, que *"no podrán disponer de la prioridad aplicativa prevista en este apartado"* (art. 84.2 ET). Pero, como la ordenación convencional de las condiciones de trabajo de los deportistas profesionales está muy condicionada por el carácter estatal de las competiciones oficiales, no es previsible la negociación *ex novo* de convenios colectivos de empresa.

5. LA ULTRAACTIVIDAD NORMATIVA DE LOS CONVENIOS COLECTIVOS DENUNCIADOS Y VENCIDOS

Una vez termina la vigencia de los convenios colectivos, lo normal es que éstos vengan seguidos por otros que las partes han negociado. Puede suceder, sin embargo, que las negociaciones se encallen, máxime en el contexto actual. Si no se alcanza un acuerdo en el seno de la comisión negociadora, el club o entidad deportiva no puede imponer unilateralmente su voluntad a la representación sindical.

En estas circunstancias, la parte del convenio colectivo que abordase dichas condiciones de trabajo se mantenía en vigor en los términos previstos en el art. 86.3 del ET, que limitaba la duración de la ultraactividad normativa del convenio colectivo a un año a contar desde su denuncia, aplicándose en su caso, si lo hubiere, el convenio colectivo de ámbito superior que fuera de aplicación y, en caso contrario, la normativa legal general. En todo caso, el art. 86.3 del ET establecía un régimen de ultraactividad limitada sólo en defecto de pacto. En efecto, el legislador otorgaba preeminencia a la autonomía colectiva, al remitir a *"los términos que se hubiesen establecido en el propio convenio"* en cuanto a su vigencia *"una vez denunciado y concluida la duración pactada"*, y al mencionar el *"pacto en contrario"* que impedía que entrase en juego la regla legal subsidiaria. Pacto que no se adjetivaba de ninguna manera, tampoco en función del momento de su conclusión, lo que llevaba a defender que las cláusulas de ultraactividad pactadas antes de la reforma de 2012 eran válidas en sus propios términos, sin ningún cuestionamiento ni afectación de la nueva ley, que no imponía su nulidad sobrevenida[12].

Pues bien, algunos convenios colectivos negociados en el ámbito del deporte profesional prevén la vigencia prorrogada de gran parte de sus cláusulas normativas tras su denuncia.

Así sucede con los siguientes convenios colectivos:

1º) El CCBPF, en vigor desde el día 1 de agosto de 2007 hasta el día 30 de abril de 2008 (BOE 15-1-2008). No obstante, denunciado el convenio, se mantendrán en vigor las cláusulas normativas del mismo hasta su sustitución por un nuevo convenio, de conformidad con lo establecido en el art. 6 del mencionado convenio. Este convenio no se pudo renovar porque se disolvió la Asociación Nacional de Baloncesto Femenino.

2º) El IV CCBMP, en vigor desde el día 1 de agosto de 2016 hasta el 30 de junio de 2020, salvo prórroga de este (BOE 26-1-2017). Denunciado el convenio se mantendrán en vigor las cláusulas normativas del mismo hasta su sustitución por un nuevo convenio (art. 5 CCBMP).

3º) El Convenio Colectivo del Fútbol Sala, en vigor durante las temporadas 2016/2017, 2017/2018 y 2018/2019 (art. 4) (BOE 5-4-2017). De-

---

[12] Por todas, las SSTS de 17 de marzo de 2015 (Rec. 233/2013), 26 de abril de 2016 (Recud. 2102/2014), 22 de junio de 2016 (Rec. 185/2015) y 7 de febrero de 2018 (Rec. 53/2017).

nunciado el convenio, se mantendrán vigentes las cláusulas normativas del mismo hasta su sustitución por un nuevo convenio (art. 5).

4°) El CCFF, en vigor desde el 1 de julio de 2019 hasta el 30 de junio de 2020 (art. 4) (BOE 15-8-2020). Este convenio quedará prorrogado en su totalidad por períodos sucesivos de una temporada futbolística (1 de julio a 30 de junio del año siguiente) si no fuera denunciado, por cualquiera de las partes, con al menos tres meses de antelación a la fecha de su finalización o a la de cualquiera de sus prórrogas (art. 4). Y, una vez denunciado y llegada la fecha de vencimiento, el convenio colectivo estará en situación de ultraactividad por un período de un año, coincidente con la temporada siguiente a aquélla que fuera la última de vigencia de este (art. 5). Y así, como la AFE lo denunció el 28 de enero de 2021, el convenio colectivo se encontrará en fase de ultraactividad normativa hasta el 30 de junio de 2022.

El resto de los convenios colectivos, en cambio, no dicen nada a este respecto. Este es el caso de las siguientes normas convencionales:

1°) El CCFP se encontraba en vigor vigente desde el día 1 de julio de 2016 hasta el día 30 de junio de 2020 (art. 4) (BOE 8-12-2015)[13]. Pero, como no fue denunciado por ninguna de las partes negociadoras con al menos seis meses de antelación a la fecha de su finalización, se ha prorrogado por cuatro años (art. 5)[14]. Por consiguiente, los jugadores de la Liga tienen asegurada la vigencia de su convenio colectivo hasta el 30 de junio de 2024.

2°) El IV CCBP, en vigor desde el día 1 de julio de 2018 al junio de 2022 (art. 5) (BOE 17-3-2021).

3°) El CCCP, vigente desde el día 1 de enero de 2010 hasta el día 31 de diciembre de 2012, salvo prórroga de este (BOE 1-4-2010). Este convenio fue denunciado en octubre de 2012, pero por diferencias irreconciliables entre las partes negociadoras no ha sido posible su renegociación.

A la vista de lo expuesto, se pueden realizar las siguientes consideraciones:

---

[13] Como pone de manifiesto la SAN de 26 de diciembre de 2018 (Proc. 308/2018), el Sindicato Futbolistas ON carece de legitimación para revisar el CCFP que se encuentra en vigor y todavía no ha sido denunciado.

[14] Cfr. la STSJ de Galicia de 17 de febrero de 2022 (Rec. 3701/2021).

1º) Las personas deportistas profesionales, como regla general, cuentan con un convenio colectivo en vigor o en régimen de ultraactividad normativa, no existiendo, por tanto, los riesgos inherentes a un vacío normativo convencional. Con todo, y salvo que el propio convenio lo permita, en principio, no cabe actualizar las retribuciones con arreglo a un convenio colectivo que se encuentra en fase de ultraactividad[15].

2º) El vacío normativo convencional puede haberse producido en el ámbito del ciclismo profesional. En cualquier caso, en virtud de la doctrina jurisprudencial dictada en relación con el art. 86.3 del ET, en su versión anterior a la Reforma Laboral de 2021, cuando hubiese transcurrido un año desde la denuncia del convenio colectivo sin que se hubiera acordado un nuevo convenio, se mantenía la aplicación de determinadas condiciones del convenio colectivo con carácter contractual[16]. Esas condiciones contractuales, carentes ya del sostén normativo del mínimo convencional, podían ser modificadas, en su caso, por la vía del art. 41 del ET. De este modo, se salvaguardaba en parte el equilibrio entre los intereses de los clubes o entidades deportivas, por un lado, y los de los deportistas profesionales, por otro.

El tenor literal de los apartados 3 y 4 del nuevo art. 86 del ET es el siguiente:

"3. La vigencia de un convenio colectivo, una vez denunciado y concluida la duración pactada, se producirá en los términos que se hubiesen establecido en el propio convenio.

Durante las negociaciones para la renovación de un convenio colectivo, en defecto de pacto, se mantendrá su vigencia, si bien las cláusulas convencionales por las que se hubiera renunciado a la huelga durante la vigencia de un convenio decaerán a partir de su denuncia. Las partes podrán adoptar acuerdos parciales para la modificación de alguno o algunos de sus contenidos prorrogados con el fin de adaptarlos a las condiciones en las que, tras la terminación de la vigencia pactada, se desarrolle la actividad en el sector o en la empresa. Estos acuerdos tendrán la vigencia que las partes determinen.

---

[15]   Por todas, las SSTS de 8 de noviembre de 2016 (Rec. 102/2016) y 17 de septiembre de 2019 (Recud. 1524/2017).

[16]   SSTS de 22 de diciembre de 2014 (Recud. 264/2014), 18 de mayo de 2016 (Recud. 100/2015), 20 de diciembre de 2016, Recud. 217/2015) y 25 de julio de 2018 (Recud. 3584/2016). Cfr. la STS de 14 de febrero de 2019 (Recud. 3253/2017).

4. Transcurrido un año desde la denuncia del convenio colectivo sin que se haya acordado un nuevo convenio, las partes deberán someterse a los procedimientos de mediación regulados en los acuerdos interprofesionales de ámbito estatal o autonómico previstos en el artículo 83, para solventar de manera efectiva las discrepancias existentes.

Asimismo, siempre que exista pacto expreso, previo o coetáneo, las partes se someterán a los procedimientos de arbitraje regulados por dichos acuerdos interprofesionales, en cuyo caso el laudo arbitral tendrá la misma eficacia jurídica que los convenios colectivos y solo será recurrible conforme al procedimiento y en base a los motivos establecidos en el artículo 91.

Sin perjuicio del desarrollo y solución final de los citados procedimientos de mediación y arbitraje, en defecto de pacto, cuando hubiere transcurrido el proceso de negociación sin alcanzarse un acuerdo, se mantendrá la vigencia del convenio colectivo".

De este modo, cabe subrayar los siguiente:

1º) Se mantiene el carácter dispositivo de la regulación legal, admitiendo el pacto en contrario en los mismos términos que antes: *"La vigencia de un convenio colectivo, una vez denunciado y concluida la duración pactada, se producirá en los términos que se hubiesen establecido en el propio convenio"* (art. 86.3 del ET).

2º) Una vez transcurrido un año desde la denuncia del convenio colectivo sin que se haya acordado un nuevo convenio, la ley obliga a someterse a la mediación o al arbitraje previstos en los acuerdos interprofesionales de ámbito estatal o autonómico contemplados en el art. 83 del ET, si bien este último tenga siempre carácter voluntario (*"siempre que exista pacto expreso, previo o coetáneo"*). Al amparo del art. 83.3 del ET y, por tanto, como acuerdos interprofesionales sobre materias concretas, han aparecido una serie de acuerdos que regulan procedimientos extrajudiciales de solución de los conflictos laborales a los que resulta aplicable el nuevo marco legal diseñado en el art. 91 del ET y normas concordantes de la Ley 36/2011, de 10 de octubre, reguladora de la jurisdicción social (LJS). Se trata del VI Acuerdo sobre Solución Autónoma de Conflictos Laborales (ASEC) (BOE 23-12-2020) y de los Acuerdos Interconfederales sobre procedimientos voluntarios de resolución de conflictos colectivos de trabajo de ámbito autonómico. Pues bien, a este respecto debe tenerse en cuenta que, según la articulación existente entre el ASEC y los acuerdos autonómicos, los conflictos de ámbito superior a una Comunidad Autónoma deben solucionarse por el ASEC y los de ámbito autonómico o inferior por los procedimientos que en el ámbito autonómico se instauren. De acuerdo con ello, y teniendo en cuenta que en la esfera del deporte profesional los conflictos colectivos en torno a la renegociación de los convenios colectivos denunciados y vencidos son de ámbito estatal, habrá que estar a lo dispuesto en el ASEC. Pues bien, éste tiene naturaleza de convenio colectivo estatutario (art. 3.1) y, además, es *"de aplicación general y directa"* (art. 3.2)[17].

3°) Si no se logra un nuevo convenio y tampoco se solventan las diferencias en mediación o arbitraje, se mantiene la vigencia del convenio colectivo *sine díe*.

Por último, el cambio operado en el art. 86 del ET entró en vigor el 31 de diciembre de 2021 (DF 8ª 1 Real Decreto-ley 32/2021). Sin embargo, la DT 7ª del Real Decreto-ley 32/2021 determina que *"los convenios colectivos denunciados a la fecha de entrada en vigor de este real decreto-ley, y en tanto no se adopte un nuevo convenio, mantendrán su vigencia en los términos establecidos en el artículo 86.3 del Estatuto de los Trabajadores en la redacción dada por el presente real decreto-ley"*. Lo que significa que el nuevo régimen de la ultraactividad de los convenios colectivos posee un carácter retroactivo, siendo de aplicación a aquellos convenios colectivos, como el CCCP y el CCFF, denunciados con anterioridad al 31 de diciembre de 2021.

---

[17]   Para la solución de los conflictos laborales que pudieran surgir las partes se adhieren al V Acuerdo sobre Solución Autónoma de Conflictos Laborales que fue suscrito con fecha 7 de febrero de 2012 o texto posterior que lo sustituya (arts. 6 CCFF).

DERECHO INTERNACIONAL Y COMPARADO

COORD. CARMEN PÉREZ GONZÁLEZ

La red iberoamericana mujer y deporte

ÉLIDA ALFARO GANDARILLAS

Coordinadora de la Red Iberoamericana Mujer y Deporte (REDIMYD) y Presidenta
Seminario Mujer y Deporte-INEF de la Universidad Politécnica de Madrid

SUMARIO: 1. INTRODUCCIÓN. 2. ORIGEN Y CONSTITUCIÓN DE LA REDIMYD. 3. FINES Y OBJETIVOS DE LA REDIMYD. 4. EVOLUCIÓN Y DESARROLLO. 4.1 Organización y consolidación. 4.2 Actividades realizadas. 4.3 Relación con otros organismos nacionales e internacionales. 5. SITUACIÓN ACTUAL. 5.1 Proyectos. 5.2 Colaboraciones. 6. INTERÉS SOCIO-POLÍTICO DE LA REDIMYD. 6.1 Avances y logros. 6.2 Dificultades encontradas. 6. REFERENCIAS BIBLIOGRÁFICAS.

1. INTRODUCCIÓN

Las organizaciones internacionales constituyen una valiosa herramienta para ayudar a los países miembros y otras partes interesadas a elaborar objetivos comunes y a establecer mecanismos de ejecución en los ámbitos de su competencia y sirven como cooperación mutua para mantener la cohesión política, social y profesional en torno a un interés común.

Sus actuaciones están sujetas al derecho público internacional, con personalidad jurídica y plena capacidad de obrar, formada por acuerdo de distintos Estados para tratar aspectos que les son comunes. Las Organizaciones Internacionales constituyen para los gobiernos el mecanismo para la celebración de consultas a corto y largo plazo, mediante instrumentos de estudio y comunicación que les permitirán resolver los asuntos en los que se interesan.

En el ámbito deportivo, la situación de las mujeres arrastra años de desigualdades y discriminación que se materializa en barreras educativas, biológicas, deportivas y culturales que todavía persisten y siguen instaladas en las organizaciones que rigen el deporte y en los comportamientos y actitudes de las personas que en el actúan. Sus manifestaciones se hacen sentir en mayor o menor medida en todos los países y tienen relación con aspectos socio-políticos y económicos que en muchos casos son comunes a áreas geográficas determinadas y que, por lo general, comparten una misma cultura.

En este marco de situaciones es en el que se sitúa la organización internacional Red Iberoamericana Mujer y Deporte, constituida en el marco del Consejo Iberoamericano del Deporte y que, como su denominación indica, está interesada globalmente en mejorar la situación de la población femenina, particularmente en cuanto a su relación y participación en el ámbito deportivo y en el contexto geográfico de la región iberoamericana.

En el texto que sigue a continuación, se pretende mostrar cuáles son los fines y objetivos de la REDIMYD, así como su ubicación gubernamental, evolución y desarrollo, para finalizar describiendo los intereses y proyectos que viene realizando y los que, de manera más reciente, ocupan sus actuaciones en estos momentos.

2. ORIGEN Y CONSTITUCIÓN DE LA REDIMYD

La REDIMYD debe su origen al interés del Consejo Superior de Deportes de España por acercarse a la problemática existente en el ámbito iberoamericano en relación con la participación de las mujeres en el deporte y en incluir en sus políticas internacionales con los países iberoamericanos la perspectiva de género, no sólo en los apoyos que ya venía dando a las deportistas, sino, también, intercambiando las experiencias que en España se estaban aplicando para mejorar la relación de la población femenina con el deporte, así como conocer las situaciones concretas sobre las desigualdades y discriminación existentes en los diferentes países de la región, con el fin de encontrar políticas efectivas que propicien los cambios necesarios para conseguir una igualdad de oportunidades entre mujeres y hombres en todos los ámbitos y niveles del deporte.

Un primer acercamiento a esta temática de forma específica se produce en 2007, en el I Seminario sobre Mujer y Deporte celebrado en la ciudad de Antigua (Guatemala), organizado por el Consejo Superior de Deportes de España en colaboración con la Agencia Española de Cooperación Internacional y para el Desarrollo (AECID), y cuyo Programa[1] atiende la problemática que tienen las mujeres en su relación con el deporte, la actividad física y la educación física en el área geográfica iberoamericana.

---

[1] Programa I Seminario Mujer y Deporte (Antigua, Guatemala, 2007). Se puede consultar en: http://www.coniberodeporte.org/pt/documentacion-pt/mujer-y-deporte/la-antigua-guatemala/300-programa-6/file

Con la organización de un II Seminario en el Centro de Formación que la Agencia Española para la Cooperación Internacional para el Desarrollo (AECID) tiene en la ciudad de Santa Cruz de la Sierra (Bolivia), con un Programa[2] más específico en el que se incluyen ponencias relacionadas con las estructura deportiva de los países y la necesidad de establecer programas para las mujeres, las barreras con las que se encuentra la población femenina y estrategias coeducativas para el tratamiento igualitario de niños y niñas en la educación física.

Es en este II Seminario cuando se establecen los primeros compromisos efectivos entre los países participantes con la redacción de unas Conclusiones[3] que ponen de manifiesto las intenciones e intereses de los países de la región en relación con las mujeres y el deporte. Participan 22 personas: 3 expertas en el tema Mujer y Deporte y una técnica de la Subdirección de Acontecimientos Internacionales del Consejo Superior de Deportes de España y 18 especialistas de los países Iberoamericanos (Bolivia, Chile, Cuba, Ecuador, El Salvador, Haití, México, Panamá, Paraguay y Uruguay), en total 13 mujeres y 9 hombres. Se organiza un Taller[4] para conocer las barreras y las realidades existentes en cada país y se elabora una Guía de Buenas Prácticas[5] que sirva inicialmente como hoja de ruta para futuras actuaciones.

Para dar continuidad a estos intereses y planteamientos, en el año 2009, el Consejo Superior de Deportes, nuevamente con la colaboración de la Agencia Española de Cooperación Internacional (AECID), organiza en Cartagena de Indias el III Seminario Mujer y Deporte en el que reúne a

---

[2] Programa II Seminario Mujer y Deporte (Sta. Cruz de la Sierra, Bolivia, 2008). Se puede consultar en: http://www.coniberodeporte.org/pt/documentacion-pt/mujer-y-deporte/santa-cruz-de-la-sierra-bolivia/296-programa-del-seminario-3/file

[3] Conclusiones II Seminario Mujer y Deporte (2008). Se puede consultar en: http://www.coniberodeporte.org/pt/documentacion-pt/mujer-y-deporte/santa-cruz-de-la-sierra-bolivia/298-conclusiones-ii-seminario/file

[4] Conclusiones del Taller Barrera e intervenciones en los países iberoamericanos (2008). Se puede consultar en: http://www.coniberodeporte.org/pt/documentacion-pt/mujer-y-deporte/santa-cruz-de-la-sierra-bolivia/297-conclusiones-taller/file

[5] GUÍA DE BUENAS PRÁCTICAS (2008). Se puede consultar en: http://www.coniberodeporte.org/pt/documentacion-pt/mujer-y-deporte/santa-cruz-de-la-sierra-bolivia/299-guia-de-buenas-practicas-1/file

representantes gubernamentales de diferentes países iberoamericanos, así como un elenco significativo de observadores/as.

En el desarrollo del mismo se aborda un variado programa[6] que analiza tanto aspectos jurídicos, como políticas públicas y experiencias nacionales relacionadas con la organización y participación de las mujeres en los distintos ámbitos y niveles del deporte. La Conclusiones[7] recogen los acuerdos tomados y se resaltan las buenas prácticas que se han implementado para mejorar la participación de las mujeres en el ámbito deportivo. Además, se redacta la Declaración de Cartagena de Indias[8], que recoge las consideraciones y compromisos que son adoptados por los estados participantes y será elevada al Consejo Iberoamericano del Deporte (CID) en la Asamblea que tendrá lugar los días 19 y 20 de marzo en Panamá y con cuya ratificación quedará constituida la Red Iberoamericana de Mujer y Deporte. Así mismo, se redacta un acta de constitución para tal ocasión y se revisa y amplia la Guía de Buenas Prácticas[9] elaborada en el Seminario Iberoamericano de Mujer y Deporte de Bolivia 2008. Por último, se redacta el Primer Plan de Acción de la Red Iberoamericana Mujer y Deporte[10], en el que se recoge incluir en las políticas nacionales planes específicos de equidad de género, el diseño de un plan de competencias de equidad de género en cada país relativo al ámbito del deporte cuyos objetivos coincidan con los intereses de la Red, la elaboración de un modelo consensuado de indicadores en el ámbito de la actividad física, el deporte y la recreación con perspectiva de género que permita a cada país evaluar su progreso y reorientar sus políticas específicas, la creación en cada país de un grupo de trabajo que incluya todos los niveles de responsabilidad y la elaboración

---

[6]   Programa III Seminario Mujer y Deporte (2009). Se puede consultar en: http://www.csd.gob.es/sites/default/files/media/files/2018-10/programa_definitivo_iii_seminario.pdf

[7]   Conclusiones III Seminario Iberoamericano Mujer y Deporte (2009). Se puede consultar en: http://www.coniberodeporte.org/pt/documentacion-pt/mujer-y-deporte/cartagena-de-indias-colombia-1/293-conclusiones-iii-seminario/file

[8]   Declaración de Cartagena de Indias (2009). Se puede consultar en: http://www.csd.gob.es/sites/default/files/media/files/2018-10/declaracion-de-cartagena.pdf

[9]   Guía de Buenas Prácticas sobre mujer y deporte (2008). Se puede consultar en: http://www.coniberodeporte.org/pt/documentacion-pt/mujer-y-deporte/cartagena-de-indias-colombia-1/292-guia-de-buenas-practicas/file

[10] Plan de Acción Red Iberoamericana Mujer y Deporte (2009). Se puede consultar en: http://www.csd.gob.es/sites/default/files/media/files/2018-10/plan_de_accion_red_iberoamericana_mujer_y_deporte_2009.pdf

de un sistema para el seguimiento del plan de acción y evaluación permanente de la eficiencia, eficacia e impacto social de las acciones y programas realizados.

Finalmente, el Consejo Iberoamericano del Deporte aprueba la Constitución de la Red Iberoamericana Mujer y Deporte[11] en la XV Asamblea General del Consejo Iberoamericano del Deporte (CID), celebrada en Panamá los días 19 y 20 de marzo de 2009, con representación de los organismos gubernamentales del Deporte, la Actividad Física y la Recreación de los Estados de Argentina, Bolivia, Brasil, Colombia, Costa Rica, Chile, Cuba, Ecuador, El Salvador, España, Guatemala, Honduras, México, Nicaragua, Panamá, Paraguay, Perú, Portugal, República Dominicana, Uruguay y Venezuela, en calidad de miembros, y Andorra, Haití y Puerto Rico como países invitados. Además, en el Acta de Constitución de la Red, se definen las funciones inherentes a la misma, los órganos de administración y dirección de la Red: la Asamblea General, el Consejo Directivo y la Secretaría Técnica. Acuerdos que quedan recogidos en el punto 8 de la Declaración de Panamá[12]

La I Asamblea General de la Red Iberoamericana Mujer y Deporte, se celebra en la ciudad de Caracas (Venezuela) el 29 y el 30 de octubre de 2009 y en ella se aprobaron definitivamente los Estatutos, así como su próximo Plan de Acción. Igualmente, se decide que la Secretaría Técnica de la Red la asuma el Consejo Superior de Deportes de España.

3. FINES Y OBJETIVOS DE LA REDIMYD

La RED IBEROAMERICANA MUJER Y DEPORTE es un órgano internacional gubernamental, dependiente del Consejo Iberoamericano del Deporte, y un espacio articulado de diálogo, intercambio de experiencias, análisis, incidencia e integración, para la promoción y puesta en marcha de políticas públicas con perspectiva de género que posibiliten la equidad entre mujeres y hombres y promuevan el avance de las mujeres en todos

---

[11]   Acta de Constitución de la Red Iberoamericana Mujer y Deporte. se puede consultar en: http://www.csd.gob.es/sites/default/files/media/files/2018-10/acta-constitucion-red-myd2.pdf

[12]   DECLARACIÓN DE PANAMÁ (2009). Se puede consultar en http://www.csd.gob.es/sites/default/files/media/files/2018-10/declaracion_panama.pdf

los ámbitos y niveles del Deporte, la Actividad Física y la Recreación de los países iberoamericanos.

Su organización y actuaciones se fundamentan en el marco normativo del desarrollo sostenible y en los principales instrumentos normativos internacionales:

– La Carta Internacional de la educación física, la actividad física y el deporte (UNESCO 1978), así como el compromiso de los países para su logro efectivo.

– La Declaración de Brighton Más Helsinki 2014.

– La Declaración y Plataforma de Acción de Beijing (Beijing+5) (2015)

– El Plan de acción de Kazán (UNESCO, MINEPS VI, 2017).

– La Agenda 2030 y los objetivos de desarrollo (ODS 5).

– El Plan de Acción Mundial sobre Actividad Física 2018-2030 (OPS, OMS, 2018)

– Fit for Life (UNESCO 2021).

Los objetivos que orientan la REDIMYD se sintetizan en los siguientes:

• Recomendar la creación de políticas que incrementen la participación de las mujeres en todos los ámbitos y niveles del deporte en conexión con los Objetivos de Desarrollo Sostenible y particularmente con el ODS 5 de la Agenda 2030.

• Asesorar a las administraciones y organismos deportivos sobre la aplicación de la igualdad de oportunidades entre mujeres y hombres en los distintos niveles y ámbitos del deporte.

• Realizar alianzas, convenios y acuerdos con organismos nacionales e internacionales públicos y privados interesados en sus mismos fines.

• Proyectar y realizar estudios para la identificación de necesidades en los países de la región iberoamericana.

• Establecer indicadores comunes para la región que permitan trabajar de forma coordinada y colaborativa con organismos e instituciones públicas y privadas tanto nacionales como internacionales.

• Realizar actividades informativas y formativas para los países de la región.

Para el desarrollo de estos objetivos la REDIMYD tiene establecidas las siguientes funciones:

➢ Incidir en la incorporación de la perspectiva de género en los órganos gubernamentales nacionales, responsables de las políticas públicas y presupuestos estatales referentes al deporte, la actividad física y la recreación.

➢ Definir prioridades y estrategias que contribuyan a fortalecer el deporte, la actividad física y la recreación en las mujeres de los países Iberoamericanos y den cumplimiento de los convenios y tratados internacionales suscritos por los gobiernos.

➢ Formular planes de acción bianuales.

➢ Desarrollar mecanismos de intercambio de información permanente y actualizada, así como promover la investigación sobre la materia que contribuya al cumplimiento de los objetivos de la Red.

➢ Gestionar recursos con organismos de cooperación técnica y financiera para la ejecución de proyectos que conduzcan a la inclusión social de las mujeres adultas, jóvenes y niñas, en el deporte, la actividad física y la recreación.

➢ Brindar asesoría, y apoyo en materia de políticas públicas para el deporte, la actividad física y la recreación a los países que lo soliciten.

➢ Promover la formación y capacitación en materia de género, políticas públicas de deporte, actividad física y recreación.

➢ Cualesquiera otras funciones que la Asamblea General le asigne.

4. EVOLUCIÓN Y DESARROLLO

Aunque inicialmente las actuaciones de la Red se centraron en la organización y desarrollo de los primeros Seminarios (Guatemala 2007, Bolivia 2008 y Cartagena 2009) que dieron lugar a la constitución de la Red y su aprobación por parte del Consejo Iberoamericano del Deporte, cuyo contenido ya ha sido descrito en el apartado 2; posteriormente, se celebraron otros dos Seminarios (Uruguay, 2009, y España 2011) tras los cuales se produjo un vacío de actividad, motivado por un cambio transitorio en las políticas y estrategias de los países organizadores, hasta el año 2019 en el que se reactivó la Red con la convocatoria por parte del Consejo Superior de Deportes del IV Seminario La agenda deportiva con enfoque de género, celebrado en el Centro de Formación que AECID tiene en Cartagena de Indias.

4.1 Organización y consolidación

Desde su constitución la REDIMYD ha celebrado 7 Seminarios y 3 Asambleas Generales. En cada caso, ha abordado temas de gran interés para la aplicación de políticas de igualdad para las mujeres en el deporte, en los que han participado un importante número de profesionales y dirigentes políticos del ámbito deportivo, produciendo documentos que detectan las necesidades existentes en la región y plantean directrices para implementar políticas y acciones con perspectiva de género encaminadas a la igualdad de oportunidades para las mujeres, las niñas y las jóvenes, sobre las que son informados los gobiernos e instituciones interesadas de los distintos países. Como ha quedado recogido en el apartado anterior.

En concreto, en el IV Seminario de Uruguay 2010, que acogió también la II Asamblea General de la Red Iberoamericana Mujer y Deporte, las Conclusiones[13] reiteran el interés de los países participantes por mejorar la situación de las mujeres en el deporte e incorporar la perspectiva de género en todas las políticas deportivas; sin embargo, se observa que la situación de las mujeres es muy desigual de unos países a otros, se detecta que algunos países tienen legislaciones con distinta aplicación y que existe un vacío legal en otros, siguen existiendo dificultades para el acceso de las mujeres a los cargos directivos, se destaca el papel de los medios de comunicación para la promoción y realización de campañas mediáticas en el ámbito de mujer y deporte, se resalta la importancia de incluir la perspectiva de género en la formación de los y las docentes de educación física de todos los niveles educativos y en los estudios universitarios, se expone la inquietud por abordar cuestiones de salud relacionadas con la actividad física, el deporte y la recreación desde la perspectiva de género. Por último, se destaca la importancia de la permanencia de las personas que designan los diferentes países participantes, así como la de las personas que representan a otras instituciones, con el fin de tener una mayor continuidad en las líneas de trabajo propuestas en los Seminarios que organiza la Red.

En el V Seminario realizado en Barcelona 2011, se desarrolló un amplio Programa[14] mediante ponencias, mesas redondas y talleres sobre temas relativos a la situación de las mujeres en los distintos ámbitos del deporte, su

---

[13]   Conclusiones IV SEMINARIO RED IBEROAMERICANA MUJER Y DEPORTE. Se puede consultar en: https://www.munideporte.com/imagenes/documentacion/ficheros/20100506101927Conclusiones_seminario_iberoamericano.pdf

[14]   Programa V SEMINARIO IBEROAMERICANO MUJER Y DEPORTE. Se puede consultar en: http://www.coniberodeporte.org/es/documentacion/3-seminario-

visibilidad, participación y presencia en la dirección y gestión deportiva. También se analizaron los programas y planes de Igualdad de las federaciones deportivas y la importancia de la formación en género para profesionales y personal técnico del ámbito deportivo. En las Conclusiones[15] se constata que ha habido un avance en las políticas de equidad de género en el ámbito de la actividad física, el deporte y la recreación, y en las políticas territoriales y locales implementadas; se destaca la importancia de los medios de comunicación como herramienta imprescindible en el desarrollo de la promoción y en el logro de los objetivos de la Red y, por último, se insta a los países a cumplimentar los documentos de autoevaluación diseñados por la Red para llevar a cabo una evaluación inicial básica del estado de la cuestión en materia de equidad de género en el ámbito de la actividad física, el deporte y la recreación, esperando que dicho compromiso pueda ser ratificado en el próximo Consejo Iberoamericano del Deporte (CID) a celebrarse en Rio de Janeiro, Brasil 2011. Se valora la trascendencia de establecer alianzas estratégicas con redes de naturaleza análoga a la Red Iberoamericana Mujer y Deporte, así como con las Universidades e Instituciones de Educación Superior como fuente de conocimiento fundamental para la implementación de las políticas públicas en materia de equidad de género en el ámbito de la actividad física, el deporte y la recreación.

Durante la realización de este V Seminario se celebra la III Asamblea General de la Red, en la que se eligen los nuevos cargos para la Junta Directiva de la Red Iberoamericana Mujer y Deporte, eligiendo a Guatemala para ostentar la Presidencia y a Uruguay para la Vicepresidencia.

Tras un periodo de inactividad de la REDIMYD de varios años, en 2019 el Consejo Superior de Deportes (CSD), el Consejo Iberoamericano del Deporte (CID) y la Agencia Española de Cooperación Internacional para el Desarrollo (AECID) colaboran para organizar el Seminario La Agenda Deportiva con Enfoque de Género dentro del Plan de Transferencia, Intercambio y Gestión de Conocimiento para el Desarrollo de la Cooperación Española en América Latina y el Caribe (INTERCONECTA). El tema del Seminario es de una especial relevancia en la región iberoamericana y se

---

iberoamericano-mujer-y-deporte/151-programa-v-seminario-iberoamericano-mujer-y-deporte/file

[15]   CONCLUSIONES V SEMINARIO IBEROAMERICANO MUJER Y DEPORTE EN BARCELONA. Se puede consultar en: http://www.coniberodeporte.org/es/documentacion/3-seminario-iberoamericano-mujer-y-deporte/154-conclusiones-v-seminario-iberoamericano-mujer-y-deporte/file

alinea con las prioridades señaladas por la UNESCO en el Plan de Acción de Kazán, adoptado el 15 de julio de 2017 por la Sexta Conferencia de Ministros de Deportes (MINEPS VI).

Este Seminario tuvo como finalidad prioritaria impulsar el relanzamiento de la Red Iberoamericana Mujer y Deporte (REDIMYD), en respuesta a la decisión tomada por unanimidad en la XXV Asamblea General del Consejo Iberoamericano del Deporte (CID), celebrada en febrero de 2019 en Punta del Este (Uruguay). El CSD, el CID y la AECID impulsan la REDIMYD como una potente contribución al proceso de construcción de sociedades más justas, más igualitarias, más inclusivas y prósperas a través de la participación de expertas/os iberoamericanos en la temática. Participaron, a través de sus representantes, la mayor parte de los países miembros del CID.

El Seminario busca establecer las bases para la elaboración de políticas y planes de acción en materia de deporte que integren la perspectiva de género y desarrollen las líneas de trabajo de la Red Iberoamericana Mujer y Deporte en el futuro. Sus objetivos son:

– Identificar buenas prácticas en la región sobre planes de fomento para la inclusión de la mujer en el deporte.

– Promover la adopción de medidas de protección de todas las formas de abuso que por motivos de género inciden en la participación de las mujeres y las niñas en la actividad física y el deporte.

– Incentivar el desarrollo de alianzas estratégicas entre los agentes más relevantes en la región en relación a las políticas de promoción de la igualdad de género en el deporte.

El Programa[16] se desarrolló a través de diversas ponencias, mesas redondas y grupos de debate con una estructura centrada en dos bloques: un primer bloque conceptual que aborda la situación de la agenda de género en la región y organizado en torno a cinco ejes temáticos: marco legislativo y normativo, la participación de las mujeres en los distintos ámbitos y niveles del deporte, planes de actuación, la formación con perspectiva de género en el deporte, los medios de comunicación y el mantenimiento de las des-

---

[16]   Programa SEMINARIO "LA AGENDA DEPORTIVA CON ENFOQUE DE GÉNERO: RED IBEROAMERICANA
      MUJER Y DEPORTE". Se puede consultar en: http://www.coniberodeporte.org/
      es/documentacion/mujer-y-deporte/cartagena-de-indias-colombia/308-programa-del-seminario-4/file

igualdades en el deporte y en la Red Iberoamericana Mujer y Deporte. Un último bloque se dedica ra la elaboración del Plan de Acción.

En las conclusiones se estableció como objetivo general de la REDIMYD potenciar la colaboración entre los países en materia deportiva para favorecer la igualdad real y efectiva entre mujeres y hombres, con el fin de aunar intereses y desarrollar planes de actuación con líneas comunes y/o complementarias de intervención adaptadas a la realidad de cada país.

Para dar continuidad al trabajo desarrollado durante el Seminario y con vistas a próximos encuentros se organizaron cuatro comisiones de trabajo: técnica, comunicación, participación y liderazgo, cuyos objetivos y plan de acción fueron expuestos a lo largo de una sesión específica.

La IV Asamblea de la Red se ha celebrado en Costa Rica el pasado 16 de septiembre de 2021 en formato híbrido (presencial y virtual simultáneamente). En esta Asamblea la Comisión Técnica de la REDIMYD ha participado informando sobre las actividades que ha realizado desde el último Seminario (2019) y los proyectos que tiene en marcha actualmente. Por su parte, el Consejo Iberoamericano del Deporte ha puesto de manifiesto su interés en los trabajos de la Red para los que brinda su total apoyo institucional y la aportación económica que sea posible asumir con su presupuesto.

4.2 Actividades realizadas

Con motivo de la pandemia COVID 19 y ante la imposibilidad de realizar actividades presenciales, la Red ha mantenido su actividad a través de una Comisión Técnica formada por 7 personas de 5 países (Argentina, Colombia, Costa Rica, España, Uruguay) que se reúne "on line" semanalmente y que ha organizado diversas actividades en formato no presencial.

Además de participar en la Asamblea celebrada en Costa Rica en 2021, la Red ha organizado 5 WEBINAR, con el apoyo técnico del Instituto Tecnológico de Costa Rica y la participación de importantes profesionales especialistas en cada uno de los temas que puntualmente han sido tratados, todos ellos relacionados con la equidad de género en el deporte:

– Políticas deportivas con perspectiva de género en los países miembros del Consejo Iberoamericano del Deporte (15-07-2021).

– El camino hacia la igualdad en el fútbol femenino (17-09-2021).

– Mujeres protagonistas en el Deporte, Recreación y Actividad Física en Centroamérica (27-10-2021).

– Experiencias en igualdad de género en el deporte universitario (19-11-2021).

– Incorporación de las deportistas transgénero al deporte de competición (28-09-2022).

Estos encuentros han tenido un objetivo formativo e informativo sobre temas de interés para la región iberoamericana, relacionados con problemáticas de actualidad en el deporte y analizados desde la perspectiva de género. Ha sido relevante el interés suscitado por la incidencia que las políticas de autoidentificación de género tienen en el deporte y que ponen en riesgo la igualdad de oportunidades que preside la competición deportiva y los logros alcanzados por las categorías femeninas en los diferentes deportes. Se han redactado unas conclusiones que han sido difundidas en el sector deportivo.

De las acciones realizadas por la REDIMYD últimamente, cabe señalar, igualmente, la realización de un estudio piloto sobre la Situación de las mujeres en el deporte en los países iberoamericanos, aplicado inicialmente en cinco países iberoamericanos (Argentina, Colombia, Costa Rica, España y Uruguay) y cuyos resultados se presentaron en la XXVIII Asamblea del Consejo Iberoamericano del Deporte celebrada el pasado mes de abril en la República Dominicana. En este estudio se definen los ámbitos del Deporte, la Actividad Física y la Recreación objeto de análisis y se establecen una serie de indicadores comunes que permitan realizar en un futuro el análisis comparativo entre los países y la elaboración de un diagnóstico conjunto.

Entre las principales conclusiones obtenidas en este Estudio se evidencia la dificultad para el acceso a una información objetiva, la falta de sistematización en la recogida de datos o limitaciones para acceder a ellos, así como la casi ausencia o falta de visibilización de políticas con perspectiva de género en el deporte iberoamericano. El estudio sugiere la necesidad de establecer Planes de Igualdad para el Deporte de cada país, que unifiquen una estructura de comportamiento y evaluación individual, pero que permitan la adopción de políticas acciones conjuntas y compartidas entre los países.

Otras actividades realizadas han sido la participación de las componentes del equipo técnico en conferencias y mesas redondas organizadas por organismos e instituciones de los diferentes países iberoamericanos, aportando información y orientaciones con perspectiva de género para la práctica deportiva, la aplicación técnica, la gestión y la investigación deportiva.

4.3 Relación con otros organismos nacionales e internacionales

Desde su constitución la REDIMYD ha planteado que sus actuaciones y actividades deberían estar armonizadas con las políticas gubernamentales de los países integrantes y con las instituciones y organismos internacionales que tienen entre sus intereses la equidad entre mujeres y hombres. Por ello, ha establecido líneas de comunicación y colaboración con las autoridades deportivas nacionales, a través del Consejo Iberoamericano del Deporte, y con las instituciones académicas universitarias más destacadas. Además, mantiene comunicación y colaboración mutua con los siguientes organismos: UNESCO, ONU MUJERES, Comité Olímpico Internacional (CIO), Federación Internacional Deporte Universitario (FISU), Liga Fútbol Profesional (LFP), Agencia Española de Cooperación Internacional y Desarrollo (AECID), Agencia Alemana para la Cooperación Internacional (GIZ), Pam American Sports (PSN), Consejo de Europa (EC), Sport and Human Rights (SHR), Secretaría General Iberoamericana (SEGIB), Observatorio Mundial de la Mujer, el Deporte, la Educación Física y la Actividad Física, Grupo Internacional Mujer y Deporte (IWG), Instituto Tecnológico de Costa Rica (TEC), Seminario Mujer y Deporte (INEF-UPM).

5. SITUACIÓN ACTUAL

En la actualidad, la REDIMYD es un organismo internacional, dependiente del Consejo Iberoamericano del Deporte, cuya Secretaría Técnica reside en el Consejo Superior de Deportes de España. Son miembros de derecho los 22 países[17] que integran el Consejo Iberoamericano del Deporte, representados por la persona designada por la autoridad gubernamental correspondiente. Con carácter voluntario participan en sus Seminarios y actividades programadas, un número variable de personas expertas en Igualdad de Género en el deporte, la actividad física y la educación física y, desde el último Seminario, se ha configurado una Comisión Técnica

---

[17] Países Red Iberoamericana Mujer y Deporte. Se puede consultar en: http://www.coniberodeporte.org/es/paises

permanente formada por 7 personas que propone y realiza actividades de manera continua.

5.1 Proyectos

- *Estudio sobre la situación de las mujeres en el deporte en los países iberoamericanos*: planificación estudio piloto, diseño y definición de campos de estudio e indicadores, recolección de información, análisis de la información e informe final. Los objetivos son: conocer la situación de las mujeres en el deporte, la recreación y la actividad física de los cinco países iberoamericanos analizados, definir indicadores con enfoque de género comunes que permitan evaluar objetivamente las situaciones y los logros realizados, crear un modelo de referencia para realizar un mapeo de la situación de las mujeres en el deporte de aplicación a todos los países de la región y plantear propuestas de mejora a nivel nacional y regional desde una perspectiva de igualdad enfocadas a la consecución de los ODS 2030.

  El estudio se ha centrado en los siguientes campos de análisis: deporte: olímpico, federado, escolar y universitario; actividad física y práctica recreativa y de ocio; dirección y gestión deportiva; formación de profesionales, investigación en deporte; medios de comunicación; organización y estructuras deportivas; financiación.

  Las conclusiones han sido las siguientes:
  - Se observa un desequilibrio importante entre el porcentaje de mujeres y de hombres en todos los ámbitos y niveles de deporte, siendo más acusado en la gestión y dirección técnica del deporte, así como en los deportes con estereotipo masculino.

  - La aplicación de los recursos económicos, materiales y humanos no están claramente diferenciados para deporte masculino y femenino y es difícil determinar su incidencia, pero se observa un desequilibrio tradicional en favor de los hombres.

  - En cuanto al reconocimiento deportivo, laboral y social de las deportistas no se ha encontrado información formalizada al respecto, pero es evidente que la consideración es inferior y no está regulada. Todavía los premios e incentivos económicos son menores en algunos casos y la relación laboral en el deporte profesional carece aún de formalidad jurídica específica.

– Los éxitos deportivos de las mujeres se han incrementado en los últimos años, llegando en algunos países a ser iguales a los de los hombres; sin embargo, se ha detectado que las mujeres tienen que realizar mayores esfuerzos personales y familiares para lograrlos.

– Las políticas, normas y apoyos legales a la igualdad de género, aunque están recogidas en la legislación y políticas públicas de todos los países, en general no están integradas en la cultura deportiva y carecen de seguimiento y continuidad de aplicación.

– No se ha obtenido información objetiva respecto de investigación con perspectiva de género en el deporte. Se conoce que hay menor participación de mujeres en los estudios deportivos, que no hay una línea específica de estudio sobre género en las convocatorias y que no siempre se aplica el desglose de datos y enfoque diferenciado por sexos, aunque es requisito obligado en casi todos los países.

– La presencia de mujeres en la gestión y dirección técnica del deporte es prácticamente testimonial, en su conjunto no llega al 15%. Se observa que hay un interés creciente en incorporar más mujeres y que se están adoptando medidas incentivadoras pero el deporte mantiene una estructura androcéntrica y patriarcal difícil de romper.

– La escasa visibilidad del deporte femenino en los medios de comunicación, tiene un sesgo sexista y la información está condicionada por los estereotipos de género en todos los países.

– Respecto del uso de un lenguaje inclusivo, en la práctica se observa un cierto interés en su aplicación en la comunicación oral, sobre todo por parte de las deportistas, pero en la información escrita y en la redacción de normas deportivas persiste un lenguaje totalmente masculino.

– La formación en igualdad de género para profesionales del sector no está generalizada dentro de los programas formativos oficiales, pero existen bastantes propuestas de cursos y seminarios que aportan información y formación y cuya asistencia tiene carácter voluntario. Existen datos sobre el menor porcentaje de mujeres matriculadas en los estudios deportivos y, sin embargo, un mayor interés de las mujeres por los temas de igualdad.

➤ *Planes de Igualdad,* desarrollar un proceso informativo y formativo en cada país para el establecimiento de un plan de igualdad nacional en las organizaciones deportivas, que permita avanzar en el logro de la igualdad de oportunidades entre mujeres y hombres en el deporte. Este proyecto está en preparación y se abordará en el año 2023.

➤ *Otros proyectos* son organizar Seminarios y Encuentros técnicos para: Establecer un plan nacional de levantamiento de datos con indicadores de progreso y valoración periódica de avances. Promover y difundir investigaciones y estudios sobre igualdad de género en el deporte. Formular y desarrollar políticas nacionales alineadas con las directrices de los organismos internacionales que se ocupan de la igualdad en el deporte. Establecer alianzas estratégicas con otros sectores, instituciones y organismos. Realizar capacitaciones sobre igualdad de género para deportistas, dirigentes y personal técnico-deportivo. Crear redes nacionales de participación de acciones e intercambio de información.

5.2 Colaboraciones

La REDIMYD está colaborando en el Proyecto *Indicadores del deporte y el desarrollo sostenible* que está realizando UNESCO y el GIZ en Iberoamérica y cuyos objetivos son: diseñar una batería de indicadores comunes iberoamericanos para medir el impacto del deporte en el desarrollo sostenible, visibilizar y cuantificar el aporte del deporte al desarrollo sostenible y al cumplimiento de la Agenda 2030, dar seguimiento a la incidencia de políticas y programas para el deporte, la educación física y la actividad física y fomentar el intercambio regional de experiencias, políticas y sistemas de medición.

Además, la Red colabora con la Federación del Deporte Universitario de Costa Rica en el *FISU WORLD FORUM Costa Rica 2022* que se celebrará en el mes de diciembre, que tiene como lema el Deporte Universitario como motor del Desarrollo Sostenible, basándose en el convencimiento de que el deporte contribuye cada vez más a cumplir el desarrollo y la paz, promueve la tolerancia y el respeto, y además apoya el empoderamiento de mujeres, como objetivo de personas y comunidades, así como que tiene una importante contribución en materia de salud, educación e inclusión social.

Por su parte, el Consejo Iberoamericano del Deporte y el Seminario Mujer y Deporte-INEF de la Universidad Politécnica de Madrid han firmado un Acuerdo de Colaboración para el asesoramiento y apoyo científico a la REDIMYD. Con base en este Acuerdo se está realizando el Estudio piloto sobre *La situación de las mujeres en el deporte, la actividad física y la educación física en Iberoamérica* que, posteriormente, será aplicado en todos los países de la región.

Con el Instituto Tecnológico de Costa Rica la Red mantiene una colaboración abierta desde hace años, a través de la cual recibe el apoyo de su infraestructura técnica para la realización de las actividades de la Red.

6. INTERÉS SOCIO-POLÍTICO DE LA REDIMYD

6.1 Avances y logros

Desde su constitución la Red ha representado una importante ayuda al ámbito objeto de su interés, que no es otro que lograr la igualdad de oportunidades para las mujeres en el deporte, la actividad física y la educación física en los países iberoamericanos con el enfoque de los objetivos de desarrollo de la Agenda 2030.

Sus logros, a través de las actuaciones que ha realizado, son ya evidentes sobre todo en lo que respecta a la sensibilización de los gobiernos, las administraciones deportivas, el personal técnico y deportistas. Se han logrado importantes avances en el reconocimiento de la problemática existente en relación con la participación de las mujeres en los diferentes ámbitos y niveles del deporte y se constata una mejora significativa respecto del tratamiento en el deporte de alta competición, así como en la progresiva incorporación de la perspectiva de género en las estructuras deportivas de los gobiernos y en las políticas que estos aplican al ámbito deportivo.

Se ha reconocido por parte de los gobiernos la necesidad de estudiar en profundidad las causas de las desigualdades todavía existentes desde una mirada comunitaria, pero con la individualización que la idiosincrasia de cada país requiera. También, la importancia de contar con un enfoque y lenguaje común a la hora de abordar soluciones y la necesidad de obtener un mapeo de las situaciones concretas que en cada modelo deportivo se producen para adoptar políticas comunes para la región con posibilidad de individualización por países.

6.2 Dificultades encontradas

Entre las dificultades, señalamos el impacto de la movilidad de las personas que asumen responsabilidades dentro de la estructura organizativa de la Red, que repercute tanto en el interés por sus objetivos como en la asignación de representantes de cada país y las administraciones en las que estas se incardinan. Esta dificultad se está resolviendo en parte con la participación de profesionales expertas en materia de igualdad que mantienen la continuidad de los objetivos y acciones que la Red va estableciendo en sus encuentros formales y con la creación de una Comisión Técnica que se ocupa de su realización.

6. REFERENCIAS BIBLIOGRÁFICAS

AECID (2022). *Seminario Iberoamericano "Plan creación de Indicadores del Deporte en el desarrollo sostenible en Iberoamérica.* http://www.aecid.org.py/seminario-iberoamericano-plan-creacion-de-indicadores-del-deporte-en-el-desarrollo-sostenible-en-iberoamerica/

Alfaro, Élida y Váquez, Benilde (2020). La participación de las mujeres en el último tercio del siglo XX: la ruptura de estereotipos en el deporte. INDE (ed) en *Diálogos sobre el deporte.* (p.p. 202-218). Generalitat de Catalunya. https://inefc.gencat.cat/web/.content/07_observatori/publicacions/estudis/e-book-Dialogos.pdf

Consejo Superior de Deportes (s.f.). *Consejo Iberoamericano del Deporte.* http://www.coniberodeporte.org

(IDEAM, s.f.) *Consejo Iberoamericano del Deporte, Estructura Organizativa.* http://www.coniberodeporte.org/pt/estructura-organizacional

(IDEAM, s.f.). *Red Iberoamericana Mujer y Deporte (REDIMYD).* https://www.csd.gob.es/es/mujer-y-deporte/actividades-en-relacion-con-mujer-y-deporte/red-iberoamericana-mujer-y-deporte

(IDEAM, s.f.) *Acta de constitución de la Red Iberoamericana Mujer y Deporte.* https://www.csd.gob.es/sites/default/files/media/files/2018-10/ACTA-DE-CONSTITUCION-DE-LA-RED-IBEROAMERICANA-MUJER-Y-DEPORT1.pdf

(IDEAM, s.f.) *Antecedentes de la Red Iberoamericana Mujer y Deporte.* https://www.csd.gob.es/es/mujer-y-deporte/actividades-en-relacion-con-mujer-y-deporte/red-iberoamericana-mujer-y-deporte/antecedentes-de-la

(IDEAM, s.f.) *Asambleas Generales y Seminarios Mujer y Deporte celebrados tras la constitución de la Red Iberoamericana Mujer y Deporte.* https://www.csd.gob.es/es/mujer-y-deporte/actividades-en-relacion-con-mujer-y-deporte/red-iberoamericana-mujer-y-deporte/asambleas-generales-y

(IDEAM, s.f.). *La agenda deportiva con enfoque de género: Red Iberoamericana Mujer y Deporte.* https://intercoonecta.aecid.es/programaci%C3%B3n-de-actividades/la-agenda-deportiva-con-enfoque-de-g-nero-red-iberoamericana-mujer-y-deporte.

(IDEAM, 2021) *IV Asamblea de la Red Iberoamericana Mujer y Deporte (REDIMYD).* https://cid.csd.gob.es/en/red-iberoamericana-mujer-y-deporte/asambleas-y-seminarios/

item/375-se-celebro-la-iv-asamblea-de-la-red-iberoamericana-de-mujer-y-deporte-redimyd-el-15-de-septiembre-de-2021

(IDEAM, 2021) El CID y el Seminario Mujer y Deporte del INEF de Madrid colaboran en el desarrollo de actividades formativas para la promoción de la igualdad de género en el deporte. http://www.coniberodeporte.org/pt/noticias/item/373-el-cid-y-el-seminario-mujer-y-deporte-del-inef-de-madrid-colaboraran-en-el-desarrollo-de-actividades-formativas-para-la-promocion-de-la-igualdad-de-genero-en-el-deporte

(IDEAM, 2022) *XXVIII Asamblea General del Consejo Iberoamericano del Deporte (CID).* http://www.coniberodeporte.org/pt/assembleias/item/377-xxviii-asamblea-general-del-cid

ESTEBAN SALVADOR, Luisa (Coord), Tiziana Di Cimbrini · Emilia Fernandes · Gonca Güngör Göksu · Charlotte Smith (2022). *El gobierno corporativo en las organizaciones deportivas: Un enfoque de género.* Servicio de Publicaciones. Universidad de Zaragoza. https://gesport.unizar.es/

Deporte y consejo de Europa: una relación consolidada

CARMEN PÉREZ GONZÁLEZ

Profesora de Derecho internacional público y relaciones internacionales
Universidad Carlos III de Madrid

SUMARIO: 1. INTRODUCCIÓN. 2. EL MARCO INSTITUCIONAL: EL ACUERDO PARCIAL AMPLIADO SOBRE DEPORTE (EPAS). 3. SOBRE LA ACCIÓN NORMATIVA DEL CONSEJO DE EUROPA EN EL ÁMBITO DEL DEPORTE. 3.1 Los desarrollos convencionales. 3.2 Algunos avances a través de normas de soft law. 4. LA JURISPRUDENCIA DEL TRIBUNAL EUROPEO DE DERECHOS HUMANOS. 4.1 Violación de derechos fundamentales y lucha contra el dopaje. 4.2 Procedimiento ante el Tribunal Arbitral del Deporte y derecho a un proceso equitativo. 4.3 La violación de derechos humanos en el marco de la represión de la violencia en el deporte. 4.4 El derecho a la libertad de expresión en el ámbito deportivo. 4.5 Un breve apunte sobre la participación de los deportistas transexuales e intersexuales en las competiciones deportivas. 5. A MODO DE CONCLUSIÓN. 6. REFERENCIAS BIBLIOGRÁFICAS.

1. INTRODUCCIÓN

El presente trabajo pretende dar cuenta de la acción del Consejo de Europa en el ámbito del deporte. La cuestión se enmarca en una más amplia: la que tiene que ver con el papel que vienen jugando las Organizaciones Internacionales (OOII) en la regulación de cuestiones deportivas. En ese contexto, el Consejo de Europa ocupa desde luego un lugar prioritario. Y ello en varios sentidos. En primer lugar, porque la organización se ocupó desde muy pronto de incentivar la cooperación en esta materia. En segundo lugar, porque los frutos de esa cooperación son de una importancia incuestionable e incluyen la adopción de diversos tratados internacionales. De todo ello nos ocuparemos en este trabajo. Se prestará atención además a la jurisprudencia del Tribunal Europeo de Derechos Humanos (TEDH) que ha resuelto las demandas de particulares en casos en los que la aplicación de normas deportivas podía, eventualmente, suponer la vulneración de alguno o algunos de los derechos garantizados en el Convenio Europeo de Derechos Humanos (CEDH)[1]. El trabajo terminará con algunas conclusiones.

2. EL MARCO INSTITUCIONAL: EL ACUERDO PARCIAL AMPLIADO SOBRE DEPORTE (EPAS)

Tal y como tendremos ocasión de comprobar a lo largo de estas líneas, todas las instituciones del Consejo de Europa se han involucrado en la elaboración y desarrollo de estándares normativos aplicables a la actividad deportiva. Siendo una Organización Internacional creada con el propósito de fortalecer la democracia, la protección de los derechos humanos y el estado de Derecho en el continente europeo, esos impulsos, muy variados, tienen un sustrato común: precisamente, el intento de mejora de la gobernanza y de la protección de los derechos fundamentales en el deporte. Ese es el eje que, en mi opinión, permite analizar conjuntamente los pronunciamientos del Consejo de Ministros, la Asamblea Parlamentaria y, desde luego, el TEDH. Con todo, desde este punto de vista institucional, no puede dejar de mencionarse el establecimiento de una estructura específica en este ámbito: el acuerdo parcial ampliado sobre deporte (EPAS).

El EPAS fue establecido mediante resolución del Comité de Ministros del Consejo de Europa de 13 de octubre de 2010[2]. Se trata, en esencia, de una plataforma de impulso de la cooperación que tiene asignadas las siguientes tareas[3]: el desarrollo de políticas y estándares normativos en el ámbito del deporte, la supervisión de la aplicación por parte de los Estados miembros[4] de las recomendaciones relevantes del Acuerdo, en particular la Carta Europea del Deporte y el Código Ético del Deporte, la capacitación institucional y la preparación de reuniones ministeriales.

Tal y como he dicho, EPAS es una plataforma de cooperación. De cooperación intergubernamental, en primer lugar. Y también una plataforma

---

[1]   Convenio Europeo para la protección de los derechos humanos y las libertades fundamentales, de 4 de noviembre de 1950, disponible en https://www.echr.coe. int/documents/convention_spa.pdf (todos los documentos electrónicos citados a lo largo del trabajo han sido consultados el 21 de noviembre de 2022).

[2]   Res. (2010) 11, disponible en https://search.coe.int/cm/Pages/result_details.as px?ObjectID=09000016805ce320#P7_209.

[3]   *Cfr.* el artículo 1.1 de la Resolución.

[4]   En el momento en el que se escriben estas líneas, forman parte de EPAS 41 Estados: https://www.coe.int/en/web/sport/member-states.

en la que autoridades públicas y organizaciones deportivas, ONG's y representantes de la sociedad civil pueden dialogar y llegar a acuerdos. Un ejemplo, en definitiva, de la consolidación de la cooperación público-privada en el ámbito del deporte.

3. SOBRE LA ACCIÓN NORMATIVA DEL CONSEJO DE EUROPA EN EL ÁMBITO DEL DEPORTE

3.1 Los desarrollos convencionales

En 1989, el Consejo de Europa se convertía en la primera Organización Internacional en cuyo seno se adoptaba un tratado internacional que buscaba imponer a sus Estados parte obligaciones específicas en el ámbito de la lucha contra el dopaje: el Convenio europeo contra el dopaje en el deporte, adoptado el 16 de noviembre de 1989[5] El Convenio fue completado unos años más tarde por el Protocolo adicional de 12 del septiembre de 2002[6].

De acuerdo con el artículo del 1 del Convenio europeo, los Estados parte se comprometen a reducir y eliminar el dopaje en el deporte y, para ello, deberán adoptar, dentro de los límites de sus disposiciones constitucionales respectivas, las medidas necesarias para llevar a efecto las disposiciones que el Convenio contiene. Entre ellas, las relativas a la mejora de la coordinación en el plano interno de las autoridades con competencias en el marco de la lucha contra el dopaje, la limitación de la disponibilidad de las sustancias y los métodos dopantes, la homologación de los laboratorios en los que se realizan las pruebas de control, la mejora de la educación sobre los peligros para la salud inherentes al dopaje y la vulneración de los valores éticos del deporte, la colaboración con las autoridades deportivas y la cooperación internacional. Por su parte, el Protocolo adicional al Convenio fue el primer instrumento de Derecho internacional público que reconoció la competencia de la Agencia Mundial Antidopaje (AMA) para la realización de controles fuera de las competiciones deportivas. Además, el Protocolo reforzó las obligaciones contenidas en el Convenio europeo contra el dopaje, estableciendo un mecanismo de seguimiento obligatorio que incluye visitas de expertos a los Estados que lo ratifican para verificar

---

[5]   BOE núm. 140, de 11 de junio de 1992.
[6]   BOE núm. 238, de 3 de octubre de 2017.

de qué modo están cumpliendo con las obligaciones convencionalmente asumidas.

La violencia acaecida con ocasión de la celebración de eventos deportivos ha constituido también una preocupación para Estados y Organizaciones Internacionales. No puede ser de otra manera, dado los riesgos para la seguridad que la misma entraña.

En el seno del Consejo de Europa se han adoptado, hasta la fecha, dos tratados internacionales que imponen obligaciones a los Estados en este ámbito. El primero de ellos es el Convenio Europeo sobre la violencia, seguridad e irrupciones de espectadores con motivo de manifestaciones deportivas y, especialmente, partidos de fútbol, adoptado el 19 de agosto de 1985[7]. Su adopción y casi inmediata entrada en vigor se vieron impulsadas por los acontecimientos ocurridos en el estadio de Heysel (Bruselas) el 29 de mayo de ese mismo año. El Convenio pretende, tal y como se avanza en su preámbulo, que Estados parte cooperen en la adopción de medidas comunes para prevenir y sofocar la violencia y las invasiones de campo por parte de espectadores con ocasión de la celebración de determinados eventos deportivos, especialmente partidos de fútbol.

Con el objeto de reemplazar el Convenio de 1986 se aprobó en Saint-Denis (Francia), el 3 de julio de 2016, el Convenio europeo sobre un enfoque de la protección, la seguridad y el servicio en los partidos de fútbol y otros eventos deportivos[8]. De acuerdo con lo previsto en su artículo 17.1, el Convenio entró en vigor el 1 de noviembre de 2017, tras su ratificación por tres Estados miembros del Consejo de Europa (Francia, Mónaco y Polonia). Este segundo convenio amplia, de acuerdo con su artículo 2, los propósitos del Convenio de 1985. Se trata, así, de garantizar un ambiente protegido, seguro y agradable en los partidos de fútbol y en otros eventos deportivos. Para ello, las partes se comprometen a adoptar un enfoque integrado, multiinstitucional y equilibrado hacia la protección, la seguridad y el servicio sobre la base de un espíritu de cooperación y colaboración efectiva a nivel local, nacional e internacional, a garantizar que todas las

---

[7]   BOE núm. 193, de 13 de agosto de 1997. El Convenio, que entró en vigor el 1 de noviembre de ese mismo año. Sobre el mismo puede verse: TAYLOR, J. C. (1986), *The War on Soccer Hooliganism: The European Convention on Spectator Violence and Misbehavior at Sports Events*, Virginia Journal of International Law, Vol. 27, págs. 603-654.

[8]   El Convenio está disponible en http://www.coe.int/en/web/conventions/fulllist/-/conventions/treaty/218.

agencias, públicas y privadas, y otras partes interesadas reconozcan que la protección, la seguridad y el servicio no se pueden considerar de manera aislada y que pueden tener una influencia directa en la garantía de los otros dos componentes, y a tener en cuenta las buenas prácticas que sean identificadas como tales al desarrollar un enfoque integrado sobre la protección, la seguridad y el servicio.

Vamos a referirnos, para finalizar el somero análisis que realizamos en este apartado, a la manipulación de las competiciones deportivas que sin duda constituyen otro de los fenómenos que, asociado a la corrupción y la falta de transparencia en el ámbito deportivo, ha merecido la atención de Estados y OOII. Una vez más, ha sido el Consejo de Europa la organización que ha protagonizado la adopción de instrumentos vinculantes para afrontar este problema. Me refiero al Convenio Europeo sobre la manipulación de las competiciones deportivas, adoptado el 18 de septiembre de 2014[9].

A diferencia de otros tratados internacionales en materia deportiva, que han logrado la entrada en vigor rápidamente, este Convenio tardó cinco años en entrar en vigor[10]. A este hecho no son en absoluto ajenas las reticencias de Malta a aceptar la definición de "apuesta deportiva ilegal" prevista en el artículo 3.5 del Convenio[11]. Esas reticencias llevaron, incluso, a que Malta solicitase del Tribunal de Justicia de la Unión Europea (TJUE) una Declaración sobre la compatibilidad del Convenio con los artículos 18, 49 y 56 del Tratado de Funcionamiento de la Unión Europea (TFUE). Esto es, con las disposiciones que establecen la prohibición de restricciones por razón nacionalidad, la libertad de establecimiento y la libre prestación de servicios. Aunque la solicitud de Dictamen fue archivada en septiembre de 2015, a petición precisamente de Malta, la misma da cuenta de los obstáculos a los que se ha enfrentado este Convenio.

---

[9]   *3.3. El texto de la Convención está disponible en http://www.coe.int/en/web/conventions/ full-list/-/conventions/treaty/215. Sobre la misma puede verse: PÉREZ GONZÁLEZ, C. (2015), A propósito de la acción del Consejo de Europa en el ámbito del deporte. Análisis del Convenio europeo sobre la manipulación de competiciones deportivas, Eunomía. Revista en Cultura de la Legalidad, núm. 8, págs. 71-92.*

[10]   De acuerdo con el artículo 32.4 la entrada en vigor requería la ratificación de cinco Estados, cuatro de ellos miembros del Consejo de Europa.

[11]   En virtud del cual, debe entenderse que constituirá una apuesta deportiva ilegal "toda apuesta deportiva cuyo tipo u operador no esté autorizado conforme al Derecho aplicable en la demarcación territorial en la que se encuentre el consumidor".

3.2 Algunos avances a través de normas de soft law

Siendo importante la labor convencional del Consejo de Europa, no lo es menos la llevada a cabo a través de normas de *soft law*. A pesar de que su valor sea meramente recomendaría, las resoluciones que se analizarán a modo de ejemplo en este apartado sirven, de un lado, para, revelar las estrategias de la organización en relación con la actividad deportiva. Y, de otro, contribuyen a la definición de estándares, reglas y principios normativos en dicho ámbito.

Ya se ha dicho aquí que la mejora de la gobernanza en el deporte es una de las preocupaciones que cabrían considerar "clásicas" del Consejo de Europa. No son pocas las críticas que el entorno deportivo ha concitado en relación con esa cuestión: la falta de transparencia en la toma de decisiones, la ausencia de democracia interna o la corrupción son algunas de ellas. Aunque, como decimos, se trata de una cuestión de la que el Consejo de Europa se viene ocupando desde hace tiempo, vamos a citar aquí únicamente un desarrollo concreto.

El 24 de enero de 2018, la Asamblea Parlamentaria del Consejo de Europa (PACE, por sus siglas en inglés) adoptó una resolución cuyo objetivo es, precisamente, proponer reformas para la mejora de la gobernanza en el deporte contemporáneo[12]. La resolución parte de la constatación de que los escándalos asociados al deporte socavan los valores del juego limpio, revelando la urgente necesidad de reformar los modelos de gestión de la gobernanza en el deporte, que considera "arcaicos". Se trata, en opinión de la PACE, de modelos que no se fundamentan en estructuras democráticas, que no favorecen la transparencia y la rendición de cuentas en el sistema de adopción de decisiones y que continúan favoreciendo la corrupción y la impunidad.

En este contexto, esta resolución hace algunas propuestas interesantes e innovadoras. Por ejemplo, sugiere el establecimiento de un marco específico para mejorar la gobernanza en el deporte. Ese marco debería incluir criterios comunes de buena gobernanza, una certificación ISO para las organizaciones deportivas y un sistema de evaluación (*rating*) independiente. Se hace un llamamiento al Comité Olímpico Internacional (COI) para que revise sus Principios Básicos Universales y dé forma a una estrategia de *com-*

---

[12]   Res. 2199, Towards a framework for modern sports governance, disponible en http://assembly.coe.int/nw/xml/XRef/Xref-DocDetails-EN.asp?FileID=24443&lang=2.

pliance. La resolución recomienda además, de un lado, la adopción de una Convención sobre gobernanza en el deporte y, de otro, que se considere la posibilidad de establecer una alianza parlamentaria para la buena gobernanza y la integridad en el deporte con el propósito de hacer coincidir a parlamentos nacionales y cámaras parlamentarias internacionales en una discusión sobre esta cuestión.

El segundo instrumento de *soft law* al que haré referencia es la Carta Europea del Deporte revisada en 2021[13]. Se trata del instrumento del Consejo de Europa que establece los principios básicos a los que deberán dirigirse las políticas deportivas nacionales, permitiendo a los gobiernos ofrecer a sus ciudadanos oportunidades de practicar deporte en condiciones bien definidas. Trata de servir de inspiración a los responsables políticos y orienta a los Estados miembros sobre cómo perfeccionar sus legislaciones deportivas existentes y desarrollar un marco global para el deporte. La Carta ha sido, y sigue siendo, un punto de referencia para el desarrollo del deporte en Europa desde su adopción en 1992, y tanto los gobiernos como el mundo deportivo se ha beneficiado de los principios y valores que representa.

Su actualización más reciente, antes de la revisión de la que nos ocupamos ahora, se llevó a cabo en 2001. Desde entonces, el deporte ha tenido que enfrentarse a importantes retos en un mundo que cambia constantemente en términos de tecnología, política, salud pública, comercialización y demografía global. Todos estos cambios han tenido un impacto, de una forma u otra, en los derechos humanos, la democracia y el estado de derecho, e inevitablemente también en el deporte.

Es interesante señalar que, a lo largo del proceso de revisión de la Carta, los representantes del movimiento deportivo han promovido la noción de un modelo europeo del deporte. La Carta revisada no hace referencia a él, ya que no existe un consenso intergubernamental sobre su definición o incluso su existencia. Se seguirá trabajando en esta cuestión, en particular considerando la posibilidad de incluir algunas de sus características sobre los valores y la forma de organizar el deporte en Europa, que todavía no figuran en la Carta.

---

[13] Recomendación del Comité de Ministros CM/Rec(2021)5, disponible en https://www.coe.int/en/web/sport/revision-esc/.

4. LA JURISPRUDENCIA DEL TRIBUNAL EUROPEO DE DERECHOS HUMANOS

4.1 Violación de derechos fundamentales y lucha contra el dopaje

La lucha contra el dopaje en el deporte representa una de las cuestiones sobre las que parece haber un consenso internacional claro que busca su prevención y represión. Ese consenso se da en el marco de organizaciones deportivas, y también lo comparten la práctica totalidad de Estados de la Comunidad Internacional y un significativo número de OOII. Desde el punto de vista jurídico, lo verdaderamente relevante no es esa coincidencia, sino los esfuerzos para una acción concertada que resultó, de un lado, en la creación de la AMA. Como es sabido, la Agencia es un foro que hace posible la armonización normativa y la coordinación entre autoridades públicas y privadas con competencias en la lucha internacional contra el dopaje. La AMA ha generado un *corpus iuris*, el Programa Mundial Antidopaje, compuesto por tres elementos: el Código Mundial Antidopaje (CMA), los Estándares Internacionales y el Modelo de Buenas Prácticas[14].

El primero, el CMA, es el instrumento clave de ese programa. Su propósito principal es armonizar las políticas y reglas que en materia de lucha contra el dopaje han sido adoptadas por parte de organizaciones deportivas y autoridades públicas. Junto al Código, se han aprobado Estándares Internacionales que pretenden armonizar y clarificar diferentes aspectos de la lucha contra este fenómeno. El desarrollo de este conjunto normativo no ha estado exento de tensiones. Algunas han afectado, en particular, a las normas de la AMA relativas al deber de estar localizados para someterse a controles antidopaje.

El punto de partida de la explicación es el hecho de que el Código AMA considera como infracción a las normas antidopaje el incumplimiento de las obligaciones de localización/paradero del deportista. Esa infracción se entenderá cometida a partir de cualquier combinación de tres controles fallidos y/o de incumplimientos del deber de proporcionar los datos de localización/paradero, tal y como este deber está definido en el Estándar Internacional para Controles e Investigaciones[15], dentro de un periodo de doce meses, por un deportista incluido en un Grupo Registrado de Control. El artículo 10 del Código establece también cuál será la sanción por

---

14   Todos ellos están disponibles en https://www.wada-ama.org/en/what-we-do.
15   Disponible en https://www.wada-ama.org/en/testing-and-investigations.

la comisión de una de esas infracciones: la suspensión por un período que irá del año a los dos años, dependiendo del grado de culpabilidad del deportista.

En este contexto, debemos centrarnos en el contenido de las obligaciones que asumen los deportistas "sujetos a control". Esto es, aquellos que forman parte de un Grupo Registrado de Control. Las normas de la AMA detallan tanto la información debe ser proporcionada por estos atletas[16] como el momento en el que debe ser proporcionada[17]. Por último, debe tenerse en cuenta que dicha información deberá incluir, por cada día del siguiente trimestre, un intervalo de tiempo específico de 60 minutos entre las 5 de la mañana y las 11 de la noche cada día. Durante este periodo el deportista deberá estar disponible en el lugar especificado para la realización de los controles fuera de competición.

Como parece evidente, el entorno deportivo está obligado a cumplir y hacer cumplir las reglas que acabamos de describir. Lo que resulta destacable ahora es que las decisiones que adopten en aplicación de las mismas tendrán un efecto directo sobre los deportistas, que, en última instancia, podrán verse apartados de las competiciones durante largos períodos de tiempo.

Nos encontramos, por tanto, con un conjunto de normas propias del entorno deportivo que establecen reglas y medidas en el ámbito de la lucha contra el dopaje en el deporte que podrían, a su vez, resultar contrarias a determinados estándares internacionales de protección de derechos humanos. Así las cosas, ¿cuál es el papel que corresponde a los Estados? ¿Tienen la obligación de implementar lo requerido en el CMA y los Estándares Internacionales? Dar respuesta a estas preguntas exige analizar, en primer

---

[16] Entre la información requerida se encuentra una dirección postal completa donde se le pueda enviar correspondencia, la dirección completa del lugar donde pasará la noche (su casa, un alojamiento temporal, un hotel, etc.), el nombre y la dirección de cada lugar donde entrenará, trabajará o realizará cualquier otra actividad regular y los periodos de tiempo habituales en los que realiza esas actividades regulares y el programa de competición (que incluirá el nombre y dirección de cada lugar donde el deportista tiene programado competir durante el trimestre y las fechas en las que tiene programado competir en dichos lugares).

[17] La información se proporcionará, por cada día del siguiente trimestre, en una fecha especificada por la Organización Antidopaje Responsable. Esta fecha será anterior al primer día de cada trimestre (1 de enero, 1 de abril, 1 de julio y 1 de octubre).

lugar, el régimen de relaciones mutua previsto en el CMA y la Convención Internacional de la UNESCO contra el dopaje en el deporte.

Debemos referirnos en primer lugar al artículo 3 de la Convención, una disposición que establece que con el propósito de dar cumplimiento a los objetivos de la misma los Estados deberán adoptar medidas apropiadas, en el plano nacional e internacional, *acordes con los principios* del Código[18]. Más explícito es el artículo 4, que regula específicamente las relaciones de la misma con el CMA. De acuerdo con el apartado tercero de este artículo, únicamente los anexos I[19] y II[20] forman parte integrante de la Convención. Por su parte, el artículo 4.2 establece que las versiones actualizadas de los Apéndices 2[21] y 3[22] sólo se reproducen a título informativo y que no forman parte integrante de dicha Convención. Los apéndices, añade, "no crean ninguna obligación vinculante en Derecho internacional para los Estados Parte".

Por su parte, el artículo 22 del CMA regula la "implicación de los gobiernos" en la implementación del Programa Antidopaje de la Agencia. Con ese fin, y para hacer constar su compromiso con respecto al Código, cada gobierno "firmará" la Declaración de Copenhague contra el dopaje en el deporte de 3 de marzo de 2003, y ratificará, aceptará, aprobará o asumirá la Convención de la UNESCO[23].

---

[18]   La cursiva es mía.

[19]   Que contiene la lista de sustancias prohibidas, disponible en el siguiente enlace: https://www.wada-ama.org/en/what-we-do/the-prohibited-list-.

[20]   Este anexo contiene las normas para la concesión de autorizaciones para uso con fines terapéuticos, disponible en el siguiente enlace: https://www.wada-ama.org/en/what-we-do/international-standards#TherapeuticUseExemptions.

[21]   El Estándar Internacionales para los laboratorios, disponible en https://www.wada-ama.org/en/resources/world-anti-doping-program/international-standard-laboratories-isl.

[22]   El Estándar Internacional para los controles, a la que nos acabamos de referir.

[23]   Tal y como se explica en el comentario al art. 22 "(l)a mayor parte de los gobiernos no pueden ser partes de, ni quedar vinculados por, instrumentos privados no gubernamentales como el Código. Es por ello por lo que no se pide a los gobiernos que sean Signatarios del Código, sino que firmen la Declaración de Copenhague y ratifiquen, acepten, aprueben o asuman la Convención de la UNESCO. Aunque los mecanismos de aceptación pueden ser diferentes, todas las medidas que tengan como objetivo la lucha contra el dopaje a través de un programa coordinado y armonizado según lo reflejado en el Código, siguen constituyendo un esfuerzo común del movimiento deportivo y de los gobiernos. Este art. establece lo que los Signatarios esperan claramente de los gobiernos. No obstante, se trata

Los signatarios no están estrictamente obligados por el Código. Pero sí deben responder a determinadas expectativas. En concreto, las previstas en el artículo 22: emprender las acciones y tomar las medidas necesarias para dar cumplimiento a la Convención de la UNESCO, promover la cooperación entre la totalidad de sus servicios o agencias públicas y las Organizaciones Antidopaje para que compartan con ellas información que pueda resultar útil en la lucha contra el dopaje, siempre y cuando con ello no se infrinja "ninguna otra norma jurídica", y respetar el arbitraje como vía preferente para resolver disputas relacionadas con el dopaje, "teniendo en cuenta los derechos humanos y fundamentales y el correspondiente Derecho nacional aplicable".

Se trata, por tanto, únicamente de "expectativas". ¿Cuál es el alcance de esa expresión? ¿Cuáles serían las consecuencias de que las mismas no fuesen satisfechas por los Gobierno? Hasta la aprobación del Estándar Internacional para el Cumplimiento del Código por los Signatarios[24], encontrábamos únicamente una respuesta parcial en el Código, cuyo artículo 22.8 se refiere únicamente a la no ratificación, aceptación, aprobación o asunción de la Convención de la UNESCO antes del 1 de enero de 2016, o a su incumplimiento. En tales casos, el Estado podría no ser elegible para optar a la celebración de eventos deportivos. Junto a ello el incumplimiento del Código por parte de los signatarios podrá acarrear consecuencias adicionales. Entre ellas, "la prohibición de ocupar dependencias y puestos dentro de la AMA, la imposibilidad de optar o la no admisión de candidaturas para celebrar Eventos Internacionales en un país, la cancelación de Eventos Internacionales, consecuencias simbólicas y otras con arreglo a la Carta Olímpica".

¿Cuál es aquí el papel del Derecho Internacional de los Derechos Humanos (DIDH)? ¿Qué consecuencias tendría que los Estados traspasasen los límites que el mismo impone adoptando normas que no son sino la traslación de lo acordado en el seno de las organizaciones deportivas? ¿Qué ocurrirá si dicha normativa vulnera estándares de protección de derechos humanos universalmente aceptados? ¿Podrán intervenir los órganos de protección internacional de derechos humanos en caso de que las garantías derivadas de esos estándares se vean vulneradas?

---

simplemente de "expectativas", puesto que los gobiernos solamente están "obligados" a acatar las exigencias de la Convención de la UNESCO".

[24] Disponible en https://www.wada-ama.org/en/resources/code-compliance/international-standard-for-code-compliance-by-signatories-isccs.

En mi opinión, esta última pregunta debe ser contestada afirmativa-mente. En aquellos casos en los que un deportista es sancionado por la in-fracción de la normativa antidopaje en aplicación de unos procedimientos que son susceptibles de vulnerar sus derechos a la intimidad, al buen nom-bre o al trabajo, podrá, una vez agotados los recursos internos y cumplidos el resto de requisitos convencionalmente exigidos, acudir a los órganos de protección internacional de derechos humanos. Aunque creo que se trata de una posibilidad abierta tanto en relación con los órganos del sistema de Naciones Unidas (NNUU), como del Consejo de Europa, lo cierto es que un examen de la práctica revela que, hasta el momento, los deportistas han preferido el recurso ante el TEDH, al que ya han acudido.

Encontramos así un primer grupo de casos que se refiere, precisamen-te, al cuestionamiento de la compatibilidad de las medidas legislativas in-ternas adoptadas con el objeto de incorporar al ordenamiento jurídico francés las reglas contenidas en el CMA y los Estándares Internacionales con el CEDH. Debe tenerse en cuenta, en este sentido, que en abril de 2010 Francia adoptó la Ordenanza 2010-379, relativa a la salud de los de-portistas y a la adecuación del Código del Deporte con los principios del CMA. Dos años más tarde, se aprobó la Ley 2012-158, relativa al refuerzo de la ética deportiva y de los derechos de los deportistas. Los demandantes en estos casos consideraron que las exigencias relativas a la localización de los deportistas a los efectos de su sometimiento a los controles antidopaje contenidas en dicha normativa, que "traslada" al ordenamiento jurídico interno las exigencias del CMA, vulneran su derecho al respeto a la vida privada y familiar, garantizado por el art. 8.1 del CEDH (que protege el derecho a la vida privada y familiar), y el art. 2 del Protocolo número 4 al Convenio (que protege la libertad de circulación)[25]. El Tribunal desesti-mó esta última alegación afirmando que el artículo 2 del Protocolo 4 no resultaba aplicable en este caso y que, por lo tanto, las demandas debían considerarse inadmisibles en este caso por razón de la materia.

La sentencia del TEDH de 18 de enero de 2018 es, desde luego, una sentencia largamente esperada, en la que el TEDH acumula dos asuntos que llevaban pendientes de resolución varios años y que tienen en común

---

[25]   Se trata de los asuntos *Federación Nacional de Sindicatos Deportivos y otros c. Fran-cia*, demanda número 48151/11 y *Longo y Ciprelli c. Francia*, demanda número 77769/13. Todas las decisiones del TEDH que citamos en este trabajo están dispo-nibles en https://hudoc.echr.coe.int/eng.

el cuestionamiento de la compatibilidad con el CEDH de la normativa francesa mencionada[26].

Debe tenerse en cuenta que la normativa francesa aprobada el 14 de abril de 2010 precisaba que estaban obligados a proporcionar información sobre la ubicación exacta y actualizada para la realización de los controles antidopaje los atletas que formasen parte de un grupo objetivo nombrado por un periodo de un año por la agencia francesa para la lucha contra el dopaje. Como se ha indicado, dicha normativa obliga a esos atletas a proporcionar información sobre dónde estarán disponibles durante una hora al día. Serán ellos los que elijan esa ubicación, debiendo estar disponibles en ella para la realización de los controles antidopaje. El TEDH parte de la base de que la lucha contra el dopaje en el deporte es un imperativo de salud pública, y se basa para ello en las normas internacionales aprobadas en el marco de la lucha contra este fenómeno. Cree que, en efecto, en aplicación de dicha normativa puede verse afectado el derecho a la intimidad de los deportistas, pero recuerda al tiempo que, tal y como establece el apartado segundo del artículo 8, no estamos ante un derecho absoluto.

El TEDH no subestima el impacto que las obligaciones de localización tienen en la vida privada de los demandantes. Está de acuerdo con ellos en que estos están sujetos a obligaciones respecto de las cuales no se encuentra la mayoría de la población. Sin embargo, recuerda que el dispositivo de localización tiene como objetivo establecer un marco jurídico para la lucha eficaz contra el dopaje y los deportistas deben asumir su parte de las limitaciones inherentes a las medidas que resultan necesarias para luchar contra un fenómeno que es particularmente frecuente en el ámbito de la competición de alto nivel. No considera, en este sentido, que los demandantes logren demostrar que los controles limitados a los lugares de entrenamiento, que no se realicen fuera de ese marco, sean suficientes teniendo en cuenta, de un lado, la evolución de los métodos dopaje y, de otro, que los periodos durante los cuales resulta posible detectar sustancias prohibidas son breves. Concluye, en definitiva, que el Estado demandando estableció un justo equilibrio entre los diversos intereses en juego y que no hubo, por tanto, violación del Artículo 8 del Convenio.

---

[26] Sobre esta sentencia *Vid.*: MAISONNEUVE, M., "La Cour EDH et les obligations de localisation des sportifs: le doute profite à la conventionnalité de la lutte contra le dopage", *Cahiers du Droit du Sport*, 2018, núm. 49, págs. 136-163.

4.2 Procedimiento ante el Tribunal Arbitral del Deporte y derecho a un proceso equitativo

El 2 de octubre de 2018, el TEDH adoptó una sentencia en la que acumuló dos asuntos que, en esencia, cuestionaban la compatibilidad del procedimiento seguido ante el CAS con el artículo 6 del CEDH[27].

Los demandantes eran un nacional rumano (el señor Adrian Mutu) y una nacional alemana (la señora Claudia Pechstein)[28]. En agosto de 2003, el señor Mutu, un jugador profesional de fútbol, fue traspasado desde el club italiano AC Parma al Chelsea, por un total de 26 millones de euros. En octubre de 2004, la Federación Inglesa de Fútbol realizó controles antidopaje que arrojaron un resultado positivo en cocaína en la muestra tomada al jugador. Por esta razón, el Chelsea dio por terminado el contrato. El abril de 2005, el Comité de Apelación de la Premier League, al que tanto el jugador como el club habían apelado, decidió que había habido una ruptura unilateral del contrato sin causa razonable por parte del futbolista. Este apeló al CAS, que ratificó la decisión en diciembre de 2005. En mayo de 2006, el Chelsea inició una acción por daños ante el órgano competente de la FIFA (la *Disputes Division*), el cual ordenó al señor Mutu que pagase al club 17 millones de euros. En julio de 2009, el CAS desestimó la apelación del jugador, el cual, en septiembre de ese mismo año, recurrió la decisión ante el Tribunal Federal Supremo de Suiza, buscando dejar sin efecto aquella decisión. Alegó que el CAS no había actuado de modo independiente e imparcial. El jugador se basaba para ello en un correo electrónico anónimo que afirmaba que uno de los árbitros del CAS había sido socio en un despacho de abogados que representaba los intereses de uno de los propietarios del CF Chelsea, de un lado, y en el hecho de que otro árbitro había formado parte de la formación de árbitros que confirmó la falta de causa razonable para la ruptura del contrato. El junio de 2010 el Tribunal Federal Supremo suizo decidió que la formación arbitral podía considerarse independiente e imparcial y, en consecuencia, desestimó la apelación del jugador.

---

[27]   *Mutu c. Suiza*, demanda número 40575/10 *Petchstein c. Suiza*, demanda número 67474/10.

[28]   Sobre este asunto puede verse: DUVAL, A. y VAN ROMPUY, B., "Protecting athletes' right to a fair trial through EU competition law: The Pechstein Case", en AA.VV., *Fundamental Rights in International and European Law*, La Haya, TMC Asser Press, 2016, págs. 245-278.

La señora Pechstein es una patinadora de velocidad profesional. En febrero de 2009 todos los atletas que participaban en el campeonato mundial de esta modalidad deportiva pasaron controles antidopaje. Tras analizar el perfil sanguíneo de la demandante, el Comité Disciplinario de la Unión Mundial de Patinaje le impuso una suspensión de dos años. Tanto la patinadora como la Federación alemana de patinaje de velocidad apelaron esta decisión ante el Tribunal Arbitral del Deporte. La audiencia tuvo lugar en una sesión privada a pesar de que la patinadora había solicitado que fuese pública. En noviembre de 2009, el CAS confirmó la sanción. En diciembre de ese mismo año, la señora Pechstein pidió al Tribunal Federal Supremo de Suiza que dejase sin efecto la decisión CAS. Alegó que este último no se podía considerar independiente e imparcial debido al modo de elección de los árbitros, las manifestaciones públicas relativas a la política severa contra el dopaje hechas por su Presidente y la negativa a concederse una audiencia pública. En febrero de 2010, el Tribunal suizo desestimó la solicitud de la deportista.

Tal y como hemos avanzado, ambas demandas ante el TEDH, que resultaron finalmente acumuladas, se basan en la posible violación del artículo 6.1 del CEDH. Los demandantes alegaban, en particular, que el TAS no puede ser considerado un tribunal independiente e imparcial. La señora Pechsteien se quejó además de que no había tenido una audiencia pública ante el órgano disciplinario de la Federación Internacional de Patinaje, el CAS o el Tribunal Federal Supremo suizo, a pesar de sus solicitudes en este sentido. Por su parte, el señor Mutu alegaba que la multa que se le había impuesto y debía pagar al Chelsea FC vulneraba la prohibición de la esclavitud y de trabajo forzado, contenida en el artículo 4.1 del CEDH, su derecho a la vida privada y familiar, protegido por el artículo 8 y, finalmente, el derecho a la propiedad, garantizado por el artículo 1 del Protocolo número 1 al CEDH.

La sentencia analiza únicamente las alegaciones relativas al artículo 6.1 del CEDH. En relación con los artículos 6 y 8, considera que no hay apariencia alguna de violación y por ello declara la demanda inadmisible en relación a ellos. Lo mismo ocurre en el caso del artículo 1 del Protocolo número 1, dado que Suiza no es parte en el mismo. En cuanto al artículo 6.1, son relevantes las siguientes afirmaciones del Tribunal.

En primer lugar, afirma que el derecho a la tutela judicial efectiva no es *per se* contrario al establecimiento, en relación con determinadas cuestiones, de tribunales arbitrales llamados a resolver conflictos entre particulares. El CEDH no se opondría, por tanto, al establecimiento de cláusulas de arbitraje. En relación con el caso específico del arbitraje deportivo, el Tribunal considera que hay un interés cierto en que las disputas que emergen en el ámbito del deporte profesional, sobre todo si tienen una dimensión internacional, puedan ser sometidas a una jurisdicción especializada que sea capaz de decidir de manera rápida. Dado que las competiciones deportivas internacionales de alto nivel se organizan en diferentes países por organizaciones que tienen su sede en distintos Estados y están abiertas a deportistas de todo el mundo, el recurso a un tribunal arbitral internacional único y especializado facilita una cierta uniformidad procedimental y refuerza la seguridad jurídica. Sobre todo, si, como es el caso, sus resoluciones pueden ser recurridas ante un tribunal superior de un solo país. En nuestro caso, el Tribunal Federal suizo.

La cuestión que debe ser analizada, a partir de aquí, en opinión del Tribunal, es si los deportistas, cuando aceptan la jurisdicción del CAS, han renunciado libre, legal e inequívocamente a los derechos que deben ser garantizados sobre la base del artículo 6.1 del CEDH. En ninguno de los dos casos esto había sido así. En relación con la señora Petchstein, el Tribunal considera que su aceptación no había sido libre, dado que la única opción que había tenido era o bien aceptar la cláusula de arbitraje y poder así seguir ganándose la vida como deportista profesional o negarse a aceptarla y verse obligada a abandonar la actividad deportiva. En el caso del señor Mutu, el TEDH afirma que no había renunciado de modo inequívoco al derecho a que su causa fuese oída por un tribunal independiente e imparcial. Esta es desde luego una de las afirmaciones más importantes de la sentencia, puesto que viene a aclarar que no cabe fundamentar de modo automático la legalidad de las cláusulas de arbitraje en la autonomía de la voluntad y en el ejercicio del derecho de asociación[29].

El siguiente paso en el razonamiento es, por tanto, analizar si el CAS podía ser considerado un tribunal independiente e imparcial establecido por la ley en el momento en el que decidió sobre los casos de los demandantes. El Tribunal afirma, después de analizar los argumentos de las partes, que se trata de un tribunal independiente e imparcial en sentido del artículo 6.1 del CEDH y encuentra que no hay, por tanto, violación del Convenio en este punto. No se pronuncia sobre si es un tribunal establecido por la ley, algo que le recriminan los dos jueces (de los 7 que formaron parte de la sala que adoptó la sentencia) que firman el voto particular. Se afirma en el mismo que la cuestión de la independencia e imparcialidad del CAS

---

[29]   *Cfr.* los apartados 42 y siguientes de la sentencia.

suscita cuestiones graves relativas a la interpretación o a la aplicación del Convenio o de sus Protocolos en el sentido del apartado segundo del artículo 43 del Convenio.

Sí encuentra el Tribunal una violación del artículo 6.1 en el caso de la señora Pechstein. En concreto, en relación con la ausencia de una audiencia pública ante el órgano disciplinario de la Federación Internacional de Patinaje, el CAS y el Tribunal Federal suizo, que la patinadora había solicitado, el TEDH afirma que los principios relativos a la publicidad de las audiencias en materias de carácter civil son aplicables no únicamente a los tribunales ordinarios, sino también a las jurisdicciones profesionales que deciden en materia disciplinaria o deontológica. El Tribunal recuerda, de un lado, que la demandante la había solicitado, y, de otro, afirma que el debate sobre la adecuación de la sanción impuesta a la patinadora hubiera requerido una audiencia pública en el procedimiento seguido ante el CAS[30].

4.3 La violación de derechos humanos en el marco de la represión de la violencia en el deporte

Al igual que ocurre con el dopaje, la violencia asociada a determinados acontecimientos deportivos es un fenómeno que ensombrece la práctica del deporte. En el grupo de casos que vamos a analizar ahora no estamos ante ejemplos de violaciones de derechos humanos que se dan como consecuencia de la aplicación de normas deportivas. Son asuntos en los que se cuestiona la acción de los Estados cuando aplican medidas para reprimir dicha violencia que, como sabemos, también vienen impuestas por el Derecho internacional. Podemos citar, en concreto, tres pronunciamientos del Tribunal en este sentido.

En una decisión adoptada el 25 de marzo de 2014 en el asunto *Harrison y otros c. Reino Unido*[31], los demandantes eran familiares de los 96 aficionados que habían muerto en el accidente ocurrido en el estadio de Hillsborough en 1989 que consideraban que el Reino Unido había vulnerado el artículo

---

[30] A pesar de la aparente victoria del CAS ante el TEDH, la doctrina ha considerado que se trata del "principio del fin" de este organismo: DUVAL, A., "The "Victory" of the Court of Arbitration for Sport at the European Court of Human Rights", *Asser International Sports Law Blog*, 10 de octubre de 2018, https://www.asser.nl/SportsLaw/Blog/post/the-victory-of-the-court-of-arbitration-for-sport-at-the-european-court-of-human-rights-the-end-of-the-beginning-for-the-cas.

[31] Demandas número 44301/1, 44379/13 y 44384/13.

2 del CEDH (que protege el derecho a la vida) por no haber realizado investigaciones sobre lo ocurrido en el momento. Esto es, las obligaciones procedimentales que derivan de este artículo. Aunque las investigaciones se habían hecho 24 años después de la tragedia, no eran, en opinión de los demandantes, adecuadas. El Tribunal tuvo en cuenta que la Comisión constituida en el Reino Unido para proceder a dichas investigaciones no había terminado sus tareas en la época en la que se interpuso la demanda. En consecuencia, consideró que se trataba de demandas prematuras, puesto que no se habían agotado los recursos internos, y que procedía declararlas inadmisibles de acuerdo con lo previsto en los apartados 1 y 4 del artículo 35 del CEDH.

El segundo asunto al que queremos hacer referencia trae causa de tres demandas interpuestas contra Dinamarca en 2012[32]. Los demandantes habían sido detenidos en Dinamarca con ocasión de una operación policial tendente a prevenir el hooliganismo. Consideran que su detención había sido ilegal dado que excedía el tiempo máximo permitido por el Derecho interno, de una parte, y porque no estaba justificada, de otra. Habría habido, en su opinión, una violación del artículo 5 del CEDH. En su sentencia de 22 de octubre de 2018, el TEDH llegó a la conclusión de que dicha violación no se había producido, puesto que los tribunales internos habían considerado de modo adecuado el equilibrio entre el derecho de los demandantes a la libertad y la prevención del hooliganismo.

Vamos a citar en último lugar una sentencia del TEDH de 9 de noviembre de 2017, dictada en el asunto *Hentschel y Stark c. Alemania*[33], en la que el TEDH ha resuelto la demanda interpuesta por dos nacionales alemanes que asistieron a un partido de fútbol en Munich el 9 de diciembre de 2007. Debido al alto riesgo de enfrentamientos entre los aficionados de ambos equipos, se había desplegado un dispositivo de seguridad especial que incluía el despliegue de 200 policías. Después del partido, la policía acordonó una zona en la que estaban unos quince aficionados de uno de los equipos (entre ellos los demandantes) para evitar que se acercasen a los aficionados del equipo rival. Los demandantes denuncian haber sido golpeados sin previo aviso por varios policías que no llevaban tarjetas identificativas.

---

[32]   Demandas número 35553/12, 36678/12 y 36711/12, asunto *S., V. y A. c. Dinamarca.*

[33]   Demanda núm. 47274/15.

En su sentencia, el Tribunal mantuvo que no había habido violación del artículo 3 del CEDH, ya que resultaba imposible establecer más allá de cualquier duda razonable que los hechos se habían desarrollado tal y como los describían los demandantes. Entendió, sin embargo, que había habido violación del mencionado artículo debido al modo en el que se había llevado la investigación posterior a la denuncia de los hechos. En este sentido, el Tribunal tuvo en cuenta, en particular, que los oficiales de policía no pudieron ser identificados debido al casco y a que no portaban ninguna placa con su nombre, sino solo números en la parte posterior del casco. Además, las dificultades resultantes de la falta de identificación no habían sido contrarrestadas por otras medidas durante la investigación.

4.4 El derecho a la libertad de expresión en el ámbito deportivo

Es esta una cuestión, la del derecho a la libertad de expresión en el ámbito deportivo[34], a la que el TEDH se ha enfrentado en varias ocasiones.

Destaca, en primer lugar, la decisión sobre admisibilidad dictada en el asunto *Šimunić c. Croacia*, de 22 de enero de 2019[35]. El demandante, un jugador de fútbol, había sido condenado por un delito menor debido a que había dirigido mensajes a los espectadores de un partido de fútbol cuyo contenido se consideraba que incitaban al odio. En su demanda, él consideraba que se había vulnerado su derecho a la libertad de expresión.

El Tribunal declaró inadmisible la demanda por considerarla manifiestamente infundada debido a que consideró justificada y proporcional la limitación del mencionado derecho. Tuvo en cuenta la cuantía modesta de la multa que se le había impuesto y el contexto en el que se habían producido las declaraciones. Así, llegó a la conclusión de que se habían ponderado correctamente los intereses el juego: el derecho a la libertad de expresión del demandante y el interés de la sociedad en promover la tolerancia y el respeto mutuo en el marco de los acontecimientos deportivos. Para el Tribunal fue importante el hecho de que el demandante era un jugador de fútbol famoso, un modelo en definitiva para muchos aficionados. Por ello, consideró que debería haber sido consciente del impacto negativo que iban a producir las mencionadas declaraciones y haberse abstenido de

---

[34] *Vid.* al respecto LINDHOLM, J., "From Carlos to Kaepernick and beyond: athletes' right to freedom of expression", *The International Sports Law Journal*, Vol. 17, 2017, núm. 1-2, págs. 1-3.

[35] Demanda núm. 20373/17.

hacerlas. Parece afirmar el Tribunal, por tanto, que los deportistas conocidos tienen un deber específico en este sentido.

En tres sentencias dictadas el 18 de mayo de 2021 en los asuntos Sedat Doğan c. Turquía (demanda núm. 48909/14), Naki y Amed Sportif Faaliyetler Kulübü Derneği c. Turquía (demanda núm. 48924/16) e Ibrahim Tokmak c. Turquía (demanda núm. 54540/16) el Tribunal decidió sobre casos que traían causa de sanciones deportivas y económicas impuestas a los demandantes por la Federación Turca de Fútbol. Las sanciones se impusieron por declaraciones realizadas a los medios de comunicación o por mensajes publicados o compartidos en las redes sociales. Los demandantes alegaban la falta de independencia e imparcialidad del Comité federativo que impuso las sanciones, de un lado, y la vulneración de su derecho a la libertad de expresión, de otra.

En primer lugar, el TEDH declaró la violación, en los tres casos, del artículo 6.1 del CEDH, que protege el derecho a un juicio justo entendiendo que, efectivamente, había quedado probada dicha falta de independencia e imparcialidad del Comité de la Federación. Se había constatado, en este sentido, una serie de deficiencias estructurales en el Comité, así como la falta de salvaguardias adecuadas para proteger a sus miembros de la presión externa. Por otro lado, el Tribunal consideró que se había violado el artículo 10 (que protege la libertad de expresión) del Convenio. Afirmó, en este sentido, que la fundamentación jurídica contenida en las decisiones de imponer sanciones a los demandantes dejaba en evidencia que no se había llevado a cabo un ejercicio de ponderación adecuado entre el derecho a la libertad de expresión de los demandantes, de un lado, y la protección de determinados intereses deportivos, como el mantenimiento del buen orden en la comunidad futbolística, de otro. No había quedado demostrado, en particular, que las medidas impugnadas fueran pertinentes y suficientes, ni necesarias en una sociedad democrática.

4.5 Un breve apunte sobre la participación de los deportistas transexuales e intersexuales en las competiciones deportivas

El 3 de mayo de 2021, el TEDH comunicó a Suiza la demanda que había sido interpuesta el 18 de febrero por la atleta sudafricana Caster Semenya. La misma trae causa de la aprobación, por parte de World

Athletics[36], del Reglamento de elegibilidad para participar en la categoría femenina, aplicable únicamente a las mujeres con determinadas variaciones particulares de sus características sexuales. El Reglamento, adoptado en abril de 2018, establece criterios de elegibilidad que obligan a estas atletas a reducir su nivel de testosterona en sangre a un nivel específico, a fin de seguir siendo elegibles para competir en determinadas pruebas de la categoría femenina[37]. El recurso interpuesto por la atleta y la Federación Sudafricana de Atletismo ante el TAD fue resuelto el 1 de mayo de 2019 a favor de la federación internacional. El laudo del TAD[38] fue recurrido ante el Tribunal Federal Suizo, que inadmitió el recurso mediante decisión de 8 de septiembre de 2020[39], dejando expedita la vía ante el TEDH.

Se trata por lo demás de un caso que ha llamado la atención del Consejo de Derechos Humanos de NNUU. En un pronunciamiento en verdad poco habitual, este órgano adoptó el 29 de marzo de 2019 una Resolución en la que exhortaba a los Estados a que velasen por que las asociaciones y los órganos deportivos apliquen políticas y prácticas que resulten efectivamente compatibles con las normas y los principios internacionales de derechos humanos. Les pedía además que se abstuviesen de adoptar e implementar aquellas "que obliguen, coaccionen o presionen de cualquier otro modo a las mujeres y niñas atletas para que se sometan a procedimientos médicos innecesarios, vejatorios y perjudiciales para poder participar en las competiciones deportivas femeninas" y que "revocasen las normas, políticas y prácticas que conculquen su derecho a la integridad física y a la autonomía

---

[36] World Athletics es el nombre que recibe desde 2019 la hasta entonces denominada Asociación Internacional de Federaciones de Atletismo (IAAF, por sus siglas en inglés), una asociación creada en 1912 y registrada en el Principado de Mónaco en 1993. Sometida al Derecho monegasco, es competente para la regulación y organización de esta disciplina deportiva en el mundo y la única reconocida en este sentido por el Comité Olímpico Internacional (COI): *Cfr.* el artículo 1.3 de su Constitución, disponible en https://www.worldathletics.org/about-iaaf/documents/book-of-rules.

[37] El Reglamento está disponible en https://www.worldathletics.org/news/press-releases/eligibility-regulations-for-female-classifica.

[38] Disponible en https://www.tas-cas.org/fileadmin/user_upload/CAS_Award_-_redacted_-_Semenya_ASA_IAAF.pdf. Un análisis interesante de la decisión puede verse en: HOLZER, L., ¿"What Does it Mean to be a Woman in Sports? An Analysis of the Jurisprudence of the Court of Arbitration for Sport", *Human Rights Law Review*, vol. 20, 2020, núm.3, págs. 387-411.

[39] Disponible en https://n9.cl/xk6es.

corporal"[40]. En un sentido semejante se pronunciaron también, conjuntamente, los Relatores Especiales del Consejo de Derechos Humanos sobre el derecho de toda persona al disfrute del más alto nivel posible de salud física y mental y sobre la tortura y otros tratos o penas crueles, inhumanos o degradantes y el Grupo de Trabajo sobre la cuestión de la discriminación contra la mujer en la legislación y en la práctica[41]. La nueva regulación provocó igualmente las reacciones críticas de organizaciones de la sociedad civil como Human Rights Watch[42] o la Asociación Médica Mundial[43], entre otras.

No cabe duda de que la decisión del TEDH en el asunto de la atleta Caster Semenya está llamada a sentar las bases del alcance de las obligaciones de los Estados en relación con la protección de los atletas con diferencias en el desarrollo sexual y, por extensión, transgénero. No es impensable, por lo demás, que la necesidad de proteger la integridad de la competición, al igual que en el asunto *FNASS y otros c. Francia*, tenga un peso determinante en la decisión que finalmente se adopte[44].

5. A MODO DE CONCLUSIÓN

El análisis que precede a estas líneas ha pretendido poner de manifiesto la importancia de la acción del Consejo de Europa en el ámbito del deporte. Como en el caso de otras OOII, el Consejo de viene ocupando, desde distintos ámbitos, de cuestiones que inciden directamente en la regulación de la actividad deportiva. El trabajo ha ilustrado dicha acción en los planos normativos (que incluye ejemplos de *hard y soft law*) y jurisprudencial).

---

[40]   La Resolución está disponible en https://undocs.org/es/A/HRC/40/L.10/Rev.1.

[41]   Este pronunciamiento está disponible en https://www.ohchr.org/Documents/Issues/Health/Letter_IAAF_Sept2018.pdf.

[42]   Disponible en https://www.hrw.org/sites/default/files/media_2020/12/lgbt_athletes1120_web.pdf.

[43]   Disponible en https://www.wma.net/news-post/wma-urges-physicians-not-to-implement-iaaf-rules-on-classifying-women-athletes/.

[44]   De estas cuestiones me he ocupado *in extenso* en PÉREZ GONZÁLEZ, C., "¿Citius, altius, fortius?: Derecho internacional de los derechos humanos y protección de deportistas transgénero e intersexuales". *Revista electrónica de estudios internacionales*, 2021, núm. 41, DOI: 10.17103/reei.42.03.

De todo ello cabe deducir, en mi opinión, la decidida apuesta de esta Organización Internacional por hacer avanzar los estándares democráticos, de buena gobernanza y de protección de los derechos humanos en el seno de las organizaciones deportivas.

6. REFERENCIAS BIBLIOGRÁFICAS

DUVAL, A., "The "Victory" of the Court of Arbitration for Sport at the European Court of Human Rights", *Asser International Sports Law Blog*, 10 de octubre de 2018, https://www.asser.nl/SportsLaw/Blog/post/the-victory-of-the-court-of-arbitration-for-sport-at-the-european-court-of-human-rights-the-end-of-the-beginning-for-the-cas.

DUVAL, A. y VAN ROMPUY, B., "Protecting athletes' right to a fair trial through EU competition law: The Pechstein Case", en AA.VV., *Fundamental Rights in International and European Law*, La Haya, TMC Asser Press, 2016, págs. 245-278.

HOLZER, L., ¿"What Does it Mean to be a Woman in Sports? An Analysis of the Jurisprudence of the Court of Arbitration for Sport", *Human Rights Law Review*, vol. 20, 2020, núm. 3, págs. 387-411.

LINDHOLM, J., "From Carlos to Kaepernick and beyond: athletes' right to freedom of expression", *The International Sports Law Journal*, Vol. 17, 2017, núm. 1-2, págs. 1-3.

MAISONNEUVE, M., "La Cour EDH et les obligations de localisation des sportifs: le doute profite à la conventionnalité de la lutte contre le dopage", *Cahiers du Droit du Sport*, 2018, núm. 49, págs. 136-163.

PÉREZ GONZÁLEZ, C. (2015), A propósito de la acción del Consejo de Europa en el ámbito del deporte. Análisis del Convenio europeo sobre la manipulación de competiciones deportivas, Eunomía. Revista en Cultura de la Legalidad, núm. 8, págs. 71-92.

PÉREZ GONZÁLEZ, C., "¿Citius, altius, fortius?: Derecho internacional de los derechos humanos y protección de deportistas transgénero e intersexuales". *Revista electrónica de estudios internacionales*, 2021, núm. 41, DOI: 10.17103/reei.42.03.

TAYLOR, J. C. (1986), *The War on Soccer Hooliganism: The European Convention on Spectator Violence and Misbehavior at Sports Events*, Virginia Journal of International Law, Vol. 27, págs. 603-654.

La comunicación europea del deporte en un contexto desinformativo y post-pandemico

ROCÍO SÁNCHEZ DEL VAS

*Alumna del Máster Universitario de Investigación Aplicada a los Medios
de Comunicación en la Universidad Carlos III de Madrid*

JORGE TUÑÓN NAVARRO

*Catedrático Jean Monnet "ad personam" y profesor del Departamento
de Comunicación de la Universidad Carlos III de Madrid*

Agradecimientos: Este trabajo forma parte de la Cátedra Europea financiada por
la Agencia Ejecutiva en el Ámbito Educativo, Audiovisual y Cultural (EACEA), de
la Comisión Europea, Jean Monnet (Erasmus+), *"Future of Europe Communication in
times of Pandemic and Disinformation"* (FUTEUDISPAN), Ref: 101083334-JMO-2022-
CHAIR, dirigida entre 2022 y 2025, desde la Universidad Carlos III de Madrid, por
el profesor Jorge Tuñón. Asimismo, el trabajo también forma parte de la Red Jean
Monnet "OpenEUdebate" (REF: 600465-EPP-1-2018-1-ES-EPJMO-NETWORK).

1. INTRODUCCIÓN

El deporte cuenta con una importante presencia dentro del marco de
las actividades ejecutadas por la Unión Europea. En este sentido, la propia institución pone en marcha numerosas perspectivas y repercusiones en
base a las cuales, el fenómeno de la práctica deportiva puede ser analizado
y comprendido a escala europea. Así pues, cabe destacar que el deporte

cuenta con, al menos, una triple dimensión: la socio-política, la económica y la jurídica. Y es que, la propia Comisión Europea, que ratifica la transcendencia del fenómeno deportivo cuando, al inicio del Libro Blanco sobre el Deporte de 2007, lo define como "un fenómeno social y económico en expansión que contribuye en gran medida a los objetivos estratégicos de solidaridad y prosperidad de la Unión Europea" (Unión Europea, 2007).

De hecho, gracias a la doble dimensión del deporte: la profesional y la *amateur*, cuenta con la posibilidad de generar referentes y modelos de comportamiento en la ciudadanía europea, lo que permite crear inspiración. Tal y como refleja el *Eurobarómetro* publicado en septiembre de 2022, cerca del 40% de los ciudadanos europeos practica deporte a menudo. Por otra parte, el deporte cuenta con la posibilidad de crear valores tales como el *fair-play*, el juego en equipo, la solidaridad, o el desarrollo y la superación personales, entre otros. Con ello, impulsa a la población europea a ser más activa, fomentando un estilo de vida saludable.

No obstante, por el mero el hecho de que "tenga unas funciones y virtudes muy loables a escala europea, no significa que deje de estar expuesto a riesgos y amenazas también sustanciales derivadas de: su utilización política que bien puede cristalizar en actitudes xenófobas; su explotación económica derivada de una excesiva presión comercial o de la explotación de deportistas a edades prematuras; o del desempeño de una manifiesta falta de ética en el mismo, que puede cristalizar en prácticas como el dopaje, la corrupción o el blanqueo de dinero" (Tuñón, 2010a:78). En esta línea, resulta reseñable hacer mención a un ejemplo tan representativo como el famoso caso de corrupción a todos los niveles del fútbol italiano, que sacudió el país durante la primavera de 2006 (Tuñón, 2010b).

Asimismo, el deporte cuenta con una insólita capacidad de convocatoria pues constituye una práctica bastante democrática y adaptable para toda clase de edades y clases sociales. De hecho, los ciudadanos europeos se aproximan al fenómeno deportivo desde muy variados perfiles: jugadores, entrenadores, dirigentes, organizadores, periodistas, investigadores, empresarios, transportistas, sociólogos, o juristas, entre otros ejemplos (Tuñón, 2010a). Además, más allá del deporte profesional, la práctica deportiva *amateur* no sólo sirve para mejorar la salud de la ciudadanía europea, sino que también aporta a la misma una indudable dimensión educativa, cultural y recreativa (Unión Europea, 2007).

Aparte de su dimensión social, desde la mera perspectiva económica, la importancia y el impacto de la práctica deportiva resulta reseñable. Y es que, las cifras son muy reveladoras ya que el deporte genera un valor añadido de 279.700 millones de euros, lo que equivale al 2,12% del PIB de la Unión Europea, proporcionando empleo a cerca de seis millones de personas (Mittag y Naul, 2021).

No obstante, el deporte es un ámbito en el que las responsabilidades de la Unión son relativamente nuevas. De hecho, hasta finales de 2009 con el Tratado de Reforma de Lisboa, la Unión Europea no contaba con un texto de derecho originario en vigor. Esto provocó que, hasta entonces, el marco jurídico comunitario de esta actividad se hubiera "caracterizado tradicionalmente por su fragmentación, y lo que es más grave, su inestabilidad e incoherencia" (Pérez, 2002:80).

Tal y como señala Iskra (2022), a partir de ese momento, la UE se hizo responsable del desarrollo políticas relativas a la actividad física y el deporte, así como al fomento de la cooperación y la gestión de iniciativas en todo el marco europeo. El Parlamento Europeo señala que, entre los objetivos de la Unión con respecto al deporte se encuentran, por un lado, alcanzar una mayor equidad y apertura en las competiciones deportivas, junto una mayor protección de la integridad física y moral de los deportistas, tomando en consideración especificidad del deporte. Por otro lado, pretende concienciar de la idea de que la actividad deportiva mejora el bienestar general, promoviendo la superación de problemáticas tales como el racismo, la exclusión social y la desigualdad de género. De esta forma, considera la política deportiva un instrumento importante en las relaciones exteriores. A la Unión Europea le preocupan tres aspectos concretos. En primer lugar, la función social del deporte. En segundo lugar, su dimensión económica. Por último, el marco político y jurídico del sector del deporte. Tal vez, añadimos, las tres bien podrían abrazarse, desde una pertinente y mejorada comunicación europea del mismo (Tuñón, Bouza y Carral, 2019), atendiendo a la dimensión digital de la misma (Tuñón y Carral, 2019).

2. BASE JURÍDICA DEL DEPORTE EN EL MARCO EUROPEO

2.1 Antecedentes: la ausencia del deporte en el derecho originario de la UE

Tal y como se ha mencionado, hasta su incorporación al Tratado de Reforma de Lisboa, firmado en 2007 pero sólo en vigor desde diciembre de 2009, el deporte había estado ausente del derecho primario de la Unión Europea. La falta de inclusión de un título competencial sobre el deporte en el Tratado de la Unión Europea dificultó la conformación de una *Política Europea del Deporte*. No obstante, "ello no quiere decir que la Unión

Europea se hubiera despreocupado hasta el Tratado de Reforma de Lisboa de dotar de una regulación jurídica a la práctica deportiva, sino que tal vez la misma, fundamentada en legislación secundaria y jurisprudencia, no era la que un fenómeno de la trascendencia descrita merecía" (Tuñón, 2010a:80).

En tanto en cuanto al deporte se refiere, no fue la Unión Europea, sino el Consejo de Europa quien lideró la legislación primigenia acerca del fenómeno deportivo. En este sentido, en 1954 ya adoptó la Convención Cultural Europea, la cual ofrecía un marco de cooperación en los ámbitos de la cultura, la educación, la juventud y el deporte. Tal y como señala Tuñón (2010a), en lo que respecta al exclusivo ámbito de la Unión Europea, la actividad deportiva sí formaba parte de la agenda política y jurídica. De hecho, el detonante que dio pie al interés jurídico-político por la regulación deportiva a escala europea fue la sentencia *Bosman* de 1995 (TJUE, 1995). Esta histórica sentencia supuso un duro golpe contra aquellas posturas exclusivamente socio-culturales que abogaban por estricta excepcionalidad del deporte, al incluirlo bajo el paraguas regulador del derecho comunitario.

Al frente de estos debates estuvo el Parlamento Europeo. A través del *Informe Larive* (1994), del *Informe Pack* (1997), y del *Informe Mennea* (2000), el Parlamento Europeo buscaba constituir un modelo equilibrado que incluyera tanto la regulación económica del deporte, como el impuso de sus dimensiones cultural, social, educativa e integradora (Parrish y Miettinen, 2008). Como resultado de estos antecedentes, las instituciones han ido poco a poco paliando la continuada ausencia competencial del deporte en el ámbito del derecho originario de la Unión Europea. Entre ellas, se deben señalar:

a) La *Declaración sobre el Deporte de Ámsterdam* de 1997 (Unión Europea, 1997). Se trata de una declaración no vinculante, la número 29, que fue anexada por el Consejo Europeo al Tratado de Ámsterdam de 1997, en lo que supuso una llamada de atención sobre la necesidad de regular una cuestión, si bien la falta de obligatoriedad de la declaración restó una evidente fuerza jurídica a la misma. En la práctica supuso un cierto reconocimiento de los órganos de gobierno del deporte a escala europea.

b) La *Declaración del Consejo Europeo de Viena* de diciembre de 1988 (Unión Europea, 1998), la cual añadía ímpetu político a la de Ámsterdam requiriendo a la Comisión Europea un informe acerca de la salvaguardia de las estructuras deportivas existentes y el mantenimiento de la función social del deporte en el ámbito comunitario.

c) El *Informe sobre el Deporte de Helsinki* de 1999 (Unión Europea, 1999), que supuso un nuevo enfoque en el marco de la aplicación del Derecho comunitario sobre la práctica deportiva. Pretendió congeniar la preservación de los valores tradicionales del deporte, pero asimilando al mismo tiempo las cambiantes estructuras económico-jurídicas.

d) La *Declaración de Niza sobre el Deporte* de 2000 estuvo basada precisamente en el *Informe de Helsinki* de 1999, y puso de manifiesto que la Unión Europea debía asumir un papel relevante acerca del fenómeno deportivo, a pesar de contar sólo con competencias indirectas acerca del mismo, teniendo principalmente en cuenta sus funciones social, educativa y cultural.

d) La *Resolución del Parlamento Europeo sobre el futuro del fútbol profesional* de 2007 (Parlamento Europeo, 2007). Cabe su inclusión con motivo de la relevancia destacada que tiene el fútbol en el marco del fenómeno deportivo a escala europea. Mediante este documento, se expone el deseo de que el derecho comunitario se aplique de manera efectiva en el contexto del fútbol profesional. No obstante, tampoco contó efectos legales vinculantes (Pérez y Palomar, 2007).

e) El artículo III-282 del *Tratado que establecía una Constitución para Europa* en 2004 (Parlamento Europeo, 2004). El artículo de la malograda Constitución Europea pretendía legitimar la acción de la Unión Europea acerca del deporte. A pesar de ello, en la práctica ni suponía el otorgamiento de una jurisdicción particular a la Unión, ni distinguía entre el deporte profesional y el *amateur*. La inclusión del deporte en el tratado constitucional pretendía relanzar la futura política europea en materia deportiva, que debería servir para reforzar los valores del deporte.

Todas estas iniciativas pusieron punto y final a la ausencia histórica del deporte en el derecho originario de la Unión Europea. Y es que, hasta 2009, la legislación secundaria emanada de las distintas instituciones comunitarias y la jurisprudencia del Tribunal de Justicia de la Unión Europea fue la encargada de delimitar el marco jurídico europeo en relación al fenómeno deportivo (Tuñón, 2010a).

2.2 El Libro Blanco sobre el Deporte y el Tratado de Lisboa

La incorporación del fenómeno deportivo en el articulado del Tratado de Reforma de Lisboa de Reforma de la Unión Europea, a través de la redacción del artículo 165, y menor medida, de la referencia que se hace el artículo 6, dio por concluida aquella histórica ausencia del deporte del ámbito del derecho originario de la Unión Europea, que comenzó con la *Declaración de Ámsterdam* de 1997.

Dada la imposibilidad de incluir más que el título competencial básico en el Tratado de Reforma de Lisboa, la regulación y el desarrollo del deporte, siguiendo las indicaciones del Tratado, se encuentran ubicados en el *Libro Blanco sobre el Deporte*. Ambos, el título competencial atribuido al deporte preferentemente a través del artículo 165 del Tratado de Reforma de Lisboa y el *Libro Blanco sobre el Deporte* de la Comisión Europea de 2007, se constituyeron como el marco regulador del fenómeno deportivo.

"Cronológicamente, la publicación del *Libro Blanco,* que tuvo lugar el 11 de julio de 2007, antecede a la firma del Tratado de Lisboa el 13 de diciembre de ese mismo año. No obstante, tuvo en cuenta el mismo. Este diseña un marco regulativo del deporte, atendiendo tanto a sus especiales características, como a sus valores sociales y educativos, tras realizar toda una serie de consultas con todos los actores implicados: los Gobiernos de los Estados miembros, organizaciones deportivas, representantes de la sociedad civil y ciudadanos" (Tuñón, 2010a:84).

Así pues, el *Libro Blanco* se divide en tres capítulos, que tratan sobre:

a) La función social del deporte, donde se analizan los vínculos entre el deporte y la salud pública, el *doping,* la educación y el entrenamiento, la inclusión social, la lucha contra el racismo y la violencia, o su relación con el desarrollo sostenible o las políticas exteriores de la Unión Europea.

b) La importancia económica, en el que se insiste en la necesidad de realizar un profundo análisis acerca de las implicaciones económicas del deporte, para poder desarrollar una efectiva política deportiva congruente con políticas europeas tan complejas y estrictas como la de la competencia (Parrish y Miettinen, 2008).

c) La organización del deporte, donde se reconoce que, aunque ciertos valores y tradiciones del modelo europeo del deporte deben ser promovidos, resulta irreal pensar en la posibilidad de diseñar un modelo único y unificado, con motivo de los desafíos que representa en relación tanto a la gobernanza en el ámbito deportivo, como en lo que respecta al sometimiento del fenómeno a la disciplina comunitaria (Pérez, 2009).

Además, "el *Libro Blanco* respeta con el principio de subsidiariedad, con la autonomía de las organizaciones deportivas y con el marco legal europeo. Por ello, tiene plenamente en cuenta el contexto europeo para delimitar la esfera deportiva. En particular, sus iniciativas no debilitan la aplicación del derecho comunitario al deporte, mientras que clarifican la aplicación de las disposiciones legislativas europeas sobre el mencionado sector. Asimismo, permite explícitamente la remisión tanto a la jurisprudencia del Tribunal de Justicia de la Unión Europea, como a las decisiones previas de la misma Comisión Europea en materia de deporte" (Tuñón, 2010a:84).

Como resultado, el Tratado de Reforma de Lisboa demostró que la Unión Europea pretendía algo más que el mero desarrollo de una integración económica. Así pues, congenió dos ámbitos de forma equilibrada, cuyos orígenes estaban bastante distanciados. Y es que, mientras que los tratados originarios buscaban la regulación bajo la libre circulación de mercancías y operadores económicos, el movimiento deportivo se basaba en valores diferentes y, en ocasiones, contradictorios, con respecto a la gestión de competiciones.

3. POLÍTICAS EUROPEAS EN EL ÁMBITO DE LA ACTIVIDAD FÍSICA Y EL DEPORTE

3.1 *Política deportiva en el seno de la Comisión Europea*

En la actualidad, el desarrollo y la aplicación de la política europea en el ámbito del deporte es responsabilidad de la Dirección General de Juventud, Deporte, Educación y Cultura (DG EAC), una de las 27 que alberga la Comisión Europea (CE). De este modo, los documentos esenciales y en vigor de política de la Unión Europea sobre el deporte son: el Plan de trabajo de la Unión Europea para el Deporte (2021-2024); el Libro Blanco del Deporte; y la Comunicación sobre el Desarrollo de la dimensión europea en el deporte.

Así pues, la EAC es responsable del desarrollo de políticas basadas en la evidencia en el ámbito del deporte. También fomenta la cooperación y gestiona las iniciativas de apoyo a la actividad física y el deporte en toda Europa, especialmente a través del programa Erasmus+. Sus tres prioridades principales son, en primer lugar, la protección de la integridad y valores del deporte; en segundo lugar, las dimensiones socioeconómicas y medioambientales del deporte y, en tercer lugar, el fomento de la participación en el deporte y en las actividades que mejoran la salud. Además, como brazo ejecutivo de la Unión Europea, la Comisión Europea es responsable ante el Parlamento Europeo. En el caso de la DG EAC, la Comisión de Educación y Cultura del Parlamento es la responsable de la supervisión (Unión Europea, s.f.a).

3.2 Desarrollo de la dimensión europea en el deporte

La nueva reglamentación dio pie a que, en enero de 2011, se desarrollara una Comunicación de la Comisión sobre impacto del Tratado de Lisboa en el deporte. Bajo el título de *Desarrollo de la dimensión europea en el deporte* (Comisión Europea, 2011), se convirtió en el primer documento de política adoptado por la Comisión tras la puesta en marcha del Tratado de Lisboa (Iskra, 2022). Para ello, la Comunicación se basó en tres ámbitos principales:

a) La función social del deporte, la cual englobaba la lucha contra el dopaje; la educación deportiva; la prevención y erradicación de la violencia y la intolerancia; la mejora de la salud; y la integración social en el deporte y a través del mismo.

b) La dimensión económica del deporte, en la cual se trataban aspectos sobre la formulación de políticas basadas en datos factuales en el ámbito del deporte; la financiación sostenible del deporte; la aplicación de las normas de la Unión Europea sobre ayudas estatales al deporte; el desarrollo regional y la empleabilidad.

c) La organización del deporte, donde se abordaba la promoción de la buena gobernanza en el deporte; las características específicas del deporte; la libre circulación y nacionalidad de los deportistas; las normas sobre traspasos y actividades de los agentes deportivos; y el diálogo social europeo en el sector del deporte.

3.3 Planes de Trabajo de la Unión Europea para el Deporte

Paralelamente a esta Comunicación, se desarrolló el primer *Plan de Trabajo de la Unión Europea para el Deporte 2011-2014* (Unión Europea, 2011). Un Plan de Trabajo de la Unión Europea para el Deporte (en lo sucesivo "Plan de Trabajo de la UE") constituye una de las formulaciones sobre política deportiva más destacadas de la Unión Europea. Su objetivo principal es el de fomentar la cooperación entre las instituciones de la Unión, los Estados miembros y las partes interesadas (Iskra, 2022).

En este sentido, el primero se centró en la creación de nueve grupos de expertos destinados a tratar temáticas relacionadas con la integridad del deporte, especialmente en la lucha contra el dopaje, el amaño de partidos, y el fomento de una buena gestión; los valores sociales del deporte, en especial la salud, la integración social, la educación y el voluntariado; los aspectos económicos del deporte, en particular la financiación sostenible del deporte popular y una actuación basada en datos probados.

Una vez culminado, se puso en marcha el segundo *Plan de Trabajo de la UE 2014-2017* (Unión Europea, 2014), centrado en la integridad del deporte; sus beneficios económicos; y su relación con la sociedad, aunando a cinco grupos de expertos. Por otra parte, en 31 de mayo de 2016, se elaboraron las *Conclusiones del Consejo y de los Representantes de los Gobiernos de los Estados miembros, sobre la potenciación de la integridad, la transparencia y la buena gobernanza en los grandes acontecimientos deportivos* (Unión Europea, 2016) donde se incidía en una serie de peticiones específicas tanto a los Estados Miembros, la Comisión Europea y el Movimiento Deportivo Internacional.

De igual modo, en julio de 2017 se llevó a cabo un tercer *Plan de Trabajo de la UE 2017-2020* (Unión Europea, 2017), bajo las mismas cuestiones clave que el plan anterior, pero estableciendo tan solo dos grupos de expertos. Así pues, se incrementó la duración del plan a tres años y medio, es decir, hasta el 31 de diciembre de 2020. Una vez cumplido su plazo de expiración, el 1 de enero de 2021 se impulsó el cuarto *Plan de Trabajo de la UE 2021-2024* (Unión Europea, 2021), con una duración de un año y medio, al igual que el anterior, contando así con validez hasta el 30 de junio de 2024. En él, se añadió, por primera vez entre los ámbitos prioritarios, la dimensión medioambiental del deporte, haciendo igualmente hincapié en la promoción de la participación en el deporte y en la actividad física al ser beneficiosa para la salud. Además, bajo el marco de la pandemia de COVID-19, se pretendió reforzar la recuperación del sector del deporte y su resiliencia ante las crisis a lo largo de la pandemia de COVID-19 y en el período posterior.

3.4 El deporte europeo ante la crisis de la COVID-19

La pandemia de COVID-19 ha supuesto numerosos cambios drásticos en el estilo de vida de los ciudadanos europeos, quienes, en los meses más duros la crisis del coronavirus, tuvieron que adaptarse a una "nueva realidad". En concreto, las consecuencias han sido devastadoras para todo el ámbito deportivo, especialmente para las organizaciones y clubes, las competiciones, los gimnasios, los atletas, los entrenadores, los profesionales y los voluntarios del deporte, así como los negocios relacionados con el deporte. A pesar de esta circunstancia, el sector del deportivo ha contribuido considerablemente a evitar la propagación del virus desde los inicios de la pandemia, aplicando diversas medidas y recomendaciones (Unión

Europea, 2020a). Además, en el marco de la reconfiguración de la esfera pública europea (Tuñón y Carral, 2021), también se han buscado nuevas estrategias y alternativas para hacer frente al nuevo paradigma (Villaquiran-Hurtado, et al., 2020).

En junio de 2020, el Consejo desarrolló sus *Conclusiones sobre el impacto de la pandemia de COVID-19 en el sector del deporte* (Unión Europea, 2020b). En ellas se abordó la importancia de adoptar estrategias de apoyo al deporte a escala tanto local, como nacional, regional y de la Unión. También la promoción del diálogo entre Estados miembros y partes interesadas con el fin de consensuar políticas comunes que permitieran reanudar las actividades deportivas de forma segura. Asimismo, se animó a las instituciones de la Unión a apoyar económicamente al sector, mediante los programas y fondos disponibles de la Unión.

De igual modo, en diciembre del mismo año, los ministros de Deporte de la Unión llevaron a cabo una conferencia sobre los retos y desafíos que conllevaba la organización de eventos deportivos internacionales, bajo el paraguas de la crisis sanitaria. La dificultad se vio agravada por la obstaculización de la libre circulación de deportistas por las normas internacionales, las cuarentenas y pruebas obligatorias, entre otras cuestiones. Dicha reunión resaltó la necesidad de incrementar la cooperación ante el deporte a escala de la Unión Europea (Iskra, 2022).

Por otra parte, en febrero de 2021, el Parlamento Europeo aprobó una Resolución sobre las *Repercusiones de la COVID-19 en la juventud y el deporte* (Parlamento Europeo, 2021a). En ella, se abordó la necesidad de proveer apoyo financiero, estratégico y práctico a los Estados miembros, con el fin de prevenir posibles consecuencias a largo plazo en la juventud y el deporte. De este modo, se señaló la urgencia de llevar a cabo una cooperación intersectorial para superar los retos surgidos en el sector deportivo a causa de la pandemia, solicitando un enfoque coordinado en lo referente a restricciones y pruebas sanitarias para las competiciones deportivas paneuropeas, entre otras cuestiones.

4. PROGRAMAS INICIATIVAS Y ACCIONES DEPORTIVAS DESARROLLADAS POR LA UNIÓN EUROPEA

4.1 *Erasmus + Deporte*

El deporte forma parte del actual programa europeo Erasmus+ (2021-2027), centrado en la educación y formación, la juventud y el deporte. Esto es posible ya que, en diciembre de 2020, el Parlamento y el Consejo alcanzaron un acuerdo provisional sobre la propuesta de la Comisión acerca del programa de 2021-2027. En él, se abordaba la importancia de incluir una dimensión europea del deporte que complementara al Plan de Trabajo de la UE (2021-2024), siendo su financiación del 1,9% del presupuesto total del programa. El Consejo adoptó su posición en su primera lectura, que tuvo lugar en abril de 2021, mientras que el Parlamento lo hizo en su segunda lectura, en mayo del mismo año (Iskra, 2022).

El programa apoya las iniciativas que cuentan con dimensión europea en el deporte, promoviendo la cooperación entre los organismos responsables del mismo. Además, fomenta la instauración y el desarrollo de redes europeas que permitan la cooperación, el intercambio y la transferencia de conocimientos relacionados con el deporte y la actividad física entre los interesados.

El programa Erasmus+ también impulsa acciones relacionadas con la actividad deportiva y física en los países que integran el programa (*Deporte*, s.f.). El objetivo es el de concienciar sobre la labor fundamental del deporte para garantizar la inclusión social, la igualdad de oportunidades y los beneficios para la salud; así como para reforzar la cooperación entre instituciones y organizaciones activas en el ámbito del deporte y la actividad física y fomentar el intercambio de buenas prácticas. Además, entre estas iniciativas destacan el fomento a la movilidad, la creación de asociaciones para la cooperación e intercambio de mejores prácticas o el aumento de las posibilidades de aprendizaje virtual (Unión Europea, s.f.b). Estas acciones están gestionadas directamente por la Comisión Europea a través de su Agencia Ejecutiva en el ámbito Educativo, Audiovisual y Cultural (EACEA).

4.2 La Semana Europea del Deporte

La Dirección General de Educación, Juventud, Deporte y Cultura de la Comisión Europea patrocina numerosas iniciativas, cuyo fin es el de promover la interacción entre las organizaciones regionales y locales y, por tanto, ayudar a los ciudadanos europeos a participar más. Entre ellas se encuentra la Semana Europea del Deporte. Esta idea surge en septiembre de 2015 con el objetivo de responder a la creciente crisis de inactividad, promoviendo el deporte y la actividad física en toda Europa, incluyendo los Balcanes Occidentales y los países de la Asociación Oriental. Por ello, con la Semana Europea del Deporte, se busca animar a los europeos a adoptar un estilo de vida saludable y activo, bajo el mantra de "#SéActivo todo el año - no sólo durante La Semana". Desde 2017, la semana se ha venido organizando en Europa entre el 23 y el 30 de septiembre y culmina con la entrega de los premios #BeActive. Cabe destacar que, en el contexto pandémico, la Comisión desarrolló la campaña #BeActiveAtHome (Unión Europea, s.f.c).

4.3 HealthyLifestyle4All

Por otra parte, en septiembre de 2021, la Comisión Europea puso en marcha la campaña *HealthyLifestyle4All*. Su duración es de dos años y su objetivo es el de vincular el deporte y los estilos de vida activos con las políticas de salud, alimentación, entre otras.

El objetivo de esta campaña es el de alcanzar al mayor número de personas, entre todas las generaciones y todos los grupos sociales. Para ello, la Comisión Europea pretende involucrar a los movimientos deportivos a nivel nacional, europeo e internacional; a las autoridades estatales (ministerios), a las ciudades y regiones (gobiernos locales) y a las organizaciones de la sociedad civil de los Estados miembros de la UE, los países del programa Erasmus+, la Asociación Oriental y los países de los Balcanes Occidentales (Unión Europea, s.f.d).

En este sentido, los tres objetivos fundamentales de *HealthyLifestyles4All* son: lograr una mayor concienciación de un estilo de vida saludable en todas las generaciones; facilitar el acceso al deporte, la actividad física y las dietas saludables, con especial atención a la inclusión y la no discriminación para llegar a los grupos desfavorecidos; y la colaboración para un enfoque integral de la alimentación, la salud, el bienestar y el deporte.

4.4 El Foro de Deporte de la Unión Europea

El Foro del Deporte de la UE es la principal plataforma de entre la Comisión Europea y las partes interesadas en el deporte. El fin principal del mismo es hacer un balance de los progresos realizados y recabar la opinión de las partes interesadas sobre las actividades deportivas actuales y futuras. La colaboración se lleva a cabo a través de grupos de debate y paneles de alto nivel, la cuales exploran temas tales como la lucha contra el dopaje, la corrupción, la discriminación y la movilidad, entre muchos otros. Gracias a ella, los líderes deportivos pueden comprender mejor cómo el deporte se está adaptando a cuestiones de economía, escala e innovación en la Unión

Europea, así como contar con las herramientas necesarias para hacer frente a los retos del mundo del deporte (Unión Europea, s.f.e).

4.5 Inclusión social en el deporte europeo

Desde la Unión Europea, se busca potenciar el deporte y la actividad física con el fin de abogar por la tolerancia, la solidaridad y la inclusión, entre otros valores deportivos. En este sentido, el deporte permite la interacción e integración de grupos discriminados, como es el caso de los migrantes. Tal y como recoge un estudio de la Agencia de Derechos Fundamentales de la UE (2010) sobre el racismo y la discriminación étnica en el deporte, el racismo y la discriminación son cada vez más frecuentes en el deporte *amateur* y juvenil. Ante ello, la Comisión apoya los proyectos y redes que fomenten la integración social de los migrantes a través de los Fondos Estructurales y de Inversión (Fondos EIE) y el Programa Erasmus +. Además, la Unión Europea financia proyectos como la *European Sport Inclusion Network*, el proyecto colaborativo *Social Inclusion and Volunteering in Sports Clubs in Europe*, la iniciativa *Fairplay* o el proyecto desarrollado en el ámbito del fútbol bajo el nombre de *Show Racism the Red Card* (Iskra, 2022).

Por otra parte, el deporte también ofrece a las personas que viven con una discapacidad la oportunidad de aumentar su participación en la sociedad, mostrar sus talentos y desafiar los estereotipos. En este sentido, el rol del deporte como propulsor de la inclusión social se destaca en varios documentos políticos, especialmente en el ya mencionado Plan de trabajo de la UE (2021-2024), así como en las Conclusiones del Consejo sobre el acceso al deporte de las personas con discapacidad.

En marzo de 2021, la Comisión puso en marcha la Estrategia para los Derechos de las Personas con Discapacidad 2021-2030, con el fin de garantizar a las personas con discapacidad su inclusión en la sociedad. Además, la inclusión social es una parte clave del programa Erasmus+, contando con un capítulo específico dedicado a esta iniciativa. También cabe destacar la puesta en marcha de los premios anuales al deporte de la Unión Europea, bajo el título de #BeInclusive. Estos reconocimientos promueven el trabajo de las organizaciones que fomentan inclusión social de los grupos desfavorecidos. Además, los tres proyectos ganadores se anuncian en la ceremonia anual de los premios #BeInclusive en Bruselas, y los premiados tienen la oportunidad de presentar sus proyectos ante un público de expertos (Unión Europea, s.f.f).

4.6 Deporte europeo con perspectiva de género

La igualdad de género, la igualdad de acceso a las oportunidades y la erradicación de la discriminación son valores fundamentales de la Unión Europea, constituyendo objetivos prioritarios para la Comisión Europea (Unión Europea, s.f.g). La Comisión colabora con todos los Estados miembros de la Unión y las organizaciones deportivas nacionales para concienciar sobre la importancia de la igualdad de género en el deporte. En este sentido, se esfuerza por proporcionar un entorno deportivo seguro y positivo, luchando contra la violencia de género en el deporte y los estereotipos de género negativos, tanto en el propio deporte como en los medios de comunicación relacionados.

En este sentido, en 2021 se impulsó una Estrategia de Igualdad de Género de la Unión Europea, con una duración de 4 años (2021-2025). El objetivo de esta iniciativa es el de promover la igualdad de oportunidades entre géneros, fomentando que las mujeres puedan contribuir y dirigir la sociedad europea con las mismas condiciones, también en el ámbito deportivo.

Para lograrlo, la Comisión ha creado un Grupo de Alto Nivel sobre la Igualdad de Género en el Deporte. Se trata de un grupo conformado por 15 personas expertas e influyentes en el ámbito de la igualdad de género en el deporte, quienes han trabajado de forma exhaustiva durante un año para presentar recomendaciones y acciones concretas a la Comisión. A partir del informe publicado en marzo de 2022, la Comisión se ha comprometido a cumplir con las recomendaciones propuestas. En ellas, se plantea un plan de acción y sugerencias entorno a la participación, el entrenamiento y el arbitraje, el liderazgo, los aspectos sociales y económicos del deporte la cobertura mediática, y la violencia de género.

4.7 El deporte contra la violencia y la discriminación

La violencia en el deporte es una problemática que preocupa a la Unión Europea, en concreto, la que afecta a los espectadores de los acontecimientos deportivos. En este sentido, la Comisión está comprometida con la prevención de la violencia de los espectadores. Bajo el paraguas de la Decisión 2002/348/JAI del Consejo (modificada por la Decisión 2007/412/JAI del Consejo), se ha desarrollado un intercambio de datos entre los Puntos Nacionales de Información sobre Fútbol. Con ello, tanto los servicios deportivos como las autoridades deportivas pueden intercambiar con los servicios policiales y/o las autoridades deportivas, información operativa sobre los aficionados de alto riesgo.

Además, la Comisión también promueve la ampliación del uso del Manual de Cooperación Policial, y apoya la formación paneuropea contra la violencia en el deporte para agentes de policía y personal de seguridad. Por otra parte, la Comisión cuenta con un acuerdo de cooperación con la Unión de Asociaciones Europeas de Fútbol (UEFA), para reforzar la cooperación existente, incluyendo en el ámbito de la violencia. De igual modo, desde 2016, la Comisión apoya al Consejo de Europa en la promoción de la seguridad en los eventos deportivos (Unión Europea, s.f.h).

5. EL PAPEL DEL PARLAMENTO EUROPEO EN EL DEPORTE

Tal y como se ha mencionado previamente, el desarrollo de la política deportiva europea es responsabilidad la Comisión Europea. No obstante, el Parlamento Europeo también juega un rol destacado, siendo el encargado de la supervisión de las acciones llevadas a cabo por la Dirección General de Juventud, Deporte, Educación y Cultura (Comisión Europea). En este sentido, la ejecución de política europea en materia de deporte por parte de esta institución la pone en marcha la Comisión de Cultura y Educación (Comisión CULT).

Por su parte, el Parlamento es consciente de que la UE debe abordar las cuestiones deportivas. Por ello, en 2012, adoptó una Resolución sobre la dimensión europea en el deporte (Parlamento Europeo, 2012), la cual sirvió de precedente para creación la ya descrita Semana Europea del Deporte. Por otra parte, también fomenta la perspectiva social del deporte a través de distintas resoluciones. En ellas, se han abordado temas tales como la igualdad de género en el deporte; el envejecimiento activo y la solidaridad intergeneracional; la integración en el mercado laboral y la inclusión social de los refugiados. También ha tratado el amaño de partidos y la corrupción de alto nivel en la FIFA, así como la buena gobernanza, accesibilidad e integridad deportiva. Además, subraya la importancia del deporte para el turismo, ya que los eventos deportivos suponen un aliciente para desplazarse hacia territorios europeos y regiones más apartadas por parte de deportistas y espectadores.

De igual forma, en diversas ocasiones, la Subcomisión de Derechos Humanos (DROI) del Parlamento ha puesto el foco en los derechos humanos en el contexto de grandes eventos deportivos. Este es el caso de Juegos Olímpicos de Invierno de 2014, desarrollados en Rusia; la Copa del Mundo masculina de la FIFA 2014 y Juegos Olímpicos de verano de 2016, que tuvieron lugar en Brasil; la Copa del Mundo masculina de la FIFA 2022 de Qatar (Iskra, 2022).

Por último, en noviembre de 2021, el Parlamento dio luz verde a una Resolución sobre la política de deportes de la UE: evaluación y posibles vías de actuación (Parlamento Europeo, 2021b). En ella, se recomendó fomentar los valores de la sostenibilidad; solidaridad; inclusión e igualdad de género en el deporte, tanto en términos de remuneración, como de visibilidad. También se propuso incrementar la financiación deportiva; mejorar la regulación de las transferencias de jugadores; y aumentar la protección de los menores frente al acoso y abusos.

6. CONCLUSIONES

Es innegable que cada vez existe un mayor interés por parte de la ciudadanía europea en relación con la práctica deportiva. Esto viene impulsado por la influencia de las acciones de la Unión Europea en el marco regulatorio y político de los organismos reguladores deportivos.

A partir de la sentencia Bosman (1995) del Tribunal de Justicia de la Unión Europea, las instituciones europeas comenzaron el camino para la elaboración de una reglamentación europea de la práctica deportiva. Con la vista puesta en el Tratado de la Unión Europea, se presenció una gran fertilidad legislativa, la cual engloba la legislación secundaria, para completar la denominada "legislación caso a caso" emanada tradicionalmente del Tribunal de Justicia de la Unión Europea: la Declaración de Ámsterdam de 1997, el Informe de Helsinki de 1999, la Declaración de Niza de 2000, el artículo III-282 del Tratado Constitucional de 2004, la Resolución del Parlamento Europeo de 2007, o el Libro Blanco de 2007 (Tuñón, 2010a).

Estas reglamentaciones allanaron el terreno para la elaboración de un texto regulatorio y, gracias a ellas, las instituciones de la UE reconocieron el emergente interés europeo por la cuestión deportiva. Con la llegada del Tratado de Reforma de Lisboa, se otorgó un título competencial al deporte dentro de la Unión Europea. Concretamente, su artículo 165, que hace referencia a la práctica deportiva y que posibilitó el desarrollo de una Política Europea del Deporte o de un Modelo Europeo del Deporte.

A partir de ese momento, la Unión Europea comenzó a contribuir, respetando el principio de subsidiariedad, a la promoción del deporte, teniendo en cuenta su específica naturaleza, sus estructuras, así como sus funciones social y educativa. No obstante, el reconocimiento de la naturaleza específica del deporte, no lo exceptúa del ámbito de aplicación del mercado interior y de las reglas de la competencia, sino que aboga por tener en cuenta de la mejor manera posible sus necesidades e intereses.

Tal y como se ha abordado, entre las políticas europeas en materia deportiva llevadas a cabo por la Comisión Europea, destaca el *Desarrollo de la dimensión europea en el deporte* (2011), así como los *Planes de Trabajo de la UE*, renovados desde 2011 cada tres años o tres años y medio, estando el actual en vigor desde 2021 hasta 2024. Estos documentos, junto al Libro Blanco de 2007, constituyen los textos esenciales para la ejecución de política europea en materia deportiva.

Por otra parte, la Unión Europea ha tenido que hacer frente a numerosos retos y desafíos, como la diseminación de estrategias híbridas desinformativas (Tuñón, 2021), o el propio desarrollo de la pandemia de COVID-19 (Tuñón y Bouza, 2021). La crisis del coronavirus tuvo consecuencias fatales para el deporte, viéndose afectado por las diversas restricciones sanitarias internacionales. Para paliar los efectos negativos, el Consejo desarrolló sus *Conclusiones sobre el impacto de la pandemia de COVID-19 en el sector de deporte*, con el fin de abordar estrategias comunes con los miembros y partes interesadas. También se llevaron a cabo conferencias y el Parlamento aprobó una Resolución en la que se abordó la necesidad de proveer apoyo financiero, entre otras cuestiones.

En esta misma línea, la Unión Europea también ha impulsado diversos programas, iniciativas y acciones relacionadas con el deporte. Así pues, destaca el programa Erasmus +, el cual pretende concienciar sobre la importancia de la actividad física a través de numerosas actividades. También conviene resaltar la Semana Europea del Deporte, cuyo fin es el de animar a los europeos a adoptar un estilo de vida saludable y activo, un objetivo que comparte con la iniciativa *HealthyLifestyle4All*. De igual modo, también se ha puesto en marcha la plataforma EU Sport Forum, la cual fomenta el diálogo entre la Comisión y las partes interesadas en el deporte para hacer frente a los retos y desafíos existentes.

Así pues, a través de diferentes programas, la Unión Europea también impulsa la inclusión social de los migrantes en el deporte para lograr su integración y luchar contra el racismo y la xenofobia. También ha elaborado estrategias para fomentar la participación deportiva de personas con discapacidad. Además, impulsa estrategias para promover la igualdad de género, así como para hacer frente a la discriminación y la violencia en el contexto deportivo.

Por su parte, el Parlamento Europeo también juega un rol fundamental en materia de política deportiva europea. Así pues, ha desarrollado diferentes resoluciones para hacer frente a cuestiones tales como la igualdad de género, la inclusión de los refugiados, la corrupción en los eventos deportivos o la solidaridad intergeneracional.

En definitiva, a pesar de la tardía incorporación de un título competencial acerca de la práctica deportiva en Europa, el deporte es ahora uno de los pilares más destacados de la política pública europea, el cual contribuye a mejorar el bienestar de Europa y a hacer frente a problemáticas tales como el racismo, la exclusión social o la desigualdad de género, aportando a su vez ventajas económicas, turísticas y fomentando las relaciones exteriores (Unión Europea, s.f.a).

7. REFERENCIAS BIBLIOGRÁFICAS

Agencia de Derechos Fundamentales de la Unión Europea (2010) *Racism, ethnic discrimination and exclusion of migrants and minorities in sport: A comparative overview of the situation in the European Union.* Recuperado 15 de octubre de 2022, de https://fra.europa.eu/sites/default/files/fra_uploads/1207-Report-racism-sport_EN.pdf

Comisión Europea. (2011, 18 enero). *Comunicación de la Comisión al Parlamento Europeo, al Consejo, al Comité Económico y Social Europeo y al Comité de las Regiones: Desarrollo de la dimensión europea en el deporte.* Recuperado 15 de octubre de 2022, de https://eur-lex.europa.eu/legal-content/ES/TXT/PDF/?uri=CELEX:52011DC0012&from=ES

Deporte. (s. f.). Portal Nacional Erasmus +. Recuperado 15 de octubre de 2022, de http://www.erasmusplus.gob.es/deporte.html#ambito

ISKRA, K. A. (2022, abril). *Fichas temáticas sobre la Unión Europea: el deporte.* Parlamento Europeo. Recuperado 15 de octubre de 2022, de https://www.europarl.europa.eu/factsheets/es/sheet/143/sport

MITTAG, J. & NAUL, R. (2021), EU sports policy: assessment and possible ways forward, European Parliament, Research for CULT Committee - Policy Department for Structural and Cohesion Policies, Brussels

Parlamento Europeo (1994): *Informe sobre la Comunidad Europea y el Deporte* (Ponente: J. Larive).

Parlamento Europeo (1997): *Informe sobre el papel de la Unión Europea en el ámbito del Deporte* (Ponente: D. Pack)

Parlamento Europeo (2000): *Informe sobre el Informe de la Comisión Europea sobre el Deporte de Helsinki de 1999* (Ponente: pág. Mennea)

Parlamento Europeo. (2004). *Constitución para Europa. Resolución del Parlamento Europeo sobre el Tratado por el que se establece una Constitución para Europa.* Recuperado 15 de octubre de 2022, de https://www.europarl.europa.eu/doceo/document/TA-6-2005-0004_ES.pdf?redirect

Parlamento Europeo (2007): *Resolución sobre el futuro del fútbol profesional en Europa* (2006/2130(INI)) 29 de marzo de 2007.

Parlamento Europeo. (2012). *Resolución del Parlamento Europeo, sobre la dimensión europea en el deporte*. Recuperado 15 de octubre de 2022, de https://www.europarl.europa.eu/doceo/document/TA-7-2012-0025_ES.html

Parlamento Europeo (2021a). *Repercusiones de la COVID-19 en la juventud y el deporte*. Diario Oficial de la Unión Europea. Recuperado 15 de octubre de 2022, de https://eur-lex.europa.eu/legal-content/ES/TXT/PDF/?uri=CELEX:52021IP0045&from=EN

Parlamento Europeo. (2021b). *Resolución del Parlamento Europeo sobre la política de deportes de la UE: evaluación y posibles vías de actuación*. Recuperado 15 de octubre de 2022, de https://www.europarl.europa.eu/doceo/document/TA-9-2021-0463_ES.html

PARRISH, R., MIETTINEN, S. (2008): *The Sporting Exception in European Union Law*. ASSER International Law Centre, ASSER Press, La Haya, Holanda, p.34.

PÉREZ GONZÁLEZ C. (2002). El Deporte en el ámbito de la Unión Europea: de la falta de título competencial expreso a la especificidad regulativa. En Palomar Olmeda, A. (ed). *El modelo europeo del Deporte*. Bosch, Barcelona, p.80.

PÉREZ GONZÁLEZ, C., PALOMAR OLMEDA, A. (2007): El fútbol profesional y la Unión Europea: un comentario de urgencia al Informe del Parlamento Europeo, en *Revista Aranzadi de Derecho de Deporte y Entretenimiento*, n.20/2007 2, págs. 131-149.

PÉREZ GONZÁLEZ, C. (2009): El derecho comunitario y el deporte profesional en Palomar Olmeda, A., Perol Gómez, R. (eds) (2009): *El deporte profesional*. Bosch, Barcelona, p.400.

Tribunal de Justicia de la Unión Europea (TJUE) (1995): Sentencia *Bosman* (Asunto C-415/93) del 15 de diciembre de 1995.

TUÑÓN, J. (2010a). La incorporación del deporte al Tratado de Lisboa [Revista Aranzadi de derecho, de deporte y de entretenimiento]. En Palomar Olmeda (ed.) *Deportes, juegos de azar, entretenimiento y música* (Vol. 29, págs. 77-93).

TUÑÓN, J. (2010b): "Calciopoli o la Ética de la Corrupción: ¿Reflejo de la sociedad y la política en Italia?", en *Revista Internacional de Éticas Aplicadas / International Journal of Applied Ethics*, número 2, Consejo Superior de Investigaciones Científicas, Madrid, págs. 1-15. ISSN: 1989-7022.

TUÑÓN, J. (2021): *Europa frente al Brexit, el populismo y la desinformación. Supervivencia en tiempos de fake news*. Tirant lo Blanch, Valencia. ISBN 978-84-18534-06-5.

TUÑÓN, J. y BOUZA, L. (eds) (2021): *Europa en tiempos de desinformación y pandemia. Periodismo y Política paneuropeos ante la crisis del Covid-19 y las fake news*. Comares, Granada. ISBN 978-84-1369-063-6.

TUÑÓN, J. y CARRAL, U. (2019): "Twitter como solución a la comunicación europea. Análisis comparado en Alemania, Reino Unido y España Twitter as a tool for the communication of European Union Comparative analysis in Germany, United Kingdom and Spain". Revista Latina de Comunicación Social. Vol.74. Num. 33. 1219-1234

TUÑÓN, J. y CARRAL, U. (2021): "Has COVID-19 promoted or discouraged a European Public Sphere? Comparative analysis in Twitter between German, French, Italian and Spanish MEPSs during the pandemic". Communication and Society. Vol 34 No 2 (2021). https://doi.org/10.15581/003.34.3.135-151

TUÑÓN, J., BOUZA, L., y CARRAL, U. (2019): *Comunicación Europea. ¿A quién doy like para interactuar con Europa?* Dykinson, Madrid. ISBN: 978-84-9148-977-1.

Unión Europea (1997). Tratado de Ámsterdam por el que se modifican el Tratado de la Unión Europea, los Tratados Constitutivos de las Comunidades Europeas y determinados actos conexos. En *Declaración sobre el deporte* (p. 136).

Unión Europea (1998): *Conclusiones de la Presidencia del Consejo Europeo de Viena,* celebrado durante el mes de diciembre de 1998.

Unión Europea (1999): Informe de la Comisión al Parlamento Europeo de Helsinki de 1999" *perspectiva de la salvaguardia de las estructuras deportivas actuales y de mantenimiento de la función social del deporte en el marco comunitario",* en Bruselas a 10 de diciembre de 1999 (COM 1999 644 final)

Unión Europea (2007). Conclusiones del *Libro Blanco sobre el Deporte.* Presentado por la Comisión Europea el 11 de julio de 2007 en Bruselas, COM (2007) 391 final.

Unión Europea. (1997). Tratado de Ámsterdam por el que se modifican el Tratado de la Unión Europea, los Tratados Constitutivos de las Comunidades Europeas y determinados actos conexos. En *Declaración sobre el deporte* (p. 136).

Unión Europea. (2011). *Resolución del Consejo y de los Representantes de los Gobiernos de los Estados miembros, reunidos en el seno del Consejo, relativa a un Plan de Trabajo Europeo para el Deporte para 2011-2014.* Diario Oficial de la Unión Europea. Recuperado 15 de octubre de 2022, de http://publications.europa.eu/resource/cellar/fdae3a35-9aec-465a-9a9d-5311a436bf46.0010.03/DOC_1

Unión Europea. (2014). *Resolución del Consejo y de los Representantes de los Gobiernos de los Estados miembros, reunidos en el seno del Consejo, de 21 de mayo de 2014, relativa al Plan de Trabajo de la Unión Europea para el Deporte.* Diario Oficial de la Unión Europea. Recuperado 15 de octubre de 2022, de https://eur-lex.europa.eu/legal-content/ES/ALL/?uri=celex%3A42014Y0614%2803%29

Unión Europea. (2016). *Conclusiones del Consejo y de los representantes de los Gobiernos de los Estados miembros, reunidos en el seno del Consejo, sobre la potenciación de la integridad, la transparencia y la buena gobernanza en los grandes acontecimientos deportivos.* Diario Oficial de la Unión Europea. Recuperado 15 de octubre de 2022, de https://eur-lex.europa.eu/legal-content/ES/TXT/PDF/?uri=CELEX:52016XG0614(03)&from=DE

Unión Europea. (2017). *Resolución del Consejo y de los Representantes de los Gobiernos de los Estados miembros, reunidos en el seno del Consejo, relativa al Plan de Trabajo de la Unión Europea para el Deporte.* Diario Oficial de la Unión Europea. Recuperado 15 de octubre de 2022, de https://eur-lex.europa.eu/legal-content/ES/TXT/?uri=CELEX%3A42017Y0615%2801%29

Unión Europea. (2020a). *Resolución del Consejo y de los Representantes de los Gobiernos de los Estados miembros, reunidos en el seno del Consejo, relativa al Plan de Trabajo de la Unión Europea para el Deporte.* Diario Oficial de la Unión Europea. Recuperado 15 de octubre de 2022, de https://eur-lex.europa.eu/legal-content/ES/TXT/?uri=CELEX%3A42020Y1204%2801%29

Unión Europea. (2020b). *Conclusiones del Consejo y de los Representantes de los Gobiernos de los Estados miembros, reunidos en el seno del Consejo, relativas a las repercusiones de la pandemia de COVID-19 y la recuperación del sector del deporte.* Diario Oficial de la Unión Europea. Recuperado 15 de octubre de 2022, de https://eur-lex.europa.eu/legal-content/ES/TXT/PDF/?uri=OJ:C:2020:214I:FULL&from=ES

Unión Europea. (2021). *Resolución del Consejo y de los Representantes de los Gobiernos de los Estados miembros, reunidos en el seno del Consejo, relativa al Plan de Trabajo de la Unión Europea para el Deporte.* Diario Oficial de la Unión Europea. Recuperado 15 de octubre de 2022, de https://eur-lex.europa.eu/legal-content/ES/TXT/PDF/?uri=CEL EX:42020Y1204(01)&from=EN

Unión Europea. (s.f.a). *About sport policy.* European Commission. Recuperado 15 de octubre de 2022, de https://sport.ec.europa.eu/policies

Unión Europea. (s.f.b). *Erasmus +.* Comisión Europea. Recuperado 15 de octubre de 2022, de https://erasmus-plus.ec.europa.eu/es/about-erasmus/how-erasmus-is-managed

Unión Europea. (s.f.c). *European Week of Sport.* Comisión Europea. Recuperado 15 de octubre de 2022, de https://sport.ec.europa.eu/initiatives/european-week-of-sport

Unión Europea. (s.f.d). *EU Sport Forum.* Comisión Europea. Recuperado 15 de octubre de 2022, de https://sport.ec.europa.eu/initiatives/eu-sport-forum

Unión Europea. (s.f.d). *Healthylifestyle4all.* Comisión Europea. Recuperado 15 de octubre de 2022, de https://sport.ec.europa.eu/healthylifestyle4all

Unión Europea. (s.f.f). *Social inclusion.* Comisión Europea. Recuperado 15 de octubre de 2022, de https://sport.ec.europa.eu/policies/sport-and-society/social-inclusion

Unión Europea. (s.f.g). *Gender equality.* European Commission. Recuperado 15 de octubre de 2022, de https://sport.ec.europa.eu/policies/sport-and-society/gender-equality

Unión Europea. (s.f.h). *Combatting violence and discrimination.* European Commission. Recuperado 15 de octubre de 2022, de https://sport.ec.europa.eu/policies/sport-and-integrity/combatting-violence-and-discrimination

VILLAQUIRÁN HURTADO, A. F., RAMOS, O. A., JÁCOME, S. J., y MEZA, M. D. M. (2020). Actividad física y ejercicio en tiempos de COVID-19. *Ces Medicina, 34*(S2E), 51-58.

DERECHO DEL FÚTBOL Y SOLUCIÓN DE CONFLICTOS

Coord. Lucas Ferrer

Pasaporte biológico e infracción de uso de sustancia prohibida o método prohibido: visión general a la luz de la jurisprudencia deportiva internacional en la materia

JORDI LÓPEZ BATET

Socio de Statim Legal. Árbitro del TAS

1. INTRODUCCIÓN

Dentro de las cuestiones que mayor debate han suscitado en los últimos 10 años en el ámbito del dopaje hallamos sin duda alguna la regulación, aplicación y desarrollo del denominado "pasaporte biológico", método de detección indirecta del dopaje respecto al cual se ha escrito, criticado y resuelto prolijamente en multitud de foros tanto nacionales como internacionales.

Como la propia Agencia Mundial Antidopaje (AMA/WADA) ha señalado, el principio fundamental del pasaporte biológico se centra en la monitorización de variables biológicas seleccionadas durante un periodo de tiempo que de un modo indirecto, revelen la existencia de un escenario de dopaje, más que en intentar lograr la detección de una sustancia o método prohibido en el atleta[1].

---

[1] Como acertadamente indica al respecto MAVROMATI (The Athlete's Biological Passport (ABP) Program. Legal issues arising out of the ABP in the light of the case law of the Court of Arbitration for Sport (CAS), CAS Bulletin 2011/2, pág.

Podemos definir el pasaporte biológico como un programa científico en el que se establecen los métodos de recogida de una serie de parámetros biológicos y el cotejo de los mismos para su interpretación y obtención de conclusiones[2]. En su módulo hematológico, se realiza un estudio longitudinal a lo largo de un periodo de tiempo de diversos parámetros hematológicos del deportista, que sirven como marcadores, mediante varios análisis de sangre. A estos datos se les aplica un modelo matemático con el que se establece un intervalo numérico en el que deberían moverse siempre estos marcadores del deportista en los siguientes análisis. Cada deportista posee unos niveles propios de estos marcadores que, salvo por alteraciones debidas a enfermedades o a manipulaciones artificiales, se deben mantener dentro de unos márgenes durante su vida adulta. De este modo, el pasaporte biológico permite detectar el dopaje por variaciones muy notables en esos marcadores, en lugar de realizar un test para identificar directamente una sustancia prohibida.

Mediante el pasaporte biológico deviene posible establecer la infracción de Uso de Sustancias Prohibidas o Métodos Prohibidos contenida en el artículo 2.2. del Código Mundial Antidopaje ("CMA") y en el artículo 20.c) de la Ley Orgánica 11/2021, de 28 de diciembre, de lucha contra el dopaje en el deporte.

Pese a la lluvia de críticas, sobre todo en los primeros tiempos desde su implantación, que recibió el pasaporte biológico, como veremos a continuación dicho método ha resultado ser en la práctica una herramienta eficaz en la lucha contra el dopaje y ha recibido el amparo de los tribunales deportivos internacionales en innumerables ocasiones, estando hoy ya superadas determinadas discusiones acerca de la validez, legitimidad y efectividad del pasaporte biológico y bien establecidos determinados principios sobre su aplicación.

---

36), "*traditionally, doping detection was based on "direct" methods, i.e. detecting the presence of a prohibited substance (as this is defined in the WADA Prohibited List, which is updated at a regular basis). The particularity of the ABP as a doping detection method lies in the fact that doping violations can be detected by noting variances from an athlete's established levels outside permissible limits, rather than by establishing the presence of any prohibited substance. ABP is an indirect detection method, as opposed to the so-called direct detection methods.*"

[2]   GONZÁLEZ, A. ¿Es necesario el desarrollo reglamentario del pasaporte biológico del deportista en el derecho español? Entre el castigo de Sísifo y la fábula de las dos ranas. Ius et Scientia, 2022 Vol. 8, Nº1, Editorial Universidad de Sevilla, págs. 90 a 108; excelente artículo cuya lectura este autor recomienda encarecidamente a todos aquellos que quieran profundizar en esta materia.

2. MARCO NORMATIVO GENERAL DEL PASAPORTE BIOLÓGICO

2.1 Normativa internacional

El CMA se refiere al pasaporte biológico en diversos artículos y comentarios a tales artículos, de los que debemos destacar por su relevancia los siguientes:

- Comentario al artículo 2.2 (infracción de Uso o Intento de Uso por parte del Deportista de una Sustancia Prohibida o de un Método Prohibido): *"En todos los casos, el Uso o Intento de Uso de una Sustancia Prohibida o Método Prohibido puede determinarse por cualquier medio fiable. Como se indica en el comentario al artículo 3.2, a diferencia de las pruebas necesarias para concluir que existe una infracción de las normas antidopaje según el artículo 2.1, **el Uso o Intento de Uso puede acreditarse también por otros medios fiables, como por ejemplo,** la confesión del Deportista, declaraciones de testigos, pruebas documentales, **conclusiones obtenidas de los perfiles longitudinales, entre los que se incluyen los datos recogidos como parte del Pasaporte Biológico del Deportista,** u otros datos analíticos que, en otras circunstancias, no reunirían todos los requisitos para demostrar la presencia de una Sustancia Prohibida según el artículo 2.1."*

- Comentario al artículo 3.2 (Medios de prueba de los hechos y presunciones): *"Por ejemplo, **una Organización Antidopaje puede determinar la existencia de una infracción de las normas antidopaje según el artículo 2.2 a partir de** la confesión del Deportista, del testimonio creíble de terceros, de pruebas documentales fiables, de datos analíticos fiables procedentes de las Muestras A o B según establecen los comentarios al artículo 2.2 o de **las conclusiones extraídas del perfil de una serie de Muestras de sangre o de orina del Deportista, como los datos procedentes del Pasaporte Biológico del Deportista."***

Se configura pues el pasaporte biológico como un medio de prueba para acreditar una infracción de Uso de Sustancia Prohibida o Método Prohibido. No se trata de una violación antidopaje independiente o autónoma[3], sino de un medio para lograr acreditar la existencia de una infracción de Uso.

---

[3] Como bien se indica al respecto en CAS 2010/A/2174, *"[...] the Panel notes that the ABP does not establish new anti-doping rule. Instead, the ABP is —in essence— a method to detect an anti-doping rule violation."*

Por su parte, el desarrollo del pasaporte biológico del deportista debemos encontrarlo en las ABP Operating Guidelines publicadas por WADA ("Guidelines"), cuya primera versión data de 2009 y se ha ido actualizando a lo largo de los años, estando vigente a la fecha de redacción de este trabajo la versión 8.0, de abril de 2021. En dichas Guidelines se describen de forma pormenorizada los objetivos del pasaporte biológico, los módulos hematológico y esteroideo[4], la gestión y administración del pasaporte biológico y los protocolos a seguir.

El proceso establecido en las ABP Operating Guidelines puede resumirse sucintamente[5] como sigue: se procede a la creación del perfil longitudinal del deportista y se aplica sobre el mismo el denominado "Método Adaptativo", que es un método estadístico desarrollado para identificar valores atípicos o perfiles que ameriten mayor investigación. Dicho método esencialmente predice, para cada deportista, un rango dentro del cual se espera que sus marcadores biológicos deban moverse en condiciones fisiológicas normales[6]. Si se produce una anomalía en los datos hematológicos del deportista de acuerdo con lo establecido al respecto en las Guidelines, se da lugar a un Resultado Anómalo en el Pasaporte, que debe ser investigado[7] y se somete a revisión de un experto. Si dicho experto

---

[4]   Es importante destacar a este respecto que tal y como señala GONZÁLEZ (ob. cit. pág. 92), *"el Módulo Esteroideo no ha alcanzado su desarrollo total y es un programa únicamente de apoyo en la lucha antidopaje que no puede establecer resultados adversos en sus conclusiones. No así el Módulo Hematológico que es capaz de identificar y fijar con precisión resultados adversos. Eso se debe al diferente grado de evidencia científica que hoy en día alcanzan las conclusiones de uno y otro módulo"*.

[5]   Se insiste en lo muy sucinto de este resumen y se emplaza al lector a la revisión completa de las mencionadas Guidelines para conocer todos los pormenores del proceso.

[6]   De acuerdo con lo establecido en el apartado C.2.1.1. de las Guidelines, *"The Adaptive Model predicts for an individual an expected range within which a series of Marker values falls assuming a normal physiological condition. Outliers correspond to those values outside of the 99%-range, from a lower limit corresponding to the 0.5th percentile to an upper limit corresponding to the 99.5th percentile (1:100 chance or less that this result is due to normal physiological variation). A specificity of 99% is used to identify both haematological and steroidal Atypical Passport Findings. In the case of sequence deviations (sequence Atypical Passport Findings), the applied specificity is 99.9% (1:1000 chance or less that this is due to normal physiological variation)"*.

[7]   De conformidad con el apartado C.2.1.2. de las propias Guidelines, un Resultado Anómalo en el Pasaporte *"is a result generated by the Adaptive Model in ADAMS which identifies either a primary Marker(s) value(s) as being outside the Athlete's intra-individual range or a longitudinal profile of a primary Marker values (sequence deviations) as being*

concluye que es probable que la anomalía se deba al uso de sustancias o métodos prohibidos por parte del deportista y que es altamente improbable que se deba a una condición fisiológica o patológica de dicho deportista, se remite el pasaporte a la evaluación de un panel de 3 expertos (el que inicialmente evaluó el pasaporte y otros dos). En caso de que los 3 expertos lleguen a la misma conclusión, se da lugar a un Resultado Adverso en el Pasaporte, que la organización antidopaje deberá comunicar al deportista, invitándole a que ofrezca las explicaciones oportunas. Tales explicaciones serán sometidas al panel de expertos, que reconsiderará o no su opinión inicial a la vista de las mismas. Si el panel de expertos confirma tal opinión inicial, la organización antidopaje debe seguir adelante con el proceso de gestión de resultados, que redundará en la apertura del correspondiente procedimiento disciplinario por una infracción de Uso de Sustancia Prohibida o Método Prohibido.

2.2 Normativa española

Como no podía ser de otro modo, la Ley Orgánica 11/2021, de lucha contra el dopaje en el deporte, se refiere igualmente al pasaporte biológico tanto en su Exposición de Motivos (en que califica el pasaporte biológico como *"instrumento eficaz y solvente en la persecución del dopaje en el deporte"*) como en su articulado.

Así, en el artículo 39 de la mencionada Ley se establece, en su apartado 2, que *"en el procedimiento sancionador en materia de dopaje, **la Administración y la persona afectada por aquél podrán servirse de todos los medios de prueba admisibles en derecho, incluido el pasaporte biológico**, si existiesen datos sobre el mismo. Dichas pruebas deberán valorarse de modo conjunto de acuerdo con las reglas de la sana crítica, de acuerdo con los principios y criterios de interpretación establecidos en el Código Mundial Antidopaje,* y en su apartado 3b) que *"**un resultado adverso en el pasaporte biológico del deportista constituirá prueba de cargo suficiente** a los efectos de considerar existente la infracción tipificada en el artículo 20.b) de esta ley"*.

En línea con lo establecido en la normativa de WADA, el legislador español igualmente ha configurado el pasaporte biológico como un medio de prueba, afirmándose específicamente que un resultado adverso en el pasaporte biológico del deportista constituirá prueba de cargo suficiente

---

outside expected ranges, assuming a normal physiological condition. An Atypical Passport Finding requires further attention and review".

a los efectos de establecer una infracción de Uso de Sustancia Prohibida o Método Prohibido.

No obstante, y contrariamente a lo que desde algunas corrientes se ha tratado de propugnar, tal formulación no significa ni menos implica que el deportista no tenga la oportunidad de combatir la infracción y su correspondiente sanción, por ejemplo mediante demostrar, respecto a las muestras que componen el pasaporte biológico, la contravención de Estándar Internacional para Laboratorios y que tal contravención podría razonablemente haber causado el resultado adverso, o que la alteración de sus parámetros biológicos no se debe a un escenario de dopaje sino a otras causas, como podrían ser haber sufrido una enfermedad o cualquier otra cuestión fisiológica. Por tanto, la existencia de un resultado adverso en el pasaporte biológico del deportista no es ni mucho menos el final del camino, sino simplemente el principio del mismo.

Asimismo, en el artículo 40 de la Ley se establece que en el caso de resultados anómalos en el pasaporte biológico, la CELAD realizará las investigaciones correspondientes recogiendo pruebas a fin de determinar si se ha producido una infracción de las normas antidopaje, y que sin perjuicio de ello, en la tramitación de los procedimientos sancionadores como consecuencia de resultados adversos en el pasaporte biológico, se respetará, en todo caso, el contenido esencial de las Normas y los Estándares Internacionales sobre gestión de resultados, sobre controles e investigaciones y sobre laboratorios de la WADA[8].

Seguimos no obstante a la fecha de elaboración de este trabajo a la espera de la aprobación del desarrollo reglamentario de la citada Ley Orgánica, que muy probablemente contendrá la oportuna regulación en materia de pasaporte biológico. De hecho, en el proyecto de Real Decreto de desarrollo de la indicada Ley que se publicó a mediados de 2022 existe un capítulo

---

[8] Existe igualmente remisión a lo establecido en la normativa de WADA en las Definiciones contenidas en la Ley Orgánica 11/2021 relativas al pasaporte biológico:
– Pasaporte Biológico del Deportista: El programa y métodos de recogida y cotejo de datos descrito en la Norma Internacional para Controles e Investigaciones y en la Norma Internacional para Laboratorios de la Agencia Mundial Antidopaje.
– Resultado Adverso en el Pasaporte: Un informe identificado como un Resultado Adverso en el Pasaporte descrito en las Normas Internacionales de la Agencia Mundial Antidopaje aplicables.
– Resultado Anómalo en el Pasaporte: Un informe identificado como un Resultado Anómalo en el Pasaporte descrito en las Normas Internacionales de la Agencia Mundial Antidopaje aplicables.

específico dedicado íntegramente al pasaporte biológico, así como alguna otra mención al mismo en otros apartados de la norma. Veremos en todo caso qué nos depara dicho desarrollo normativo.

3. LA JURISPRUDENCIA DEPORTIVA INTERNACIONAL EN MATERIA DE PASAPORTE BIOLÓGICO: ALGUNOS PRINCIPIOS A DESTACAR

No debe de extrañarnos que desde tiempos pretéritos, una cuestión como la detección indirecta del dopaje haya implicado el surgimiento de multitud de disputas, lo cual ha dado lugar lógicamente a un buen número de pronunciamientos sobre el pasaporte biológico por parte de cámaras federativas internacionales y sobre todo, del Tribunal Arbitral du Sport (TAS) en vía de apelación contra las decisiones de instancia.

Los problemas y conflictos que se han planteado en la práctica a propósito del pasaporte biológico son muy distinta índole, por lo que trataremos de referirnos a continuación, por lógicas restricciones de espacio, solo a aquellos aspectos más relevantes sin ánimo de exhaustividad[9].

3.1 Anormalidad no equivale a violación de la norma antidopaje

En primer lugar, resulta plenamente asentado en la jurisprudencia deportiva internacional que la mera anormalidad o anomalía en el pasaporte biológico no es sinónimo de infracción de la normativa antidopaje, sino que es preciso además que el órgano sancionador devenga "confortablemente satisfecho" de que el dopaje es la causa de la anormalidad. MAVRO-MATI[10] lo explica de un modo muy claro: "*an abnormal outcome of the ABP does not automatically mean doping, because the decision is not based on a true probability of doping, but rather on "how the profile differs from what is expected in clean athletes". Secondly, doping is not the only possible reason when abnormal*

---

[9] Para aquellos que deseen profundizar en el estudio de la jurisprudencia deportiva internacional en materia de pasaporte biológico, se les emplaza a consultar la base de datos de jurisprudencia del TAS (www.tas-cas.org) o los sitios web de las federaciones deportivas internacionales como UCI (https://www.uci.org/judicial-bodies/4DeAGy6jHYGdec9R49wKVS), o World Athletics (https://www.athleticsintegrity.org/disciplinary-process/first-instance-decisions).

[10] Ob. cit. pág. 36.

values are detected, and one has to exclude the existence of a pathological condition first. In case of abnormalities detected in the ABP, the ABP is reviewed by a panel of experts to determine the different possible causes. The panel of experts is composed of specialists (e.g. haematologists and endocrinologists) with view to protecting the athlete's right to a qualified review of his case and in order to take all possible factors into consideration".

Tal postulado se recoge por ejemplo en CAS 2021/A/7833, en que se establece que *"the Panel further underlines that, **even if it determines that the Rider fails to justify with a credible explanation the abnormal values in his ABP, doping is not automatically the explanation.** […] abnormalities are not sufficient to conclude to an ADRV; **one must establish that doping is the plausible cause of the abnormality, to the comfortable satisfaction of the Panel.** The Panel also agrees that the Rider must make his best efforts to provide alternative scenarios for the abnormality"*.

En igual sentido cabe citar lo resuelto en UCI ADT 03.2020, en que se menciona que *"it is not enough to establish that abnormalities exist in the Rider's haematological profile (4.); the Single Judge must also evaluate whether the cause of the abnormalities was the Use of a Prohibited Substance or Prohibited Method"*[11].

3.2 La validez y fiabilidad del pasaporte biológico

En segundo término, la validez y fiabilidad del pasaporte biológico como medio de prueba para establecer una infracción antidopaje de Uso ha sido igualmente confirmada de forma repetida por la jurisprudencia deportiva internacional.

Sobre todo al inicio de la implantación del programa del pasaporte biológico, no fueron infrecuentes los ataques dirigidos a poner en cuestión el método, indicándose que el mero análisis de unos parámetros del deportista resultaba insuficiente para afirmar la existencia de un escenario de dopaje[12], o que para que pudiera haber fiabilidad, era preciso el análisis

---

[11]   Véase también UCI ADT 03.2017.

[12]   Véase por ejemplo CAS 2010/A/2174, en que el deportista sostuvo que el pasaporte biológico *"only formulates probabilities in relation to a possible anti-doping violation"*, o UCI ADT 03.2017, en que el deportista calificaba el pasaporte como una mera *"academic assumption"*.

de las muestras A y B, o que el pasaporte biológico no era ni infalible ni indiscutido[13], entre otros argumentos esgrimidos para desvirtuar el método.

Sin embargo, con el paso de los años y a la vista de las múltiples decisiones dictadas en la materia por los tribunales deportivos, puede afirmarse sin lugar a dudas que el pasaporte biológico es hoy en día un método robusto, eficaz y reconocido para determinar una infracción de Uso

Así por ejemplo, en CAS 2021/A/7833 se indica que "*WADA has approved the use of the ABP as a basis for a finding of ADRVs, and that this possibility has been codified in the current UCI ADR. This circumstantial evidence has been also considered reliable by constant CAS jurisprudence (see, inter alia, CAS 2010/A/2335, para. 80 and CAS 2016/O/4463, paras. 89-91). The ABP analytical method is therefore, as a matter of principle, valid*"). Otros laudos que han confirmado igualmente dicho extremo son CAS 2015/A/4006, CAS 2016/O/4481, CAS 2016/O/4464, CAS 2010/A/2174, CAS 2010/A/2176 o CAS 2010/A/2235.

En el ámbito federativo, podemos reseñar por ejemplo lo dicho al respecto en la decisión del Juez Único del Tribunal Antidopaje de UCI en el asunto UCI ADT 06.2017, en que se sostiene que "*the only question that the Single Judge needs to address is whether or not —in general terms— the ABP constitutes a reliable piece of evidence. The Single Judge answers this question in the affirmative and sees himself confirmed by numerous CAS decisions in like respect that have qualified the ABP as reliable evidence. Furthermore, also the ADR specifically refer to the ABP as a reliable means for the purpose of establishing the use of a prohibited substance or method within the meaning of Article 2.2 ADR*".

3.3 Estándar y carga de la prueba

Otra de las cuestiones que ha dado lugar a un gran número de pronunciamientos es el estándar y carga de la prueba de la infracción de Uso en casos de pasaporte biológico.

A dicho respecto y al objeto de centrar el tema debemos recordar que:

– De acuerdo con lo establecido en el artículo 3.1 del CMA (i) recae sobre la Organización Antidopaje la carga de probar que se ha producido una infracción de las normas antidopaje a plena satisfacción del tribunal de expertos, y que dicho criterio no consistirá en una

---

[13] Véase CAS 2010/A/2174.

mera ponderación de probabilidades, pero tampoco será necesaria una demostración que excluya toda duda razonable y (ii) cuando el CMA haga recaer en el deportista la carga de rebatir una presunción o la de probar circunstancias o hechos específicos, sin perjuicio de lo dispuesto en el los apartados 2.2 y 2.3 del artículo 3 del CMA, el criterio de valoración será la ponderación de probabilidades.

– El artículo 3.2. del CMA estipula una serie de presunciones, y entre ellas la de que los laboratorios acreditados y otros aprobados por la WADA realizan análisis de muestras y aplican procedimientos de custodia que son conformes al Estándar Internacional para Laboratorios. El deportista podrá rebatir esta presunción demostrando que se ha producido un incumplimiento de dicho Estándar Internacional que podría razonablemente haber causado el Resultado Analítico Adverso. Si el deportista rebate esta presunción demostrando que se ha producido un incumplimiento del Estándar Internacional para Laboratorios que podría razonablemente haber causado el Resultado Analítico Adverso, recaerá en la Organización Antidopaje la carga de probar que dicho incumplimiento no ha causado el Resultado Analítico Adverso.

Sentado lo anterior, resulta frecuente en la práctica que en casos de pasaporte biológico, el deportista trate de sustentar su defensa en el incumplimiento de las reglas contenidas en el Estándar Internacional para Laboratorios de WADA respecto a alguna o algunas de las muestras que componen su pasaporte biológico, cuestión en la que además los deportistas suelen desplegar en muchos casos una importante actividad probatoria, sobre todo en forma de informes de expertos. No obstante, como es de ver de las disposiciones citadas, el mero incumplimiento de dicho estándar no basta para que triunfe la defensa del deportista, sino que será preciso acreditar que tal incumplimiento podría razonablemente haber causado el Resultado Adverso. Son diversos los pronunciamientos jurisprudenciales que han ratificado tal entendimiento y es en este punto en el que en muchos casos, el argumento defensivo de los deportistas quiebra:

– CAS 2019/A/6226: "*for completeness, the Panel also recalls previous CAS jurisprudence holding that even **if the Athlete were to prove a departure from the guidelines, this would, in and if itself, not be capable of invalidating the results**: "[t]herefore, the Panel deems a mere reference to a departure from the ISL insufficient, in the absence of a credible link of such departure to a resulting Adverse Analytical Finding. In other words, [...] **the athlete must establish, on the balance of probabilities, (i) that there is a specific (not*** *hypothetical) departure from the ISL; and (ii) that such departure could have reasonably, and thus credibly, caused a misreading of the analysis. Further, the Panel remarks that such athlete's rebuttal functions only to shift the burden of proof to the anti-doping organization, which may then show, to the Panel's comfortable satisfaction, that the departure did not cause a misreading of the analysis".*

– CAS 2021/A/7833: "*the Panel confirms that under UCI ADR 3.2.2., WADA accredited laboratories are presumed to have conducted sample analyses in accordance with the ISL. UCI ADR also provide that the Athlete has to establish, on a balance of probability (which means that something is more likely than not to have occurred) (i) the departures from the applicable standards and that (ii) these departures have reasonably, and thus credibly, caused a misreading of the analyses. The Panel will therefore apply this two-step analysis to review the Rider's case*".

– UCI ADT 01.2020: *However, the applicable rules (in particular Article 3.2.2 ADR) make it equally clear that* **not any departure from the applicable provisions automatically invalidates the results of the analysis. Instead, only if the rules were breached severely enough to plausibly affect the outcome of the analysis is there a need for the Single Judge to examine whether or not the analysis results should be discarded.** *Finally, contrary to what the Rider alleges, the burden of proof that a breach of the applicable provisions occurred that could plausibly affect the outcome of the analysis rests with the Rider and not with the UCI.*

Del mismo modo, en materia probatoria la jurisprudencia ha hecho también énfasis en la necesidad de que el deportista, para evitar la infracción antidopaje, pruebe el escenario alternativo al de dopaje sostenido por la organización antidopaje a raíz de las anormalidades detectadas en sus parámetros. No bastará pues simplemente con dar una explicación acerca de la supuesta condición fisiológica o patológica que dio lugar a la alteraciones de los marcadores, sino que el deportista deberá aportar cumplida prueba de su versión, que el órgano resolutorio valorará junto con la prueba aportada por la organización antidopaje sobre la probabilidad de que la anormalidad detectada se deba una práctica dopante. Véase a este respecto por ejemplo lo mencionado a este respecto en CAS 2010/A/2235 o UCI ADT 01.2021.

De igual manera, también se ha afirmado en determinadas decisiones que la organización antidopaje debe mostrarse activa y probar el escenario de dopaje derivado del pasaporte biológico. Ilustra con claridad sobre dicha cuestión la decisión UCI ADT 03.2020, en que se dice que el TAS ha enfatizado que "*a pitfall to be avoided [in the context of the ABP] is the fallacy that if the probability of observing the values that assume a normal or pathological condition is low, then the probability of doping is automatically high*[14]. *Concretely this has been said in legal literature to mean that 'if the ADO is not able to produce a doping scenario with a minimum degree of credibility (density), the abnormality is simply unexplained, the burden of proof enters into play and the ADO's case must be dismissed since there is no evidence pleading in favour of the hypothesis of 'doping' any more than for another cause*".

3.4 Valoración de la prueba

Asimismo, por lo que respecta a la valoración de la prueba e interpretación de los resultados de los informes de expertos por parte del tribunal, diversos laudos y decisiones se han referido a la cuestión en el sentido de que el órgano resolutorio debe analizar toda la prueba e inferir sus propias conclusiones de la misma, creándose su propio criterio. Las siguientes resoluciones explican de un modo ciertamente clarificador el ejercicio a realizar por las formaciones arbitrales y cámaras federativas a dicho respecto:

– CAS 2010/A/2174: "*This Panel is in a position to evaluate and assess the weight of a (party-appointed) expert opinion submitted to it. It does so by evaluating the facts, on which the expert opinion is based and by assessing the correctness and logic of the conclusions drawn by the experts.* **In fulfilling this task the Panel takes into account the statements and opinions of (all) the parties. It is on the basis of this evaluation and balancing of the various submissions that the Panel will form its own opinion on the facts and consequences that follow thereof.** *This opinion may be in line with the evidence provided by a party-appointed expert. However, the contrary may be equally true.* **The Panel's activity is, thus, not a "pure referral" to some other's opinion.** *In particular, the Panel is of the view that the ABP can be evaluated and assessed according to the above principles and is, thus, not excluded from the evidence from the outset.*"

– CAS 2010/A/2235: *The CAS Panel recognises that it does not stand in the shoes of the Expert Panel (or indeed of those of the experts for either side), nor does it seek nor should it in this (or any other case) to repeat the exercises carried out by experts. It also recognises that any Tribunal faced with a conflict of expert evidence must approach the evidence with care and self-awareness of*

---

[14]   Véase CAS 2015/A/4006, CAS 2016/O/4881, CAS 2016/O/4464, CAS 2016/O/4463 o CAS 2016/O/4469.

its own lack of expertise in the area under examination. Nonetheless, notwiths-
tanding these caveats, it cannot abdicate its adjudicative role (cf: Kumho Tire
Co. Ltd v Patrick Cormichael US Supreme Court 23 March 1994); Roman
Law put the matter pithily: "iudex peritus peritorum" (the judge is the expert
on the experts). Bearing in mind the prescribed provisions as to burden and
standard of proof, **the CAS Panel conceives its function in applying the stan-**
dard as an appellate body to determine whether the Expert Panel's evalua-
tion (upon which UCI's case rests) is soundly based in primary facts, and
whether the Expert Panel's consequent appreciation of the conclusion be
derived from those facts is equally sound. It will necessarily take into accou-
nt, inter alia, the impression made on it by the expert witnesses in terms of
their standing, experience, and cogency of their evidence together with that
evidence' s consistency with any published research*: and it has done so in*
this appeal.

– UCI ADT 03.2020: *"in reviewing the available expert reports and other evi-*
dence, the Single Judge agrees that, 'at the end of the day, it is for the Single
Judge to decide, if the UCI has fulfilled its burden of proving, to the comforta-
ble satisfaction of the Single Judge, that the Rider has committed a violation
of the anti-doping rules".

3.5 Pasaporte biológico y derechos del deportista

Finalmente, debe señalarse que también fueron frecuentes, sobre todo al inicio de la implantación del pasaporte biológico, los pronunciamientos que rechazaron el supuesto atentado que el mismo suponía contra los derechos personales del deportista.

Entre otros cabe destacar lo resuelto en CAS 2010/A/2174, en cuya parte pertinente se indica que *"The Panel is not of the opinion that in order to protect the fundamental rights of an athlete an A and B sample is required in this context. The principal reason why the latter is provided for in order to ascertain "the presence of a prohibited substance" (cf. Article 2.1 WADC) is to avoid any possible manipulation of the sample after the latter has been provided"*, y respecto a la petición de que se realizara un nuevo pasaporte sobre la base de muestras analizadas privadamente por el deportista, la Formación Arbitral sostuvo que *"such a request —expressed firstly at this stage of the proceedings—, obviously, cannot be granted. First of all, it seems to be pretty clear that for the good functioning of the fight against doping, a system in which the doping controls are carried out exclusively by anti-doping organizations is essential. This means, inter alia, that the doping controls cannot depend on the athletes' will to be "controlled" and that, obviously, the athletes cannot be the "controller" and the "controlled" at the same time. The latter would, however, be the case if the athlete would be allowed to collect his own samples, or to have them collected by a third person (even an analyst) at the time he wishes or deems appropriate. In the case at hand, however, there are also further reasons, for which the analyses carried out on the Appellant's own initiative cannot be admitted: The Appellant's analyses do not report all the fundamental data for the purposes of the ABP, like e.g. the data concerning the number or percentage of the reticulocytes. Furthermore, even if the Panel does not intend to put in question the quality of the private laboratory which carried out the analyses for the Appellant, there is no evidence showing that the standards followed by the latter are the same as requested and followed by the WADA accredited laboratories. The athlete's right is, however, to request and check that the testing procedure (i.e. sample collection, transportation, sample analysis, etc.) is following the required standards and therefore the athlete is guaranteed a high quality of the procedure. In the Appellant's case the evidences show that the whole ABP procedure followed the requested WADA and UCI standards".*

En la misma línea desestimatoria se pronuncia la Formación que resolvió el caso CAS 2010/A/2235, que ante una alegación de discriminación por parte del deportista estableció que *"the Athlete has adduced no evidence which could persuade the Panel that UCI held a discriminatory attitude toward him. In this respect the Panel notes that (i) a variety of cyclists with different personal characteristics and status have been lately charged by UCI with anti-doping violations due to their anomalous ABP values, (ii) the Expert Panel's initial review of the Athlete's ABP was carried out on an anonymous basis, and (iii) the Athlete offered no motives for or identity of the UCI's alleged discrimination (nationality? gender? religion?). In addition, the Panel is satisfied that the EU Court of Justice clearly stated in Meca-Medina that anti-doping rules and sanctions "are justified by a legitimate objective" and that any related limitation to the athletes' economic freedom "is inherent in the organisation and proper conduct of competitive sport and its very purpose is to ensure healthy rivalry between athletes" (Case C- 519/04P Meca-Medina and Majcen v Commission, [2006] 5 C.M.L.R. 18, para. 45). While it is true that restrictions imposed by anti-doping rules and sanctions "must be limited to what is necessary to ensure the proper conduct of competitive sport" (ditto, para. 47) and, thus, they must be proportionate, the Athlete has equally adduced no evidence to establish that the anti-doping rules and sanctions at issue are disproportionate and, as a consequence, has not established a violation of article 101 TFEU. As to article 102 TFEU, the Athlete has offered no market analysis to define the relevant market and submitted no evidence to prove the existence of a dominant position, let alone the perpetration of abuses, by UCI. Accordingly, this submission on behalf of the Athlete also fails".*

3.6 Conclusiones

Tal y como hemos podido comprobar en los apartados anteriores, a fecha de hoy contamos con un nutrido cuerpo de jurisprudencia deportiva que nos permite tener una aproximación bastante fidedigna a cómo se ha aplicado e interpretado el pasaporte biológico en los foros internacionales. A la vista de dicha jurisprudencia, el deportista puede por supuesto tratar de combatir la debida aplicación o ejecución del pasaporte biológico *in casu*, pero intentar poner en duda la validez general del sistema no parece a estas alturas demasiado razonable, vistos los múltiples pronunciamientos que desde 2010 existen por parte del TAS y otros tribunales federativos que han confirmado la legitimidad y fiabilidad del método. Eso sí, para poder lograr el objetivo de que de las anomalías detectadas no se derive una infracción de Uso, el deportista deberá mostrarse proactivo en el despliegue de su actividad probatoria, en los términos y de la forma que se establece en la normativa antidopaje. En materia de dopaje, la simple alegación sin prueba no es una opción, y mucho menos en los casos de pasaporte biológico, cuestión que deberá tenerse muy presente en la defensa de este tipo de casos ante los tribunales deportivos.

La intervención de terceros en la comisión de una infracción de las normas antidopaje y su impacto sobre una eventual sanción

NICOLE ADRIANA SANTIAGO SANTIAGO

Abogada, Statim Legal

1. INTRODUCCIÓN

El Código Mundial Antidopaje (el "CMA") nos dice que una infracción antidopaje es una cuestión de responsabilidad objetiva para el atleta —*es un deber personal de cada Deportista asegurarse de que ninguna Sustancia Prohibida se introduzca en su organismo. Los Deportistas son responsables de la presencia de cualquier Sustancia Prohibida, de sus Metabolitos o de sus Marcadores, que se detecten en sus Muestras. Por tanto, no es necesario demostrar intención, Culpabilidad, negligencia o Uso consciente por parte del Deportista [...].*" El resultado positivo es, por tanto, responsabilidad exclusiva del atleta, quien debe emplear en todo momento la mayor diligencia y, en caso contrario, deberá enfrentar las consecuencias deportivas que procedan.

Pero una infracción antidopaje no siempre ocurre mediante un acto que resulta única y exclusivamente de la voluntad del/de la atleta. También se dan situaciones en las que, por ejemplo, la fuente de la Sustancia Prohibida identificada en su muestra fue un fármaco recomendado o un producto administrado por una persona que, por la labor que desempeña, es de absoluta confianza para el/la atleta. Incluso puede darse el caso que esta persona de absoluta confianza le asegura al/a la Deportista que la sustancia que le recomienda o administra no está prohibida. Entonces puede existir cierta influencia por parte de un tercero en el actuar del atleta que le lleve a tomar determinados pasos.

La intención con este trabajo es repasar brevemente las consecuencias deportivas que se han determinado adecuadas y proporcionales en algunos casos en los que se identifica la clara influencia o intervención de un tercero en el (in)cumplimiento de las responsabilidades antidopaje de un Deportista. Incidiremos en el efecto que ha podido —o no— tener la conducta y la culpabilidad del tercero sobre tanto la determinación del grado de culpa del/de la Deportista que arroja un resultado positivo como la determinación de la sanción finalmente impuesta por el tribunal, tomando como principales ejemplos determinados laudos del Tribunal de Arbitraje Deportivo (TAS-CAS).

2. CONSIDERACIONES DEL CÓDIGO MUNDIAL ANTIDOPAJE

2.1 Los terceros más próximos al/a la deportista: el personal de apoyo

El CMA, en su edición 2021, define el mencionado concepto de la siguiente forma:

"***Personal de Apoyo a los Deportistas****: Cualquier entrenador, preparador físico, director deportivo, representante, personal del equipo, agente, personal médico o paramédico, progenitor o cualquier otra Persona que trabaje con Deportistas que participen en competiciones deportivas o se preparen para participar en ellas, que trate a dichos Deportistas o que les preste ayuda.*"

Habida cuenta del tipo de persona considerada Personal de Apoyo y el enorme impacto que puede tener sobre el actuar de un/a Deportista, no sorprende encontrar diversas referencias a estos a lo largo del CMA con el fin de regular sus actividades en la medida de lo posible[1]. Asimismo, se les imponen responsabilidades específicas tales como conocer y cumplir las políticas y normas antidopaje (21.2.1), cooperar con el programa de

---

[1]   Por ejemplo, se les incluye entre las Personas que podrían cometer infracciones con respecto a Posesión de Sustancia Prohibida o Método Prohibido (art. 2.6), Tráfico o Intento de Tráfico (art. 2.7) Administración o Intento de Administración de una Sustancia o Método Prohibido (art. 2.8), Complicidad (art. 2.9) y Asociación Prohibida (art. 2.10).

controles antidopaje a los Deportistas (21.2.2) y aprovechar su influencia sobre el comportamiento de los Deportistas para fomentar actitudes antidopaje (21.2.3), entre otras.

La razón para regular el comportamiento del Personal de Apoyo a los Deportistas de este modo parecería obvia; como bien señala el comentario al art. 21.2.6 del propio CMA, *"Los entrenadores y otro Personal de Apoyo a los Deportistas constituyen con frecuencia modelos de comportamiento para estos. No deben, por tanto, incurrir en una conducta Personal que esté en conflicto con su responsabilidad de alentar a sus Deportistas a no doparse."*[2]

La casuística en la que nos centraremos al objeto de este trabajo se trata de aquellas situaciones en las que un/a Deportista delega ciertos aspectos de sus responsabilidades antidopaje a un miembro de su Personal de Apoyo. Por supuesto, esta delegación no puede generalizarse a todas las obligaciones antidopaje de un Deportista, como, por ejemplo, la recolección de Muestras. Muchas veces son cuestiones de un carácter más bien administrativo, como puede ser presentar la documentación necesaria para informar sobre la localización o paradero del Deportista o verificar si una determinada sustancia aparece en la Lista de Sustancias Prohibidas. Pero también, como veremos, la delegación puede ocurrir dentro del ámbito de la delegación por parte de un atleta del cuidado general de su bienestar a un profesional de la salud. Y en todos los casos es necesario considerar la responsabilidad del/de la Deportista, pues un error o fallo en la delegación puede acarrear consecuencias graves para el/la Deportista.

2.2 La responsabilidad del/de la Deportista según el CMA

Para emprender en un análisis sobre la intervención de un tercero en el que se delegan responsabilidades antidopaje y sus efectos sobre el grado de culpa o negligencia de un/a Deportista, conviene recordar algunos de los principios y postulados que define el CMA.

Debemos señalar, en primer lugar, que resulta prácticamente imposible encajar el supuesto que analizamos en una situación de Ausencia de Cul-

---

[2]   Asimismo, el CMA impone a sus Signatarios el deber de cooperar entre sí, con la AMA y con los gobiernos *"para alentar a las instituciones y asociaciones profesionales con autoridad sobre el Personal de Apoyo a los Deportistas que por lo demás no esté sujeto al Código a que apliquen reglamentos que prohíban conductas que se considerarían una infracción de las normas antidopaje si fueran cometidas por Personal de Apoyo a los Deportistas sujeto al Código."* (art. 20.8)

pabilidad o Negligencia, que se define como la *"Demostración por parte de un Deportista u otra Persona de que ignoraba, no sospechaba y no podía haber sabido o presupuesto razonablemente, incluso aplicando la mayor diligencia, que había usado o se le había administrado una Sustancia Prohibida o un Método Prohibido o que había infringido de algún otro modo una norma antidopaje. Excepto en el caso de una Persona Protegida o un Deportista Aficionado, para cualquier infracción prevista en el artículo 2.1, el Deportista deberá demostrar también cómo se introdujo la Sustancia Prohibida en su organismo"*.

El CMA deja claro, en su Comentario al artículo 10.5, que la eliminación de la sanción por Ausencia de Culpabilidad o Negligencia solo se aplica *"en circunstancias excepcionales, como por ejemplo, cuando un Deportista ha podido demostrar que, pese a todas las precauciones adoptadas, ha sido víctima de un sabotaje por parte de un competidor. A la inversa, la Ausencia de Culpabilidad o de Negligencia no se aplicará en las circunstancias siguientes: (a) cuando se haya dado positivo en un control por un error en el etiquetado o una contaminación de los suplementos nutricionales o de vitaminas (los Deportistas son responsables de los productos que ingieren (artículo 2.1.1) y han sido advertidos de la posibilidad de contaminación de los suplementos); (b) el médico Personal o el entrenador de un Deportista le ha administrado una Sustancia Prohibida sin que el Deportista haya sido informado (los Deportistas son responsables de la elección de su personal médico y de advertir a este Personal de la prohibición de que se les suministre cualquier Sustancia Prohibida); y (c) la contaminación de un alimento o de una bebida del Deportista por su pareja, su entrenador o cualquier otra Persona del círculo de conocidos del Deportista (los Deportistas son responsables de lo que ingieren y del comportamiento de las Personas a las que confían la responsabilidad de sus alimentos y bebidas)"*. Los supuestos enumerados en este Comentario son meramente a título ilustrativo y en ningún caso comprenden una lista exhaustiva, pero evidentemente apuntan a que las situaciones en las que el/la Deportista delega alguna de sus responsabilidades antidopaje a un tercero y ello deriva en una violación de la normativa, no cabría argumentar Ausencia de Culpabilidad o Negligencia para eliminar la sanción que dicta el CMA.

No obstante, el mismo Comentario antes citado continúa diciendo que en función de los hechos excepcionales relativos a un caso concreto, los antedichos ejemplos podrían suponer una sanción reducida en virtud del artículo 10.6 CMA, en base a la Ausencia de Culpabilidad o de Negligencia Graves, que se define como la *"Demostración por parte del Deportista u otra Persona de que, dado el conjunto de circunstancias y teniendo en cuenta los criterios de Ausencia de Culpabilidad o de Negligencia, su Culpabilidad o Negligencia no fue significativa respecto de la infracción de la norma antidopaje. Excepto en el caso de una Persona Protegida o un Deportista Aficionado, para cualquier infracción prevista en el artículo 2.1 el Deportista deberá demostrar también cómo se introdujo en su organismo la Sustancia Prohibida".*

Por tanto, el punto de partida para estos supuestos de delegación a terceros es perseguir la reducción de las consecuencias sancionadoras derivadas de la infracción en cuestión.

Con relación a lo anterior, también conviene recordar el análisis de culpabilidad que viene aplicándose desde el caso *CAS 2013/A/3327 & 3335 ITF vs Marin Cilic* para la posible reducción de la sanción estándar de 2 años en casos de Ausencia de Culpabilidad o Negligencia Significativa del/ de la Deportista. El citado laudo establece que el periodo de suspensión estándar se divide en tres franjas, dependiendo del grado de culpabilidad del/de la Deportista: (i) 16-24 meses para la culpa significativa o considerable, (ii) 8-16 meses para la culpa normal y (iii) 0-8 meses para la culpa leve. Para determinar en qué grado de culpabilidad enmarcar el caso particular, ha de considerarse el elemento objetivo de culpabilidad —qué estándar de cuidado podía esperarse de una persona razonable en la situación del Deportista— y el elemento subjetivo —qué podía esperarse del Deportista concreto atendidas sus cualidades personales—. La línea jurisprudencial que emana de este caso nos deja claro que el elemento determinante para establecer en cuál de las tres antedichas categorías debe encuadrarse el caso concreto ese el objetivo, y luego se utiliza el elemento subjetivo para determinar la sanción a aplicarse dentro de los valores establecidos para cada grado de culpabilidad[3].

En caso de delegación de responsabilidades a terceros, podría decirse que ello impacta el elemento subjetivo del análisis de *Cilic*, aunque existen casos en los que se ha intentado argumentar la delegación a terceros como alternativa a un hallazgo de Ausencia de Culpabilidad o Negligencia Significativa para justificar la atenuación de la sanción

---

[3]   Si bien en casos excepcionales, puede ocurrir que el elemento subjetivo sea tan significativo que incida en la determinación de la categoría (vid. Párrafo 74 del laudo).

3. ALGUNAS INTERPRETACIONES DEL TAS SOBRE LA INTERVENCIÓN DE TERCEROS EN LAS RESPONSABILIDADES ANTIDOPAJE DE LOS ATLETAS

3.1　CAS 2014/A/3591 Sheikh Hazza Bin Sultan Bin Zayed Al Nahyan v. FEI: delegación de responsabilidades a un médico

El caso *Al Nahyan* aparece como uno de los primeros casos en los que se materializan diversas reflexiones del TAS sobre la delegación de responsabilidades relacionadas con las normas antidopaje. Es cierto que ese caso tuvo la particularidad de que se trataba de un resultado analítico adverso de un caballo y se responsabilizó (y suspendió) al jinete que compitió con el caballo. Pero, como veremos más adelante, ello no ha sido óbice para su consideración como fuente de importantes líneas argumentales sobre la responsabilidad del/de la Deportista en caso de delegación de responsabilidades antidopaje.

En este caso podemos observar cómo se analizó la responsabilidad del jinete por cualquier sustancia que ingiera o se administre a su caballo, teniendo en cuenta de que la Sustancia Prohibida vino de un tercero profesional contratado por los establos. En su defensa, el jinete explicó que había confiado en el esquema de cuidado, verificación y seguimiento impuesto por W'rsan Stables, habiendo delegado los aspectos claves del cuidado de su caballo a un veterinario de los establos específicamente. Fue el veterinario quien administró el medicamento que contenía la Sustancia Prohibida al caballo sin haber previamente investigado sobre su contenido. La Formación Arbitral determinó, en primer lugar, que la conducta del veterinario constituyó negligencia significativa (por no decir grave). Por otro lado, el TAS determinó que la imputación de responsabilidad sobre el Deportista —en este caso el jinete— por la conducta del tercero delegado —el veterinario de W'rsan Stables— es una cuestión inherente al principio de la responsabilidad objetiva consagrado en los artículos 2.1 y 2.2 de las Reglas Antidopaje Ecuestres (análogos a los artículos 2.1 y 2.2 del CMA) junto con el artículo 118.3 del Reglamento General de la FEI sobre las Personas Responsables por los caballos[4].

4　　*"The Person responsible (PR) shall be the Athlete who rides, vaults or drives the Horse during an Event but the Owner and other Support Personnel including but not limited to grooms and veterinarians may be regarded as additional Persons Responsible, if they are present at the Event or have made a relevant decision about the Horse."*

Lo que relevante a los efectos de este artículo es la aclaración de que lo que se le imputa al Deportista no es el grado de culpabilidad del veterinario en su conducta, sino que se evalúa la propia culpa o negligencia subjetiva del jinete a la hora de imponer una sanción de periodo de suspensión, pudiendo el Deportista reducirla o eliminarla en el sentido previsto el artículo 10.5 de las Reglas Antidopaje Ecuestres (también análogo al CMA).

La Formación Arbitral resolvió moderar la sanción impuesta por la decisión de instancia, a 18 meses de suspensión, teniendo en cuenta las siguientes consideraciones:

- Existían circunstancias excepcionales que distinguían al caso concreto, como la ausencia de utilidad legítima de la Sustancia Prohibida en caballos, el beneficio terapéutico mínimo que esta representaba, el hecho de que en el envase del producto que contenía la Sustancia Prohibida no figuraba el nombre químico correcto sino otro que el fabricante eligió, y el hecho de que el veterinario se refirió al producto como un estimulante muscular cuando en realidad era un relajante, entre otros.

- Asimismo, por un balance de probabilidades, el TAS consideró que la prueba en autos estableció que la fuente de la Sustancia Prohibida fue una inyección del producto en cuestión administrada por el veterinario la noche antes del evento.

- A lo anterior se sumaba la estimación favorable del Panel de la evidencia que demostraba que tanto el Deportista como su padre empleaban a personal altamente calificado y les comunicaban instrucciones específicas para el cuidado y la preparación de los caballos, incluyendo una serie de procedimientos y pruebas cuya finalidad era precisamente evitar un resultado positivo en una prueba antidopaje. Por su parte, el jinete incluso admitió ante el tribunal no estar "involucrado" con los caballos y que delegaba su cuidado al personal de los establos, hecho que no le exime de responsabilidad, pero sí fue notado.

- Las obligaciones de la Persona Responsable según están expresadas en la normativa FEI no permitían considerar la posibilidad de ausencia de culpabilidad o negligencia. La Formación Arbitral tomó nota, en especial, sobre la ausencia de cualquier indagación por parte del jinete sobre la preparación y el tratamiento del caballo justo antes del evento y la falta de cualquier tipo de verificación del sistema implementado con el personal de veterinaria de los establos para asegurar su cumplimiento (de hecho, el veterinario testificó que la

dirección de los establos era generosa en cuanto a la confianza depositada y la poca supervisión del personal). En resumen, así como
para Deportistas fuera del ámbito ecuestre, es el deber personal del
jinete, la Persona Responsable, asegurarse de que ninguna Sustancia
Prohibida esté presente en el organismo de su caballo.

- Por otro lado, dicha normativa sí permitía una consideración de
  ausencia de culpabilidad o negligencia significativa. En este caso,
  la Formación Arbitral consideró que el jinete ciertamente pudo haber hecho algo más para informarse sobre el historial del caballo
  que montó para la competición y pudo haber hecho más para evitar
  errores y fallos en los procesos que llevaban a cabo los profesionales contratados por los establos. Aún así, todas las consideraciones
  anteriormente mencionadas llevaban al Panel a concluir que existía
  un grado menor de culpa por parte del jinete, lo cual justificaba la
  atenuación de la sanción del periodo de suspensión, de 2 años a 18
  meses.

De lo anterior, podemos derivar una suerte de regla o *test* que indirectamente parece aplicar el TAS: en casos donde el/la Deportista ha delegado
alguna de sus responsabilidades antidopaje a un tercero, se analiza la diligencia del/de la Deportista en su elección del tercero (*cura in eligendo*), en
las instrucciones y directrices que el/la Deportista le comunica al tercero
para atender las responsabilidades delegadas (*cura in instruendo*), y en el
grado de supervisión o control que efectivamente ejerce el/la Deportista
sobre el tercero delegado (*cura in custodiendo*). En el caso de *Al Nahyan*, la
Formación Arbitral vio justificada la moderación de la sanción considerando que se trataba de un tercero delegado altamente calificado para el cuidado del caballo y que en los establos existía un esquema elaborado para
supervisar el cuidado de los animales —aunque no exento de fallos—. Por
último, no se puede menospreciar el impacto netamente positivo que tanto la credibilidad del veterinario como las particularidades del producto
empleado tuvieron en este caso para la mitigación de la sanción.

3.2 CAS 2015/A/4059 WADA v. Thomas Bellchambers et al., AFL & ASADA: delegación colectiva de responsabilidades al empleador

Seguidamente, nos encontramos con otro caso interesante con relación
a la delegación de responsabilidades antidopaje en el que 32 jugadores
del Essendon Football Club fueron sancionados sin que ningún resultado
analítico adverso obrara en el expediente. En este caso, el TAS concluyó

que habrían otorgado consentimiento y participado en una iniciativa de equipo consistente en la administración de un suplemento que contenía una Sustancia Prohibida, sin los jugadores haber llevado a cabo las debidas investigaciones sobre qué precisamente se les inyectaba en el cuerpo.

La situación tan particular de este caso surge tras la contratación por parte del Essendon de un científico deportivo para que, entre otras cosas, desarrollara e implementara protocolos para toda la plantilla deportiva relacionados con suplementos nutritivos y la recuperación de los atletas. Para formar parte de estos protocolos, los jugadores firmaron una hoja de consentimiento para participar en los protocolos del club que, aparentemente, indicaba que estos cumplían con el CMA y que una de las 4 sustancias que se administrarían sería la timosina. Resulta que una de las formas químicas de esta proteína una Sustancia Prohibida; concretamente, la timosina TB-4 asiste en la recuperación de músculos y tejidos y es, por tanto, Sustancia Prohibida, pero la timosina alfa es empleada para fortalecer el sistema inmunológico y no es Sustancia Prohibida.

Eventualmente, se descubrieron los diversos fallos en los protocolos de equipo y el uso reiterado de una Sustancia Prohibida en las inyecciones administradas al equipo y el club optó por divulgar la situación voluntariamente a la organización antidopaje de Australia y a la liga. Culminado el procedimiento de investigación a nivel nacional, no hubo sanción alguna para los jugadores en primera instancia.

Sin embargo, el TAS resolvió anular la decisión de primera instancia, imponiendo la máxima pena de 2 años de sanción a los 32 jugadores implicados, decisión que desde entonces ha suscitado importantes debates y críticas (y un eventual recurso ante el Tribunal Federal Suizo). La Formación Arbitral se consideró suficientemente satisfecha de la existencia de ciertos hechos que llevaban a la conclusión de que se había cometido una infracción del art. 2.2 CMA (uso de una Sustancia Prohibida) y que cada uno de los jugadores había sido inyectado con TB-4 al menos una vez:

- Quedó probado que todos los jugadores del equipo recibieron inyecciones, puesto que todos firmaron la hoja de consentimiento en la que se indicaba que recibirían inyecciones de timosina semanalmente durante seis semanas como parte del protocolo para todo el equipo (no solo para uno o varios jugadores en particular). Asimismo, quedó demostrado que las inyecciones de timosina en particular eran un componente fundamental del protocolo y existían varios mensajes de texto del científico deportivo al dirigente del club indicando que se habrían administrado todas las inyecciones.

- Quedó demostrado que se mantuvo el protocolo de inyecciones en secreto y solo determinados miembros de la dirección del club —excluyendo al médico del equipo— eran conocedores de su existencia. Incluso, se llegó a demostrar que ciertos jugadores recibieron instrucciones de no revelar la existencia de los protocolos de inyecciones, y ninguno de los jugadores declaró las inyecciones de timosina en ninguno de los controles antidopaje a los que fueron sometidos.

- Quedó probado que la sustancia inyectada fue TB-4, la Sustancia Prohibida, y no timosina alfa. Según discute la decisión, existían mensajes del científico deportivo en el que éste mencionaba que la timosina ayudaba con el mantenimiento de tejidos blandos (es decir, relacionado con los beneficios de la TB-4) y la propia hoja de consentimiento que firmaron los jugadores mencionaba que las inyecciones de timosina estaban indicadas para mejorar la capacidad de recuperación (de nuevo, relacionado con los beneficios de la TB-4). Además, existía constancia de que los jugadores fueron sometidos a analítica de sangre previo a recibir las inyecciones, medida que estaría indicada para la administración de péptidos como la TB-4 pero no para otras formas de la timosina como la timosina alfa. De hecho, algunos de los jugadores que declararon ante el TAS indicaron haber visto frascos de timosina en la oficina del científico deportivo.

Teniendo en cuenta el análisis esbozado en *Al Nahyan* sobre la responsabilidad del Deportista al delegar ciertos elementos de sus responsabilidades antidopaje con respecto a quién elige y cómo le supervisa, parecería relevante para los efectos de la determinación de la sanción considerar que los jugadores se encontraban en una situación en la que no era irrazonable delegar en la autoridad del científico deportivo y de los demás directivos del club presentes cuando iniciaron los protocolos de inyecciones o confiar plenamente en la información que les brindaban en la hoja de consentimiento[5]. También ha de señalarse que era una situación donde cualquier jugador podría experimentar presión por parte de su empleador o presión

---

[5]   Recordamos que la hoja de consentimiento aparentemente mencionaba la palabra timosina. Posteriormente salió en la prensa que la timosina beta-4 no habría aparecido en la Lista de Sustancias Prohibidas de la organización antidopaje nacional de Australia durante el tiempo en el que se llevó a cabo el protocolo de inyecciones, sino que fue agregada poco antes de que el Essendon fuese notificado de que estaba siendo investigado por la organización antidopaje. Ver:

de grupo en caso de no participar en el protocolo o al expresar sus dudas sobre las recomendaciones del experto contratado por el club.

Habría que preguntarse también por qué no se le dio mayor peso al entorno —aparentemente legítimo— en el cual se dio la administración de las inyecciones a todo el equipo. Los jugadores del Essendon no necesariamente tendrían causa justificada para dudar, al menos inicialmente, sobre el protocolo de suplementos que les diseñó el científico deportivo, profesional que desde años antes se dedicaba a trabajar con entidades deportivas para mejorar el estado físico de sus atletas y a quien el club seleccionó sin, por lo visto, consultar ninguno de los jugadores, para mejorar su bienestar y estado físico. Este ambiente de confianza en la información y las instrucciones que comunicaba su empleador pudo haber sido la principal motivación para los numerosos descuidos cometidos por los jugadores, incluyendo asumir que el médico del club estaba al tanto de todo el protocolo de inyecciones y no, como se descubrió luego, al margen de toda la situación.

Como bien señala el laudo, preocupaba la falta de diligencia de los jugadores y la aparente ocultación del hecho de que recibían las inyecciones, sin divulgarlas al médico del club (u otros médicos personales) ni declararlas en sus respectivos formularios de control antidopaje. Evidentemente había suficientes indicios como para sembrar al menos un mínimo de duda en cualquiera de los jugadores sobre lo que sucedía en el club que le llevase a investigar más. No obstante, no se probó que todos los jugadores tuvieron oportunidades claras de consultar sobre el protocolo de suplementos con el médico del equipo, ni que estaban en una posición de poder realmente ejercer algún tipo de control sobre lo que sucedía o de cambiar algún aspecto del protocolo de inyecciones, pero no por ello podría decirse que todos y cada uno de los jugadores incumplió la regla de las tres curas desarrollada en *Al Nahyan* como para descartar definitivamente la Ausencia de Culpabilidad o Negligencia Significativa.

En definitiva, el caso del Essendon queda en nuestro recorrido jurisprudencial como un ejemplo en el que concurrían determinadas circunstancias que hubiesen sido interesantes desgranar desde el punto de vista de la responsabilidad en instancias de delegación a terceros. De haberse empleado este tipo de análisis, quizás se habría llegado a un resultado más adecuado a cada caso individual de jugador.

---

https://7news.com.au/sport/afl/essendon-rocked-by-bombshell-development-in-afl-doping-scandal-c-505732

3.3 CAS 2016/A/4643 Maria Sharapova v. ITF: delegación de responsabilidades a un agente

Llegamos entonces a uno de los casos más interesantes en materia de Ausencia de Culpabilidad o Negligencia y que precisamente trata sobre la responsabilidad de un Deportista en una situación de delegación de responsabilidades antidopaje a terceros, el caso de la tenista Maria Sharapova. En este caso, la Deportista arrojó un positivo por meldonium, sustancia que había sido incluida en la lista de Sustancias Prohibidas de la AMA apenas unos días antes del resultado analítico adverso. Posteriormente descubrió que la Sustancia Prohibida en cuestión se encontraba en un medicamento llamado Mildronate que la Deportista tomaba desde hacía 10 años bajo recomendación médica. Según indicó en el marco del procedimiento, la Deportista habría delegado sus responsabilidades antidopaje a su agente deportivo y era la primera vez que arrojaba positivo en un control antidopaje.

La decisión de primera instancia de la *International Tennis Federation* (ITF) no tuvo ninguna consideración por los factores alegados por la tenista para la mitigación de la sanción, entre ellos, la elección de delegar sus responsabilidades a una persona con experiencia en materia antidopaje, y le sancionó con 2 años de periodo de suspensión.

Sin embargo, el TAS resolvió reducir el periodo de suspensión a 15 meses luego de emprender en un interesante —y, dicho sea de paso, bastante generoso— análisis de las circunstancias particulares del caso y determinar que la culpa o negligencia de la Deportista no fue significativa:

- Según podemos apreciar del laudo, las partes llegaron a un acuerdo mediante el cual resolvieron que el TAS aplicaría el análisis esbozado en *Al Nahyan* al caso. Sin embargo, el laudo no explica el razonamiento tras semejante acuerdo ni por qué el tribunal aceptó tal instrucción de las partes. Tampoco se esclarece por qué se consideró apropiado trasponer el análisis sobre la responsabilidad que recae sobre un jinete ante una situación en la que un veterinario administró una Sustancia Prohibida al caballo que montó puntualmente, a una situación en la que debe determinarse la responsabilidad de una tenista al ingerir una Sustancia Prohibida adquirida por ella misma. No hay duda de que un caballo carece de manera alguna de poder controlar cuáles sustancias entran en su organismo y cuáles no, pero no se puede decir lo mismo de un ser humano. Debido a la existencia de este acuerdo tan inusual, y por otros motivos que resultan obvios de una simple lectura del laudo[6], podemos concluir que desde un principio existía cierto ánimo de parte de todos los involucrados de tratar este caso de un modo particular.

- En aplicación del razonamiento de *Al Nahyan*, se debía responsabilizar a la Deportista por la manera en que gestionó la delegación de sus responsabilidades antidopaje, enfocando el escrutinio en su conducta, y no por la manera en que el tercero delegado desempeñó sus tareas. Así, el TAS confirmó que un atleta no puede evitar su responsabilidad de cara al CMA mediante la delegación, pero sí existe margen para considerar (y moderar) su grado de culpabilidad y la correspondiente sanción atendiendo a la razonabilidad de la elección, la supervisión y las instrucciones dadas al tercero delegado. O dicho de otro modo, empleando la regla de las tres curas: *cura in eligendo, in instruendo* e *in custodiendo.*

- Nada impedía que la Deportista, una atleta de alto nivel concentrada en el desempeño de sus actividades deportivas exigentes en todo el mundo, delegara ciertas actividades destinadas a garantizar el cumplimiento de la normativa antidopaje y a evitar que se cometiera alguna infracción antidopaje. Teniendo en cuenta las circunstancias, la Formación Arbitral determinó que la elección de su agente como delegado fue razonable bajo las circunstancias, considerándole adecuadamente calificado.

---

[6] Fijándonos por ejemplo en los párrafos 82-84, donde el TAS señala que no existe tal cosa como precedente en el TAS y que los casos de dopaje giran sobre los hechos concretos de cada caso, con lo cual es imprescindible analizar la totalidad de las circunstancias a la hora de determinar si hay o no culpa o negligencia significativa. De este modo, la Formación permite alejarse del razonamiento empleado en laudos anteriores. La Formación Arbitral también señala que, si bien la determinación de ausencia de culpabilidad o negligencia significativa concurre en circunstancias verdaderamente excepcionales, la adopción de un enfoque demasiado restrictivo haría que la disposición de Ausencia de Culpabilidad o Negligencia Significativa en el CMA quede sin sentido.

En adición a lo anterior, no podemos olvidar que la inclusión del meldonium en la Lista de Sustancias Prohibidas de 2016 y la gestión de la AMA del alto número de casos positivos a principios de 2016 —especialmente de atletas de Europa del Este— fueron ampliamente criticadas en los medios. Por otro lado, en aquel entonces ya existía el precedente de atletas de origen ruso siendo excluidos de los Juegos Olímpicos y Paralímpicos por haber formado parte del esquema de dopaje auspiciado por el estado.

- El fallo de la tenista que se tuvo en cuenta a la hora de sancionarle se resume, como en muchos otros casos, en que pudo haber hecho algo más para evitar la infracción. La Formación Arbitral consideró que hubo una falta de diligencia por parte de Sharapova al no darle instrucciones específicas a su delegado ni establecer algún tipo de sistema de supervisión y control sobre el delegado, que a su vez derivó en diversas carencias por parte de su agente a la hora de realizar las tareas delegadas. A modo de ejemplo, la Formación Arbitral notó que la Deportista no le indicó a su agente que verificara si Mildronate era una marca o si era el nombre de la sustancia, no se le instruyó que consultara la página web de la AMA, la ITF o la *World Tennis Association*, no se le instruyó que contrastara la lista de medicamentos y suplementos que tomaba la Deportista (y sus respectivos ingredientes) con la Lista de Sustancias Prohibidas año tras año, etc.

Lo anterior llevó a la Formación Arbitral a concluir que algún nivel de culpa debía atribuirse a la Deportista, aunque este no era suficiente como para excluir la posibilidad de una atenuación de la sanción. Sin embargo, del análisis del laudo se desprende que la Formación Arbitral solo consigue apreciar un momento en el que la tenista en principio ejerció el debido cuidado: en la elección de su delegado. Y este hallazgo se puede cuestionar fácilmente considerando que el agente de Sharapova admitió que ni siquiera había recibido algún tipo de educación en materia antidopaje.

En casos anteriores en los que los Deportistas se ocupan personalmente de sus responsabilidades antidopaje, el TAS se ha negado a determinar la ausencia de culpabilidad o negligencia significativa cuando el Deportista era un profesional y no fue proactivo para garantizar que un medicamento no contuviera Sustancias Prohibidas, aún cuando el medicamento fue recetado por su médico[7]. Sin embargo, con la regla de *cura in eligendo, cura in instruyendo* y *cura in custodiendo,* y considerando que las circunstancias concurrentes del caso de Sharapova solo podrían satisfacer la primera de las tres curas según la regla de *Al Nahyan,* este laudo parecería permitir la reducción de la sanción automática cada vez que se establezca que el tercero delegado fue elegido cuidadosamente, independientemente de la forma en que se le instruya o se le supervise.

Dicho esto, parecería que la regla de las tres curas fue solo una consideración en la evaluación general del TAS sobre la culpa de la tenista, debido

---

7   CAS 2008/A/1565 AMA v. CISM & Turrini, CAS 2008/A/1488 P. v. ITF

a que la Formación Arbitral dedicó aproximadamente la misma cantidad de atención en su razonamiento a discutir la percepción de riesgo "justificadamente" reducida de Sharapova y delinear otros factores "relevantes". La Formación Arbitral finalmente apoyó su conclusión de que la culpa de Sharapova no fue significativa en la totalidad de las circunstancias, y no solo considerando aquellas circunstancias que caen dentro de los estrechos límites de su *test* legal. También parecería haber pesado mucho a favor de la Deportista su respuesta inmediata y honesta ante la situación, al igual que el cambio en la consideración del meldonium como Sustancia Prohibida y las deficiencias percibidas en la manera en que las organizaciones nacionales antidopaje lidiaron con la inclusión del meldonium en la Lista de Sustancias Prohibidas.

3.4 Tendencia más reciente en la jurisprudencia: rechazo de la supuesta "doctrina de delegación"

Aunque en un momento pudo parecer que la interpretación de *Al Nahyan* según fue aplicada en *Sharapova* abría un nuevo camino para la moderación de la sanción automática en virtud de la Ausencia de Culpabilidad o Negligencia Significativa, se puede apreciar que tanto el TAS como otros tribunales han decidido no seguir esta interpretación tan generosa de la responsabilidad de un/a Deportista.

Por ejemplo, en el laudo *CAS 2017/A/5015 & 5110 Therese Johaug vs NIF & FIS*, la esquiadora sancionada en primera instancia citó ambos casos en un esfuerzo por eliminar, o al menos disminuir sustancialmente, la sanción de 13 meses impuesta por haber ingerido un producto que contenía una Sustancia Prohibida bajo recomendación específica de su médico. El médico del equipo, con más de 30 años de experiencia en la materia, le aseguró que podía el producto recomendado y que este no contenía sustancias prohibidas, con lo cual la Deportista no tuvo más remedio que tomarlo pues estaba contractualmente obligada a seguir las indicaciones del médico del equipo. Asimismo, la Deportista indicó que, al momento de prescribirle el medicamento, el médico padecía de ciertas dificultades personales, lo cual muy probablemente llevó a que no revisara adecuadamente el prospecto del medicamento y le diera un mal consejo. Sin embargo, el TAS resolvió distinguir los hechos del caso en cuestión, indicando que en *Sharapova*, las partes *acordaron* aplicar la regla de *Al Nahyan*, mientras que en el caso de Johaug no existía tal acuerdo. Además, la Formación Arbitral resaltó la obvia distinción entre el asunto de la esquiadora y el caso ecuestre de *Al Nahyan*; por tratarse de un asunto ecuestre, la delegación de responsabilidad sobre terceros es significativa (a veces, incluso, necesaria) comparada con un caso de una atleta humana individual. Y en todo caso, ninguno de los dos laudos contradice la línea jurisprudencial establecida del TAS que dice que un atleta no puede delegar sus responsabilidades para evitar el dopaje (*"It has been consistently held in CAS decisions that an athlete cannot delegate away his or her responsibilities to avoid doping."*).

El TAS, a la vista de los argumentos de las partes, decidió incrementar el periodo de suspensión de Johaug a 18 meses, resaltando, entre otros hechos, que simplemente confiar en un médico, sobre todo sin llevar a cabo ningún tipo de verificación independiente, no es suficiente para exonerarle, pues la responsabilidad siempre recae en el/la Deportista. A pesar de ello, sí se tuvo en cuenta al determinar la sanción que la esquiadora actuó siguiendo el consejo del médico del equipo, una persona de prestigio y amplia experiencia.

Asimismo, encontramos diversos laudos del *American Arbitration* Association en materia de dopaje en los que se rechaza consistentemente la aplicación de la "doctrina de delegación". En USADA v. Jackson, AAA No. 01-21-0004-9891 (2021), por ejemplo, el atleta argumentó que habría delegado a su entrenador a responsabilidad de verificar los suplementos que tomaba. No obstante, el árbitro rehusó aplicar esta "doctrina de delegación, partiendo de la premisa de que el CMA se erige sobre el principio de la responsabilidad objetiva y no existe ninguna disposición en el CMA que respalde la doctrina de delegación propuesta. La cuestión que debe abordarse al aplicar cualquier reducción de la sanción automática se relaciona con el grado de culpa del/de la Deportista al cometer la infracción de las normas antidopaje; no se basa únicamente en el grado de culpa del/de la Deportista al seleccionar y supervisar a su entrenador, por ejemplo. Asimismo, el árbitro del caso aprovechó para trazar similares distinciones entre el caso concreto —y *Al Nahyan* —un asunto ecuestre que en ningún caso defiende la proposición de que la doctrina de delegación debe utilizarse en otros tipos de casos —y *Sharapova*— un caso aislado en el que las partes expresamente acordaron emplear el análisis del *Al Nahyan*[8].

Por último, no podemos concluir sin antes detenernos a considerar otro tipo de tercero delegado de particular interés: los familiares, y concretamente, los padres, que a veces pueden ejercer una influencia decisiva en la conducta de un atleta como consecuencia natural del enlace paternofilial.

---

[8]   Ver también USADA v. Dwyer, AAA No. 01-19-0000-6431 (2019), USADA v. Downing, AAA No. 01-21-0016-9375 (2022).

En CAS 2017/A/5301 y 5302, *Sara Errani v. ITF y Nado Italia v. Sara Errani & ITF*, el TAS concluyó que, estando en casa con su familia y comiendo comida preparada por su madre, farmacéutica de profesión y con conocimiento de las responsabilidades antidopaje de su hija, la Deportista se encontraba en un ambiente relajado y en el cual no podía anticipar que se encontraría con alimentos contaminados, que resultó ser la fuente de la Sustancia Prohibida que causó el resultado analítico adverso. Asimismo, la Formación determinó que la culpabilidad de la madre al preparar la comida en un lugar donde guardaba un medicamento que contenía una Sustancia Prohibida debía imputarse a la tenista pues la tenista había delegado parte de su cuidado —la preparación de su comida— a su madre. Así las cosas, el grado de culpabilidad en este caso se consideró leve, si bien en el límite superior de la franja de culpa leve que establece *Cilic*.

Y si reflexionamos sobre la situación particular de un Deportista menor de edad, por ejemplo, las anteriores consideraciones cobran mayor importancia debido a que un menor de edad suele confiar plena y ciegamente en su padre y/o una madre y delega todos o casi todos los aspectos de su cuidado y bienestar en ellos. Ciertamente no es posible bajo el redactado actual del CMA ni la opinión de esta autora, que un tribunal debe ser especialmente cauteloso en la medida en que decida imputar el grado de culpabilidad de un padre a un menor de edad precisamente por las idiosincrasias de las relaciones entre padres e hijos y cómo estas inciden en el cumplimiento de las diversas responsabilidades antidopaje del hijo Deportista[9].

5. CONCLUSIONES

El anterior repaso de la normativa y la jurisprudencia nos deja claro que, en el régimen sancionador antidopaje, cuando se descubre un resultado analítico adverso, el/la Deportista siempre tendrá que responder por ello. Y salvo determinadas y muy limitadas excepciones, que la jurisprudencia nos confirma una y otra vez aplican en circunstancias verdaderamente excepcionales, el/la Deportista no podrá evitar su responsabilidad según lo dispuesto en el CMA, ni siquiera en aquellos casos en los que los actos y las decisiones de una tercera persona influyeron en la comisión de, o directamente causaron, la infracción antidopaje.

---

[9] Ver, por ejemplo, las reflexiones en este sentido en la decisión SR/039/2022 ITF v. Tammaro.

En el presente artículo hemos explorado algunas de las distintas casuísticas que pueden surgir con relación a la intervención de terceros —médicos, veterinarios, entrenadores, agentes, etc.— en los hechos que llevan finalmente a un resultado positivo en un control antidopaje y cómo la jurisprudencia ha tenido en cuenta estas "influencias externas", por llamarles así, a la hora de sancionar al atleta.

Como hemos visto, existe una —muy limitada— línea jurisprudencial en la que el TAS reconoce expresamente que los Deportistas pueden delegar ciertos elementos de sus obligaciones con respecto a la lucha antidopaje, siendo los delegados con frecuencia miembros del Personal de Apoyo. Y cómo no, si suelen ser personas de entera confianza y a veces altamente calificados en materia de salud.

La mencionada línea jurisprudencial nos dice que si se comete una infracción de las normas antidopaje en una situación donde intermedia un tercero delegado, el hecho objetivo del acto cometido por del tercero se imputa al Deportista, aunque la sanción sigue siendo proporcional a la culpa o negligencia personal *del Deportista* en cuanto a su diligencia en la selección y supervisión de dicho tercero. En otras palabras, la culpa o negligencia a ser valorada no es la del tercero delegado, sino que se considera cuán razonable (o no) ha sido la elección del/ de la Deportista al escoger a quién delegarle su responsabilidad, cómo le ha instruido para que lleve a cabo esas responsabilidades delegadas y qué tipo de supervisión y control emplea el/la Deportista sobre el tercero delegado[10].

Evidentemente, existen incompatibilidades entre la mencionada doctrina y la verdadera clave del sistema desarrollado por la AMA para luchar contra el dopaje, la responsabilidad objetiva del/de la Deportista por los productos que ingiere. Pero el sistema desarrollado en el CMA, lejos de ser sencillo, impone numerosas y exigentes obligaciones a los Deportistas, con lo cual no es del todo sorprendente que un Deportista quiera contar con la ayuda de terceros para satisfacerlas y así poder centrarse en la práctica de su deporte.

Entonces, ¿cómo podría encajar este matiz de responsabilidad del/de la Deportista en el marco normativo antidopaje?

La respuesta no es fácil. Por ahora, los tribunales se inclinan hacia dejar la regla de las tres curas de *Al Nahyan*.y *Sharapova* a un lado, queriendo

---

[10]   CAS 2016/A/4643 Sharapova v. ITF párr. 85 (citando a CAS 2014/A/3591 Sheik Hazza Bin Sultan Bin Zayed Al Nayhan v. FEI, párr. 177).

mantener la responsabilidad y determinación de culpa centrada exclusivamente en la conducta del/de la Deportista.

Habría que cuestionarnos, por ejemplo, si en vez de un análisis de *cura in eligendo, in instruendo* e *in custodiendo,* como expone parte de la jurisprudencia citada, debería encontrarse un paralelo más adecuado, quizás en el contexto de derecho contractual, en el que una parte elige cumplir sus obligaciones contractuales mediante el uso de un agente. En tal caso, nos dice el derecho suizo que la conducta del agente se imputa a la parte como si hubiera sido la propia parte actuando[11]. En ese supuesto, nos acercaríamos un poco más al espíritu del CMA, que, como sabemos, establece que el Deportista es el último responsable de lo que entra en su organismo en todo momento.

Al margen de lo anterior, no podemos descartar definitivamente que esta doctrina de delegación desarrollada en *Al Nahyan* y *Sharapova* vuelva a aparecer en un futuro, bien sea porque surge otro acuerdo entre partes, o por voluntad de la propia Formación Arbitral constituida para el asunto, quien decida emplear esta línea de razonamiento en aras de llegar a un resultado que considere justo, adecuado y proporcional a las circunstancias concretas.

---

[11] Ver artículo 101 del Código de obligaciones suizo. Ver también Thévenoz Luc, in (2e ed.), Commentaire Romand ad Art. 101 CO, n1 et seq.

Dificultades probatorias ante el TAS: análisis de su problemática y casuística

LUIS TORRES MONTERO
Abogado, Statim Legal

1. INTRODUCCIÓN

El presente trabajo analiza algunas de las dificultades probatorias ante las que se pueden encontrar las partes en un procedimiento arbitral en el TAS. Mediante este análisis se pretende identificar algunas de las situaciones procesales que entrañan algún tipo de dificultad probatoria y cómo la jurisprudencia del TAS las ha desarrollado cuando ha tenido ocasión de pronunciarse sobre éstas.

Concretamente, se abordarán cuestiones que, quizás no se den con cierta asiduidad, pero pueden surgir en cualquier momento a lo largo de un procedimiento y que permiten a un parte, que pretende a hacer ver valer sus pretensiones, al menos tratar de probar su caso satisfactoriamente ante el Tribunal. Es por esta razón que la necesidad de presentar suficientes —y convincentes— medios de prueba que demuestren que los hechos alegados *"son ciertos, precisos y conllevan las consecuencias buscadas por la parte"*[1] no puede ser descuidada, ya que el destino de su caso dependerá en gran medida de la prueba aportada en el procedimiento.

Teniendo en cuenta las anteriores consideraciones, el presente artículo presenta determinadas cuestiones relativas, tanto al examen que el Tribunal puede hacer de la evidencia, y específicamente, en relación con las

---

[1] CAS 2020/A/6916 Lusaka Dynamos Football Club v. Dalitso Sailesi, párr. 83.

diferentes variantes que pueden plantearse en relación con la carga probatoria y sus excepciones; así como a algunos medios de prueba alternativos que pueden ser utilizados y que no son tan habituales en los procedimientos ante el TAS, pero que pueden ser de utilidad para demostrar la certeza o realidad de los hechos que una parte pretende alegar[2].

2. MARCO NORMATIVO APLICABLE

Los procedimientos arbitrales ante el TAS, salvo en aquellos casos —poco comunes— donde todas las partes de la disputa están domiciliadas en Suiza[3], se rigen por el Capítulo 12 de la Ley suiza de derecho internacional privado ("LDIP"), i.e. la *lex arbitri* aplicable a la disputa. Dicha Ley regula en sus artículos 182 y 184 algunas reglas básicas que son el punto de partida en lo que se refiere a cuestiones generales de prueba en la administración de un procedimiento arbitral en el TAS.

> Artículo 182 LDIP: "*1. Las partes pueden regular el procedimiento arbitral directamente o por referencia a un reglamento de arbitraje; también pueden someterlo a la ley procesal de su elección.*
> *2. Si las partes no han regulado el procedimiento, de ser necesario, éste lo determinará el tribunal arbitral, bien directamente o por referencia a una ley o a un reglamento de arbitraje.*
> *3. Sea cual sea el procedimiento elegido, el tribunal arbitral deberá garantizar la igualdad de las partes y su derecho a ser oídas en un procedimiento contradictorio.*
> *4. La parte que prosiga con el arbitraje sin hacer valer inmediatamente una violación de las reglas del procedimiento que haya constatado o que haya*

---

[2]   El presente trabajo no se detendrá, más allá de lo estrictamente necesario, en aspectos comunes relativos a la noción de prueba en el TAS; cuestiones que además han sido ampliamente debatidas por la Doctrina más especializada y reconocida. Concretamente, véanse, entre otros, los siguientes trabajos: RIGOZZI, A. y QUINN, B.; Evidentiary issues before CAS, en BERNASCONI, M. (Ed.); International Sports Law and Jurisprudence of the CAS – 4th Conference CAS & SAV/FSA Lausanne 2012, Editions Weblaw, 2014). Igualmente, resulta muy relevante el trabajo de LA ROCHEFOUCAULD, E.; The Taking of Evidence before the CAS, en CAS Bulletin 2015/1, pp. 28 a 39; o VÁZQUEZ MORAGA, Y., "Nociones fundamentales de la prueba en el TAS"; en *CAS Bulletin* 2022/1, p. 32-48.

[3]   En cuyo caso se regirán por la normativa procesal suiza; entre otros, por el Código Civil Procesal suizo. Ver a título de ejemplo CAS 2010/A/2083 UCI v. Jan Ullrich & Swiss Olympic, párr. 4.

podido constatar aplicando la debida diligencia, no podrá invocar posteriormente dicha infracción."[4]

Artículo 184 LDIP: *"1. El tribunal arbitral administrará la prueba por sí mismo. 2. Si la asistencia de las autoridades judiciales estatales es necesaria para la obtención de pruebas, el tribunal arbitral, o una parte con su consentimiento, puede solicitar el auxilio del juez de la sede del tribunal arbitral. 3. El juez aplicará su propio derecho. A petición del interesado, podrá observar o tomar en consideración otras formas de procedimiento."*[5]

En definitiva, dichos preceptos, en lo que atañe concretamente al TAS, refieren todas las cuestiones relativas a la prueba (*lex evidentia*) al Código de arbitraje deportivo ("Código del TAS") *"a menos que las partes hayan pactado otra cosa, el tribunal no está sujeto a ninguna regla específica en relación con la prueba"* (cf. TAS 2020/A/7374), o cuando la normativa aplicable prevea alguna regla específica de prueba.

En lo que respecta al Código del TAS, en materia de prueba, éste contiene una serie de reglas mínimas que servirán como base para la administración del procedimiento arbitral[6]. Asimismo, en el caso en el que el Código del TAS no establezca nada al respecto, ni tampoco la normativa aplicable a la disputa, corresponderá a la Formación Arbitral aplicar las normas que ésta considere oportunas atendiendo a la naturaleza jurídica de la disputa y respetando en todo caso las reglas del debido proceso, como dispone el artículo 182.3 LDIP[7].

---

[4]   Traducicón libre.

[5]   *Ibid.*

[6]   A modo de resumen, ver VÁZQUEZ MORAGA, Y., "Nociones fundamentales de la prueba en el TAS"; en *CAS Bulletin* 2022/1, p. 34: *"R44.1 (momento procesal para la presentación de pruebas y designación de testigos y expertos), R44.2 (práctica de la prueba durante la audiencia), R44.3 (actuaciones de instrucción ordenadas por la Formación Arbitral), R44.5 (incomparecencia de testigos) para el procedimiento ordinario; y, para el procedimiento de apelación, R51 (momento procesal para la presentación de pruebas y designación de testigos y expertos por el apelante), R55 (momento procesal para la presentación de pruebas y designación de testigos y expertos por el apelado), R56 (preclusión y presentación de pruebas en un momento ulterior), R57 (solicitud del expediente de primera instancia, instrucciones sobre la práctica de la prueba por la Formación Arbitral, inadmisión de pruebas que estuvieran disponibles para las partes con anterioridad al dictado de la decisión apelada e incomparecencia de testigos), junto con los artículos R44.2 y R44.3 que se aplican por remisión del Art. R57."*

[7]   TAS 2020/A/7116 Jerome Ow c. FIFA, párr. 88.

Habida cuenta de lo anterior, observamos como el Código del TAS constituye generalmente la norma procesal básica en los procedimientos arbitrales ante el TAS, la cual deberá verse complementada con las normas procesales que la Formación Arbitral establezca, siempre teniendo en cuenta la ley aplicable a la disputa en cuestión y los límites fijados por la LDIP, así como la interpretación que el Tribunal Federal suizo realiza de dicha Ley.

Finalmente, también pueden jugar un papel relevante en cuestiones no resueltas por las anteriores normas el llamado *soft law*, y particularmente las Reglas de la *International Bar Association* ("IBA") sobre la Práctica de la Prueba en Arbitraje Internacional[8] y cuya aplicación ha sido ampliamente aceptada por la jurisprudencia del TAS[9] y la doctrina especializada[10].

3. EXAMEN DE LA EVIDENCIA EN EL TAS

Como se ha apuntado en la Introducción del presente trabajo, para que las pretensiones de una parte prevalezcan sobre las de la otra, aquélla deberá probar las cuestiones y/o hechos de los que pretende hacerse valer en un procedimiento. Dicho de otro modo, en arbitraje internacional los hechos que son relevantes para el Tribunal son los hechos presentados, y probados, por las partes[11].

En Derecho suizo, los tribunales arbitrales tienen una amplia discreción en lo que se refiere la evaluación de la evidencia que ante ellos se presenta, primando el principio de libre valoración de la prueba (*libre appreciation des preuves*) y realizando un ejercicio no solo de determinación de su admisibilidad, sino de su relevancia, pertinencia y peso que ésta pueda tener en el procedimiento, ponderando su valor y extrayendo las consecuencias que su libre apreciación determine. Tal es la discrecionalidad otorgada en materia de examen de la evidencia a la Formación Arbitral que las incorrecciones o errores en la valoración de la prueba, incluso la arbitrariedad, no

---

[8]   *IBA Rules on Taking of Evidence in International Arbitration* (17 December 2020), accesible en https://www.ibanet.org/MediaHandler?id=def0807b-9fec-43ef-b624-f2cb2af7cf7b.

[9]   CAS 2016/A/4501 Joseph S. Blatter v. FIFA, párr. 99; CAS 2016/O/4504 IAAF v. ARAF & Vladimir Mokhnev, párr. 86.

[10]   RIGOZZI, A. y QUINN, B, *op. cit.*, pág. 5.

[11]   NOTH/HAAS, Article R44 CAS Code (22); ARROYO (Ed.), Arbitration in Switzerland – The Practitioner's Guide, Volumen I, Kluwer Law International B.V., Holanda, 2ª Edición, 2018, pp. 1550.

son en principio motivo para la anulación de un laudo a menos que dicho resultado sea verdaderamente incompatible con el orden público suizo (cf. TFS 4A_584/2009, c. 3.3).

En vista de lo anterior, se comprueba la necesidad de que las partes deban sustanciar y probar los hechos en los que apoyan su caso (carga de la prueba) para que la Formación Arbitral esté en disposición de admitir sus solicitudes de conformidad con el estándar aplicable (estándar de prueba).

Para ello, la casuística del TAS nos demuestra que existen diferentes caminos para permitir al Tribunal llegar a determinadas conclusiones, a pesar de la dificultad o problemática presentada por la variedad de supuestos ante los que nos podemos encontrar, como observaremos a continuación.

3.1 Carga de la prueba y dificultades probatorias

Como punto de partida, debe resaltarse que el Código del TAS no prevé una norma concreta relativa a la carga de la prueba. Sin embargo, como es norma general en el arbitraje internacional y el TAS no es una excepción, pertenece al demandante/apelante la carga de probar los hechos que alega para que su pretensión prevalezca (*ei incumbit probatio qui dicit, non qui negat*); y en otro caso, al demandado, probar cualquier hecho que fundamente una eventual excepción planteada[12]. En Derecho suizo, este principio viene regulado por el artículo 8 del Código Civil, que establece que "*cada parte debe, si la ley no establece lo contrario, probar los hechos que alega para que su derecho prevalezca*". Asimismo, la normativa aplicable a la disputa puede establecer qué parte tiene la carga de probar determinados hechos.

A pesar de la claridad del anterior principio, que no admite discusión, la variedad de supuestos que nos pueden plantear las diferentes vicisitudes de un caso nos muestran que la carga de la prueba no es una regla fija e inamovible, sino que, por la dinámica y circunstancias de la disputa o, en algunos casos, por disponerlo la propia normativa aplicable, se puede ir trasladando de una parte a otra.

Como veremos a continuación, esta circunstancia puede ocurrir, por ejemplo, (i) cuando opere alguna presunción prevista en la normativa aplicable, que eximirá de prueba a la parte que se beneficie de dicha pre-

---

[12]   CAS 2011/A/2384 & CAS 2011/A/2386 UCI v. Alberto Contador & RFEC / WADA v. Alberto Contador & RFEC ("Caso *Contador*"), párr. 249; CAS 2017/A/5111 Debreceni Vasutas Sport Club (DVSC) v. Nenad Novakovic, párr. 70.

sunción, y trasladará la carga de la prueba a la parte contraria, que deberá llevar a cabo la actividad probatoria necesaria para desvirtuar la presunción; o (ii) cuando deba tenerse en cuenta una evidente dificultad en la obtención de pruebas y con ello, el deber de la contraparte de cooperar en el esclarecimiento de los hechos.

3.1.1 Presunciones *iuris tantum*

Las presunciones *iuris tantum* operan de la siguiente manera: una norma establece la certeza de un hecho, que se considerará probado siempre y cuando la otra parte no sea capaz de desvirtuar dicho hecho con prueba en contrario, o incluso pueda probar que dicho hecho presunto no existe.

La normativa deportiva prevé diferentes ejemplos de presunciones que han sido objeto de estudio por la jurisprudencia del TAS y que representan una excepción al principio general de la carga de la prueba.

Uno de estos ejemplos los podemos encontrar en el Reglamento del Estatuto y Transferencia de Jugadores de FIFA ("RETJ"), concretamente en el **artículo 17.4 RETJ**, el cual establece que "*deberán imponerse sanciones deportivas al club que rescinda un contrato durante el periodo protegido, o que haya inducido a la rescisión de un contrato. Debe suponerse, a menos que se demuestre lo contrario, que cualquier club que firma un contrato con un jugador profesional que haya rescindido su contrato sin causa justificada ha inducido al jugador profesional a la rescisión del contrato.*" Esta norma, por lo tanto, traslada al club que ha firmado a un jugador que ha rescindido su contrato sin justa causa en periodo protegido, la carga de probar que no existe una inducción a la firma; debiendo desvirtuar dicha presunción con prueba en contrario para así evitar las consecuencias previstas por la norma, i.e. sanciones deportivas[13].

El artículo 17.4 RETJ no es la única presunción que dicho cuerpo normativo prevé; otros ejemplos los podemos encontrar en la presunción de la existencia de una transferencia puente prevista en el **artículo 5bis RETJ**, que prevé que "*[s]i se llevan a cabo dos transferencias consecutivas del mismo jugador —nacionales o internacionales— en un plazo de dieciséis semanas, se dará por supuesto, a menos que se establezca lo contrario, que las partes (clubes y jugador) involucrados en esas dos transferencias han participado en una transferencia*

---

[13]   CAS 2013/A/3091, 3092 & 3093 FC Nantes v. FIFA & Al Nasr SC; CAS 2021/A/7851 Mohamed Naoufel Khacef v. FIFA & CAS 2021/A/7905 CD Tondela Futebol v. FIFA.

puente." Lo mismo ocurre con el **artículo 18quater RETJ**, que presume que se lleva a cabo una resolución sin justa causa, si esta resolución se realiza cuando una jugadora está embarazada.

Más allá de la normativa específica futbolística encontramos otro ejemplo en la normativa antidopaje. El Código Antidopaje de la Agencia Mundial Antidopaje ("AMA") prevé que en su **artículo 3.2.2** que los laboratorios acreditados por la AMA realizan los análisis de acuerdo con el Estándar Internacional para Laboratorios aplicable. Este precepto impone al atleta la carga de probar que no se ha respetado el citado estándar internacional, y que ello podría haber causado razonablemente su resultado analítico adverso. Este precepto va incluso un paso más allá y devuelve la carga de la prueba a la organización antidopaje que todavía estará en disposición de demostrar que el desvío del estándar internacional no ha causado el resultado analítico adverso del atleta[14].

Como vemos, este tipo de normas que establecen excepciones al principio general de la carga de la prueba tienen una finalidad garantista, donde se pretende proteger un determinado bien jurídico, considerando que persiguen objetivos razonables, como la protección del periodo de gestación de una jugadora en el caso del reciente artículo 18quater RETJ, o la integridad de la competición y la efectiva resolución de controles antidopaje por parte de los laboratorios acreditados, en el caso del artículo 3.2.2 del Código Antidopaje de la AMA.

3.1.2 "Estado de necesidad probatorio" y deber de cooperación

Por otro lado, existen circunstancias que pueden justificar, en virtud de la naturaleza objetiva de la alegación pretendida, la dificultad o incluso imposibilidad para una parte de probar un hecho concreto, el denominado "*état de nécessité en matière de preuve*" (*Beweisnotstand*).

En tales supuestos, la jurisprudencia del TAS nos muestra que, en casos en los que la prueba se halle en posesión de la otra parte, cabría la admisión de una solicitud de exhibición documental a la otra parte[15]; o en casos de imposibilidad —o extrema dificultad— de prueba, se derive el deber de

---

[14]   CAS 2016/A/4648 Blaza Klemencic v. UCI, párr. 125 y ss.
[15]   Artículo R44.3 del Código del TAS, aplicable también al procedimiento de apelación por remisión del artículo R57, párrafo 3.

cooperación de la otra parte en el esclarecimiento de los hechos, todo ello en aras de la justicia, equidad y buena fe procesal[16].

De la anterior idea de justicia, equidad y buena fe se deriva que la Formación Arbitral pueda llegar a determinar, en casos de extrema dificultad probatoria, que la contraparte se encuentra en la obligación de explicar en detalle por qué los hechos presentados por la otra parte son erróneos. En otras palabras, la contraparte tiene el deber de cooperar en el esclarecimiento de un eventual hecho negativo o de difícil prueba, sin que esta circunstancia lleve a la inversión completa de la carga de la prueba[17].

Si bien, en el caso de que se incumpla con este deber de cooperación, se pueden extraer inferencias negativas (cf. CAS 2020/O/6579). Precisamente, este tipo de situaciones probatorias patológicas pueden llegar a suponer ejemplos de *probatio diabolica*. Por ello, ante tal circunstancia, la Formación Arbitral también deberá ponderar debidamente las limitaciones probatorias de la parte derivadas de esta imposibilidad y tenerlas en cuenta en la resolución de la disputa.

Asimismo, la Formación Arbitral en el caso CAS 2019/A/6665 Ricardo Terra Teixeira v. FIFA, señaló que, si quien tiene la carga de la prueba, presenta prueba suficientemente detallada, se puede llegar a trasladar a la contraparte la carga de probar que los hechos presentados sustentan su defensa en dicha disputa, debiendo presentar evidencia adicional suficiente para rebatir dichas alegaciones[18]:

> "84. (…) The documents relied on for the charges are, FIFA submits, very detailed, and it therefore falls to the Appellant to contest the facts and to rebut any inferences which might otherwise be drawn. Hence, the onus of proof remains on FIFA, but the evidential burden of contesting the facts submitted by FIFA and adducing evidence shifts to the Appellant. The Panel in the present case adheres to such conclusion: the Appellant has therefore a certain duty to contribute to the administration of proof in the present matter, by bringing forward evidence in support of his line of defence."

---

[16]   CAS 2011/A/2384 & 2386 UCI v. Alberto Contador & RFEC / WADA v. Alberto Contador & RFEC, párr. 102-103.

[17]   *Ibid.*, párr. 104-105.

[18]   Ver también CAS 2018/A/5734 KS Skënderbeu v. UEFA: "*199. The Panel considers that UEFA has discharged its burden and met its standard of proof, and notes that the Appellant has not offered any compelling alternative explanation for the betting movements that are the basis of the match-fixing charges, as explained below.*"

Otra circunstancia a valorar ante la evidente dificultad en la obtención de pruebas es que esta dificultad traiga causa en la naturaleza de la alegación que se pretende probar (*e.g.* corrupción, la cual es por su propia naturaleza, ocultada por el infractor[19]). En estos casos, un sector de la jurisprudencia del TAS nos muestra que los árbitros pueden llegar a decidir que lo adecuado, en vista de las circunstancias que rodean al caso, sea bien la reducción del estándar de la prueba, o trasladar la carga de la prueba a la parte infractora:

> *"Swiss law knows a number of tools in order to ease the —sometimes difficult— burden put on a party to prove certain facts. These tools range from a duty of the other party to cooperate in the process of fact finding, <u>to a shifting of the burden of proof or to a reduction of the applicable standard of proof</u>. The latter is the case, if —from an objective standpoint— a party has no access to direct evidence (but only to circumstantial evidence) in order to prove a specific fact' (SFT 132 III 715. E. 3.1; BK-ZPO/BRÖNNIMANN, 2012, Art. 157 no. 41; BSKZPO/GUYAN, 2nd ed. 2013, Art. 157 no. 11; CAS 2013/A/3256, para. 281)."*[20]

Es por ello que, ante determinadas circunstancias excepcionales, como las aquí comentadas, se concluya que *"[t]he more detailed are the factual allegations, the more substantiated must be their rebuttal"*[21], pudiendo llegar a solicitar a la otra parte, que —en principio— no tenía la carga de probar un determinado hecho, un deber de colaboración con la administración de justicia a través del recurso a determinadas herramientas probatorias, como las comentadas anteriormente; todo ello en aras de la justicia, equidad y buena fe.

4. DIFERENTES MEDIOS DE PRUEBA VÁLIDOS EN EL TAS

El Código del TAS no establece un *numerus clausus* de los medios de prueba admitidos en un procedimiento ante el TAS. La prueba aportada puede variar, por lo tanto, desde la producción de documentos, los interrogatorios de las partes o testigos, o el testimonio de expertos[22], a otros

---

[19]   CAS 2019/A/6665 Ricardo Terra Teixeira v. FIFA, párr. 84.

[20]   CAS 2013/A/3256 Fenerbahçe Spor Kulübü v. UEFA, párr. 281; o CAS 2018/A/5734 KS Skënderbeu v. UEFA, párr. 180.

[21]   CAS 2014/A/3537 Vernon Manilal Fernando v. FIFA, párr. 82.

[22]   Para un análisis detallado de los medios de prueba expresamente referidos en el Código del TAS, véase RIGOZZI, A. y QUINN, B, *op. cit.*, pág. 5 y ss.

medios de prueba alternativos a los anteriores que serían también admitidos[23].

La siguiente sección pretende detenerse en algunos medios de prueba que no son empleados generalmente por las partes, pero que, debido a las circunstancias concretas de un caso, pueden ser de utilidad como medio alternativo para permitir a la Formación Arbitral llegar al nivel de certeza requerido para considerar las alegaciones de una parte como probadas.

4.1 Medios de prueba alternativos

Además de los medios de prueba más comunes en los procedimientos arbitrales ante el TAS que han sido citados anteriormente, dicho Tribunal nos ha demostrado que las partes pueden proponer alternativos y variados métodos de prueba para fundamentar sus alegaciones, no estando éstos expresamente previstos en el Código del TAS, pero mostrándose flexible en la admisión de los mismos. En este caso, el examen que realizará el Tribunal será en cualquier caso el de relevancia de la prueba aportada, en virtud de su fiabilidad y pertinencia y cómo ésta puede ser valorada en el sentido pretendido por la parte que se vale de ella.

La diferente casuística del TAS nos muestra que se han aceptado, por ejemplo, análisis capilares[24], reconocimientos de voz por parte de expertos[25], e incluso la utilización de un polígrafo o detector de mentiras[26], o la testifical de testigos anónimos[27].

---

[23]   NOTH/HAAS, Article R44 CAS Code (33); ARROYO (Ed.), Arbitration in Switzerland – The Practitioner's Guide, Volumen I, Kluwer Law International B.V., Holanda, 2ª Edición, 2018, pp. 1553.

[24]   CAS 2009/A/1926 & 1930 ITF v. Richard Gasquet & WADA v. ITF & Richard Gasquet, párr. 34.

[25]   CAS 2011/A/2621 David Savic v. PTIOs, párr. 34.

[26]   CAS 2011/A/2384 & CAS 2011/A/2386 UCI v. Alberto Contador & RFEC / WADA v. Alberto Contador & RFEC, párr. 233-243; CAS 2014/A/3487 Veronica Campbell-Brown v. JAAA & IAAF, párr. 109; CAS 2016/A/4534 Mauricio Fiol Villanueva v. FINA, párr. 40-47.

[27]   CAS 2009/A/1920 FK Pobeda, Aleksandar Zabrcanec, Nikolce Zdraveski v. UEFA ("Caso *Pobeda*"), párr. 13 y ss; CAS 2011/A/2384 & CAS 2011/A/2386 UCI v. Alberto Contador & RFEC / WADA v. Alberto Contador & RFEC, párr. 16 y ss; CAS 2019/A/6388 Karim Keramuddin v. FIFA, párr. 121 y ss.

4.1.1 Polígrafo

El caso *Contador* nos mostró un importante avance en cuanto a la admisibilidad de medios alternativos de prueba, como en el caso del polígrafo en este procedimiento. Como resultado de dicha decisión, una parte podría aportar una prueba poligráfica, siempre y cuando reúna unos estándares y requisitos mínimos para ello.

La Formación Arbitral en dicho caso estableció que, contrariamente a la jurisprudencia anterior sobre la materia del TAS, o incluso del Tribunal Federal[28], la prueba del polígrafo podría ser admitida siempre y cuando ésta sea "*fiable*", como expresamente preveía el artículo 3.2 del Código Mundial de la AMA aplicable a dicho asunto en lo que a medios de prueba se refería (y como así continúa haciendo)[29].

A raíz del caso *Contador*, puede deducirse que el "detector de mentiras" puede ser un medio de prueba admitido en el TAS, siempre y cuando el análisis se haya realizado de forma profesional, por un experto experimentado, con los medios adecuados, de acuerdo con los mejores estándares aplicables y sea demostrado por evidencia empírica aplicable a tal efecto[30].

Otra cuestión es la relacionada al valor probatorio del polígrafo; aspecto sobre la que también se pronunció la Formación Arbitral en el caso *Contador* estableciendo que los resultados del polígrafo deben ser '*en cualquier caso verificados en virtud de todos los elementos de prueba aducidos. En otras palabras, la Formación Arbitral considera que los resultados de un polígrafo añaden fuerza a [X]'s declaración de inocencia, pero no superan otros elementos de prueba.*"

Más allá fue la Formación Arbitral en el caso CAS 2016/A/4534 Mauricio Fiol Villanueva v. FINA que concluyó lo siguiente en relación con su valor probatorio: "*En opinión de la Formación Arbitral, si bien las Formaciones Arbitrales pueden haber determinado con anterioridad la prueba poligráfica como admisible, dicha prueba tiene un valor limitado. Además, el coste relacionado es desproporcionado a cualquier valor probatorio que dicho método pueda tener.*"

---

[28] BGer. 6N_663/2011, c. 1.3; BGer. 6B_708/2009, c. 1.6; ATF 109 Ia 273, c. 7.

[29] "*3.2 Methods of Establishing Facts and Presumptions - Facts related to anti-doping rule violations may be established by <u>any reliable means</u>, including admissions. (…)*"

[30] RIGOZZI, A. y QUINN, B, *op. cit.*, pág. 41.

4.1.2 Testigo protegido

La posibilidad de presentar un testigo anónimo en un procedimiento ante el TAS también ha sido ampliamente evaluada por el Tribunal. Hace ya una década se emitieron dos decisiones, con resultados distintos en relación con la admisibilidad de un testigo protegido, pero donde se analizó en detalle la cuestión: el caso *Pobeda*[31] y, de nuevo, el caso *Contador*[32].

En el caso *Pobeda*, la Formación Arbitral determinó que se escucharía a los testigos propuestos sin revelar su identidad, siempre que se diera la oportunidad de realizar un contrainterrogatorio a las contrapartes. A esta conclusión se llegó teniendo en cuenta que, admitir un testigo protegido afecta *per se* el derecho a ser oído y al debido proceso de la parte que desconoce su identidad (cf. artículo 6 del Convenio Europeo de Derechos Humanos ("CEDH") y artículo 29.2 de la Constitución suiza). En este sentido, para contrarrestar dicho desequilibrio y admitir la testifical del testigo anónimo, se deben respetar ciertas condiciones, como garantizar su contrainterrogatorio, o que el Tribunal pueda ver al testigo y verificar sus antecedentes y corroborar su credibilidad, además del requisito indispensable de que el testimonio del testigo encuentre apoyo en diferente prueba puesta ya a disposición del Tribunal.

Para admitir esta propuesta de prueba, el CEDH solicita asimismo que se pruebe que la seguridad personal del testigo protegido propuesto está en riesgo, i.e. "*la salvaguarde d'intérêts dignes de protection*"; requisito también admitido por el Tribunal Federal suizo. Concretamente, el caso *Pobeda* estableció lo siguiente en este sentido:

> "13. (...) The Swiss Federal Court refers to the jurisprudence of the European Court of Human Rights which recognizes the right of a party to rely on anonymous witness statements and to prevent the other party from cross examining the witness, if "la sauvegarde d'intérêts dignes de protection" (i.e. if the personal safety of the witness) is at stake. With reference to the ECHR-cases Doorson, Van Mechelen and Krasniki, the Swiss Federal Court then noted that the use of anonymous witnesses, although admissible, was subject to strict conditions. The right to be heard and to a fair trial must be ensured through other means, namely by cross examination through "audiovisual protection" and by an in-depth check of the identity and the reputation of the anonymous witness by the court."

---

[31]   CAS 2009/A/1920 FK Pobeda, Aleksandar Zabrcanec, Nikolce Zdraveski v. UEFA ("Caso *Pobeda*"), párr. 13 y ss.

[32]   CAS 2011/A/2384 & CAS 2011/A/2386 UCI v. Alberto Contador & RFEC / WADA v. Alberto Contador & RFEC, párr. 16 y ss.

Por otro lado, en el caso *Contador*, donde no fue aceptado el testigo anónimo propuesto por la AMA, también se realizó un análisis de las circunstancias, requisitos y garantías que deben reunirse para poder admitir dicho medio de prueba. La Formación Arbitral partió de la misma base de la que lo hizo el caso *Pobeda* en relación con la potencial violación al derecho a ser oído y al debido proceso que de base supone la admisión de un testigo protegido, ya que "*la información personal y los antecedentes del testigo son elementos de información importantes para tener en cuenta cuando se evalúa su credibilidad.*" (cf. Caso *Contador*, párr. 175) La Formación Arbitral además destacó en este caso que "*las medidas ordenadas por el tribunal deben ser adecuadas y proporcionadas en relación con <u>todos</u> los intereses en juego*" (cf. Caso *Contador*, párr. 180) (énfasis añadido).

Así las cosas, de los casos *Pobeda* y *Contador*, podemos extraer que los siguientes requisitos deberán ser tenidos en cuenta por el Tribunal para la admisión —o no— de un testigo protegido: (i) debe haber evidencia convincente de su derecho a permanecer anónimo; (ii) el tribunal debe tener la posibilidad de ver al testigo; (iii) riesgo real y tangible de represalias para el testigo; (iv) el testigo debe estar a disposición para preguntas del tribunal, así como para investigar y verificar su identidad y credibilidad; (v) la contraparte debe tener la oportunidad de realizar preguntas al testigo, al menos, con un sistema de protección audiovisual.

Dichos requisitos para la admisión de un testigo protegido han sido recientemente confirmados por el TAS en el asunto *CAS 2019/A/6388 Karim Keramuddin v. FIFA*[33]. La Formación Arbitral, en su análisis volvió a referirse a los pronunciamientos del Tribunal Federal sobre la cuestión, así como a los casos *Pobeda* y *Contador*. En el asunto *CAS 2019/A/6388 Karim Keramuddin v. FIFA*, la Formación Arbitral admitió la declaración testifical de diferentes testigos protegidos teniendo especialmente en cuenta el grave riesgo a represalias y a su integridad física y personal al que se exponían, el cual quedó sobradamente probado a juicio del Tribunal, permitiendo en cualquier caso el contrainterrogatorio de la otra parte a dichos testigos.

---

[33]   CAS 2019/A/6388 Karim Keramuddin v. FIFA, párr. 121 y ss.

4.2.3 Prueba ilícita

En procedimientos ante el TAS, también cabe la posibilidad de proponer una prueba que se haya obtenido en vulneración de los derechos fundamentales y que ésta sea declarada admisible por el Tribunal.

Lo anterior se debe a que el ordenamiento jurídico suizo no establece ninguna prohibición expresa que impida a la Formación Arbitral admitir una prueba que resulte útil y pertinente para ésta tras realizar el oportuno análisis de la misma. Ello, a pesar de que dicha prueba se haya obtenido por medios ilícitos, siendo el único límite que no exista una violación del orden público suizo, lo que dependerá de las circunstancias del caso. Esta posición del ordenamiento jurídico suizo se contrapone a la de otros ordenamientos, donde se establece que la prueba ilícitamente obtenida y aquella que pueda derivar de la misma (*fruits of the poisonous tree* o doctrina del fruto del árbol envenenado) deben ser excluidas y no pueden tener efecto en el procedimiento[34].

Como se ha avanzado, la anterior interpretación de la cuestión no supone una admisión sin reservas de cualquier medio de prueba. De acuerdo con el derecho suizo, como ha confirmado propio Tribunal Federal, la Formación Arbitral ponderará los intereses que existan en juego, particularmente (i) el derecho que se ha violentado para la obtención de la prueba y la gravedad de dicha violación, y (ii) el interés que puede existir, dadas las circunstancias concretas o naturaleza del caso, en conocer o averiguar la verdad[35].

Uno de los primeros desarrollos sobre la cuestión lo volvemos a tener en un caso que tuvo que ver con uno de nuestros deportistas españoles, el asunto CAS 2007/A/1396 &1402 WADA & UCI v. Alejandro Valverde & RFEC ("caso *Valverde*"). En él se plasmaron las anteriores consideraciones de la siguiente manera:

> *"The Swiss national legal order does not establish any general principle according to which illicit evidence is to be considered generally inadmissible in procedure before state civil courts. On the contrary, the Federal Tribunal, as set out in constant jurisprudence, is of the opinion that a decision regarding the admissibility or nonadmissibility of illicit evidence must be the result*

---

[34]   VÁZQUEZ MORAGA, Y., "Nociones fundamentales de la prueba en el TAS"; en *CAS Bulletin* 2022/1, p. 38.

[35]   RUTZ, F.; Admissibility of Unlawfully Obtained Evidence in International Arbitration in Switzerland (August 31, 2020). SAA (Swiss Arbitration Academy) CAS in arbitration essays series, pág. 22.

of a balancing of various juridical interests. Matters considered pertinent, for example, are the nature of the violation, the interest in discerning the truth, the difficulty of adducing evidence for the concerned party, the conduct of the victim, the legitimate interests of the parties, and the possibility of acquiring the (same) evidence in a legitimate manner. The predominant Swiss doctrine follows this jurisprudence of the Federal Tribunal".

Más tarde, la Formación Arbitral en el asunto *CAS 2011/A/2425 Ahongalu Fusimalohi v. FIFA*, que ampliamente abordó este debate, destacó que las partes habían realizado su elección de ley aplicable y que ésta era de ámbito estrictamente privado, como lo es la normativa FIFA. Teniendo en cuenta que dichas normas referían a que *"cualquier medio de prueba puede ser propuesto ... excepto si atenta contra la dignidad humana"*[36], este es el único examen que el Tribunal debe realizar. Tras dicho análisis, la Formación Arbitral concluyó que, si bien la grabación de vídeos sin consentimiento infringe ciertos derechos relativos a la personalidad del individuo, su admisibilidad prevalecía por cuestiones de intereses públicos o privados predominantes, como ocurrió en este caso al no determinarse que existía un "atentado contra la dignidad humana" como establecía la regla probatoria aplicable a tal disputa.

Para llegar a dicha conclusión, la Formación Arbitral también realizó el ejercicio de equilibrar los derechos de las partes, teniendo en cuenta las siguientes circunstancias: (i) el interés general en la exposición de una conducta ilegal o inmoral; (ii) el interés privado de FIFA de restablecer la verdad y en la posibilidad de identificar y sancionar a uno de sus oficiales por un incumplimiento; (iii) el interés de las asociaciones nacionales de fútbol de estar correctamente informadas en un proceso electivo; (iv) el interés general de justicia en el proceso de elección de los Mundiales de 2018 y 2022[37].

Dicho enfoque ha sido confirmado por diferente jurisprudencia con posterioridad[38], entre otros, el asunto CAS 2016/O/4481 IAAF v. ARAF & Mariya Savinova-Farnosova, que concluyó lo siguiente, en línea con lo establecido en el Caso *Valverde*:

---

[36] Artículo 96 del Código Disciplinario de FIFA (ed. 2011).

[37] CAS 2011/A/2425 Ahongalu Fusimalohi v. FIFA, párr. 105.

[38] CAS 2011/A/2426 Amos Adamu v. FIFA; CAS 2010/A/2267-2281 Football Club "Metalist" et al. V. FFU; CAS 2014/A/3625 Sivasspor Kulübü v. UEFA; CAS 2013/A/3297 Public Joint-Stock Company "Football Club Metalist" v. UEFA & PAOK FC; CAS 2014/A/3628 Eskişehirspor Kulübü v. UEFA.

"If a means of evidence is illegally obtained, the courts shall balance the interest in protecting the right that was infringed by obtaining the evidence against the interest in establishing the truth. If the latter outweighs the former, the courts may declare a piece of evidence admissible for assessment even though it was unlawfully acquired."

5. CONCLUSIÓN

Como hemos podido observar, en los procedimientos arbitrales ante el TAS existe gran flexibilidad y dinamismo en cuanto a las posibilidades que se otorgan a las partes de probar su caso, siempre y cuando ello no atente contra las disposiciones del Código del TAS, los límites establecidos por la LDIP y el desarrollo de ésta realizado por el Tribunal Federal suizo, o el orden público procesal suizo.

Este dinamismo permite a las partes gozar de amplias opciones para fundamentar y probar los hechos de los que pretenden hacerse valer en un procedimiento y que, al fin y al cabo, representarán en gran medida el éxito —o fracaso— de sus pretensiones.

De las anteriores consideraciones observamos además que la casuística puede plantear multitud de situaciones de hecho que requieren práctica de prueba diversas y, afortunadamente, la jurisprudencia del TAS nos demuestra que no ha permanecido inmóvil frente a las diferentes dificultades probatorias ante las que se pueden encontrar las partes, admitiendo desde excepciones a la carga de la prueba, hasta medios de prueba alternativos a los establecidos expresamente en el Código del TAS. Todo ello con el objetivo de llegar al nivel de certeza requerido para considerar las alegaciones de una parte como probadas, en aras de la justicia, equidad y buena fe, y respetando los derechos de las partes al debido proceso, a ser oídas y a la igualdad de trato.

6. REFERENCIAS BIBLIOGRÁFICAS

RIGOZZI, A. y QUINN, B.; Evidentiary issues before CAS, en BERNASCONI, M. (Ed.); International Sports Law and Jurisprudence of the CAS - 4th Conference CAS & SAV/FSA Lausanne 2012, Editions Weblaw, 2014)

LA ROCHEFOUCAULD, E.; The Taking of Evidence before the CAS, en CAS Bulletin 2015/1

VÁZQUEZ MORAGA, Y., "Nociones fundamentales de la prueba en el TAS"; en *CAS Bulletin* 2022/1

NOTH/HAAS, Article R44 CAS Code (22); ARROYO (Ed.), Arbitration in Switzerland - The Practitioner's Guide, Volumen I, Kluwer Law International B.V., Holanda, 2ª Edición, 2018

RUTZ, F.; Admissibility of Unlawfully Obtained Evidence in International Arbitration in Switzerland (August 31, 2020). SAA (Swiss Arbitration Academy) CAS in arbitration essays series

TAS-CAS. ARBITRAJE DEPORTIVO

Coord. Juan de Dios Crespo

La prescripción del derecho a reclamar ante la FIFA. Comentario al laudo cas 2020/a/7024 "Barcelona Sporting Club c. Club Atlético River Plate"

JUAN DE DIOS CRESPO PÉREZ Y
EQUIPO RUIZ-HUERTA & CRESPO SPORTS LAWYERS

1. INTRODUCCIÓN

El laudo arbitral que se comenta a continuación pone de manifiesto asuntos recurrentes en cualquier ámbito del derecho, especialmente en lo que se refiere a la justicia deportiva federativa: la prescripción la aplicabilidad de una norma subsidiaria a causa de lagunas en la norma aplicable en un primer momento. Se realiza, así, un análisis de una decisión dictada por el Tribunal Arbitral del Deporte (TAS) en relación con la interpretación y el alcance de la legislación suiza a la luz del espíritu del artículo 25.5 del Reglamento sobre el Estatuto de Jugadores de la FIFA (RETJ de la FIFA), que trata de la prescripción del derecho a reclamar tanto ante la Cámara de Resolución de Disputas como ante la Comisión del Estatuto del Jugador, ambos órganos de la FIFA.

Invariablemente, estos temas incitan a una interpretación dinámica de cualquier normativa. En este sentido, ante la falta de regulación de determinadas cuestiones, como por ejemplo ciertos detalles del fenómeno jurídico de la prescripción, la ponderación de los límites de aplicación del derecho subsidiario es inevitable.

Con efecto, éste es precisamente el núcleo de la presente reflexión, que consiste en analizar los medios por los que, a lo largo del proceso CAS

2020/A/7024, el Tribunal Arbitral del Deporte ha interpretado la reglamentación de la *Fédération Internationale de Football Association* (FIFA) en lo que respecta a la aplicabilidad de la Ley suiza sobre las situaciones en las que se interrumpe el plazo de prescripción para interponer una demanda ante la Cámara de Resolución de Disputas y la Comisión del Estatuto del Jugador de la FIFA.

A fin de realizar una crítica razonada sobre la mencionada resolución, se describirá a los antecedentes de hecho relevantes, la decisión dictada en primera instancia por la FIFA, la posición presentada por las partes en sus alegatos ante el TAS y, finalmente, las conclusiones alcanzadas por la formación arbitral.

2. ANTECEDENTES DE HECHO

En junio de 2015, el Barcelona Sporting Club (Barcelona SC), equipo profesional ecuatoriano, y el Club Atlético River Plate (River Plate), equipo profesional uruguayo, suscribieron un convenio de cesión en préstamo por un Jugador. Como resultado de este acuerdo, se acordó que el club ecuatoriano pagaría al club uruguayo la suma de US$ 100.000,00 (cien mil dólares estadounidenses).

Un año después, es decir, en junio de 2016, con el pago del primer préstamo aún pendiente, se firmó un nuevo contrato de préstamo con opción de compra. De este modo, se ha convenido el pago US$ 100.000,00 (cien mil dólares estadounidenses) en vista del nuevo período de préstamo.

Al final del último periodo de préstamo, se decidió ejercer la opción de compra y los dos clubes suscribieron un "Convenio de Cesión Definitiva", en el cual acordaron la cesión definitiva del Jugador por US$ 330.000,00 (trescientos y treinta mil dólares estadounidenses).

En julio de 2017, por medio del mismo documento ("Convenio de Cesión Definitiva"), a la vista de este contexto y considerando que estaba pendiente el pago de la suma adeudada en concepto del segundo préstamo, se ajustó un cronograma para que Barcelona SC pagara a River Plate la suma de US$440.000,00 (cuatrocientos cuarenta mil dólares estadounidenses) en ocho cuotas a vencer entre julio de 2017 y junio de 2020.

Por otra parte, para dar mayor seguridad al acreedor, ambas partes acordaron que, en caso de incumplimiento de la obligación de pago de alguna de las cuotas pactadas, la deuda total sería inmediatamente exigible, además de un interés punitorio y una multa por incumplimiento, ambos del 10% del importe pendiente de pago.

Semanas antes de que hayan transcurrido dos años desde la fecha en que debería haberse pagado la primera cuota de la deuda, el Presidente del Barcelona SC se puso en contacto con representantes del club uruguayo de manera que reconoció expresamente la deuda y la intención de cumplir con los compromisos económicos acordados.

Tras varias semanas de gestiones entre los representantes de ambos clubes y la falta de pago persistía, en septiembre de 2019 el club uruguayo decidió presentar una demanda contra el ecuatoriano ante la Comisión del Estatuto del Jugador de la FIFA.

3. PROCEDIMIENTO ANTE LA COMISIÓN DEL ESTATUTO DEL JUGADOR DE LA FIFA

Después del cumplimiento de los plazos procesales normales, en febrero de 2020, el Juez Único de la Comisión del Estatuto del Jugador de la FIFA dictó que la demanda fue parcialmente aceptada y falló lo siguiente:

> *"El demandado, Barcelona SC, debe pagar al demandante, Club Atlético River Plate, la suma de 430 000 USD, más un interés del 10% por año devengado desde el 12 de septiembre de 2019 hasta la fecha del efectivo pago."*

Tras la debida notificación, el club uruguayo no interpuso recurso ante el TAS.

Disconforme con la decisión, en abril de 2020 el club ecuatoriano presentó un recurso ante el TAS, que se comentará con más detalle a continuación.

4. PROCEDIMIENTO ANTE EL TAS

4.1 Las pretensiones de las Partes

El Barcelona SC, en su condición de apelante y tratando de revocar la decisión de la FIFA, por medio de su escrito de apelación esgrimió argumentos de hecho y derecho, entre los cuales cabe citar como principales los siguientes:

– Que la FIFA no debió admitir a trámite el caso toda vez que ésta fue presentado pasados dos años desde que se hizo exigible la deuda. Esto en la medida en que, la demanda fue presentada el 12 de septiembre de 2019 y la totalidad de la deuda estaba vencida desde el 5 de julio de 2017.

– Que, por lo tanto, la FIFA aplicó de manera incorrecta al artículo 25, párrafo 5, del del RETJ de la FIFA (el actual Artículo 23, párrafo 3, del RETJ de la FIFA).

– Que la conducta de la FIFA acerca de la prescripción en cuestión resultaba una violación al debido proceso y genera inseguridad jurídica al sistema.

– Que en la decisión recurrida se describieron fechas que no se correspondían con la realidad de los hechos.

Por su parte, con el fin de que se confirme el fallo impugnado, las alegaciones primordiales de la representación letrada del club uruguayo fueron las siguientes:

– Que el "Convenio de Cesión Definitiva" contenía dos acuerdos independientes. Es decir, uno relativo al préstamo que se adeudaba y uno relativo a la cesión definitiva y eso implicaría que la cláusula de vencimiento anticipado del segundo acuerdo operó desde el 15 de enero de 2018 y no a partir del 5 de julio de 2017.

– Que el Barcelona SC realizó varias tratativas previas a la demanda para pagar lo adeudado, proporcionando para el efecto fórmulas de pago y reconociendo con ello expresamente la deuda.

– Que resulta aplicable la teoría de los actos propios (*venire contra factum propium*) toda vez que el club ecuatoriano reconoció sucesivamente en distintas ocasiones la deuda.

– Que el caso en cuestión tuvo lugar la interrupción de la prescripción por el reconocimiento expreso de la deuda por parte del Barcelona SC.

4.2 La decisión de la formación arbitral respecto al fondo de la cuestión

A la vista de la admisibilidad del recurso de apelación y del reconocimiento de la competencia del TAS para su examen, sobre la base del párrafo 2 del artículo 57 de los Estatutos de la FIFA el Árbitro Único dictó que el procedimiento se regiría por los diversos reglamentos de la FIFA y, subsidiariamente, por el derecho suizo.

Teniendo en consideración los argumentos presentados por las partes en sus escritos de apelación, de hecho, el árbitro único no tuvo que recorrer un complejo contexto fáctico para extraer las premisas necesarias para construir el razonamiento decisorio en cuestión.

En este sentido, el primer pilar que amparó la conclusión del árbitro único se limitó a la comprobación de la posibilidad de aplicar la ley suiza al caso concreto en cuestión.

Por inferencia lógica, se analizó el artículo 25.5 del RETJ de la FIFA (actual artículo 23.3 del mismo reglamento) y se comprobó que esta norma federativa no establecía nada respecto al fenómeno jurídico de la interrupción del plazo de prescripción para demandar ante la Cámara de Resolución de Disputas y la Comisión del Estatuto del Jugador de la FIFA. Por tanto, ante la laguna existente acerca de la materia, naturalmente, se buscó asistencia en la norma de aplicación subsidiaria, que es la legislación suiza.

Por ello, el razonamiento lógico inductivo consistió en verificar lo que la ley suiza establece sobre los casos de interrupción de la prescripción del derecho a exigir ante un órgano jurisdiccional el pago de una deuda.

Así, se razonó que las disposiciones de los artículos 135 y 137 del Código de Obligaciones Suizo complementan la normatividad de la FIFA en la medida que establecen que la interrupción de la prescripción puede ocurrir si el deudor reconoce la obligación que es razón del reclamo y que, ocurrido lo anterior, comenzará a correr un nuevo plazo.

En efecto, se pasó a una tercera premisa, que era verificar el reconocimiento de la deuda por parte del club ecuatoriano, que se produjo al menos en dos ocasiones anteriores al 5 de julio de 2019, que es la fecha en la que habrían transcurrido dos años desde el vencimiento de la primera cuota de la deuda. En este sentido, el reconocimiento se proporcionó el 25 y el 28 de junio de 2019.

Dicho lo anterior, partiendo de las premisas anteriormente expuestas y con apoyo también en la jurisprudencia del TAS acerca del tema (CAS 2012/A/2919 y CAS/2016/2929), se ha entendido que el plazo de prescripción contemplado en el reglamento de la FIFA se interrumpió el 25 de junio de 2019, fecha del primer reconocimiento de la deuda, momento en el cual comenzó un nuevo período.

Considerándolo suficiente para solventar la cuestión, el árbitro único determinó que *"en los términos del artículo 137 del Código de Obligaciones Suizo, River Plate tenía hasta el 25 de junio de 2021 para presentar su demanda."*

5. CONSIDERACIONES Y REFLEXIONES A MODO DE CONCLUSIÓN

Resulta interesante poner en resalto, como primera conclusión, el hecho de que, a fin de privilegiar la seguridad jurídica de las relaciones dentro del sistema de la familia del fútbol internacional, el árbitro único se prestó a un análisis detallado, empírico y teleológico de todo el contexto de caso.

Como ya se ha explicado, la piedra angular del razonamiento jurídico empleado por el árbitro único tuvo origen en el hecho de que el club ecuatoriano reconoció, antes de la fecha en la que habrían transcurrido dos años desde el vencimiento de la primera cuota de la deuda, que el débito era debido y sería abonado.

Es decir, a partir de este hecho fue posible, a la luz de los artículos 135 y 137 del Código de Obligaciones Suizo, interrumpir el plazo de la prescripción.

Según el propio árbitro, si la prescripción no se interrumpía en los casos de reconocimiento claro de deuda, se abriría paso a una posible vulneración del principio de buena fe con el que actúan los acreedores al momento de ingresar en una negociación con su deudor para efectos de saldar una deuda pendiente.

Sin embargo, a pesar del razonamiento quirúrgico del árbitro, conviene señalar que la didáctica de este razonamiento es fundamental para comprender todo el funcionamiento del sistema.

La prescripción se define como la forma en que un derecho se extingue por la inercia de su titular durante un determinado período de tiempo fijado por la ley, lo que, en consecuencia, provoca la extinción del derecho de demandar para garantizarlo. Así, los elementos de la prescripción son la existencia de un derecho actual y posible de ser reclamado ante los tribunales, luego, la violación de este derecho, seguido por la inactividad del titular antes de la violación, y, por fin, el transcurso de un tiempo superior al fijado por la ley o reglamentación aplicable.

No sería razonable aceptar que la interpelación judicial o el acto de demandar ante un órgano judicial de la FIFA tenga por efecto poner al deudor en mora, pero no interrumpa el plazo de prescripción. Si siguiéramos una línea de razonamiento contraria, estaríamos diciendo que el sistema no puede acercarse a una idea de autosuficiencia orgánica y debe buscado en todo momento por los demandantes.

En otras palabras, si la prescripción no se interrumpe con el reconocimiento de la deuda por parte del deudor, los propios órganos juzgadores estarían contribuyendo a dificultar la eficacia y rapidez de todas las decisiones en el ámbito del Derecho internacional del fútbol. Es una lógica simple: habría un mayor número de reclamaciones y aumentaría el tiempo necesario para que todas ellas se tramitaran y juzgaran adecuadamente.

De hecho, la prescripción es uno de los pilares de cualquier ordenamiento jurídico y preserva la seguridad de las relaciones, sin embargo, este es un caso claro en el que es importante ejercer la ponderación del contexto fáctico sistémicamente.

En otras palabras, esta línea de razonamiento empleada resultó razonable, ya que privilegió la verdad material. Es decir, De lo contrario, los deudores podrían perfectamente reconocer sus deudas y aplazar el pago mediante negociaciones prolongadas y, al final, no ser objeto de una demanda en virtud de su propia "manipulación" del calendario de la morosidad.

Desde un punto de vista pragmático, esta postura, en cierto modo, protege la seguridad jurídica del sistema y revela la relevancia suprema que debe tener la razonabilidad y la aplicación de una ley subsidiaria como balizas imprescindibles que deben tomar como guía los juzgadores, con la finalidad de mantener el orden establecido en el universo de la familia del fútbol.

Menores, fútbol y reglamentación de la FIFA. Un caso real

JUAN DE DIOS CRESPO PÉREZ y
EQUIPO RUIZ-HUERTA & CRESPO SPORTS LAWYERS

SUMARIO: 1. INTRODUCCIÓN. 2. EVALUACIÓN DEL CASO. 3. CONCLUSIÓN.

1. INTRODUCCIÓN

Hoy en día, el mundo está totalmente conectado; en los últimos años, hemos vivido una gran globalización que ha facilitado las relaciones entre diferentes partes del mundo, permitiendo que la actividad laboral y social esté al alcance de todo el mundo. Pero en la globalización no todo está permitido, lo que implica que se tengan que regular numerosas actividades con el fin de proteger a aquellos que puedan verse afectados.

No podemos negar que, este desarrollo ha sido totalmente beneficioso para el mundo del fútbol, permitiendo la creación de ligas más importantes, un incremento del nivel de juego, numerosas transferencias de jugadores desde cualquier parte del mundo, en 2021 se realizaron un total de 18.068 transferencias internacionales, un 5,1% más que en 2020[1]; aunque todo esto, ha dado lugar a múltiples inconvenientes como, por ejemplo, el movimiento de menores. La sed de los grandes equipos por captar jóvenes promesas ha ido creciendo con el paso de las décadas; en 2018 se realizaron y resolvieron un total de 3.754 transferencias de menores, de las cuales un 53,6% fueron internacionales[2].

FIFA se pronuncia sobre este tema; en el Capítulo VII del Reglamento sobre el Estatuto de Transferencia de Jugadores, donde regula todo

---

[1] FIFA Global Transfer Report 2021 https://digitalhub.fifa.com/m/2b542d3b011270f/original/FIFA-Global-Transfer-Report-2021-2022-indd.pdf

[2] Global Transfer Market Report 2018 https://digitalhub.fifa.com/m/2f488488c4367b36/original/wtrsayyoponlu1tknvic-pdf.pdf

aquello relacionado con las transferencias internacionales de menores de edad, estipulando como regla general, que *"las transferencias internacionales de jugadores se permiten sólo cuando el jugador alcanza la edad de 18 años."* La finalidad de esta norma a raíz de su introducción en 2001 en el RETJ y sus posteriores modificaciones en 2005, 2009 y 2015, fue la de proteger los intereses del menor, así como la supresión de prácticas indebidas producidas en el mundo del fútbol.

A pesar de ello, son varios los casos en los que clubes, jugadores y familiares utilizan las excepciones de la norma a su favor, ocultándose detrás de determinados supuestos irreales para su propio interés y provocando así la indefensión en el menor. Un caso relativamente reciente fue el que se dictaminó en un laudo arbitral dictado en Lausana el 15 de diciembre de 2020[3], el cual fue resuelto a favor de FIFA respecto a un menor japonés nacido en 2004 y federado en el club Tokyo Kiyose Valiant de Japón, que se trasladó a España para jugar al fútbol en un equipo de la ciudad de Barcelona.

2. EVALUACIÓN DEL CASO

Los antecedentes de hecho de este caso se remontan al 2015, año en el que el jugador comenzó sus entrenamientos en la FCB Barça Academy en Kasushika durante dos años.

En 2018 el padre del jugador decidió ponerse en contacto con un despacho de abogados en España, manifestando su deseo de fundar una empresa en Barcelona dedicada a la agencia de propiedad inmobiliaria, además de ayudar con los trámites de personas japonesas que quisieran trasladarse a España por motivos de estudios.

En su mensaje comunicaba también sus deseos de que su hijo pudiese jugar al fútbol en España, manifestando que: *"Mi hijo quisiera poder matricularse en una escuela de Barcelona y poder formar parte de un equipo de fútbol, que es su afición. Según tengo entendido, sin visado no podrá matricularse en ninguna escuela ni entrar en un equipo de fútbol."*

Un año más tarde de dicho mensaje, el jugador y su padre se dieron de alta en el padrón de Barcelona y posteriormente matriculó al menor en el

---

[3]   TAS 2020/A/7150 X. c. FIFA https://www.tas-cas.org/fileadmin/user_upload/Laudo_CAS_7150.pdf

colegio japonés de la ciudad. A finales de verano, los padres contactaron con el Sant Cugat FC, club colaborador del FC Barcelona, con el objetivo de que su hijo pudiese formar parte del equipo. Por tanto, a principios de septiembre el menor empezó los entrenamientos con dicho club.

Las alarmas sobre las posibles irregularidades de este jugador saltaron a raíz de la solicitud de aprobación del Certificado de Transferencia Internacional del Jugador al Sant Cugat FC el 6 de febrero de 2020, al amparo del artículo 19.2.a) del RETJ por *"el traslado de los padres por motivos ajenos al fútbol."* Ante ello, la Japan Football Association manifestó su oposición, pues tenían *"una fuerte impresión de que la transferencia de este jugador a España posiblemente fue motivada por el fútbol del jugador y no por el traslado de los padres del jugador a España por razones ajenas al fútbol."*

Los padres declararon en el informe solicitado por FIFA que la razón de su traslado fue debido a que en España *"disponen de muchas amistades que habitan en Barcelona, y debido a que sienten una gran estima hacia la ciudad"*, como también *"que desde hace tiempo están haciendo negocios con un amigo de Barcelona"* y que *"les gustaría que sus hijos puedan acabar de formarse y vivir en Barcelona para aprender español, inglés y catalán."* A pesar de ello, la solicitud fue denegada y las partes decidieron recurrir al TAS.

La resolución del laudo, que como hemos dicho anteriormente fue favorable para FIFA, dictaminó que, en base a los acontecimientos ocurridos en los últimos años y la falta de prueba y consistencia por parte de los apelantes, no podía conceder la transferencia del menor al club español, pues los indicios llevaban a que pudiese ser un traslado de menores por motivos relacionados con el fútbol.

En primer lugar, se resaltó el hecho de que tanto la madre como el hermano del jugador no se trasladaran con ellos a España en un primer momento, aunque los Apelantes alegasen a qué era *"debido a que el hermano estudia en la Universidad de Tokio, aunque el objetivo final es que toda la familia se traslade a Barcelona."*

En segundo lugar, se hizo hincapié en el hecho de que el padre lo manifestara por correo electrónico al despacho de abogados con el que supuestamente se había puesto en contacto para la constitución de una sociedad en territorio español. En ese intercambió, el padre especificó claramente que su hijo quería jugar al fútbol en Barcelona, y que para ello necesitaría un visado, lo que hace entender que el fútbol fue un motivo determinante para la decisión del traslado.

Y, como hecho determinante, que la empresa del padre no fuese constituida hasta noviembre de 2019, aun siendo este el supuesto motivo principal del traslado de la familia. También resulta relevante destacar, así como el curioso orden cronológico de los hechos, la falta de aportación de pruebas por la parte apelante y la nula actividad empresarial de la sociedad, pues no se presentaron contratos de servicios ni contratación de trabajadores.

Para poder resolver esta disputa, se hizo un análisis en base a los requisitos legales exigidos para aplicar la excepción del segundo apartado del artículo 19 del Estatuto de Transferencia de Jugadores de 2019, sección a), en el cual se especifica que: "*Se permiten las siguientes tres excepciones:*

a) Si los padres del jugador cambian su domicilio al país donde el nuevo club tiene su sede por razones no relacionadas con el fútbol.

(…)"

Que la motivación de esta resolución se diese en base al artículo 19 resalta su importancia y la necesidad de una correcta aplicación por parte de FIFA y las diferentes federaciones internas alrededor del mundo. Este artículo ha sido modificado desde su aplicación en este laudo; desde la versión de 2019 a la actual de octubre de 2022, han sido añadidas dos excepciones más a las 3 que podrían haber sido aplicables a ese laudo, sus apartados d) y e): "*Se permiten las siguientes cinco excepciones:*

(…)

d) El jugador cuenta con un permiso de residencia, al menos temporal, en el país de destino y/o ha sido reconocido como persona vulnerable que necesita de la protección del Gobierno de dicho país tras haber huido de su país de origen (o de su país de residencia anterior), sin sus padres, por alguna de las siguientes razones de carácter humanitario:

(…)

e) El jugador es un estudiante y se muda sin sus padres temporalmente a otro país por motivos académicos para participar en un programa de intercambio. La duración de la inscripción del jugador en el nuevo club hasta que cumpla los 18 años o hasta el final del programa académico o escolar no podrá superar un año. El nuevo club del jugador solo podrá ser un club exclusivamente aficionado sin un equipo profesional ni relación de derecho, de hecho, o económica con un club profesional."

No es la primera vez en la historia del futbol que se da una situación de este tipo; en 2015 el TAS[4] se pronunció ante un litigio entre el FC Barcelona y FIFA por unas supuestas inscripciones irregulares de 30 menores de edad de diferentes nacionalidades en el equipo apelante entre 2005 y 2012. También está el conocido caso entre el Real Madrid y FIFA[5], en el cual el apelante incumplió también respecto a la inscripción de varios menores tanto a nivel nacional como internacional.

3. CONCLUSIÓN

Los inevitables problemas que se derivan de la situación hacen que la introducción del Artículo 19 fuera increíblemente significativa, y es mérito de la FIFA que sus nobles intenciones al menos condujeran a la mejora del statu quo anterior.

El sistema de protección de menores regulado actualmente por el artículo 19 no está exento de inconvenientes.

La FIFA puede asegurarse de que el marco sea más inclusivo y tenga en cuenta a los niños de entornos no elitistas que buscan en el fútbol un sentido a su vida, a los que viven en países empobrecidos y para los que no existen constantemente oportunidades, especialmente en el marco de sus talentos.

No cabe duda de que la evolución de los tiempos y las diferentes situaciones requieren que se analice caso por caso para poder saber cuál perjudica los intereses del menor.

También se trata de una regulación controvertida que puede perjudicar a terceros o limitar las libertades personales de forma considerable, limitando el desarrollo deportivo de aquellos menores que no tienen suficientes recursos deportivos en sus países acordes a su talento.

---

[4] Arbitration CAS 2014/A/3793 Fútbol Club Barcelona v. Fédération Internationale de Football Association (FIFA), award of 24 April 2015 (operative part of 30 December 2014) https://jurisprudence.tas-cas.org/Shared%20Documents/3793.pdf

[5] CAS 2016/A/4785 Real Madrid Club de Fútbol v. FIFA https://www.tas-cas.org/fileadmin/user_upload/Award_4785__FINAL__with_signature_for_publication.pdf

Por toda esta problemática, se requiere una normativa común que regule las transferencias de menores en lugar de prohibirlas directamente[6] , no obstante, siempre y cuando el objetivo de estas sea velar por su debido cumplimiento y el interés del menor en su territorio. Es tarea de los clubs el correcto funcionamiento de este artículo, mediante la inscripción de los menores a nivel nacional, y no regional, para así poder tener un mayor control.

Sin embargo, como ya se ha dicho, aún queda trabajo por hacer y, aunque ahora no tengamos las respuestas, esperamos que las cosas mejoren.

---

[6]   Dicha prohibición, además, puede generar conflictos entre normativa pública y la normativa federativa, como sucede en España. En este sentido, el CSD ha manifestado en varias ocasiones de acuerdo con el criterio jurisprudencial que la RFEF debe acatar toda norma pública y, en consecuencia, emitir licencia para cualquier menor con residencia legal en España. Esta situación genera un conflicto en la Federación, en tanto que la normativa pública le obliga a realizar actos contrarios a la normativa FIFA, lo que podría suponer su expulsión de la entidad organizadora del fútbol.

El nuevo reglamento agentes FIFA y su relación con la legislación española

JUAN DE DIOS CRESPO PÉREZ y
EQUIPO RUIZ-HUERTA & CRESPO SPORTS LAWYERS

1. OBJETO Y LEGISLACIÓN AFECTADA

El presente estudio tiene como fin realizar las apreciaciones pertinentes respecto al nuevo Reglamento de Agentes de la FIFA y qué puntos de conflicto puede presentar el mismo respecto a la legislación española poniendo el punto de mira en tres aspectos clave: la limitación de los honorarios que los agentes pueden percibir en función de su representado y las características económicas de la operación; la posibilidad de cobrar honorarios y representar a menores de edad independientemente de su edad, así como otros posibles puntos de conflicto: publicación de información, prohibición de doble representación, limitación de los pagos por los clubes.

En materia de posibles puntos de conflicto respecto del establecimiento de límites a la comisión de los agentes, punto central del estudio, se va a tomar en consideración la Ley 15/2007 de 3 de julio de Defensa de la Competencia, la ley 12/1992, de 27 de mayo de Contratos de Agencia, así como reales decretos correspondientes a diferentes colegios profesionales y las pertinentes resoluciones de la Comisión Nacional del Mercado y de la Competencia (en adelante, CNMC).

Así pues, y a modo de conclusión *ad infra* se determinará en qué medida y en qué puntos el Reglamento de Agentes de la FIFA puede entrar en conflicto con el ordenamiento jurídico nacional.

2. LÍMITE A LOS HONORARIOS

En este punto hay que dejar claro que el límite al que se hace referencia se centra en un elemento meramente cuantitativo, sin entrar en materia respecto a las limitaciones que FIFA puede establecer respecto a las distintas operaciones y sus distintas características en la que potencialmente podrían verse sumergidos los agentes.

Siendo esto así, el punto de mira debe situarse en el artículo 15 del mencionado Reglamento, cuyo título es exactamente el límite de los honorarios.

Más allá de discutir si los porcentajes establecidos como límites máximos tiene una correlación y proporcionalidad adecuada en base a los diversos factores como quién es el cliente al que representa (persona, entidad de destino, a ambas o bien a la entidad de origen) y la remuneración anual de la persona (dependerá de si la misma es inferior o superior a 200.000$ o su equivalente), realmente el punto del conflicto nace en la propia acción de limitar. En aras de profundizar al respecto, se debe en primer lugar analizar la **Ley 15/2007 de 3 de julio de Defensa de la Competencia**, que traen causa de la normativa en materia de competencia de la Unión Europea.

De la mencionada ley, los artículos que entrarían en conflicto con el límite establecido por la FIFA en su Reglamento de Agentes serían el artículo 1.1 apartado a); y el artículo 2.1 y 2.2 apartado a). El cuerpo literal de los mismos es el siguiente:

> *"Artículo 1.1 a):* se prohíbe todo acuerdo, decisión o recomendación colectiva, o práctica concertada o conscientemente paralela, que tenga por objeto, produzca o pueda producir el efecto de impedir, restringir o falsear la competencia en todo o parte del mercado nacional y, en particular, los que consistan en:
> a) La fijación, de forma directa o indirecta, de precios o de otras condiciones comerciales o de servicio.

> *Artículo 2:*
> 1. Queda prohibida la explotación abusiva por una o varias empresas de su posición de dominio en todo o en parte del mercado nacional.
> 2. El abuso podrá consistir, en particular, en: a) La imposición, de forma directa o indirecta, de precios u otras condiciones comerciales o de servicios no equitativos."

Como bien se puede observar, la limitación ejercida por FIFA se ve claramente contrariada por lo dispuesto en ambos artículos, en base a lo siguiente:

1. El primer artículo de la ley previamente expuesta, y teniendo en cuenta lo dispuesto en el Reglamento de Agentes FIFA, concretamente en su artículo 15, parece contrario a la Ley de Competencia vigente en España, al tratarse de una clara imposición, o dicho de la forma expuesta en el articulado de la ley nacional española, fijación, en este caso, de forma directa de las condiciones del servicio. En otras palabras, y centrándonos en el caso concreto, los porcentajes establecidos en la tabla ilustrativa del Reglamento FIFA no serían válidos dentro del marco regulatorio español, al considerarse una conducta contraria a la libre competencia.

2. Respecto al posible conflicto que pueda surgir entre el reglamento FIFA y el segundo artículo mencionado anteriormente, éste habla de prohibición de *la explotación abusiva por una o varias empresas de su posición de dominio*. Es claro que FIFA en este caso se trata de una organización internacional de carácter privado, que, de forma internacional, ejerce una posición de dominio dentro del mundo del fútbol en este caso, al estar prácticamente todas las federaciones nacionales sometidas a su mandato ejercido a través de Reglamentos como el traído a coalición en el presente trabajo.

Una vez determinada la posición de FIFA en este posible conflicto, debemos desarrollar de forma breve, si realmente existe el abuso al cual se hace mención en el primer apartado del segundo artículo. De forma fehaciente queda demostrado que el texto desarrollado por FIFA en el artículo 15 de su Reglamento de Agentes puede enmarcarse dentro de la definición propuesta por abuso expuesta en el apartado a) del artículo 2.2 al tratarse de una imposición directa, en este caso, de precios. Si bien el tema de la equitatividad podría llevarse a debate, la conducta de igual forma quedaría enmarcada dentro de la prohibición estipulada en el articulado previo.

Por ende, y en una primera toma de contacto puede deducirse que la implantación del límite por parte de FIFA a los honorarios que deben cobrar los agentes podría considerarse contrario a la ley de competencia y por ende ilegal.

Con tal de fortalecer la afirmación recientemente efectuada, se hacen valer **dos resoluciones de la CNMC, a distintos colegios profesionales (el de abogados y el de arquitectos)** por la práctica prohibida que corresponde a cada caso y que se procede a desarrollar.

Respecto a las distintas resoluciones (en concreto 9) por las cuales se sanciona a los distintos colegios de abogados, todas ellas tienen el mismo denominador común, que en este caso es sancionar una recomendación colectiva de precios. Al respecto, el artículo 14 de la Ley 2/1974, de 13 de febrero, sobre Colegios Profesionales, se pronuncia de la siguiente forma:

"Los Colegios Profesionales y sus organizaciones colegiales no podrán establecer baremos orientativos ni cualquier otra orientación, recomendación, directriz, norma o regla sobre honorarios profesionales, salvo lo establecido en la Disposición adicional cuarta".

Recogiendo la línea de este artículo, se expone a continuación el tenor literal de la disposición cuarta de la misma Ley, en aras de completar el escenario al que se refiere y abarca dicha prohibición:

"Los Colegios podrán elaborar criterios orientativos a los exclusivos efectos de la tasación de costas y de la jura de cuentas de los abogados.
Dichos criterios serán igualmente válidos para el cálculo de honorarios y derechos que corresponden a los efectos de tasación de costas en asistencia jurídica gratuita"

Por tanto, lo estipulado por la Ley de Colegios Profesionales permite el criterio orientativo con la exclusiva finalidad de informar a los tribunales sobre la tasación de costas y la jura de cuentas de los profesionales de la abogacía.

Tras el estudio de los documentos, previamente aprobados por los colegios sancionados, la CNMC decreta que en ellos se determinan los precios, así como valores de referencia y escalas de cuantías a las que aplicar distintos porcentajes (escenario parecido al recogido en el Reglamento de Agentes de FIFA) por lo que se está vulnerando la Ley de Colegios Profesionales y la Ley de Defensa de la Competencia, particularmente los artículos de la propia ley que se han mencionado previamente.

Para más inri, el propio Real Decreto 135/2021 por el que se aprueba el Estatuto general de la Abogacía Española, en su artículo 26 se determina la libre fijación de los honorarios bajo el siguiente tenor literal:

"La cuantía de los honorarios será libremente convenida entre el cliente y el profesional de la Abogacía con respeto a las normas deontológicas y sobre defensa de la competencia y competencia desleal."

Sumando a las resoluciones ya mencionadas en las cuales se sanciona a distintos colegios de abogados, cabe mencionar la resolución de la propia CNMC del expediente 467/99 contra el Colegio Oficial de Arquitectos de Madrid. Si bien la base de esta resolución versa sobre una normativa ya derogada, vemos que el fondo del asunto sigue siendo de utilidad ya que el propio cuerpo de la ley derogada se mantiene en la vigente en la actualidad (Ley 25/2009).

De dicha resolución, lo relevante para el presente caso es el siguiente extracto literal de la misma donde se determina lo siguiente:

> *"tras la nueva redacción del art. 5.b. de la Ley de Colegios Profesionales (LCP), establecida por la Ley 7/1997, de 14 de abril, no obligan al Colegio a controlar la adecuación del Presupuesto de obra a la realidad del mercado, sino que establecen taxativamente que **los honorarios y las demás condiciones contractuales entre el arquitecto y quien le encarga el proyecto quedan sometidas al libre acuerdo de las partes"***

De este modo, puede observarse de nuevo que, en aras del cumplimiento de la ley de competencia, así de cómo la respectiva ley de los colegios profesionales (tanto la general como los reales decretos donde se desarrollan las normativas de los colegios específicos), la estipulación de los honorarios debe hacerse según la voluntad de las partes, sin que esta se vea limitada por ningún acto, como es en el objeto del presente escrito, la redacción de la nueva regulación FIFA.

Como colofón a la carga probatoria expuesta respecto a la contrariedad del nuevo Reglamento de Agentes de FIFA con el ordenamiento jurídico español, cabe mencionar en última instancia la Ley de Contratos de Agencia, concretamente su artículo 11 donde un nuevo concepto entra en escena como es el uso y la razonabilidad considerando los casos en concreto.

Dicho artículo versa de la siguiente manera:

> *1. La remuneración del agente consistirá en una cantidad fija, en una comisión o en una combinación de los dos sistemas anteriores. **En defecto de pacto, la retribución se fijará de acuerdo con los usos de comercio del lugar donde el agente ejerza su actividad. Si éstos no existieran, percibirá el agente la retribución que fuera razonable teniendo en cuenta las circunstancias que hayan concurrido en la operación.***
> *2. Se reputa comisión cualquier elemento de la remuneración que sea variable según el volumen o el valor de los actos u operaciones promovidos, y, en su caso, concluidos por el agente.*
> *3. Cuando el agente sea retribuido total o parcialmente mediante comisión, se observará lo establecido en los artículos siguientes de esta sección."*

Para cerrar el capítulo de la limitación a los honorarios, queda más que acreditado que la redacción del artículo 15 del Reglamento de Agentes de FIFA podría suponer una clara infracción de la Ley de Competencia, así como de la Ley de Contratos de Agencia por la limitación expresa y directa que ejerce sobre la retribución a percibir por parte de un colectivo que ejerce sus funciones dentro de un libre mercado.

3. REPRESENTACIÓN DE MENORES

El nuevo Reglamento de Agentes de FIFA establece la posibilidad de que los agentes puedan negociar con menores de edad 6 meses antes de que tengan la edad mínima para poder formalizar un contrato de trabajo (16 años en España). Además, se abre la posibilidad de que puedan cobrar honorarios siempre y cuando el menor de edad firme un contrato profesional.

Analizado el Código Civil en materia de menores de edad y la Ley de Contratos de Agencia, no hemos encontrado ninguna prohibición más allá de la necesidad de completar el consentimiento del menor por parte de sus representantes legales.

Teniendo en cuenta también jurisprudencia al respecto sobre el interés superior del menor y la necesidad de autorización judicial para que los representantes legales del menor asuman una responsabilidad económica significante por parte del mismo, no encontramos en la legislación nacional pública prohibición alguna a la percepción de comisiones por realizar contratos de agencia con menores.

En este sentido, si bien actualmente se encuentra prohibido en el mundo del fútbol como consecuencia del Reglamento de Intermediarios de la RFEF, y FIFA abre la posibilidad con el nuevo reglamento a que se cobre cuando los menores de edad firmen un contrato profesional, la realidad es que hoy en día muchos clubes de primer nivel realizan contratos a jugadores menores de 16 años (sin capacidad para firmar contratos profesionales) y que existen agencias de representación involucradas en las carreras de dichos niños.

En esta línea, la comparación más similar que vemos es la de las agencias de representación para menores de edad en el mundo del cine, televisión, campañas publicitarias, etc. En este ámbito, no hemos encontrado limitación alguna a que dichas agencias puedan cobrar honorarios por su trabajo de representación, es decir, no existe una norma federativa como sí existe en el fútbol que limite dichas comisiones.

En consecuencia, más allá de considerar que la autoridad laboral pueda autorizar el trabajo de menores de 16 años en estos ámbitos de acuerdo con el artículo 2 del Real Decreto 1435/1985, de 1 de agosto, por el que se regula la relación laboral especial de los artistas en espectáculos públicos, podría ser interesante profundizar en el por qué de esta diferencia o por qué estas agencias sí pueden cobrar honorarios por su trabajo de representación, pero en el ámbito deportivo no.

4. POSIBILIDAD DEL MANDATO CIVIL

Respecto a la posibilidad de realizar mandatos civiles fuera del paraguas federativo y, por tanto, de FIFA, no hemos encontrado ningún impedimento legal en cuanto a normativa de derecho público.

Sin embargo, el problema que puede surgir con realizar mandatos civiles de representación podría darse en caso de FIFA o la RFEF comenzasen a sancionar a los jugadores por firmar contratos de representación con agentes fuera de la normativa FIFA, como parece están intentando promover.

En todo caso, en España no cabe la posibilidad de entender que la norma federativa pueda impedir a un agente y un jugador realizar un mandato de carácter civil y, en consecuencia, de firmarse dicho acuerdo el agente siempre podría acudir a los tribunales ordinarios para reclamar sus honorarios. De todas formas, reiteramos que el problema en estos caso podrían darse para los jugadores, quienes no querrán firmar mandatos civiles si esto podría suponerles una sanción a nivel federativo que les impidiese disputar partidos.

5. OTROS ARTÍCULOS CONFLICTIVOS DEL REGLAMENTO DE AGENTES DE FIFA

Si bien no son puntos principales conflictivos en el nuevo Reglamento de Agentes de FIFA, creemos que otra serie de disposiciones pueden entrar en conflicto con la legalidad:

➤ Prohibición doble representación

Bien es cierto que la limitación en cuanto a las partes que pueden ser representadas por un mismo intermediario puede verse amparada por la voluntad de FIFA de evitar situaciones de conflicto de interés o de cobros excesivos y por varias vías por parte de los propios intermediarios.

Aun así, dentro de la propia costumbre y uso en nuestro país, vemos en ciertos ámbitos como agentes, en este caso inmobiliarios, cobran sus comisiones de ambas partes de la transacción, concretamente de la parte compradora y de la parte vendedora.

Cabe decir que en muchas ocasiones la comisión total del agente es dividida al 50% entre estas partes, haciendo frente cada una de ellas simplemente a la mitad de la comisión.

Cogiendo este escenario como ejemplo, no vemos que la prohibición de representar a más de una parte en las operaciones tenga un sustento legal, ya que como hemos visto, la costumbre dice lo contrario.

➤ Art. 19 Reglamento Agentes FIFA - Publicación de datos e información

Sin conocer en profundidad la normativa sobre Protección de datos tanto a nivel Europeo como nacional, no parece viable justificar por la especialidad del deporte la publicación de todos los datos que el Reglamento de FIFA establece, sobre todo, el hecho de publicar todos los detalles de cada transferencia realizadas, incluyendo la publicación de los honorarios cobrados.

➤ Art. 12.13 Reglamento Agentes FIFA - Nulidad de las cláusulas que limiten a los jugadores actuar por sí mismos

Este artículo que establece que todas aquellas cláusulas que impidan a los jugadores actuar o firmar por sí mismos un contrato de representación va en contra de la exclusividad en los contratos de representación tal y como se concibe hoy en día y como la jurisprudencia española ha avalado.

Así pues, los agentes no podrían establecer en sus contratos con los jugadores cláusulas de exclusividad en las que expresamente se especifica que el jugador no podrá actuar por sí mismos, y, por tanto, la exclusividad de los agentes se verá siempre limitada por la voluntad personal del jugador de firmar un contrato por su propia cuenta.

➤ Pagos por terceros - Prohibición de la deducción del salario del jugador para el pago de la comisión del agente

Esta prohibición límite una posibilidad recogida en el Código Civil español como es el pago por terceros, situación habitual en los pagos de las comisiones de los agentes hoy en día y, más allá del problema o el tratamiento fiscal que se deba dar a esos pagos, resulta extraño a nivel jurídico que una asociación privada limite una facultad otorgada por normativa de derecho público.

Por tanto, y en relación con la posibilidad de realizar mandatos civiles, el problema que podría surgir de realizar los pagos por esta vía sería la de exponerse a sanciones disciplinarias en vía federativa.

ORGANIZACIÓN Y REGULACIÓN DEL DEPORTE

Coord. Pablo Cazorla González Serrano

La cámara de compensación de la FIFA: ¿un paso adecuado?

DAVID DÍAZ ZAFORAS

Socio Director del Departamento Laboral y del área de Sports de Baker Mckenzie.

JUAN DE HARO DEL BARRIO

Asociado del Departamento Laboral y del área de Sports de Baker Mckenzie.

1. INTRODUCCIÓN. LA MODERNIZACIÓN DE LA FIFA

Convertir el fútbol en algo verdaderamente global y profesionalizar la gestión de la industria del fútbol han sido unos de los objetivos principales de la *Fédération Internationale de Football Association* (FIFA) en los últimos años. Para alcanzar dicha meta, la FIFA se fijó once objetivos a realizar durante el periodo de 2020 a 2023[1]. Entre otros, se encontraban elevar los ingresos para reinvertirlos en el fútbol (Objetivo número 2), garantizando una mayor comercialización y una mejora de la imagen de la marca en el mundo; potenciando el fútbol femenino (Objetivo número 8), reformando las competiciones y potenciar su valor comercial; o aprovechar la tecnología (Objetivo número 9), a través de una mejora de la tecnología VAR o la búsqueda de nuevas tecnologías.

Como Objetivo número 1, la FIFA se ha propuesto modernizar el marco regulador actual que rige el fútbol. Dentro de las medidas incluidas en este

---

[1] FIFA, *"La Visión 2020-2023"*. Link: https://publications.fifa.com/es/vision-report-2021/resumen-del-ano/

Objetivo, la FIFA ha decidido reformar el sistema actual de traspasos internacionales, con el fin de dar mayor transparencia al sistema y hacer que el dinero generado pueda ser reinvertido en el deporte del fútbol.

Para conseguir este objetivo, la FIFA ha seguido la hoja de ruta marcada por la Comisión de Grupos de Interés del Fútbol desde 2017[2]. Esta Comisión fijó tres paquetes de medidas para reformar el sistema de traspasos:

1. **Primer paquete de medidas en octubre de 2018**, cuyo objetivo era aumentar la transparencia y mejorar los mecanismos de formación y solidaridad, a través de dos medidas: la creación de una Cámara de Compensación o *Clearing House* para el pago de las compensaciones por formación, y la implantación de sistemas nacionales de registro electrónico y de transferencias[3].

2. **Segundo paquete de medidas en septiembre de 2019**, con la visión puesta en aumentar la integridad del sistema de pagos y evitar posibles abusos. Las medidas que se tomaron afectan principalmente a las compensaciones por formación, las cesiones de jugadores y a la regulación de los agentes[4].

3. **Tercer paquete de medidas** que se encuentra en trámite actualmente y se centrará en los menores de edad en el fútbol, los periodos de inscripción, el tamaño de los equipos y en la regulación financiera.

Como todo el mundo que se dedica a esta industria conoce, la transparencia de las organizaciones ha aumentado exponencialmente en las últimas dos décadas. Apartado de ese camino por la transparencia ha estado, con más frecuencia de la deseada el sistema de traspasos. Éste se ha colocado en ocasiones en una zona de sombra que ha dificultado el acceso a información tan sencilla como el valor de un traspaso de un determinado jugador.

Nos vamos a centrar principalmente en ese primer paquete de medidas y, concretamente, en como la FIFA ha creado una Cámara de Compensación que permite dar mayor claridad y acceso al encriptado sistema de transferencias en este deporte.

---

[2]   FIFA, "*Historial y logros alcanzados Comisión de Grupos de Interés del Fútbol*". Link: https://digitalhub.fifa.com/m/a48d951cd58b45f6/original/f02xf1uv2ynsch6p-7llg-pdf.pdf

[3]   *Ibídem*

[4]   *Ibídem*

Esta Cámara de Compensación de la FIFA empezará controlando únicamente el sistema de pagos de compensaciones por formación y solidaridad, pero la intención es que en el futuro, a corto o medio plazo, se incluyan en este sistema también los pagos de comisiones a los agentes, aspecto que analizaremos más adelante, y los pagos de transferencias de jugadores.

Analizaremos seguidamente la situación actual, los problemas existentes que han llevado a la FIFA a tomar esta decisión, cómo la Cámara de Compensación supuestamente les dará solución y las posibles implicaciones que tendrá este nuevo organismo para los distintos *stakeholders* dentro de la industria.

2. SITUACIÓN PREVIA A LA CÁMARA DE COMPENSACIÓN

Como hemos comentado, la Cámara de Compensación de la FIFA empezará únicamente controlando los pagos derivados de la indemnización por formación y del mecanismo de solidaridad. Por ello, en este apartado analizaremos de forma general la regulación actual de ambas figuras y qué problemas surgían en la práctica al aplicar la regulación de la FIFA.

2.1 *Análisis de la compensación por formación y el mecanismo de solidaridad*

A partir de 2001, la FIFA introdujo ambos mecanismos indemnizatorios con el objetivo de aumentar la competitividad y mejorar el equilibrio entre clubes. Actualmente, los mismos se regulan en el apartado octavo y anexos cuatro y cinco del Reglamento sobre el Estatuto y la Transferencia de Jugadores (RETJ, edición octubre de 2022)[5].

El artículo 20 establece que los clubes que hayan formado al jugador entre los 12 y 21 años, generalmente, recibirán el pago de la indemnización por formación cuando:

1° El jugador sea inscrito por primera vez como profesional con otro club.

2° Cuando el jugador sea transferido entre clubes de dos asociaciones distintas hasta que cumpla 23 años.

---

[5]   FIFA, "*Reglamento sobre el Estatuto y la Transferencia de Jugadores*", Edición octubre de 2022.

La cuantía de la compensación por formación se calcula teniendo en cuenta los costos de formación que elaboran las distintas asociaciones. Estos son[6]:

Confederación	Categoría I	Categoría II	Categoría III	Categoría IV
AFC		USD 40,000	USD 10,000	USD 2,000
CAF		USD 30,000	USD 10,000	USD 2,000
CONCACAF		USD 40,000	USD 10,000	USD 2,000
CONMEBOL	USD 50,000	USD 30,000	USD 10,000	USD 2,000
OFC		USD 30,000	USD 10,000	USD 2,000
UEFA	EUR 90,000	EUR 60,000	EUR 30,000	EUR 10,000

Si un jugador es inscrito como profesional por primera vez, la compensación por formación se calculará multiplicando los costos de formación de la categoría del nuevo club por el número de años de formación del jugador. Para el caso de transferencias con dimensión internacional, la indemnización se calculará, con excepciones para traspasos dentro de la Unión Europea o el Espacio Económico Europeo[7], multiplicando los costos de formación del nuevo club por el número de años de formación con el club anterior. Hay que tener en cuenta que FIFA, para evitar unas compensaciones por formación excesivamente altas, ha fijado que los costos de formación de los jugadores entre sus 12 y 15 años de edad serán los de un club de Categoría IV.

Ejemplo: Un Jugador de nacido en enero de 1997 se encuentra registrado con un Club europeo A de Categoría II desde la temporada 2006/2009 hasta la temporada 2013/2014. Ese jugador se marcha libre al Club europeo B perteneciente a otra liga y de Categoría II también. La compensación por formación total que recibirá el Club A será de 130.000 euros:

---

[6]   Circular de la FIFA número 2805, de 8 de julio de 2022.

[7]   Si el jugador es transferido a un club de categoría superior, se realizará un promedio entre los costos de formación de ambos clubes. Si el jugador pasa a una categoría inferior, se tendrán en cuenta los costos del nuevo club inferior.

Año	Cuantía
2009	10.000 euros
2010	10.000 euros
2011	10.000 euros
2012	10.000 euros
2013	60.000 euros
2014 (mitad)	30.000 euros
Total	130.000 euros

El responsable del pago será el club que inscribe al jugador como profesional, en un plazo de 30 días a partir de la inscripción, o el nuevo club en las transferencias que se produzcan, también en un plazo de 30 días a partir de la inscripción del jugador en la nueva asociación.

Por su parte, el mecanismo de solidaridad, regulado en el artículo 21, premia a los clubes que contribuyeron a la educación y formación del jugador. En este sentido, si un jugador es traspasado durante la vigencia de su contrato, se deberá deducir un 5% de la cuantía del traspaso para premiar esa educación. La cuantía resultante se distribuirá entre los clubes en los que haya estado inscrito el jugador desde los 12 a los 23 años de la siguiente manera:

Año natural	Porcentaje
Del 12º cumpleaños al 15º cumpleaños	5% del 5% de la contribución de solidaridad por año.
Del 16º cumpleaños al 23º cumpleaños	10% del 10% de la contribución de solidaridad por año.

Para que este mecanismo de solidaridad se active será necesario que exista una dimensión internacional, esto e, cuando se realice un traspaso o cesión entre clubes de asociaciones distintas o cuando se realice entre clubes de la misma asociación pero el club formador pertenezca a otra asociación.

El nuevo club será el encargado de pagar esta compensación por solidaridad a los clubes formadores, en el plazo de 30 días desde la inscripción del jugador o, si hay pagos parciales, 30 días después de la fecha en que se realicen estos pagos.

Ejemplo: un Jugador nacido en 1988 es traspasado por 6 millones de euros. El Jugador estuvo inscrito en un Club desde julio de 2009 hasta junio de 2012. El Club tendrá derecho a 5% (mitad de 10%) + 10% (año entero 2010) + 10% (año entero 2011) de la contribución de solidaridad, esto es, 75.000 euros. No tendrá derecho a la mitad del año 2012 ya que es el año natural en el cual el Jugador cumplió 24 años.

Aunque este sistema nació con el objetivo de conseguir un mejor reparto de los recursos económicos dentro del fútbol y premiar a los clubes formadores, con el sistema previo a la Cámara de Compensación de FIFA se producían ineficiencias y fallos que impedían traspasar la normativa a la realidad, que, a pesar de las continuas modernizaciones e intentos de FIFA de cumplir ese objetivo, no han conseguido corregirse.

2.2 Una realidad muy distinta a lo previsto en la regulación

En más ocasiones de las deseables, sucede que la regulación y la realidad de aplicación se distancian de manera considerable. En la aplicación de la indemnización por formación y la contribución de solidaridad nos encontramos uno de estos casos. Como señala la FIFA, actualmente se pagan anualmente entre setenta y ochenta millones de dólares por estas compensaciones, cuando las cuantías que se deberían haber pagado son de entre cuatrocientos y quinientos millones de dólares[8]. Claramente, la idea no ha sido traspasada al terreno de juego.

El siguiente gráfico ejemplifica esa brecha entre las contribuciones devengadas y las cantidades efectivamente cobradas, ambas cantidades en millones de dólares:

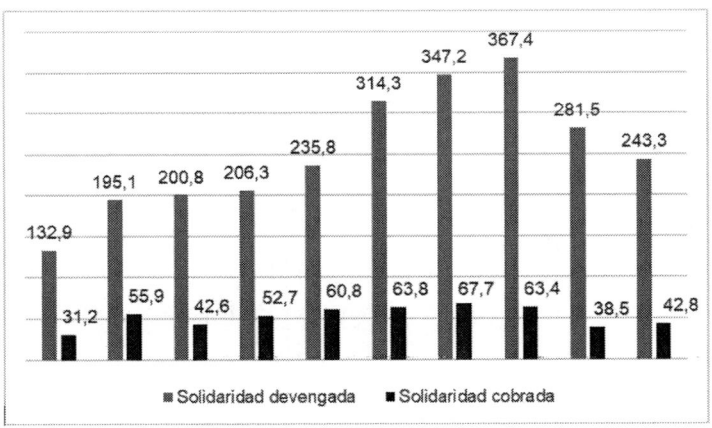

Fuente: Creación propia a partir de los datos de FIFA[9].

---

[8]   FIFA, "*Cámara de Compensación de la FIFA*". Link: https://www.fifa.com/es/legal/football-regulatory/clearing-house

[9]   FIFA, Webinario sobre la Cámara de Compensación de la FIFA, "*Cámara de Compensación de la FIFA —Webinario octubre 2022— Español (Part 1)*". Link: https://www.

Otro ejemplo de la falta de aplicación de la regulación es que en la temporada 2021/2022 se produjeron 1976 reclamaciones por indemnizaciones por formación y solidaridad, la segunda mayor cuantía después de las más de 2.000 reclamaciones que se produjeron en la temporada 2020/2021. La media de reclamaciones de este tipo desde la temporada 2017/2018 es de 1.661,2 por temporada. El aumento de estas reclamaciones ha obligado a FIFA a mejorar su eficiencia a la hora de resolver las disputas, pasando de una media de 32,8 semanas en 2018/2019 a 7,6 semanas en los últimos datos de 2021/2022[10].

Existe, por tanto, una discrepancia mayúscula entre las compensaciones que se deberían pagar y las compensaciones verdaderamente abonadas. Algunos factores que explican esta divergencia son:

1º El hecho de que muchos clubes formadores no conozcan qué jugadores han estado inscritos en su club ni si han sido traspasados por otros clubes. La monitorización de los jugadores no es posible en todos los clubes, especialmente en los clubes más modestos.

2º El desconocimiento de la norma por esos clubes formadores, muchos de ellos son clubes amateurs.

3º El aprovechamiento del sistema actual en detrimento de la correcta aplicación de la regulación. En la práctica, los clubes compradores no pagaban estas compensaciones esperando que los clubes formadores no le reclamasen. Aun existiendo un interés de demora del 5%, algunos clubes preferían optar por la opción de no pagar y esperar a esa reclamación.

4º Falta de transparencia de los clubes al entregar documentación o información

5º En el caso de la indemnización por formación uno de los principales problemas era la dificultad de conocer que un determinado jugador firmó un contrato profesional.

6º La sensación de complejidad del procedimiento de reclamación de estas compensaciones ante la FIFA que pueden tener los clubes modestos y amateurs.

---

youtube.com/watch?v=AobeF-tSua4&t=4195s

[10]   FIFA, "*Informe del Tribunal del Fútbol 2021/2022*", de 15 de septiembre de 2022, páginas 15 a 18.

Es patente la existencia de un error de aplicación de la regulación, diríamos incluso que más que un error hay una ausencia de aplicación de la regulación. Para solucionar este conflicto y aumentar las posibilidades de éxito de alcanzar el objetivo de aumentar la competitividad y mejorar el equilibrio entre clubes, la FIFA ha decidido crear la Cámara de Compensación, que, como desarrollaremos en el próximo punto, tratará de automatizar los pagos de las indemnizaciones por formación y las contribuciones de solidaridad.

3. LA CÁMARA DE COMPENSACIÓN DE LA FIFA. ANÁLISIS LEGAL Y PROCEDIMIENTO

Para solucionar estos problemas, la FIFA ha creado la Cámara de Compensación de la FIFA o *FIFA Clearing House,* con el fin de que exista un mecanismo automático para el cobro de las compensaciones por formación y solidaridad.

En octubre de 2018, el Consejo de la FIFA aprobó la implantación del primer paquete de reformas, en el cual se incluía la creación de una Cámara de Compensación. Tras una larga espera, en octubre de 2022, la FIFA aprobó las Regulaciones de la Cámara de Compensación, que comenzó a operar el pasado 16 de noviembre de 2022[11].

Varios son los resultados que pretende alcanzar la FIFA con la implantación de esta Cámara de Compensación. Primero, centralizar, tramitar y automatizar todos los pagos entre clubes e incluso con los agentes, aunque a día de hoy únicamente opera para la indemnización por formación y contribución de solidaridad. Segundo, crear una mayor transparencia e integridad financiera en el sistema de traspasos que ayude en la lucha contra el blanqueo de capitales y otras actividades fraudulentas.

El proceso de la Cámara de compensación se compone de tres fases: 1) Existencia de un factor que active la indemnización por formación o la contribución por solidaridad; 2) La elaboración de un Pasaporte Deportivo Electrónico; y 3) El reparto de las compensaciones a los clubes formadores.

---

[11]   Circular de la FIFA número 1817, de 8 de noviembre de 2022.

3.1 Activación de la indemnización por formación o la contribución por solidaridad

Como hemos explicado existen situaciones que generan el derecho de cobro de estas compensaciones para el club formador. Estas son: las transferencias internacionales, las transferencias nacionales con dimensión internacional y la primera inscripción como profesional.

Si en el ámbito de una federación un jugador pasa a ser inscrito como profesional, la información deberá ser compartida con FIFA en el plazo de 30 días[12]. El mismo plazo aplica en el caso de trasferencias nacionales con dimensión internacional, que deberán ser comunicadas a FIFA incluyendo la información general y el calendario de pagos.

Por lo tanto, cada vez que el nuevo club abone al antiguo club un pago del traspaso, se deberá comunicar a FIFA en el plazo de 30 días[13]. Esto mismo aplica en los casos en los que en el acuerdo de transferencia se incluya un porcentaje del beneficio obtenido en una futura venta ("*sell-on fee*"). En este sentido, generalmente se deberán cargar los comprobantes de pago en un plazo de 30 días a partir de la fecha de pago[14].

Para facilitar esa activación, la FIFA ha obligado a las federaciones miembro a implantar y utilizar sistemas electrónicos en el proceso de transferencias e inscripciones de jugadores[15]. Esta obligación conlleva que las federaciones miembro deberán:

1º Usar el International Transfer Matching Systema (ITMS) en los traspasos internacionales.

2º Crear un sistema electrónico de inscripción de jugadores.

3º Crear in sistema electrónico de transferencias nacionales.

---

[12] FIFA, "*Reglamento de la Cámara de Compensación de la FIFA*", Edición octubre de 2022, artículo 5.

[13] FIFA, "*Reglamento de la Cámara de Compensación de la FIFA*", Edición octubre de 2022, artículo 7.

[14] FIFA, "*Reglamento de la Cámara de Compensación de la FIFA*", Edición octubre de 2022, artículo 11.

[15] Circular de la FIFA número 1654, de 26 de noviembre de 2018 y Circular de la FIFA número 1679, de 1 de julio de 2019.

4° Integrar los sistemas creados con la herramienta de FIFA Connect ID[16].

Cuando se de alguno de los tres casos (incluyendo el "*sell-on fee*") que den derecho a este tipo de compensaciones, se generará un Pasaporte Deportivo Electrónico provisional.

3.2 El Pasaporte Deportivo Electrónico

El Pasaporte Deportivo Electrónico provisional se creará en el momento en el que se de alguno de los factores que generan el derecho a indemnización por formación o contribución de solidaridad. La misión en esta etapa es, a través de un proceso de revisión, generar un Pasaporte Deportivo Electrónico definitivo y una orden de asignación o *allocation statement*.

Cuando se crea ese Pasaporte provisional, se verificará con las federaciones miembro y los clubes durante un periodo de 10 días[17], tras el cual la FIFA abrirá un procedimiento de revisión de duración máxima de 10 días[18]. En este proceso de revisión, las federaciones miembro y los clubes podrán solicitar modificaciones de información y aportar documentación relevante para la correcta validación. De ésta se encarga la Secretaría General de la FIFA. En caso de que sean necesarios más documentos, la FIFA podrá solicitarlos antes de adoptar la decisión final. Asimismo, cuando existan disputas o una gran complejidad, existe la posibilidad que sean remitidos a la Cámara de Resolución de Disputas de la FIFA, para que resuelva lo que considere oportuno.

Tras todo este proceso, se creará el Pasaporte definitivo y la orden de asignación, en el cual se indicará la cantidad total que debe el nuevo club a los clubes formadores.

---

[16] Esta herramienta asigna identificadores a cada jugador, club o federación, posibilitando que la información existente y transferida sea lo más segura y veraz.

[17] FIFA, "*Reglamento de la Cámara de Compensación de la FIFA*", Edición octubre de 2022, artículo 8.

[18] FIFA, "*Reglamento de la Cámara de Compensación de la FIFA*", Edición octubre de 2022, artículo 9.

3.3 La distribución de las compensaciones

En esta fase es cuando entra en juego la Cámara de Compensación de la FIFA. Este organismo, establecido en París, es una verdadera entidad de pagos reconocida por la Autoridad Francesa de Supervisión Prudencial y Resolución (ACPR)[19], prácticamente independiente del organismo de la FIFA. Así, la dirección ejecutiva de la Cámara de Compensación es totalmente independiente, mientras que en el órgano de supervisión habrá, en un total de cinco miembros, dos personas elegidas por FIFA.

La Cámara de Compensación actuará como un intermediario en el pago, convirtiéndose en el club formador para los ojos del nuevo club, y en el nuevo club desde el punto de vista de los clubes formadores.

Una vez obtenida la orden de asignación, la FIFA la enviará a la Cámara de Compensación. Asimismo, los clubes recibirán los términos y condiciones, que deberán aceptar en un plazo de 7 días. Tras esto, la Cámara de Compensación realizará una evaluación del cumplimiento debido de todas las partes en un plazo de entre 15 y 45 días[20].

Si la evaluación resulta satisfactoria se enviará una notificación de pago al nuevo club, que deberá pagar a la Cámara de Compensación en un plazo de 30 días[21] y, una vez recibido el pago, será distribuido entre los clubes formadores en el plazo de dos días. El proceso total de pago tendrá una duración de aproximadamente 84 días.

En caso de que el club no abone la totalidad del pago en el plazo de 30 días, la Cámara de Compensación le cobrará una tasa administrativa del 2,5% y abrirá un nuevo plazo de siete días para que realice el pago. El incumplimiento de ese segundo plazo conllevará la incoación de un procedimiento disciplinario[22].

---

[19]   FIFA, "*La autoridad francesa de supervisión bancaria concede la licencia a la Cámara de Compensación de la FIFA*". Link: https://www.fifa.com/es/legal/media-releases/la-autoridad-francesa-de-supervision-bancaria-concede-la-licencia-a-la

[20]   FIFA, "*Reglamento de la Cámara de Compensación de la FIFA*", Edición octubre de 2022, artículo 15.

[21]   FIFA, "*Reglamento de la Cámara de Compensación de la FIFA*", Edición octubre de 2022, artículo 13.

[22]   FIFA, "*Reglamento de la Cámara de Compensación de la FIFA*", Edición octubre de 2022, artículo 13.

Por último, los datos y estadísticas generales, incumplimientos y faltas de pago deberán ser informados a la FIFA, los primeros para uso estadístico y los segundos podrían derivar en la imposición de posibles sanciones.

Con este nuevo sistema, la FIFA ha querido pasar del gran número de demandas de reclamación de cantidad y de incumplimientos a una automatización que distribuya las compensaciones a los clubes formadores, creando un sistema aparentemente más eficiente, rápido y sencillo.

4. IMPLICACIONES DE LA CREACIÓN DE LA CÁMARA DE COMPENSACIÓN EN LOS DISTINTOS *STAKEHOLDERS*

Igual que el anterior sistema "manual" de transferencias traía obligaciones, responsabilidades y problemas a los distintos grupos de interés del mundo del fútbol, con esta modernización surgirán nuevas implicaciones para éstos. En este apartado analizaremos cómo afecta la Cámara de Compensación en varios agentes de este deporte.

4.1 Jugadores

A primera vista quizás sea el grupo con menos implicaciones, o, al menos con menos obligaciones en este procedimiento. Sin embargo, sí que van a tener un papel fundamental en la cesión de datos personales para la creación de los pasaportes electrónicos deportivos.

En estos pasaportes se incluirá información personal del jugador, el factor desencadenante de la compensación, los datos de inscripciones anteriores y toda documentación necesaria para calcular los pagos de formación. Esta información estará disponible para los clubes y federaciones en ese proceso.

Aunque según la FIFA los datos personales estarán encriptados y no todos los clubes o federaciones tendrán acceso a ellos, en el Reglamento de la Cámara de Compensación se indica que el Pasaporte definitivo será accesible a través de TMS para todos los clubes y federaciones miembros, por lo que existe la posibilidad de utilizar los datos personales para otros motivos, factor que adquiere aún más gravedad cuando pensamos en jugadores menores de edad[23].

4.2 Clubes

Los clubes quizás sean los más afectados por la medida ya que serán los que experimenten más cambios en la práctica. El nuevo sistema será un gran impulso para los clubes formadores ya que verdaderamente verán recompensado ese gasto e inversión en la formación de jugadores.

Como hemos señalado, los clubes pequeños y modestos eran los que más sufrían las ineficiencias del anterior sistema. Únicamente los clubes más ordenados o con un control económico rígido y establecido eran capaces de hacer uso de este sistema, en gran parte de las ocasiones haciendo un uso erróneo de él. No es extraño que en la temporada 2021/2022 el 32.2% de los clubes demandantes perteneciesen a Brasil, Argentina y Colombia o que la confederación que más demandas presento de forma conjunta fue CONMEBOL con 913[24].

Anteriormente, el club formador debía ser consciente del factor desencadenante de las compensaciones, en caso de incumplimiento debía presentar una demanda dentro de los 2 años y 30 días siguientes a la fecha del factor desencadenante, debía decidir la Secretaría General de la FIFA o la Cámara de Resolución de Disputas, y el pago era una cosa entre clubes. Con el nuevo sistema todo ello desaparece, la integración de sistemas permite la identificación automática del factor desencadenante por parte de FIFA, no es necesario presentar demanda ya que el proceso será automático, la Cámara de Resolución de Disputas únicamente entrará en casos de gran complejidad y, algo de gran importancia, el pago lo realizará la Cámara de Compensación de la FIFA.

Todo ello supone, sobre el papel, un gran avance para la protección de los clubes formadores y una mayor seguridad jurídica en cuanto al cobro de las reclamaciones.

---

[23]   de Dios Crespo Pérez, J. y Lozano Medina, P., *"La importancia de la FIFA como Cámara de Compensación en los traspasos y transferencias de jugadores entre clubes de fútbol"*, IUSPORT, febrero de 2022, páginas 9 y 10.

[24]   FIFA, *"Informe del Tribunal del Fútbol 2021/2022"*, de 15 de septiembre de 2022, páginas 15 a 18.

4.3 Federaciones miembro

Al igual que los clubes, las asociaciones tendrán un papel fundamental en el sistema, ya que participarán en varias de las etapas del procedimiento. Aunque ya están obligadas, deberán cumplir con las obligaciones explicadas en el punto 3.1. para conseguir la integración de sistemas. A través del registro e inscripción de jugadores realizados por las federaciones se activaran los factores que desencadenan todo este proceso.

En caso de incumplimientos en el registro de transferencias e inscripción de jugadores, las asociaciones podrán ser sancionadas por FIFA con una multa. Asimismo, cuando el incumplimiento haya derivado en la falta de cobro de la compensación por el club formador, la federación deberá pagar una indemnización al club formador por importe de la compensación por formación no abonada[25].

Aunque 196 federaciones tienen sincronizado su registro de transferencias nacionales con el Transfer Matching System (TMS) de FIFA, en muchos casos la información proporcionada no cumple con los requisitos necesarios. Cerca de un 25% de los pasaportes electrónicos no contienen datos de inscripción y el 70% no contiene datos completos en los primeros años de inscripción[26].

Por lo tanto, las federaciones miembro deben seguir trabajando en la mejora de sincronización de datos y en los registros electrónicos domésticos de jugadores y transferencias.

4.4 Agentes

Tal y como indicábamos en el apartado 1 de este trabajo, el segundo paquete de modificación del sistema de traspasos incluía una nueva regulación de los intermediarios. Así, en enero de 2023, la FIFA publicó el polémico nuevo Reglamento sobre Agentes de Fútbol.

En la nueva regulación, FIFA, entre otras, retorna al sistema de licencias, implanta el requisito de aprobar un examen y limita las comisiones

---

[25]   FIFA, *"Reglamento de la Cámara de Compensación de la FIFA"*, Edición octubre de 2022, artículo 17.

[26]   FIFA, Webinario sobre la Cámara de Compensación de la FIFA, *"Cámara de Compensación de la FIFA —Webinario octubre 2022— Español (Part 2)"*. Link: https://www.youtube.com/watch?v=AobeF-tSua4&t=4195s

de los agentes. No exenta de polémica, esta última medida consiste en la limitación de las comisiones de los agentes (estableciendo unos límites más relajados en caso de que la remuneración sea menor a 200.000 USD) de la siguiente manera:

- Club comprador: 3% de la remuneración del jugador.

- Club vendedor: 10% de la remuneración del traspaso.

- Jugador: 3% de la remuneración del jugador.

El objetivo de ello es mejorar la transparencia y, por lo tanto, la imagen de los agentes, pero existe un grupo de agentes que considera que la nueva regulación contraviene la normativa de protección de datos y de libre mercado de la Unión Europea.

Así, según el artículo 13 del nuevo reglamento de agentes, todas las comisiones de los agentes tengan que pagarse a través de la Cámara de Compensación de la FIFA, posibilitando el control de esa limitación de la cuantía de las comisiones. Por tanto, se prevé que esta Cámara se transforme en el pilar principal del sistema de traspasos internacional.

5. CONCLUSIONES

En los últimos quince años, FIFA ha tratado de adaptar la regulación a la realidad del fútbol. Así, en 2008, lanzó la herramienta Transfer Matching System (TMS), que se volvió obligatoria a partir de 2010. Aunque en un primer momento el TMS recibió críticas o dudas en cuanto a su funcionamiento, ha acabado siendo todo un éxito en el registro de transferencias internacionales. El objetivo de FIFA con la Cámara de Compensación es el mismo, aunque se deben tener en cuenta varios factores que pueden afectar negativamente al proyecto.

En este sentido, la aparente complejidad del procedimiento puede acarrear posibles efectos negativos en los clubes y federaciones más modestas. Clubes de países menos desarrollados podrían verse perjudicados al tener que realizar todos los pasos del procedimiento, como son la verificación, aportación de documentos, aceptación de términos, evaluación de cumplimiento debido, etc.

Asimismo, hay casos de clubes formadores que acuerdan que se cobre la compensación en un único pago al realizarse el traspaso, ofreciendo un descuento al nuevo club o casos en los que los clubes acuerdan que será el club vendedor el encargado de realizar todos los pagos de formación. Para estos casos parece que los clubes podrán presentar renuncias a las compensaciones solicitadas por los clubes formadores, pero habrá que ver cómo se adapta a la práctica de la industria.

Otro factor a tener en cuenta es que la Cámara de Compensación únicamente admitirá pagos en euros, dólares americanos y libras. Es cierto, que el 98% de las transacciones utilizan estas divisas y que la normativa ya obliga al pago en euros o en dólares de la indemnización por formación, pero esto afectará a algunos clubes, normalmente los clubes de países más modestos[27].

Por último, el fútbol es una industria que genera miles de millones de euros. Únicamente en España el fútbol profesional generó en la temporada 2016/2017 un impacto en la actividad económica de 15.688 millones de euros, equivalente al 1,37% del PIB nacional[28]. Ante estos datos, aumenta la seguridad en afirmar que la intención de FIFA no es que únicamente los pagos de compensación por formación y solidaridad se realicen a través de la Cámara de Compensación (como hemos visto suponía un impacto de 400 millones de dólares), sino que entran en ella las remuneraciones de los agentes y entrarán los propios traspasos de los jugadores. Es más, éstas transacciones entrarán, más pronto que tarde, al nuevo sistema de pagos establecido por la FIFA.

6. REFERENCIAS BIBLIOGRÁFICAS

FIFA, "*La Visión 2020-2023*". Link: https://publications.fifa.com/es/vision-report-2021/resumen-del-ano/.

FIFA, "*Historial y logros alcanzados Comisión de Grupos de Interés del Fútbol*". Link: https://digitalhub.fifa.com/m/a48d951cd58b45f6/original/f02xf1uv2ynsch6p7llg-pdf.pdf.

FIFA, "*Reglamento sobre el Estatuto y la Transferencia de Jugadores*", Edición octubre de 2022.

Circular de la FIFA número 2805, de 8 de julio de 2022.

FIFA, "*Cámara de Compensación de la FIFA*". Link: https://www.fifa.com/es/legal/football-regulatory/clearing-house.

---

[27]   Cuando algún club abone la contribución de solidaridad en otra divisa, la Cámara de Compensación la convertirá directamente a euros tomando como referencia el tipo de cambio de la fecha de pago de la transferencia, lo que podría traer consecuencias adicionales.

[28]   PwC, "*Impacto económico, fiscal y social del fútbol profesional en España*", diciembre de 2018, página 4.

FIFA, Webinario sobre la Cámara de Compensación de la FIFA, "*Cámara de Compensación de la FIFA - Webinario octubre 2022 - Español (Part 1)*". Link: https://www.youtube.com/watch?v=AobeF-tSua4&t=4195s.

FIFA, "*Informe del Tribunal del Fútbol 2021/2022*", de 15 de septiembre de 2022.

Circular de la FIFA número 1817, de 8 de noviembre de 2022.

FIFA, "*Reglamento de la Cámara de Compensación de la FIFA*", Edición octubre de 2022.

Circular de la FIFA número 1654, de 26 de noviembre de 2018.

Circular de la FIFA número 1679, de 1 de julio de 2019.

FIFA, "*La autoridad francesa de supervisión bancaria concede la licencia a la Cámara de Compensación de la FIFA*". Link: https://www.fifa.com/es/legal/media-releases/la-autoridad-francesa-de-supervision-bancaria-concede-la-licencia-a-la.

DE DIOS CRESPO PÉREZ, J. y LOZANO MEDINA, P., "*La importancia de la FIFA como Cámara de Compensación en los traspasos y transferencias de jugadores entre clubes de fútbol*", IUSPORT, febrero de 2022.

FIFA, Webinario sobre la Cámara de Compensación de la FIFA, "*Cámara de Compensación de la FIFA —Webinario octubre 2022— Español (Part 2)*". Link: https://www.youtube.com/watch?v=AobeF-tSua4&t=4195s.

PwC, "*Impacto económico, fiscal y social del fútbol profesional en España*", diciembre de 2018, página 4.

La terminación contractual del deportista profesional y las causas válidamente consignadas en el contrato de trabajo

ÁNGEL OLMEDO JIMÉNEZ

Socio del Departamento Laboral y de Sports & Entertainment de J&A Garrigues, S L.P.

1. INTRODUCCIÓN

Las peculiaridades de la relación laboral especial del deportista profesional, unidas a las del propio mercado deportivo, convierten a la negociación contractual en uno de los aspectos de mayor trascendencia a la hora de establecer las condiciones laborales que han de regir entre el jugador y la entidad deportiva.

En un entorno cada vez más exigente y competitivo, las cláusulas que prevén la posible extinción del contrato de trabajo por la concurrencia de determinados sucesos, ya sea de índole deportiva o de cualquier otra naturaleza, son más que habituales.

La importancia de las repercusiones que la terminación contractual ostenta entre las partes, especialmente en cuanto a lo que hace al lucro de compensaciones de naturaleza indemnizatoria, revelan el carácter crucial del análisis de los pronunciamientos judiciales que vienen a interpretar la eventual validez de las previsiones recogidas en los acuerdos suscritos entre las partes.

Como resulta obvio, este tipo de pactos, fruto del principio de autonomía de la libertad, se analizan desde el prisma del cumplimiento de los requisitos legales y del necesario equilibrio de las partes en cuanto a su conformación.

2. MARCO REGULATORIO

Tal y como nos tiene habituados el legislador, y máxime en el marco de la regulación de la relación laboral del deportista profesional, las previsiones que encontramos en los textos legales respecto de la terminación contractual por las causas válidamente consignadas en el acuerdo contractual son, ciertamente, muy sucintas.

2.1 Las causas válidamente consignadas en el contrato de trabajo como lícita razón de resolución de la relación laboral especial del deportista profesional

Como es bien conocido, el apartado g) del artículo 13 del Real Decreto 1006/1985, de 26 de junio, por el que se regula la relación laboral especial de los deportistas profesionales (en lo ulterior, RDAD), en idéntico sentido a lo prevenido en el artículo 49.1.b) del Estatuto de los Trabajadores, prevé que la relación laboral del deportista profesional se extinga por las causas válidamente consignadas en el contrato.

Dicha posibilidad, no obstante, encuentra como límite que las previsiones acordadas no constituyan manifiesto abuso de derecho por parte del club o entidad deportiva.

Según cabe apreciarse, la previsión extintiva del Real Decreto opera, única y exclusivamente, cuando el citado abuso de derecho derive de la actuación del club o entidad deportiva, y no en los supuestos en los que éste pudiera devenir de la actuación del jugador.

Esta precisión, que pudiera resultar poco justificable en un entorno en el que, por regla general (al menos en la elite deportiva), puede observarse la práctica identidad de fuerzas en el ámbito de la negociación contractual, revela la precaución adoptada por el legislador, a la hora de otorgar una mayor protección a la figura del empleado; en este caso, del jugador.

Nuestro Tribunal Supremo, en su Sentencia de fecha 3 de febrero de 2010, (RJ 2010/1433), dictada en relación con la causa de terminación recogida en el artículo 49.1.b) del Estatuto de los Trabajadores, ya tiene establecido que el precepto legal permite que las partes del contrato puedan pactar causas de resolución del contrato distintas a las previstas por la ley, pero a su vez obliga a examinar si la condición resolutoria resulta o no abusiva, pues el principio de autonomía de la voluntad de las partes cede, necesariamente, en tales casos.

Asimismo, la doctrina científica[1] considera que son tres los requisitos para la validez de dichas cláusulas: (i) su inclusión en el contrato de trabajo, (ii) que la causa que las propicie se válida y (iii) que aquélla no constituya abuso de derecho por parte del club o entidad deportiva.

2.2 La inexistencia de compensación indemnizatoria en los supuestos de válida terminación contractual por causas válidamente consignadas en el contrato de trabajo

A diferencia de otros supuestos de terminación contractual recogidos en el artículo 13 (como la cesión definitiva, la expiración del tiempo convenido, la muerte o lesión que produzca la incapacidad permanente total o absoluta o la gran invalidez del deportista, la disolución o liquidación del club o la crisis económica que justifique la reestructuración de la plantilla o el despido cuando este no resulta calificado como procedente), la extinción de la relación laboral por las causas válidamente reseñadas en el contrato no otorga al empleado el derecho a percibir cantidad indemnizatoria alguna con motivo de tal terminación, salvo, obviamente, que otra cosa se haya expresamente convenido.

Esta circunstancia, como resulta obvio, convierte en habitualmente litigiosos los casos en los que se arbitra por la entidad deportiva la finalización del contrato de trabajo, siendo nuestros Juzgados y Tribunales los que resuelven las controversias suscitadas en interpretación de la eventual validez de la cláusula que origina la finalización de la relación entre las partes.

A mayor abundamiento, la tarea de deslindar tal figura de otras que pudieran ser cercanas (como el despido) se torna como fundamental, puesto que, como ya hemos advertido, la gran mayoría de las causas que propician la terminación contractual del deportista profesional se encuentran legalmente protegidas con el abono de alguna compensación o indemnización.

---

[1]   GARCÍA SILVERO, E. La extinción de la relación laboral de los deportistas profesionales. Aranzadi. Cizur Menor. 2008 (página 207).

2.3 Las referencias en los textos paccionados

Los Convenios Colectivos que regulan la actividad profesional del deporte suelen guardar silencio sobre la terminación contractual por la razón que venimos estudiando.

No obstante, en lo que concierne al Baloncesto masculino, el artículo 17.4.2 del Convenio prevé que los clubes perderán sus derechos sobre los jugadores por las causas válidamente consignadas en el contrato, en supuestos tales como:

(i)   incumplimiento grave por parte del club de las obligaciones contractuales básicas (poniendo como ejemplo el que afecta a los derechos fundamentales, ocupación efectiva y retribución), siempre que tales causas se hayan concretado pormenorizadamente en el contrato, y,

(ii) por revocación de la inscripción del jugador en la competición, salvo que la misma sea justificada (i.e.: lesiones, sanción federativa o sanción disciplinaria firme impuesta por el club).

De nuevo, y como resulta patente, se trata de una previsión garantista para el trabajador y que le permitiría, en la mayor parte de las ocasiones, iniciar un procedimiento al amparo del artículo 50 del Estatuto de los Trabajadores, solicitando la extinción indemnizada de su contrato de trabajo, por incumplimientos graves y culpables de la entidad deportiva.

3. LA DOCTRINA JUDICIAL Y SU CARÁCTER CASUÍSTICO

En una materia como las que nos atañe es lógico observar una amplia variedad en cuanto a los pactos, siendo esta tan elevada como creativa pueda ser la mente de los negociadores en liza[2].

Por ello, y sin perjuicio de discriminar aquellos supuestos de carácter más episódico, hemos decidido ordenar el análisis de la cuestión aglutinando aquellos bloques que resultan más recurrentes en cuanto a su enjuiciamiento.

---

[2]   Otros supuestos enjuiciados por la doctrina judicial pueden verse en GONZÁLEZ DEL RÍO, J. M. Deportistas profesionales un breve análisis a tres décadas del RD 1006/1985. Revista del Ministerio de Empleo y Seguridad Social, número 118, 2015 (página 119).

3.1 Pactos sobre la posible no renovación del contrato de trabajo o su terminación anticipada

Nuestros Juzgados y Tribunales han venido estudiando la validez de determinadas previsiones contractuales en las que las partes aludían a la posibilidad de renovar el contrato de trabajo que mantenían entre ellas.

Así, por ejemplo, la **Sentencia del Tribunal Superior de Justicia de Asturias, de fecha 8 de junio de 2001, (AS 2001/1711),** en la que las partes habían acordado la posible renuncia unilateral, por cualquiera de ellas, al acuerdo de renovación para la siguiente temporada. El Club ejercitó tal cláusula y el trabajador demandó por entender que tal circunstancia constituía un supuesto de despido.

El Tribunal, ratificando la decisión de instancia, otorga validez a la decisión de la entidad deportiva, confirmando que, en ningún caso, puede hablarse de despido, y, con ello, reconociendo la legalidad del pacto para la terminación contractual, como fruto de la libertad contractual[3].

De idéntico parecer comulga, la **Sentencia del Tribunal Superior de Justicia de Cataluña, de fecha 14 de diciembre de 2017, (JUR 2018/82800)**[4], que ratifica la terminación contractual anticipada del contrato, prevista para ambas partes, incluso aunque la compensación pactada es inferior a la prevista para los supuestos de despido improcedente.

Sobre este particular, la resolución razona que la extinción contractual se ampara en una razón lícitamente pactada entre Club y deportista y que, en consecuencia, no operan consecuencias legalmente previstas para conclusiones contractuales de otra naturaleza, como puede ser el despido del trabajador.

---

[3] *"Y porque la decisión de instancia en modo alguno supone abandonar al arbitrio del deudor el cumplimiento de sus obligaciones. Ni significa tal cosa, ni en ello se ha fundado expresa o implícitamente, sino —de nuevo— en todo lo contrario. En las libres y no viciadas voluntades de ambas partes, que concurrieron en el único consentimiento contractual (artículo 1262 del Código Civil), que es ley de las obligaciones por él creadas (artículos 1091, 1255, 1258 y 1278 del mismo cuerpo legal) y cuyo contenido —de eficacia reconocida en la propia sentencia y no dependiente del albedrío personal del demandado, sino también y junto a él de la voluntad del propio actor— ha sido precisamente el objeto del pleito".*

[4] La resolución se ha analizado con mayor profundidad en OLMEDO JIMÉNEZ, Ángel. Revista Doctrina Aranzadi Social número 53/2016. Aranzadi. Cizur Menor. 2016.

Del mismo modo, y ya en materia de terminación anticipada unilateral por el Club, el **Tribunal Superior de Justicia de Extremadura, en Sentencia de fecha 2 de junio de 2009, (AS 2009/2211)**, declaró la ilicitud de una cláusula que sometía la validez del contrato, en una de sus temporadas, a que el cargo de presidente de la entidad se desempeñase por una determinada persona.

El Fallo considera que tal previsión contraviene el artículo 1.256 del Código Civil, pues reside en una sola de las partes, el Club, la posible continuidad del vínculo. Por ende, condenó a la entidad deportiva a abonar la compensación prevista en el contrato para los casos de despido improcedente.

Igualmente, la **Sentencia del Tribunal Superior de Justicia de Asturias, de fecha 1 de diciembre de 2020, (JUR 2021/42325),** consideró nula la cláusula que permitía a un equipo ciclista terminar el contrato del deportista si el equipo era incapaz de continuar la actividad para la siguiente temporada.

En este caso, el Club se había acogido a dicha cláusula, y a una serie de problemas económicos, que le impedían continuar su actividad en la siguiente temporada, para finalizar la relación con el ciclista.

El Fallo concluye que la previsión contractual contraviene el artículo 1.256 del Código Civil; de ahí que la entidad deportiva resultó condenada a abonar la indemnización por despido improcedente[5].

3.2 La extinción por no superación del reconocimiento médico

La posible extinción del contrato por la no superación del reconocimiento médico es una cuestión que, cuando se encuentra prevista en los contratos de trabajo, ha suscitado, asimismo, dudas sobre su validez.

Es lógico que cláusulas de este tenor se incorporen a los contratos de trabajo, puesto que la adecuada aptitud física del deportista se encarna como uno de los presupuestos básicos para la efectiva concertación del acuerdo contractual.

---

[5]   *"La cláusula litigiosa carece de amparo en el art. 13.g) del RD 1006/85 ( ) pues es una cláusula que deja al arbitrio de la propia recurrente, en este caso a su decisión de no seguir financiando el equipo, la posibilidad de extinguir el contrato antes del periodo pactado, sin que el trabajador tenga derecho a indemnización alguna, contraviene lo dispuesto en el art. 1256 del Código Civil".*

Así, por ejemplo, la **Sentencia del Tribunal Superior de Justicia de Andalucía (sede Sevilla), de fecha 7 de abril de 2000, (AS 2000/1050)**, estimó como válida la cláusula que permitía la extinción del contrato de trabajo del jugador si el reconocimiento médico resultaba negativo.

Del mismo tenor comulga, la **Sentencia del Tribunal Superior de Justicia de Andalucía (sede Sevilla), de fecha 6 de junio de 2012, (JUR 2012/328577).**

En ambos casos, las dolencias físicas del jugador hacían que, a juicio de los médicos responsables, no se apreciara la aptitud física suficiente para el desempeño de la prestación de servicios como jugador profesional de balompié.

En sentido contrario, la **Sentencia del Tribunal Superior de Justicia de Galicia, de fecha 11 de mayo de 2007, (AS 2007/2655),** declaró ilícita la previsión contractual que permitía la resolución contractual del vínculo entre las partes si el reconocimiento médico daba resultado negativo.

Como criterio diferencial respecto de los dos anteriores supuestos, la resolución toma en consideración que, en el presente, no se establecía ningún plazo para la efectiva acometida de los exámenes médicos y siendo que los mismos se produjeron cuando ya se habían disputado por el jugador varios partidos de competición y éste ya había sido presentado oficialmente ante los medios de comunicación[6].

3.3 La terminación contractual amparada en la no consecución de determinados objetivos deportivos

Quizá nos encontramos ante la coyuntura que ha propiciado un mayor número de resoluciones en la materia que nos compete, siendo el significado de las mismas notoriamente dispar.

---

[6] *"La cláusula 4ª del contrato suscrito, sometimiento a examen médico a efectos de la aptitud del jugador para la práctica del fútbol, no fijaba plazo al efeto, limitándose a decir "en el plazo designado por el club" ( ). De este modo, el Club hizo una inasumible utilización de la cláusula, dado que sin haber designado plazo alguno en su momento (según preveía la cláusula contractual) acudió al examen médico previsto ya en tiempo inadecuado para con la finalidad de la misma. Así se considera a la vista de que el examen médico fue llevado a cabo transcurrido mes y medio desde el contrato y tras haber jugado el actor diversos minutos en 7 partidos de pretemporada ( ), haber sido presentado oficialmente como jugador del Club el día 20 de julio y no haber sufrido lesión, a diferencia de 6 jugadores del Club".*

En efecto, la propia dinámica del deporte hace innegable inferir que los clubes se encuentren interesados en finalizar los contratos de sus deportistas (ya sean estos jugadores o entrenadores) cuando no se cumplan una serie de objetivos competitivos.

Así, por ejemplo, la reciente **Sentencia del Tribunal Superior de Justicia de las Islas Canarias (Las Palmas), de fecha 27 de octubre de 2021, (AS 2022/467)**, calificó como despido improcedente la terminación contractual de un jugador de baloncesto, en virtud de la cláusula contractual que permitía tal resolución para el supuesto de que el Club no quedase clasificado entre los ochos primeros en la temporada 2019/2020).

Conviene reseñar, por la especialidad del supuesto de hecho enjuiciado, que, en el litigio, no se discutió la validez de la cláusula, sino su aplicación en un supuesto en el que la temporada no pudo concluir, de modo regular, a causa de la pandemia de COVID y en el que, por el cambio en el formato competitivo, variaban las circunstancias previamente consignadas en cuanto a la posibilidad de alcanzar determinados puestos en la competición.

En concreto, al no poder finalizar, de modo habitual, la competición regular, se estableció un nuevo modo de atribución de posiciones clasificatorias que hacía prácticamente inaplicable, en idénticas condiciones, la previsión convencional.

Por su parte, la **Sentencia del Tribunal Superior de Justicia de Madrid, de fecha 11 de enero de 2019, (AS 2019/1269)**, convalida la terminación de la relación laboral de un jugador como fruto del descenso del club de categoría, sin que el deportista haya de abonar cantidad alguna a la entidad deportiva, al haber sido así estipulado en las cláusulas contractuales.

En idéntico sentido, y con motivo del descenso de categoría de los equipos en que militaban los deportistas, el **Tribunal Superior de Justicia de Murcia**, en sus **Sentencias de fecha 20 de octubre de 2014, (JUR 2015/4708), 16 y 23 de febrero de 2015, (AS 2015/454) y 4 de mayo de 2015 (JUR 2015/130620)**, estima procedente la conclusión de la relación laboral operada por el Club.

Resulta importante reseñar que, algunas de las resoluciones, la posterior obtención de la plaza, debido a razones administrativas, no empece a la lícita terminación contractual concluida por el órgano judicial[7].

---

[7] *"La fecha del despido, aceptada por la sentencia recurrida, es la de 30 de junio de 2013, y, en esa fecha se había producido la condición resolutoria pactada, por lo que el contrato*

Igual conclusión alcanza la **Sentencia del Tribunal Superior de Justicia de País Vasco, de fecha 5 de junio de 2007, (JUR 2007/337889),** al considerar ajustada a derecho la cláusula que permitía la no renovación del contrato si el equipo no había militado, durante determinada temporada, en una categoría profesional, circunstancia ésta que no se cumple íntegramente en el periodo objeto de estudio.

También se estimó lícitamente terminado el contrato de un entrenador de balonmano cuando éste no alcanzó a clasificar al equipo en la Champions League, según preveía su contrato de trabajo, en la **Sentencia del Tribunal Superior de Justicia de Navarra, de fecha 24 de julio de 2008, (AS 2009/1838)**[8].

Al igual que se ha expuesto previamente, el hecho de que, con posterioridad a la comunicación extintiva, el Club pudiera participar en dicha competición gracias a una invitación de la Federación Internacional de Balonmano no influye en la declaración judicial de validez de la cláusula resolutoria pactada entre las partes, así como en sus efectos y consecuencias.

4. CONCLUSIONES

Sin ánimo de exhaustividad, y con el carácter sucinto que esta obra impone, consideramos oportuno reflejar ciertas reflexiones de índole práctica:

a) El principio de la autonomía de la libertad, consagrado por nuestro Código Civil, cuenta con un importante margen de actuación en una relación laboral especial como la de los deportistas profesionales, y, especialmente, en lo que concierne a la regulación de la terminación del contrato de trabajo.

Esta facultad, que encuentra limitaciones en cuanto a su ejercicio en el eventual abuso de derecho por parte de las entidades deportivas,

---

se extinguió por la causa prevista en el mismo, y ello no es constitutivo de despido, sino de extinción pactada de común acuerdo por ambas partes, sin constancia de vicio alguno del consentimiento, ni abuso de derecho en su introducción en el contrato, pues se trata de una cláusula que contiene un equilibrio formal y que puede beneficiar o perjudicar de igual manera a ambas partes".

[8] Para un análisis más exhaustivo de esta resolución puede verse MARTÍN HERNÁNDEZ, María Luisa. Revista Doctrina Aranzadi Social número 20/2010. Aranzadi. Cizur Menor. 2010.

ofrece un campo abonado a la interpretación judicial de las cláusulas que, en su caso, puedan ser pactadas entre las partes.

b) Sin perjuicio de que, como se anticipaba, el campo en que el pueden operar las causas válidamente consignadas en el contrato para la terminación contractual es muy amplio, las que han ofrecido un mayor grado de controversia son aquellas referidas a:

a. La no renovación del contrato de trabajo o su finalización anticipada.

b. La no superación de los exámenes y reconocimientos médicos.

c. La no consecución de objetivos deportivos.

c) Es complicado establecer una línea general sobre la validez de las cláusulas puesto que el análisis que se realiza de las mismas es muy casuístico y depende, en gran medida, tanto de las circunstancias que las propician como de la ejecución que de ellas se efectúa en el caso concreto.

d) A pesar de que se han validado cláusulas que permiten la extinción del contrato de trabajo por la no obtención de objetivos deportivos (véase el contenido del apartado 3.3 precedente), consideramos que posibles previsiones que tuvieran un carácter más limitado (i.e.: terminación contractual por no obtener un determinado número de puntos en los primeros partidos oficiales o finalización contractual por no conseguir un determinado número de goles a lo largo de la temporada) podrían encontrar un acomodo jurídico más complicado.

5. REFERENCIAS BIBLIOGRÁFICAS

DURÁN LÓPEZ, F. La relación laboral especial de los deportistas profesionales. Relaciones Laborales, número 10. 1985.

GARCÍA SILVERO, E. La extinción de la relación laboral de los deportistas profesionales. Aranzadi. Cizur Menor. 2008.

GONZÁLEZ DEL RÍO, J. M. Deportistas profesionales un breve análisis a tres décadas del RD 1006/1985. Revista del Ministerio de Empleo y Seguridad Social, número 118, 2015.

MARTÍN HERNÁNDEZ, M. Revista Doctrina Aranzadi Social número 20/2010. Aranzadi. Cizur Menor. 2010.

OLMEDO JIMÉNEZ, A. Revista Doctrina Aranzadi Social número 53/2016. Aranzadi. Cizur Menor. 2016.

El complejo control jurisdiccional de la revocación y suspensión de licencias deportivas en la nueva ley del deporte: entre su publificación y su carácter privado

GIL MANUEL PEREA CRESPILLO
Abogado

1. INTRODUCCIÓN

A la fecha de elaboración del presente trabajo, la nueva Ley del Deporte se encuentra en su fase final de adopción. El Pleno del Congreso de los Diputados acaba de aprobar el Proyecto de Ley y ahora se remite al Senado para continuar su tramitación parlamentaria donde se abrirá una ronda de ponencia y comisiones antes de la proposición de enmiendas previas a su aprobación definitiva. No obstante, a pesar de las modificaciones que pudieran surgir en el texto en lo que resta de tramitación, casi con seguridad, parece que en lo que se refiere al régimen jurídico de las licencias deportivas, este mantendrá su actual redacción.

Dicho régimen jurídico merecería la realización de ciertas considera-ciones ante las peculiaridades que presenta. Y entre ellas, interesa aquí centrarse en el control administrativo (cuando así se haya previsto) y juris-diccional que el Proyecto de Ley prevé en relación con las actuaciones de las Administraciones y federaciones con afectación a la licencia deportiva y que deriva, precisamente, de una previa catalogación entre actos de carác-ter público y actuaciones de naturaleza privada que no siempre resultará clara.

La nueva Ley del Deporte contempla, en este contexto que se describe, a la licencia deportiva como un acto hibrido. A veces tendrá la consideración de una actuación de naturaleza privada y otras como un acto administrativo. Y no siempre será fácil determinar cuando estamos en uno y otro ámbito, especialmente, cuando lo que determina tal carácter, según se verá a continuación, es el resultado de lo actuado: si el procedimiento disciplinario finaliza con la suspensión definitiva de todos los derechos inherentes a la licencia, entonces se publifica la actuación y la decisión adoptada es un acto administrativo recurrible ante el Tribunal Administrativo del Deporte y de control posterior jurisdiccional en vía contencioso-administrativa. Por el contrario, cuando el procedimiento no implica la revocación o suspensión definitiva de la licencia, entonces la actuación es de naturaleza privada y el control corresponderá a la jurisdicción civil o mediante su sometimiento a un sistema arbitral (cuyo régimen jurídico, quepa añadir, es de dudosa conformidad a nuestro ordenamiento constitucional).

Es cierto que esta determinación (que a continuación se desarrollará con mayor profundidad) venía siendo ya concretada por la doctrina jurisprudencial. Pero no por ello existen ciertas dificultades que el legislador no ha sabido (o querido) solventar. En especial, aquéllas relativas al aseguramiento de los derechos y garantías de los deportistas en los correspondientes procedimientos disciplinarios que sean tramitados. A título de ejemplo podemos adelantar una de estas cuestiones: si la aplicación procedimental y sustantiva es de derecho administrativo puede considerarse que existe una predeterminación al resultado que deja al interesado en una esfera de indefensión. Si no se produce tal aplicación, pero el resultado acaba siendo la revocación o suspensión definitiva de la licencia, el deportista sancionado se encuentra igualmente afectado en su esfera de protección por no haberse tramitado el procedimiento con las garantías jurídicas suficientes.

En definitiva, la hibridación de la licencia, a medias entre acto administrativo y acto privado, supone realmente que las actuaciones que se desarrollen y que tengan afectación a su contenido puedan estar viciadas ante un régimen jurídico que es complejo en su articulación, aplicación y en la salvaguarda de los derechos de los afectados.

2. DEL RÉGIMEN JURÍDICO PREVISTO EN LA NUEVA LEY DEL DEPORTE

Uno de los rasgos más característicos de la nueva Ley del Deporte será sin duda el nuevo control de las sanciones disciplinarias. O mejor dicho, el desplazamiento de la solución de las controversias al ámbito civil, ya sea jurisdiccional o mediante el sistema arbitral implantado, que surjan como consecuencia de las decisiones que se adopten en materia de disciplina deportiva por las federaciones dentro de su ámbito competencial.

Dicha traslación del control en la solución de conflictos en materia deportiva se lleva a cabo mediante una regulación compleja en su conformación. Así, el nuevo texto parte, en primer lugar, de la diferenciación entre i) la disciplina deportiva, entendida como aquélla que deriva de la vulneración de las reglas del juego y la competición y ii) el régimen sancionador ejercido por las Administraciones Públicas sobre las personas físicas y jurídicas previstas en el ámbito de la Ley:

> *"Artículo 91*
> *1. Se entiende por régimen sancionador en materia de deporte aquel que se ejerce por la Administración General del Estado sobre las personas físicas o jurídicas incluidas dentro del ámbito de aplicación de esta ley por las infracciones previstas en el presente título.*
> *2. Se entiende por régimen disciplinario el establecido, en su caso, por las federaciones deportivas españolas en sus propios estatutos y reglamentos y referido a la infracción de las reglas de juego o competición, su aplicación y la organización de las competiciones.*
> *Son infracciones de las reglas del juego o competición, a los efectos de esta ley y de la delimitación del régimen disciplinario, las acciones u omisiones que, durante el curso del juego o competición, vulneren, impidan o perturben su normal desarrollo. (…)"*

Si bien, puede pensarse que esta clasificación conceptual de regímenes represivos y, por ende, de conductas infractoras y atribución de competencias disciplinarias/sancionadoras ya se venía reconociendo en el anterior texto, la realidad es que estamos ante un nuevo esquema, en el que, además de incorporar un régimen sancionador de carácter asociativo ajenos a estos dos anteriores (es decir, un tercer ámbito), el control administrativo y jurisdiccional de las decisiones que se adopten el marco de cada uno de ellos se altera de manera sustancial, resultando ciertamente confuso su aplicación.

Como se ha señalado, a partir de ahora, las sanciones impuestas en el ámbito de la disciplina deportiva no serán recurribles ante el Tribunal Administrativo del Deporte ni consecuentemente ante la jurisdicción contenciosa-administrativa. Y a tal fin, la nueva regulación distingue entre actos de naturaleza pública y actuaciones de carácter privado.

Así las cosas, en lo que concierne a los actos administrativos previstos en el artículo 110, los mismos podrán ser impugnados de conformidad con lo establecido en la Ley 39/2015, de 1 de octubre, del Procedimiento Administrativo Común de las Administraciones Públicas y en la Ley 29/1998, de 13 de julio, reguladora de la Jurisdicción Contencioso-administrativa. Adicionalmente, el artículo 114 dispone en su apartado 4º que "*Las resoluciones del Tribunal Administrativo del Deporte agotan la vía administrativa y se ejecutarán a través de la correspondiente federación deportiva española o liga profesional, que será responsable de su estricto y efectivo cumplimiento. Frente a sus resoluciones se podrá interponer recurso contencioso-administrativo ante los Juzgados Centrales de lo Contencioso-Administrativo, de acuerdo a lo que establece el artículo 9.1.f) de la Ley 29/1998, de 13 de julio, reguladora de la Jurisdicción Contencioso-administrativa.*"

Por el contrario, en lo relativo a las actuaciones de carácter privado establecidas en el artículo 111, serán los tribunales del orden civil los competentes para conocer de las mismas, salvo las relativas a la prevención de la insolvencia. No obstante, la nueva Ley preverá con carácter alternativo la necesaria implantación por las federaciones deportivas españolas y las ligas profesionales de un sistema común de carácter extrajudicial de solución de conflictos a los que también se podrán someter dichas controversias, que para los deportistas será voluntaria y gratuita, no así para el resto de los agentes del deporte cuyo sometimiento parece configurarse con carácter obligatorio.

Así se explica, en definitiva, en la propia Exposición de Motivos del texto aprobado con el siguiente tenor:

> "*Por otro lado, nos encontramos con el régimen disciplinario, derivado de la vulneración de las reglas del juego y la competición, que esencialmente se deja en manos de las federaciones deportivas y ligas profesionales dentro de su ámbito competencial; las cuales establecerán su propio sistema de infracciones, sanciones y forma de coerción de estas conductas, respetando los principios esenciales del procedimiento administrativo sancionador pero sin la intervención del poder público en instancia alguna, por lo que el Tribunal Administrativo del Deporte ya no conocerá en vía de recurso de las sanciones impuestas a miembros de estas entidades ni, lógicamente, el orden contencioso-administrativo. Por el contrario, las diferencias que se sustancien en este ámbito serán susceptibles de resolverse en la correspondiente jurisdicción civil, o mediante el sometimiento voluntario y previo a un sistema arbitral.*
> *No obstante, se exceptúan aquellas sanciones que supongan privación, revocación o suspensión definitiva de todos los derechos inherentes a la licencia por la comisión de infracciones muy graves. Esta puntualización se justifica*

por el carácter público del acto de otorgamiento de la licencia deportiva, ya que resultaría de todo punto incongruente que este acto esté sometido a ulterior revisión administrativa por el interés público que presenta pero, sin embargo, a través de un expediente disciplinario se le pueda revocar aquella sin que la Administración tenga capacidad de intervención.

Una vez producida la infracción, se dispone en la ley los órganos disciplinarios que deben poseer las entidades con competencias al respecto. Así, se diseña un modelo abierto, de tal forma que no exige, pero permite la existencia de una segunda instancia, al igual que no se impone un número concreto de integrantes de dichos comités, con el requisito de que al menos uno de los miembros de los citados órganos deberá tener formación jurídica. (…) Esta ley incluye un título relativo a la solución de conflictos más desarrollado que el de su antecesora, intentando resolver la indeterminación jurídica existente hasta la fecha en la que no se deslindaba con concreción qué tipo de actos tenían naturaleza privada y cuáles eran actos administrativos susceptibles de recurso en las formas establecidas en la legislación sobre procedimiento administrativo común.

También se regula en este título el Tribunal Administrativo del Deporte, remitiéndose la mayor parte de su contenido al posterior desarrollo reglamentario, pero manteniendo la regulación de sus competencias y del nombramiento de sus miembros de acuerdo a criterios de objetividad y al cumplimiento de la presencia equilibrada por razón de género. Se destaca en esta regulación la falta de competencia en el régimen disciplinario deportivo con la salvedad de aquellas sanciones que supongan privación, revocación o suspensión completa de los derechos inherentes a la licencia, así como la modificación de su intervención en los procesos electorales en los términos que se han indicado. Sobre los conflictos que se puedan producir en un proceso electoral, el modelo existente hasta la fecha, en el que el Tribunal Administrativo del Deporte resolvía las disputas, ha permitido solucionar la gran mayoría de cuestiones que ante este órgano se planteaban, evitando la judicialización y, por ende, paralización de los procesos electorales. Por ello, se apuesta por el modelo actual, incorporando una serie de mejoras encaminadas a perfeccionar su funcionamiento."

Ahora bien, como ya se desprende de la propia Exposición de Motivos, en este nuevo marco de solución de conflictos en el deporte que se ha descrito se prevé una importante excepción: los actos de sanción disciplinaria que supongan la privación, revocación o suspensión definitiva de todos los derechos inherentes a la licencia por la comisión de infracciones muy graves.

Así, en origen, el citado artículo 110 relativo a los actos de naturaleza administrativa expresamente prevé que tienen tal carácter "*a) Los de expedición o denegación de expedición de licencias deportivas*" y, por lo tanto, en su apartado 3 se le reconoce el régimen de recurso en los términos previstos en el título V capítulo II de la Ley 39/2015, de 1 de octubre, del Procedimiento Administrativo Común de las Administraciones Públicas.

Ahora bien, en lo que se refiere a la privación de la licencia con carácter definitivo y derivado de una decisión adoptada en el marco de la disciplina deportiva, su efectiva determinación requiere de la interpretación conjunta de los siguientes preceptos. Por una parte, el artículo 91 dispone en su apartado 3 que: *"las infracciones de las reglas del juego o competición previstas en la normativa interna de la correspondiente federación deportiva española cuya sanción suponga la privación, revocación o suspensión definitiva de todos los derechos inherentes a la licencia tendrán la consideración de actos dictados por entidades privadas susceptibles de recurso en los términos previstos en el capítulo II del título V de la Ley 39/2015, de 1 de octubre, del Procedimiento Administrativo Común de las Administraciones Públicas."*

Asimismo, el artículo 114 establece que el Tribunal Administrativo del Deporte, en cuanto órgano colegiado de ámbito estatal que actúa con independencia funcional de la Administración General del Estado, asume, entre otras, la función de conocer de los recursos contra las sanciones impuestas por los órganos disciplinarios de las federaciones deportivas españolas que supongan la privación, revocación o suspensión definitiva de todos los derechos inherentes a la licencia. Y claro, como hemos visto, en su apartado 4 se establece que frente a esta resolución cabe la interposición del recurso contencioso-administrativo.

Régimen que acaba completándose por lo dispuesto en el artículo 111 al prever que tendrán naturaleza privada, entre otras, *"d) Todas las actuaciones relativas a licencias deportivas distintas a la establecida en el artículo 91.3"*, es decir, las relativas a la privación, revocación o suspensión definitiva de todos los derechos inherentes a la licencia deportiva.

3. LAS (INSUFICIENTES) GARANTÍAS DE LA TRAMITACIÓN DE LOS PROCEDIMIENTOS DISCIPLINARIOS

3.1 La licencia deportiva y la constante evolución de su naturaleza

Hasta este punto puede decirse que el texto normativo proyecta, como actos de naturaleza administrativa, los de las federaciones deportivas, entre otros, i) de expedición o denegación de expedición de licencias deportivas y ii) de privación, revocación o suspensión definitiva de todos los derechos inherentes a la licencia. Esto supone que el resto de las actuaciones con afectación en las licencias deportivas mantienen su carácter privado, de relación entre partes, manteniendo en el ámbito civil las cuestiones que en este sentido puedan llegar a darse.

Tal y como se ha avanzado, esta circunstancia responde a la propia esencia de las licencias deportivas cuya naturaleza ha venido siendo delimitada por nuestros Tribunales. Cabe recordar que, inicialmente, la licencia se concebía con un título habilitante para el ejercicio de una actividad privada desplegando sus efectos jurídicos en el ámbito estrictamente privado. Sin embargo, esta perspectiva de origen se ha ido haciendo más compleja, entre otros motivos, por su publificación, eso sí, con un alcance limitado.

En este sentido, el Auto del Tribunal Supremo (Sala de conflictos) de 14 de junio de 2001 ya afirmó que *"No se puede, pues, compartir la conclusión de que las licencias de los jugadores de fútbol sólo producen efectos en la esfera laboral, y no tienen conexión alguna con una de las materias propias del derecho administrativo, cual son las habilitaciones o autorizaciones, y ello porque, a) la licencia federativa constituye título habilitante para participar en competiciones oficiales deportivas de ámbito estatal —artículos 32.4 de la Ley del Deporte y 7.1 del RD sobre Federaciones Deportivas— y, consecuentemente, su otorgamiento y contenido incide en la organización de las competiciones deportivas de ámbito estatal. El alcance y contenido de este título habilitante —similar, "mutatis mutandi", por ejemplo, a una autorización o permiso de residencia, que también se exige para el ejercicio de la prestación de trabajo para extranjeros— forma parte del "marco general" de las competiciones, y se inscribe en la esfera de fomento de empleo, que el Estado viene obligado a fomentar y garantizar, conforme al artículo 43.3 de la Constitución. b) la licencia del jugador de fútbol que se concibe como "documento expedido por la RFEF que le permite la práctica de tal deporte como federado y su alineación en partidos y competiciones oficiales" (artículo 129.2 del Reglamento General), constituye una manifestación de la llamada Administración Corporativa, cuya función viene sometida al derecho administrativo, y a su régimen de recursos, de modo que los actos realizados en ejercicio de la función delegada por la administración deportiva son recurribles ante el Consejo Superior de Deportes, cuyas resoluciones agotan la vía administrativa (artículos 3.3 Real Decreto 1835/1991 y 5.2 de los Estatutos de la RFEF)."*

Así pues, la licencia se publifica y comienza a ser un título administrativo, con las características clásicas de una autorización y en donde se produce un acto de intervención pública. A este respecto, puede hacerse alusión, incluso, a la ya referida Exposición de Motivos del texto del Proyecto de Ley del Deporte que señala lo siguiente: *"No obstante, conviene reseñar determinados ámbitos donde la tutela del Estado se hace necesaria. En primer lugar, se destaca el sistema de licencias para la participación en competiciones deportivas oficiales de ámbito estatal e internacional, donde se consagra el carácter administrativo de su expedición o denegación, que ya estableció el Tribunal Supremo a través de diversas sentencias, así como las consecuencias de tal calificación. El carácter público se justifica en la necesidad de que la Administración Pública pueda verificar el respeto a los derechos de las personas deportistas, en especial los relativos a las personas menores de edad, personas extranjeras y/o pertenecientes a grupos étnicos así como de toda expresión de género, orientación e identidad sexuales a la hora de conceder o denegar las licencias por parte de las federaciones deportivas españolas."*

Y este proceso de publificación al que nos venimos refiriendo, que se limitaba en un primer momento al acto de otorgamiento o denegación, ha sido igualmente extendido en lo que a la suspensión de sus efectos se refiere. Así, en la Sentencia núm. 708/2017, de 25 abril, el Tribunal Supremo afirmó que: *"La Federación puede suspender la licencia federativa —que ha otorgado mediante el ejercicio de funciones públicas de carácter administrativo— únicamente ejerciendo funciones públicas que tenga conferidas por la Ley —en este caso— mediante el ejercicio de la potestad disciplinaria en la forma establecida en la norma legal."*

Ahora bien, la hibridación del acto o el reconocimiento de la licencia a veces como acto administrativo y otras como acto de carácter privado lleva a que el establecimiento del régimen de adopción sea complejo de articular, especialmente, cuando sea necesario asegurar el cumplimiento de los requisitos formales y sustantivos que nuestro ordenamiento jurídico-público impone. Y es que, el régimen de conformación de las voluntades administrativas debe desarrollarse mediante un procedimiento reglado y en atención a una legislación sustantiva básica, en tanto que, la observancia de ambos elementos se conforma como garantía jurídica de los administrados en el seno de los procedimientos administrativos, especialmente, aquéllos de carácter sancionador o desfavorable.

Es cierto que el legislador en este extremo ha intentado, en la medida de lo posible, cumplir con ambas, sin embargo, las mismas podrían presumirse insuficientes al afectar a un elemento tan esencial de nuestro sistema constitucional como es la adecuada defensa y tutela de los derechos de los deportistas y demás actores que se someten a estos procedimientos de disciplina deportiva.

3.2 *De las garantías procedimentales previstas en la nueva Ley del Deporte*

Como decimos, el legislador, previsor de las dificultades que presentan estos procedimientos disciplinarios que se sancionan con la revocación, suspensión o privación definitiva de la licencia deportiva, ha intentado dotar de una serie de garantías mínimas administrativas a estos procedimientos.

En este sentido, como se ha visto, el Proyecto de Ley remite a la regulación que se establezca en los estatutos y reglamentos federativos o competicionales, pero impone en su artículo 91 que las infracciones de las reglas del juego (y por lo tanto, aquéllas que se sancionen con la suspensión o privación de la licencia), deberán respetar los principios esenciales del procedimiento administrativo sancionador:

> "(…) A estas infracciones les serán de aplicación los principios de tipicidad, responsabilidad, proporcionalidad, audiencia y demás elementos que conforman los principios generales del Derecho sancionador.
>
> *Las actas reglamentarias firmadas por jueces o árbitros son un medio de prueba necesario de las infracciones a las reglas deportivas y gozan de presunción de veracidad, con excepción de aquellos deportes que específicamente no las requieran, y sin perjuicio de los medios de prueba en contrario que puedan aportar las personas interesadas.*
>
> *Las federaciones deportivas deberán aprobar un reglamento disciplinario que contenga el conjunto de infracciones, clasificadas por su gravedad y sus consecuencias jurídicas en el ámbito deportivo, así como el sistema de reclamación o de recurso contra las mismas.*
>
> *3. Sin perjuicio de lo establecido en el apartado anterior, las infracciones de las reglas del juego o competición previstas en la normativa interna de la correspondiente federación deportiva española cuya sanción suponga la privación, revocación o suspensión definitiva de todos los derechos inherentes a la licencia tendrán la consideración de actos dictados por entidades privadas susceptibles de recurso en los términos previstos en el capítulo II del título V de la Ley 39/2015, de 1 de octubre, del Procedimiento Administrativo Común de las Administraciones Públicas.* (…)"

Igualmente, el artículo 108 establece la previsión que mediante las normas privadas de la competición se dispondrá de una doble instancia en lo que a las infracciones en materia disciplinaria que supongan privación, revocación o suspensión definitiva de los derechos inherentes a la licencia se refiere:

> *"Artículo 108. Órganos competentes.*
>
> *1. Las infracciones en materia disciplinaria que supongan privación, revocación o suspensión definitiva de los derechos inherentes a la licencia de la presente ley se investigarán y, en su caso, sancionarán, en primera instancia, por los órganos disciplinarios que estén previstos en los Estatutos y reglamentos de las federaciones deportivas españolas con la condición de actos dictados en el ejercicio delegado de la función pública disciplinaria.*
>
> *Los órganos disciplinarios que actúen en primera instancia podrán ser unipersonales o colegiados.*
>
> *Potestativamente, los estatutos y reglamentos de las federaciones deportivas españolas podrán establecer un comité de apelación con competencias para la revisión de las sanciones impuestas por los órganos disciplinarios que actúen en primera instancia. Los comités de apelación serán órganos colegiados.* (…)"

Como puede verse, se ha intentado buscar la aplicación de mecanismos propios del ámbito administrativo-sancionador que aseguren los derechos de los interesados en el seno de estos procedimientos. Sin embargo, ¿son suficientes?

3.3 De las insuficiencias de las garantías procedimentales y materiales

El procedimiento administrativo y los principios que lo rigen son, en esencia y de por sí, garantía de los derechos e intereses de los administrados a un procedimiento justo, equitativo y que tiene por fin la acreditación objetiva y fehaciente de la comisión de la infracción que lleve a la imposición de la sanción, entre otros, mediante la participación en el procedimiento del propio interesado permitiendo que éste pueda desplegar los argumentos que estime pertinentes. De esta manera, se consigue, igualmente, que el derecho a la tutela de sus intereses quede garantizado. Es este el motivo por el que, en materia de derecho público, la inobservancia del procedimiento puede conllevar la anulación (dependiendo de la intensidad, alcance y afectación del trámite no cumplido) de lo actuado.

En materia de disciplina deportiva, como vemos, la Ley no hará más que remitir a la aplicación de los principios administrativos sancionadores. Pero claro, la intensidad y el alcance aplicativo de los mismos quedan en manos de las federaciones en cuanto que son éstas las que en sus normas estatutarias y reglamentarias dispondrán del procedimiento que, a su consideración, mejor se adecuen al cumplimiento de estos principios. La remisión es clara a los principios no a las normas administrativas reguladoras, las cuales tampoco contienen una previsión de aplicación subsidiaria a dicho régimen privado.

Por lo tanto, ya no es solo que sea al arbitrio de estas entidades cómo serán ejercidas las funciones públicas delegadas que tienen atribuidas, sino que se desplaza al ámbito puramente privado el ejercicio de las mismas. Es decir, que estos procedimientos infractores que pueden ser sancionados con la suspensión, privación o revocación definitiva de la licencia, que en palabras del Tribunal Supremo suponen una función pública, se excepcionan del régimen público-administrativo.

A este respecto, es difícil admitir tal excepción en el marco de nuestro sistema constitucional y ordinamental. Porque el problema no es solo formal, que más o menos puede ser remediado mediante la aplicación en idénticos términos por parte de las federaciones del modelo actual tramitación administrativa recogida en nuestras normas públicas. Sino que el marco de excepción también alcanza (o al menos eso parece) a la regulación material ¿es posible alegar las causas de nulidad o anulabilidad de actos recogidas en la Ley 39/2015 que permitan evidenciar el vicio de la decisión? Parece dudoso cuando recordemos que la regulación se ha desplazado al ámbito privado y, por lo tanto, serán las normas estatutarias las que dispongan este régimen. Pero claro está, nos encontramos ante un acto que al mismo tiempo la Ley le dotará de carácter administrativo, que se ejerce, insistimos, en el marco de una función pública delegada. Entonces ¿qué y cómo aplicamos?

Una regulación a medias como la que se propone generará un marco de indefensión que, según su aplicación por cada federación deportiva, con serias dificultades, no garantizará el mismo nivel de protección que lo hace la normativa pública. Y especialmente, en este tipo de procedimientos en los deportistas y otros actores pueden ver como la licencia, el título administrativo que les habilita para la práctica, incluso profesional, de la actividad deportiva se les revoca, priva o suspende de manera definitiva.

Hay quien pudiera pensar que la solución pasa por la aplicación de la normativa pública desde el origen, esto es, desde la incoación del procedimiento disciplinario. Sin embargo, además de no atender a la realidad y agilidad con la que se tramita estos procedimientos por sus implicaciones a la propia competición, de producirse tal aplicación cabe preguntarse si puede considerarse que hay una predeterminación del resultado y de la sanción a imponer. Claro este es otro problema que puede surgir. Si las garantías procedimentales y materiales del procedimiento están condicionadas por el resultado, por la sanción que finalmente sea impuesta, lo que se está produciendo es un juicio previo que obviamente está prohibido por ser absolutamente contrario a esos principios sancionadores administrativos que, ante todo, parten de asegurar los derechos de los administrados. No parece que la presunción de inocencia ni el interés o sesgo jurídico de estas entidades al inicio del procedimiento sea neutro, de tal manera que la sanción de suspensión no se adoptará como consecuencia de los resultados valorativos que resulten de la instrucción.

Desde luego, no es un tema menor y, sobre todo, no presenta una solución fácil que permita a estas entidades (con las capacidades que presentan) adoptar los mecanismos necesarios, al mismo tiempo que proteger y asegurar los derechos de los deportistas y el resto de los agentes implicados de igual manera que lo haría el desarrollo de un procedimiento administrativo sancionador en el marco de la normativa pública. Será interesante analizar estos procedimientos y ver como las federaciones deportivas serán capaces de realizar una tramitación adecuada ante el desplazamiento de esta responsabilidad que al respecto pretende hacer el legislador.

4. ADICIONALMENTE ¿ÚNICAMENTE EN SANCIONES DE PRIVACIÓN, SUSPENSIÓN Y REVOCACIÓN DEFINITIVAS?

Otras de las cuestiones que plantean dudas ante esta nueva ordenación del régimen de excepción de los actos con afectación a los derechos que otorga las licencias deportivas, es si la publificación solo alcanza a los supuestos en los que la privación, suspensión o revocación sea de carácter definitivo o también cuando tales acciones sean limitadas temporalmente. Y las dudas que se originan tienen su base en la propia doctrina jurisprudencial establecida por el Tribunal Supremo.

Por ejemplo, en su Sentencia de 11 diciembre 2012, la Sala de lo Contencioso-Administrativo, extendía su doctrina a supuestos de suspensión provisional:

> *"E) Amén de ello, juega a favor de esa conclusión otra razón jurídica que la Sala de instancia tampoco dejó de tener en cuenta. La jurisprudencia de este Tribunal Supremo afirma (así, en sentencias de 18 de junio, 10 de julio de 2003 y 23 de febrero de 2004 (RJ) que "los acuerdos de las Federaciones Deportivas en relación con las licencias, aun realizados por asociaciones o entidades privadas, son adoptados por aquéllas en el ejercicio de funciones llevadas a cabo por delegación del poder público". Como es lógico, sin que deba ser de otro modo, pues estar en posesión de una licencia deportiva es un requisito preciso para poder participar en competiciones deportivas oficiales (art. 32.4 LD y 7.1 del citado Real Decreto 1835/1991). Por ende, la privación o la suspensión temporal de una licencia, ha de entenderse que constituye una decisión de igual naturaleza, como una manifestación más de ese ejercicio de funciones públicas de carácter administrativo, aunque su causa sea la aplicación de una norma sancionadora y aunque ésta rija una competición de ámbito internacional."*

Como se ha analizado, el texto propuesto publifica la licencia y, por ende, su control al acto de privación o suspensión definitiva, pero excluye, por omisión, los actos de alcance temporal. Y ello, como se puede constatar va contra la propia doctrina jurisprudencial del Alto Tribunal que no lleva a cabo tal limitación entendiendo que, en todo caso, estamos ante el ejercicio de una función pública.

Los efectos de suspensión provisionales o definitivos son muy graves, porque impide el efectivo ejercicio de la actividad. El título habilitante queda suspendido en cuanto a sus efectos y por eso, el ejercicio en todo su ámbito se publifica.

Así pues, puede considerarse que, en este punto, la propuesta normativa que será aprobada contravendrá la propia doctrina que viene marcando el Alto Tribunal.

5. CONCLUSIONES

La configuración de actos híbridos en nuestro ordenamiento jurídico no ha escapado de problemas, porque la adopción de los mismos y su aplicación presentan constantes dudas que al final se trasladan de manera desfavorable a los intereses de sus destinatarios.

Este es el claro ejemplo de la licencia deportiva. La siempre discutida naturaleza de la misma, derivada de su constante evolución jurisprudencial, nos ha llevado a un escenario confuso y en el que la nueva Ley del Deporte (o por lo menos el Proyecto de Ley a esta fecha aprobado por el Congreso) no ayuda a esclarecer.

La dificultad del entramado jurídico previsto en la Ley, en lo que a su régimen jurídico respecta, resulta especialmente significativo en la tramitación, adopción y control jurisdiccional de los procedimientos que lleven a la suspensión, revocación y privación definitiva de los derechos inherentes a estos títulos habilitadores.

El desarrollo de éstos, a pesar de resultar actos de naturaleza pública, queda condicionado a la actuación y voluntad de las propias federaciones que deberán definir un marco procedimental suficientemente garantista de los derechos de los presuntos infractores. Y por ello, o se buscan mecanismos apropiados (no fáciles en su determinación) o difícilmente podrá considerase que la actuación disciplinaria se ha desarrollado con pleno respeto a las garantías jurídicas de los sancionados.

En definitiva, el problema continua, y por qué no decirlo, incluso se agrava con esta nueva configuración legal que pretende ser aprobada.

DERECHO PENAL Y DEPORTE

Coord. Silvia Verdugo

Consideraciones bioéticas y jurídicas sobre la biotecnología con fines deportivos[1]

ELENA ATIENZA MACÍAS

Profesora de Derecho Constitucional e Investigadora del Grupo de Investigación "Integración Europea y Derecho Patrimonial en un contexto global" de la Facultad de Derecho, Universidad de Deusto

SUMARIO: 1. LA MEJORA COGNITIVA Y EMOCIONAL EN EL DEPORTE. ESTADO DE LA CUESTIÓN. 2. ALGUNAS PRECISIONES CONCEPTUALES PREVIAS: EL "DOPAJE" VS. EL LLAMADO "DOPAJE DEL DÍA A DÍA". 2.1 El caso de las intervenciones cosméticas. 2.2 El caso del incremento de las capacidades sexuales. 2.3 El caso de los estudiantes y la mejora de la capacidad intelectual. 2.4 Otros casos de "dopaje" del día a día. 3. EL DOPAJE GENÉTICO. UN CASO PARADIGMÁTICO. 4. APROXIMACIÓN CONCEPTUAL AL DOPAJE GENÉTICO. 4.1 Posición normativa: la Agencia Mundial Antidopaje 4.2 Nuestra postura. Dopaje genético y distinción de figuras afines. 5. El "MOOD ENHANCEMENT" COMO CATEGORÍA INCLUIDA DENTRO DEL "HUMAN ENHANCEMENT" O INTERVENCIONES DE MEJORA EN EL DEPORTE. 6. ALGUNOS PARADIGMAS ÉTICO-JURÍDICOS DEL "HUMAN ENHANCEMENT" O INTERVENCIONES DE MEJORA EN EL DEPORTE. 7. REFLEXIONES CONCLUSIVAS Y APERTURA A NUEVOS INTERROGANTES. 8. REFERENCIAS BIBLIOGRÁFICAS.

1. LA MEJORA COGNITIVA Y EMOCIONAL EN EL DEPORTE. ESTADO DE LA CUESTIÓN

A nadie le resultan desconocidos (lamentablemente), los casos de deportistas que muestran conductas ciertamente "violentas" en el terreno de juego. Se trata de actitudes provocadoras, cargadas de agresividad y, que se encuentran, por ende, muy alejadas de la deportividad predicable para el mundo deportivo. Tal es el caso de tenistas —que, al ver la derrota cerca, se enseñan con su raqueta, en una actitud anti ejemplarizante— o la bochornosa estampa de la violencia en el fútbol, que, sin duda alguna, supone un espectáculo nefasto para el deporte y su esencia.

Poniendo estos casos sobre el tapete, uno reflexiona y piensa: ¿no podrían administrarle, al atleta en cuestión, una pastilla "milagrosa" que le

---

[1] Para la publicación de este capítulo se ha contado con la ayuda del Departamento de Educación del Gobierno Vasco destinada a apoyar las actividades de los Grupos de Investigación del Sistema Universitario Vasco (Ref. IT1472-22).

cambie el carácter y *mejore* el comportamiento hacia uno más acorde a lo que se ha de exigir a un deportista de élite? A este planteamiento o formulación rudimentaria, se le conoce, en términos más técnicos, como "Mood Enhancement" o mejora del carácter y desde una perspectiva peyorativa o negativa como "dopaje" emocional o incluso, mental. Se recurre al término "dopaje" por estar circunscrito al mundo del deporte, si bien esto resulta muy controvertido y discutido[2], como veremos. Y es que con la expresión inglesa *mood* se hace referencia, en algunos casos, a estados de humor, en otros, a emociones, e incluso a enfermedades como la depresión y otros trastornos afectivos y de ansiedad.

De esta forma, si bien el dopaje en la esfera de lo físico (*versus* lo psíquico) viene siendo objeto de (acalorados) debates y profusas disertaciones desde perspectivas de cariz diverso, menos atención han recibido otros condicionantes que son oportunos en la mejora del rendimiento deportivo tal es el caso de la mejora cognitiva y emocional.

Y es que, desde el propio nacimiento del deporte, se ha sido consciente de que la *fuerza* psicológica supone una decidida repercusión en el rendimiento deportivo. No extraña, por tanto, la definitiva implantación de la conocida como "psicología deportiva". Quizá de forma algo exagerada, en el mundo del deporte se suele afirmar que "la diferencia entre ganar y perder es un 99 % psicológico"[3] o que "el 90 % del deporte es mental"[4]. Por eso, no es extraño que todo gran club deportivo o federación que se precie ha de tener a un psicólogo entre su equipo de apoyo a los deportistas (entrenadores, médicos, fisioterapeutas, etc.).

En los últimos años nuevas formas de conocimiento y tratamiento de las capacidades mentales y emocionales han experimentado un desarrollo sin parangón. Nos referimos a la neurociencia y farmacología, que tienen su raíz en el cerebro. Una de sus promesas es la de alterar los estados emocio-

---

[2]   Cfr. DAVIS, N., "Neurodoping: Brain Stimulation as a Performance-Enhancing Measure", *Sport Medicine,* Núm. 8, Vol. 43, 2013 y PÉREZ TRIVIÑO, J. L.,"Sport Enhancement: from Natural Doping to Brain Stimulation", *International Journal of Technoethics,* Vol. 5, 2014, págs. 82-93 y del mismo "Mood Enhancement and Doping", *Performance Enhancement and Health,* Núm. 1, Vol. 3, 2014, págs. 26-30.

[3]   WILLIAMS, J. M., *Applied Sport Psychology: Personal Growth to Peak Performance,* Mayfield Publishing, Palo Alto, California, Estados Unidos de América, 1986, pág. 124.

[4]   GARLAND, D. J. / BARRY, J. R., *Sport expertise: The cognitive advantage,* Perceptual and Motor Skills, 70, 1990, pág. 1299.

nales en pro del logro, por parte de los sujetos, de la superación de etapas de depresión, limitaciones de la personalidad como la timidez, el miedo o la ansiedad.

Paralelamente y aplicando esta ecuación al terreno deportivo, estas mejoras emocionales pueden repercutir, de forma directa, en el rendimiento del atleta[5], lo cual plantea numerosos interrogantes: ¿qué se puede decir sobre el dopaje y la mejora cognitiva?, ¿qué significa e implica el hecho de incrementar las capacidades emocionales de los atletas?, ¿los tratamientos de mejora en humanos son éticamente aceptables y jurídicamente viables en el contexto deportivo? y de ser así, ¿dónde hemos de situar la línea divisoria entre lo que es legal y lo que no lo es? En otras palabras, ¿cuál debería ser el criterio para la evaluación ético-jurídica de estos tratamientos?

Son múltiples los interrogantes y es un enfoque poliédrico el que impera en esta cuestión, que nos introduce en el sempiterno debate en torno al dopaje en el deporte.

2. ALGUNAS PRECISIONES CONCEPTUALES PREVIAS: EL "DOPAJE" VS. EL LLAMADO "DOPAJE DEL DÍA A DÍA"

Si bien el dopaje no tiene un origen reciente, sólo desde hace unos años se conoce y reconoce como una práctica específicamente deportiva y directamente vinculada a la competición. En consecuencia, no procede apropiarse del término "dopaje" para un segmento que no sea el del deporte[6].

Pero, si revisamos la historia del dopaje y sus orígenes, se constata que también al realizar otras actividades físicas, aunque no sean las estrictamente deportivas, se han utilizado[7], se siguen utilizando y previsiblemente se utilizarán en el futuro, en mayor o menor grado y extensión, medios aná-

---

[5] PÉREZ TRIVIÑO, J. L., "Neurodopaje en el deporte", *Gazeta de antropología*, Núm. 32, 2, 2016.

[6] VERDUGO GUZMÁN, S. "Resolución de procesos penales en torno a los delitos contra la salud pública. El delito de dopaje deportivo en España", en *Revista Aranzadi Doctrinal*, Núm. 1, Ed. Thomson Reuters - Aranzadi, Pamplona, 2023, págs. 97-99.

[7] Sobre las raíces del dopaje extradeportivo puede acudirse a RODRÍGUEZ BUENO, C., "Historia del dopaje", en *Historia del dopaje, sustancias y procedimientos de control*, Núm. 52, Estudios sobre Ciencias del Deporte, Consejo Superior de Deportes, Madrid, España, 2008, págs. 28-29.

logos al dopaje para conseguir objetivos similares a los que se buscan con esta práctica.

En este sentido, el recurso a un tipo de dopaje extradeportivo, esto es, desarrollado en la sociedad en general, se remonta a tiempos inmemoriales. De hecho, el ser humano siempre ha tenido la tentación de recurrir a toda clase de medios que le facilitaran aumentar sus cualidades de diversa índole[8]. Podemos hablar desde un "dopaje" utilizado como arma militar —para probar la supremacía de un individuo, de una tribu, de un pueblo, de un régimen o de una raza— hasta llegar a un dopaje llamémosle socioeconómico, tal y como está configurado en nuestros días, al que acude el ser humano con el propósito de cumplir sus compromisos de trabajo en plazos cortos, con un fin meramente monetario o en pro de mejorar su posición dentro de la sociedad.

De esta forma, los intentos por potenciar algunas características corporales o facultades de los seres humanos no son en absoluto nuevos.

2.1 El caso de las intervenciones cosméticas

En este contexto, resulta pertinente citar a título de ejemplo las intervenciones cosméticas, lo que nos lleva a la inevitable comparativa entre las competiciones deportivas y las competiciones de belleza, forjando un interrogante de gran calado: si en los concursos de belleza se admiten participantes (ya sea de género masculino o femenino) que han sido sometidos/as a una operación de cirugía estética, es decir que han acudido a procedimientos artificiales o intervenciones mejoradoras para potenciar sus atributos naturales y estar más próximos a los cánones de belleza.... ¿por qué en el deporte no se permite el dopaje como método o intervención "mejoradora" y sí en estos contextos que hemos descrito?

---

[8]   PÉREZ ÁLVAREZ confirma que la manifestación del deseo de mejora está presente en todo ser humano. Cfr. PÉREZ ÁLVAREZ, S. / LAGE COTELO, M., "Avances y expectativas de las nuevas biotecnologías aplicadas al ámbito de la salud", en *La protección de la salud en tiempos de crisis. Nuevos retos del Bioderecho en una sociedad plural*, FERNÁNDEZ-CORONADO, A. / PÉREZ ÁLVAREZ, S. (Dirs.), Ed. Tirant lo Blanch, Valencia, España, 2014, págs. 365-366.

2.2 El caso del incremento de las capacidades sexuales

Otro ejemplo significativo de su proyección en la sociedad actual lo encontramos en la utilización de fármacos para estimular las capacidades sexuales. Pongamos por caso el de la famosa "pastilla azul", técnicamente *Citrato de sildenafilo,* vendido bajo la marca más conocida de *Viagra*[9], el cual se encuentra plenamente implantado y comercializado en su versión masculina y la recién bautizada como "pastilla rosa" o en puridad *Flibanserina* que recientemente ha sido aprobada como la "nueva Viagra femenina", aún en ciernes de comercialización.

2.3 El caso de los estudiantes y la mejora de la capacidad intelectual

Otros ejemplos se refieren al uso de sustancias y productos para mantenerse joven o en el fortalecimiento transitorio de la memoria con medicamentos entre estudiantes[10]. Así, los universitarios a menudo han consu-

---

[9] Lo curioso es que el *Viagra* parece que también ayuda a mejorar el rendimiento deportivo (o al menos eso piensan los expertos). En este sentido, en un ejemplar del *Journal of Applied Physiology* se publicaba, ya en 2006, un artículo de la *Starford University* en el que se señalaba que era posible utilizar citrato de sildenafilo para incrementar en aproximadamente un cuarenta y cinco por ciento el rendimiento físico de los ciclistas en altitudes elevadas, lo que sugería la existencia de una nueva clase de sustancias de potenciación del rendimiento físico que se podían utilizar en cualquier deporte. Cfr. HSU, A. R. / BARNHOLT, K. E. / GRUNDMANN, N. K. / LIN, J. H. / MCCALLUM, S. W. / FRIEDLANDER, A. L., "Sildenafil improves cardiac output and exercise performance during acute hypoxia, but not normoxia", *Journal of Applied Physiology*, Núm. 6, Vol. 100, 2006, págs. 2031-2040 y sobre ello hacen hincapié BARON, D. A. / MARTIN, D. M. / MAGD, S. A., "Doping in sports and its spread to at-risk populations: an international review", en *World Psychiatry*, Núm. 2, Vol. 6, 2007, pág. 119. En igual sentido el informe de la AMERICAN PHYSIOLOGICAL SOCIETY (APS), "Viagra improves high altitude exercise performance up to 45% for some", en *ScienceDaily,* Bethesda, 24 de junio de 2006, disponible en: www.sciencedaily.com/releases/2006/06/060624120556. htm

[10] Cfr. ROMEO CASABONA, C. M., "Legal perspectives in novel psychiatric treatment and related research", *Poiesis & Praxis*, Núm. 4, Vol. 2, mayo 2004, págs. 315-328 y del mismo, más recientemente, "Consideraciones jurídicas sobre los procedimientos experimentales de mejora (*enhancement*) en neurociencias", *Más allá de la salud. Intervenciones de mejora en humanos,* ROMEO CASABONA, C. M. (Ed.), Ed. Cátedra Interuniversitaria de Derecho y Genoma Humano - Comares, Bilbao-Granada, España, 2012, págs. 83-105.

mido una gran cantidad de estimulantes —anfetaminas y otros— con el propósito de rendir más y lograr mejores resultados[11].

2.4 Otros casos de "dopaje" del día a día

Igualmente, el consumo de psicofármacos es cada vez más común —principalmente ansiolíticos y antidepresivos— por pacientes que presentan alguna alteración causada, en no pocos casos, por las tensiones que genera la vida moderna tales como ansiedad o depresión. Profesionales con mayor estrés mental como investigadores, informáticos, ejecutivos de alto nivel (como *brokers* de bolsa o adictos al trabajo) llevan años recurriendo a determinadas sustancias como Ritalin o Modafinilo —una de las "drogas inteligentes"[12] más extendidas (incluso hasta los astronautas de la Es-

---

[11]   El célebre filósofo John HARRIS haciéndose eco de ROSE (ROSE, S., "Brain gain", *Better humans: the politics of human enhancement and life extension*, WILSDON, J. / MILLER, pág. (Ed.), Ed. Demos, Londres, 2006, págs. 69-78) se pregunta si no es hacer trampas el emplear "smart drugs" para pasar un examen de oposición y sí lo es el que los deportistas utilicen esteroides. V. HARRIS, J., *Enhancing evolution: the ethical case for making better people*, Princeton University Press, Princeton, NJ, 2010, págs. 26-28. V. también DOUGLAS, T., "Enhancement in sport, and enhancement outside sport", *Studies in Ethics, Law and Technology*, Núm. 1, Vol. 1, 2007, pág. 1. De interés el paper de CAKIC, el cual revisa las implicaciones éticas y pragmáticas del uso de ciertas drogas en el mundo académico estableciendo paralelismos con cuestiones relevantes para el debate sobre drogas en el deporte, cfr. CAKIC, V., "Smart drugs for cognitive enhancement: ethical and pragmatic considerations in the era of cosmetic neurology", *Journal of Medical Ethics*, Núm. 10, Vol. 35, 2009.

[12]   Nos evoca el libro: *The dark fields*, de Alan Gylnn, cuyo argumento gira en torno al descubrimiento por parte de un ciudadano anónimo de este tipo de drogas e ilustra un caso hipotético de las posibles complicaciones que acarrea el consumo de las mismas. Posteriormente, en 2011, se produjo su adaptación cinematográfica bajo el título *Limitless* ("Sin límites", en España), película dirigida por Neil Burger, con Bradley Cooper y Robert De Niro como protagonistas. En efecto, Hollywood le prestaba atención en dicha película, mostrando a un Bradley Cooper capaz de "obtener un 100% de rendimiento cerebral" con una pastilla mágica, que le convertía en un "superhumano". Esta situación, obviamente, se puede extender al deportista, de hecho, lo trataremos en el Capítulo II.
Algunas críticas comentaban que esta película nos hace reflexionar sobre un nuevo tipo de dopaje, el dopaje intelectual. V. algunos comentarios ERONIA, O., "Doping mentale e concetto di salute: una possibile regolamentazione legislativa?", en *Archivio Penale*, Núm. 3, 2012, págs. 999-1016; "Pastillas para la inteligencia: ¿mito o realidad?", en *BBC News*, 3 de abril de 2011, http://www.bbc.com/mundo/noticias/2011/04/110403_pastillas_drogas_medicamentos_inteligencia_aw.shtml o

tación Espacial Internacional[13])— para obtener ese impulso extra. Se nos antoja oportuno subrayar, que dicho consumo genera una ardua polémica en profesiones, digamos "de riesgo", tales como pilotos de aerolíneas comerciales[14], bomberos, policías, soldados, conductores, personal sanitario como por ejemplo cirujanos, anestesistas, entre otros.

3. EL DOPAJE GENÉTICO. UN CASO PARADIGMÁTICO

No hay duda de que el fenómeno deportivo ha adquirido, durante las últimas décadas, una relevancia de dimensiones colosales y ha implicado que la actividad deportiva ofrezca numerosas perspectivas de análisis: desde la (Bio)Ética, Sociología, Psicología, ciencias médicas (en concreto la especialidad de la Medicina Deportiva) o la Farmacología (en relación al elenco de sustancias dopantes y suplementos alimenticios empleados por los atletas) y por supuesto desde el Derecho.

En el escenario descrito irrumpe con fuerza el dopaje como uno de los asuntos más controvertidos y de candente actualidad en el seno del deporte contemporáneo.

SCHLEIM, S., "Dopaje mental", en *Mente y cerebro*, Núm. 20, septiembre-octubre 2006, págs. 76-79.
En el contexto del rendimiento deportivo, hablaríamos de dispositivos que prometen mejorar no sólo los aspectos fisiológicos sino también las mentales y emocionales. Cfr. DAVIS, N. J., "Neurodoping: brain stimulation as a performance-enhancing measure", en *Sports Medicine*, Núm. 8, Vol. 43, 2013, págs. 649-653. Sobre su posible regulación v. ERONIA, O., "Doping mentale and concetto di salute: a possibile regolamentazione legislative?", *op. cit.*, págs. 999-1016.

[13]   Así se advertía en "What drugs are our astronauts on?", en *Discovery News*, 3 de diciembre de 2009, disponible en: http://news.discovery.com/space/what-drugs-are-our-astronauts-on.htm

[14]   En el ámbito de los pilotos comerciales se ha planteado instaurar como medida un inédito "control médico sorpresa" —que encuentra cierta similitud con las pruebas antidopaje en el deporte— con el objetivo de detectar si los pilotos ingieren antidepresivos, ante el polémico caso del copiloto que estrelló el Airbus 320 en los Alpes el pasado 24 de marzo de 2015, quien al parecer tomaba regularmente antidepresivos para aliviar dolencias que afectaban a su salud mental. V. la noticia "Lufthansa propone hacer controles médicos por sorpresa a sus pilotos", en *El País*, 22 de mayo de 2015, disponible en: http://internacional.elpais.com/internacional/2015/05/22/actualidad/1432312287_086055.html

Por su parte, en pleno siglo XXI asistimos perplejos a unos destacadísimos avances en el campo de las ciencias biomédicas y de las biotecnologías[15]. En nuestros días, las denominadas nuevas tecnologías "BIO", ligadas al progreso técnico y científico, pueden cumplir una función cardinal o ser una tecnología de soporte con aplicaciones en la salud humana. Con este espectacular avance científico y (bio)médico que se abre ante nuestros ojos, en aras de mejorar el rendimiento físico de los humanos y en consecuencia, de los deportistas[16], se han ido explorando nuevas técnicas de dopaje cada vez más sofisticadas y que presentan mayores dificultades en su detección[17].

Como fruto de la concatenación de estas dos realidades —por una parte, la trascendencia e intensidad de la práctica deportiva reflejada en todos los terrenos con un aumento en paralelo de la aspiración de los deportistas por conquistar metas más altas y el recurso a métodos fraudulentos y por otra, el espectacular desarrollo de la biomedicina— el llamado "dopaje genético", método ciertamente sofisticado y difícil de detección, se postula como protagonista en un escenario deportivo con un horizonte al parecer no muy lejano[18].

---

[15]   Ahonda en esta cuestión ROMEO CASABONA, C. M., "La construcción del Derecho aplicable a la genética y a la biotecnología humanas a lo largo de las dos últimas décadas", en *Revista de Derecho y Genoma Humano / Law and the Human Genome Review*, Núm. Extraordinario 2014, Jornadas del XX Aniversario / Special Issue 2014, 20th Anniversary Conference, 2014, págs. 27-52 y, en particular, págs. 45-47.

[16]   Sobre ello BENITO OSMA, F., "Modificaciones genéticas en la Medicina y en el deporte: riesgos, responsabilidad y seguro", en *Revista Aranzadi de Derecho de Deporte y Entretenimiento*, Núm. 39, 2013, pág. 197.

[17]   Cfr. PÉREZ TRIVIÑO, J. L., "Mejoramiento genético y deporte", en *Más allá de la salud. Intervenciones de mejora en humanos*, ROMEO CASABONA, C. M. (Ed.), Ed. Cátedra Interuniversitaria de Derecho y Genoma Humano — Comares, Bilbao-Granada, España, 2012, págs. 151-169.

[18]   Si bien Thomas H. MURRAY —experto en Bioética y Presidente del *Hastings Center* y quien preside, a su vez, el *Ethical Issues Review Panel* de la AMA— manifestaba en 2005 que el dopaje genético no era una realidad por entonces. En este sentido, MURRAY, T. H., "Gene doping and Olympic sport," *Play True*, Núm. 1, 2005, págs. 9-12. En 2015 el panorama ha cambiado y los avances en Genética hacen pensar que el dopaje genético pueda alcanzar al mundo del deporte de forma inminente. Hoy una nueva preocupación pende sobre el deporte, y es la amenaza real del dopaje genético y de ahí la preocupación de la AMA.

Este nuevo fenómeno va a suponer que por primera vez la Bioética y el Bioderecho tengan que posicionarse en un terreno, esto es el deportivo, que hasta ahora parecía un tanto ajeno a tales disciplinas.

Ahora bien, como paso previo e ineludible al tratamiento de las numerosas implicaciones éticas y jurídicas que desencadena el citado "dopaje genético" resulta imprescindible la correcta definición del fenómeno objeto de examen por su trascendencia en los medios de comunicación y en las agendas de los responsables políticos y deportivos. Igualmente resulta vital su comprensión por parte de la sociedad de cara a su participación en el debate en el que necesariamente debe tomar parte y en aras de las exigencias de claridad y taxatividad en la determinación de las conductas prohibidas y de las sanciones aplicables derivadas del principio de legalidad.

4. APROXIMACIÓN CONCEPTUAL AL DOPAJE GENÉTICO

4.1 *Posición normativa: la Agencia Mundial Antidopaje*

La Agencia Mundial Antidopaje o AMA (en inglés *World Anti-doping Agency* o WADA) tiene como principal cometido la elaboración del Código Mundial Antidopaje el cual se erige en referente internacional en lo que a regulación de sustancias y métodos prohibidos dentro de la esfera deportiva se refiere.

Respecto a la coyuntura que rodea al Código Mundial Antidopaje, una fecha resulta clave como punto de partida: febrero de 1999. Tuvo lugar la que sería Primera Conferencia Mundial sobre el Dopaje en el Deporte, (en respuesta al escándalo del Tour de Francia de 1998 que convulsionó al mundo deportivo) celebrada en la ciudad suiza de Lausana bajo los auspicios del Comité Olímpico Internacional a la cabeza con el español Juan Antonio SAMARANCH a la sazón presidente de esta institución. Como culminación del trabajo realizado en el seno de esta conferencia se adoptó la *Declaración de Lausana sobre el dopaje en el deporte*, embrión a su vez de la Agencia Mundial Antidopaje.

La AMA se constituyó el 10 de noviembre de 1999 en Lausana con el objetivo de promover y coordinar la lucha contra el dopaje en el deporte en la esfera internacional y se integró de forma paritaria por representantes de organizaciones deportivas, gubernamentales e intergubernamentales

Un hito importante tuvo lugar en 2003, la AMA elaboraba el Código Mundial Antidopaje, lo que supuso la paulatina aparición de normas nacionales menos dispares entre sí y sin duda un progreso en la armonización normativa internacional.

En ese mismo año y en el seno de la Segunda Conferencia Mundial sobre el Dopaje en el Deporte celebrada en Copenhague (Dinamarca) y de la mano de Declaración de Copenhague, más de cien países aprobaron por unanimidad el Código Mundial Antidopaje.

Efectivamente, el Código Mundial Antidopaje se adoptó por primera vez en octubre de 2003 y entró en vigor el 1 de enero de 2004. Posteriormente, en noviembre de 2007 y con ocasión de la Tercera Conferencia Mundial sobre el Dopaje en el Deporte celebrada en Madrid, fue objeto de revisión aprobando el Consejo Fundacional de la AMA las enmiendas a la versión original el 17 de noviembre de 2007, las cuales entraron en vigor el 1 de enero de 2009. La versión modificada del Código Mundial Antidopaje de 2015 incorpora las enmiendas al Código Mundial Antidopaje aprobadas por el Consejo Fundacional de la AMA en Johannesburgo, Sudáfrica, el 15 de noviembre de 2013, y se encuentra en vigor desde el 1 de enero de 2015.

Consecuentemente, resulta pertinente acudir a la Agencia Mundial Antidopaje, en búsqueda de una definición del término "dopaje genético" Así, adelantándose a esta inminente realidad, la AMA incluyó esta técnica ya en 2003, fruto de la emblemática Conferencia de Banbury que constituiría la *Primera Conferencia sobre dopaje genético*, celebrada en Nueva York en el año 2002 y que versó en exclusiva en torno a esta problemática.

Por primera vez era definido el "dopaje genético" por la *World Antidoping Agency* y recogido en la Lista de Sustancias y Métodos Prohibidos prevista para 2003 de la siguiente forma:

> "Gene or cell doping is defined as the non-therapeutic use of genes, genetic elements and / or cells that have the capacity *to enhance athletic performance*".

Siguiendo la traducción oficial de la Agencia Mundial Antidopaje se define con los términos siguientes:

> "Uso de genes, elementos genéticos y/o células, sin un fin terapéutico, que tengan la capacidad de promover el rendimiento atlético".

A la pionera Conferencia de Banbury organizada por la AMA y celebrada en marzo de 2002 en el Banbury Center de New York le seguiría en 2004 la creación, también por parte de la AMA, del *Grupo de Expertos en dopaje genético*. La razón de ser de este Grupo de Expertos es el estudio de los últimos avances en el campo de la genética, los métodos para detectar este método de dopaje y los proyectos de investigación financiados por la AMA en esta área. Un año más tarde, en diciembre de 2005, la AMA en colaboración el Instituto Karolinska y la Confederación Sueca de Deportes, celebraría en Estocolmo la que sería *Segunda Conferencia sobre dopaje genético* y fruto de ello aparecería en escena la *Declaración de Estocolmo,* en la que se reflejan las recomendaciones y declaraciones de los participantes en esta conferencia.

Finalmente en junio de 2008, la Agencia organizó en colaboración con las autoridades deportivas rusas, una tercera reunión de expertos sobre el *mejoramiento genético del rendimiento deportivo* en San Petersburgo que vendría a constituir la *Tercera Conferencia sobre dopaje genético.*

Con este panorama, en la Lista de Sustancias y Métodos Prohibidos que ha sido prevista para 2022[19] el dopaje genético ha pasado a definirse de la siguiente forma:

> "The following, with the potential *to enhance sport performance*, are prohibited:
> 1. The use of nucleic acids or nucleic acid analogues that may alter genome sequences and/or alter gene expression by any mechanism. This includes but is not limited to gene editing, gene silencing and gene transfer technologies
> 2. The use of normal or genetically modified cells".

A tenor de la traducción oficial de la Agencia Mundial Antidopaje se define con los términos siguientes:

> "Lo siguiente, con el potencial de mejorar el rendimiento deportivo, está prohibido:
> 1. El uso de ácidos nucleicos o análogos de ácidos nucleicos que puedan alterar las secuencias genómicas y/o la expresión de genes por cualquier mecanismo. Esto incluye, pero no se limita, a las tecnologías de edición de genes, silenciamiento de genes y transferencia de genes.
> 2. El uso de células normales o genéticamente modificadas".

4.2 Nuestra postura. Dopaje genético y distinción de figuras afines

De la interpretación de estas dos definiciones —a nuestro juicio un tanto imprecisas y difíciles de comprensión por un no versado en la materia— parece que se deduce que estamos ante un caso de manipulaciones genéticas o cuanto menos de intervenciones genéticas. La doctrina más

---

[19]   Lista que entraba en vigor el 1 de enero de 2022. Disponible en: https://www. wada-ama.org/sites/default/files/2022-01/2022list_final_en_0.pdf

autorizada de ROMEO CASABONA[20] y ROMEO MALANDA[21] establece una clara distinción en el seno de las manipulaciones genéticas (más propiamente llamadas modificaciones genéticas) atendiendo a su finalidad: esto es, manipulaciones genéticas con finalidad terapéutica y manipulaciones que no persiguen tal fin.

Las primeras se engloban dentro de la hoy tan conocida ya como "terapia génica", cuya finalidad es la curación o prevención de enfermedades o defectos graves debidos a causas genéticas actuando directamente en los genes, mediante diferentes procedimientos teóricos: adición, modificación, sustitución o supresión.

Por otra parte, dentro de las manipulaciones genéticas que no persiguen esta finalidad preventiva o reparadora se encuentran las de finalidad mejoradora, que tratan de potenciar determinadas características socialmente valoradas, véase la capacidad física.

Así, parece claro que el "dopaje genético" se debería circunscribir al ámbito de las intervenciones (o más propiamente manipulaciones) genéticas en el ser humano con finalidad de mejoramiento en tanto en cuanto lo que se persigue con ellas no es curar enfermedades, no denotan un fin terapéutico o reparador ya que en este ámbito partimos de un estado de "normalidad" del atleta y se pretende un logro de records que ha de superar obviamente la normalidad. Esto difiere en gran medida de la terapia génica y éste es un matiz que es muy importante traer a colación porque es bastante frecuente en la literatura incluso científica que versa sobre el dopaje genético que ambos conceptos "terapia génica" y "mejora genética" se diluyan o no queden meridianamente diferenciados.

Por otra parte, y más allá del contenido empleado, consideramos que el propio término elegido —dopaje genético— no es todo lo riguroso que debiera y responde a tintes un tanto periodísticos o sensacionalistas parece haber sido ideado más por este colectivo que por el legislador. Además, el término "dopaje" imprime un carácter peyorativo en tanto que existe un

[20]   ROMEO CASABONA, C. M., *Los genes y sus leyes. El Derecho ante el genoma humano*, Ed. Cátedra Interuniversitaria de Derecho y Genoma Humano — Comares, Bilbao-Granada, España, 2002.

[21]   ROMEO MALANDA, S., *Intervenciones genéticas sobre el ser humano y Derecho penal*, Ed. Cátedra Interuniversitaria de Derecho y Genoma Humano — Comares, Bilbao-Granada, España, 2006.

sentimiento general así percibido por la sociedad que lo identifica con algo negativo.

5. EL "MOOD ENHANCEMENT" COMO CATEGORÍA INCLUIDA DENTRO DEL "HUMAN ENHANCEMENT" O INTERVENCIONES DE MEJORA EN EL DEPORTE

Hemos llegado a la conclusión de que *intervención genética en el ser humano con finalidad de mejoramiento genético en el ámbito deportivo* respondería más a la realidad que se trata de abordar con respecto al dopaje genético. Dentro de estas intervenciones de mejora o *human enhancement* destaca el *Mood Enhancement*.

Así, una órbita de la realidad mental humana que, de forma relevante, se ha desarrollado, en los últimos decenios es la atinente a su aspecto emocional. La expansión de ciertas enfermedades mentales afectas al mundo de las emociones avivó los análisis y estudios sobre esta parte de la psicología humana que había recibido menor foco de atención.

Las enfermedades mentales como la depresión, el miedo, la timidez sobre los que se aplican los modernos tratamientos no son precisamente nuevos y el mundo del deporte no ha estado exento de ellos. Sin duda alguna, estos síntomas afectan, notablemente, al rendimiento físico de un deportista. Un atleta puede poseer un gran potencial físico, una gran habilidad y técnica en su disciplina, pero puede fallar el día de la competición por sufrir un ataque de ansiedad. Son célebres los casos de deportistas que padecen miedo a volar en avión, trastorno que les ha dificultado o imposibilitado viajar para disputar partidos importantes.

En otras ocasiones, el deportista puede sufrir lo que se denomina "bloqueo emocional" que provoca que el rendimiento en la competición baje considerablemente. Tal bloqueo emocional puede estar motivado en el estrés al que está sometido, la presión de entrenadores, familia o aficionados. En este sentido, los deportes modernos y el énfasis erróneo de los medios de comunicación en la fama, el dinero y el triunfo a cualquier precio han creado de manera inadvertida un mercado floreciente de sustancias dopantes. Estas sustancias, que anteriormente sólo eran consumidas por los deportistas de élite, están invadiendo claramente los colegios y clubes de salud en todo el mundo. Están siendo aceptadas por toda una nueva generación de jóvenes consumidores, que todos los días leen en los periódicos noticias de figuras del deporte acusadas de abusar de sustancias sólo para poder seguir compitiendo, rompiendo récords y ganando enormes cantidades de dinero[22].

Los programas de educación continuada desarrollados específicamente para estos grupos de riesgo alto por parte de las organizaciones olímpicas nacionales y de las federaciones deportivas constituyen un primer paso importante para reducir estos peligrosos comportamientos.

La respuesta que ha brindado la Medicina a estas situaciones ha provenido históricamente de la psicología. Se han desarrollado múltiples metodologías psicológicas cuya pretensión ha sido solventar los estados emocionales que podían perturbar el normal desarrollo fisiológico del deportista. No obstante, en la actualidad muchos de esos métodos de tratamiento no son usados con fines terapéuticos, sino claramente mejoradores. Como ha ocurrido con otro tipo de tratamientos mejoradores su origen estuvo en tratar enfermedades mentales, pero han acabado siendo utilizados no con fines terapéuticos, sino mejoradores en individuos que en un margen amplio, estaban en los confines de la "normalidad". Esto es lo que ahora se conoce como "la medicalización de la normalidad"[23].

El ámbito deportivo no está al margen de este fenómeno y los tratamientos psicológicos persiguen que el deportista experimente estados de optimismo, de confianza, de plenitud o en algunos casos de agresividad para así alcanzar el máximo rendimiento deportivo.

A raíz de lo expuesto, no es infrecuente que las federaciones deportivas estén provistas de un psicólogo deportivo entre su equipo de apoyo a los deportistas, como vía de contacto permanente entre psicólogos cualificados y los clubes en aras de promocionar la salud y dar apoyo para la mejora del rendimiento deportivo.

Ningún tipo de apoyo psicológico es considerado, en la órbita de la planificación antidopaje, como una mejora en el rendimiento deportivo que deba estar prohibido. Ahora bien, la aparición de fármacos que dirigen su acción mejoradora sí genera dilemas de cara a la política antidopaje.

---

[22]   ATIENZA MACÍAS, E., "Dopaje y enfermedad mental: más allá de la responsabilidad del deportista", en *Direito Biomédico II Espanha - Brasil*, ROMEO CASABONA, C. M. / FREIRE DE SÁ, M. F. / MACEDO POLI, L. (Coords.), Ed. PUCMINAS, Belo Horizonte, Brasil, 2013, págs. 203-205.

[23]   PÉREZ TRIVIÑO, J. L., *El dopaje y las nuevas tecnologías. El nuevo paradigma del deporte*, Ed. UOC, Barcelona, España, 2017, págs. 203-204 (Capítulo VI: Neurociencia y deporte: el dopaje emocional en el deporte).

6. ALGUNOS PARADIGMAS ÉTICO-JURÍDICOS DEL "HUMAN ENHANCEMENT" O INTERVENCIONES DE MEJORA EN EL DEPORTE

Entre otros problemas, hemos de destacar, el problema de la salud. Hablamos de un fenómeno todavía en una fase experimental de desarrollo, es difícil y delicado predecir los riesgos a él asociados, siendo en esta órbita ineludible el principio de precaución.

En concreto, respecto de los mejoradores del ánimo, el temor a que estas drogas produzcan daños colaterales no debe ser minusvalorado. Algunos estudios muestran que el Prozac puede generar riesgo de adicción. En otras investigaciones se ha sostenido la vinculación entre alguna de estas drogas y la provocación de suicidios entre adolescentes. Con la paroxitina se han mostrado efectos similares.

Igualmente resulta capital la obtención de un consentimiento informado efectivo asentado en la autonomía del sujeto para tal otorgamiento. Tratándose de un deportista, el principio de autonomía adquiere notas particulares habida cuenta la gran presión que sufre el mismo a lo largo de su carrera deportiva. En este sentido, el rendimiento del deportista está condicionado a unas expectativas en exceso sobredimensionadas originadas por los numerosos intereses económicos y mediáticos depositados en el deporte de alto nivel.

Por último, la problemática del principio de igualdad. Por otra parte, subyace la cuestión de la desigualdad que entrañan estas técnicas de mejora desde el punto de vista no sólo del acceso a las mismas —que obviamente no están al alcance de todos los deportistas— sino las generadas *a posteriori*, encontrándose en el campo de juego deportistas "mejorados" o "superdeportistas" que carecen de tal ventaja. Algunas voces apuntan a la posibilidad de organizar competiciones segregadas[24].

---

[24] PÉREZ TRIVIÑO en el Prólogo (p. 10) del monográfico de LÓPEZ FRÍAS, F. J., (*Mejora humana y dopaje: una propuesta crítica*, Ed. Reus, Madrid, España, 2015), comenta que uno de los pilares donde se apoya la visión de LÓPEZ FRÍAS es la conocida distinción entre mejoras en el promedio humano y mejoras transhumanas, siendo éstas últimas las que producirían desigualdades de rendimiento deportivo tan altas que incluso darían lugar a crear competiciones deportivas segregadas entre deportistas "normales" y "transhumanos", los super-hombres atletas. López Frías se decanta por permitir las primeras mejoras y por ser más cauto respecto de las transhumanas, pues mas allá de que todavía no se han producido sustancias o tratamientos con esos efectos, sostiene que podría dar lugar a un "Escenario x-

7. REFLEXIONES CONCLUSIVAS Y APERTURA A NUEVOS INTERROGANTES

En definitiva, queremos dejar constancia de que, en cualquier análisis sobre la naturaleza del problema del dopaje, ha de quedar claro que su uso ha traspasado las fronteras, a lo largo del tiempo, de lo estrictamente deportivo y ha llegado a otros núcleos y contextos sociales. Así, conductores, pilotos, astronautas, altos ejecutivos, estudiantes y un número muy extenso de personas con profesiones y actividades de muy diversa índole, han usado y, sin lugar a dudas, continuarán utilizando, diversos tipos de métodos para aumentar el rendimiento en una suerte de "dopaje del día a día".

Nuestra reflexión gira en torno al siguiente interrogante: ¿por qué en el deporte no se permite el dopaje como método o intervención "mejoradora" y sí en estos contextos que hemos descrito a lo largo de este trabajo (esto es, intervenciones cosméticas; el caso del incremento de las capacidades sexuales o el caso de los estudiantes y la mejora de la capacidad intelectual)? El célebre filósofo John HARRIS se pregunta si no es hacer trampas el emplear "smart drugs" para pasar un examen de oposición y sí lo es el que los deportistas utilicen esteroides[25].

Ilustremos este interrogante con el caso del dopaje genético. Este asunto se incluye dentro de las intervenciones genéticas en el ser humano con finalidad de mejoramiento, conocido ampliamente con su terminología anglosajona de *human enhancement*, en el que, como veremos, entra dentro, el "Mood enhancement".

¿Por qué hoy en día el dopaje resulta un tema candente?, ¿está en juego la credibilidad deportiva después de los controvertidos escándalos de dopaje?, ¿qué se puede decir sobre el dopaje y la mejora física?, ¿qué significa e implica el hecho de incrementar las capacidades de los atletas?, ¿los tratamientos de mejora en humanos son éticamente aceptables y jurídicamente viables en el contexto deportivo? y de ser así, ¿dónde hemos de situar la línea divisoria entre lo que es legal y lo que no lo es? En otras palabras,

---

men", una sociedad formada por comunidades tan diversas biológicamente entre sí, que sus miembros se negaran a reconocerse mutuamente como iguales.

[25] Célebres son dos monografías de su autoría: HARRIS, J., *How to Be Good: The Possibility of Moral Enhancement,* Oxford University Press, Oxford, Reino Unido 2016 y *Enhancing evolution: the ethical case for making better people,* Princeton University Press, Princeton, NJ, 2010.

¿cuál debería ser el criterio para la evaluación ético-jurídica de estos tratamientos de mejora?

Estos son algunos de los interrogantes que se plantean actualmente en este ámbito.

8. REFERENCIAS BIBLIOGRÁFICAS

AMERICAN PHYSIOLOGICAL SOCIETY, "Viagra improves high altitude exercise performance up to 45% for some", *ScienceDaily*, 2006.

ATIENZA MACÍAS, E., *Las respuestas del Derecho a las nuevas manifestaciones de dopaje en el deporte*, Dykinson, Madrid, España, 2020.

ATIENZA MACÍAS, E., "Dopaje y enfermedad mental: más allá de la responsabilidad del deportista", *Direito Biomédico II Espanha - Brasil*, ROMEO CASABONA, C. M. / FREIRE DE SÁ, M. F. / MACEDO POLI, L. (Coords)., PUCMINAS, Belo Horizonte, Brasil, 2013.

ATIENZA MACÍAS, E., "Implicaciones ético-jurídicas de las intervenciones de mejora en el ámbito deportivo. Especial consideración del llamado `dopaje genético´, *Revista de Derecho y Genoma Humano / Law and the Human Genome Review*, Núm Extraordinario 2014, Jornadas del XX Aniversario / Special Issue 2014, 20th Anniversary Conference, Bilbao: Cátedra Interuniversitaria de Derecho y Genoma Humano, 2014.

ATIENZA MACÍAS, E. / ARMAZA ARMAZA, E. J., *El dopaje en el Derecho Deportivo actual: análisis y revisión bibliográfica*, Colección Derecho Deportivo, Ed. Reus, Madrid. España, 2016.

BARON, D. A. / MARTIN, D. M. / MAGD, S. A., "Doping in sports and its spread to at-risk populations: an international review", *World Psychiatry*, Núm. 2, Vol. 6, 2007.

BENITO OSMA, F., "Modificaciones genéticas en la Medicina y en el deporte: riesgos, responsabilidad y seguro", *Revista Aranzadi de Derecho de Deporte y Entretenimiento*, Núm. 39, 2013.

CAKIC, V., "Smart drugs for cognitive enhancement: ethical and pragmatic considerations in the era of cosmetic neurology", *Journal of Medical Ethics*, Núm. 10, Vol. 35, 2009.

DAVIS, N., "Neurodoping: brain stimulation as a performance-enhancing measure", *Sports Medicine*, Núm. 8, Vol. 43, 2013.

DE MIGUEL BERIAIN, I., "Ingeniería genética de mejora: una perspectiva ético-jurídica", *Moralia: Revista de Ciencias Morales*, Núm. 105, Vol. 28, 2005.

DOUGLAS, T., "Enhancement in sport, and enhancement outside sport", *Studies in Ethics, Law and Technology*, Núm 1, Vol. 1, 2007.

EMALDI CIRIÓN. A., "Consideraciones bioéticas y jurídicas sobre la biotecnología con fines eugenésicos", *Acta Bioethica*, Núm. 2, Vol. 21, 2015.

ERONIA, O., "Doping mentale e concetto di salute: una possibile regolamentazione legislativa?", *Archivio Penale*, Núm. 3, 2012.

GARLAND, D. J. / BARRY, J. R., *Sport expertise: The cognitive advantage*, Perceptual and Motor Skills, Núm. 3, Vol. 70, 1990.

HARRIS, J., *How to Be Good: The Possibility of Moral Enhancement*, Oxford University Press, Oxford, Reino Unido, 2016.

HARRIS, J., *Enhancing evolution: the ethical case for making better people*, Princeton University Press, Princeton, 2010.

HSU, A. R. / BARNHOLT, K. E. / GRUNDMANN, N. K. / LIN, J. H. / MCCALLUM, S. W. / FRIEDLANDER, A. L., "Sildenafil improves cardiac output and exercise performance during acute hypoxia, but not normoxia", *Journal of Applied Physiology*, Núm. 6, Vol. 100, 2006.

LÓPEZ FRÍAS, F. J., *Mejora humana y dopaje: una propuesta crítica*, Ed. Reus, Madrid, España, 2015.

MIAH, A., *Genetically modified athletes: biomedical ethics, gene doping and sport*, Routledge, London and New York, 2004.

MURRAY, T. H., "Gene doping and Olympic sport", *Play True*, Núm. 1, 2005.

PÉREZ ÁLVAREZ, S. / LAGE COTELO, M., "Avances y expectativas de las nuevas biotecnologías aplicadas al ámbito de la salud", en A. Fernández-Coronado y S. Pérez Álvarez, dirs., *La protección de la salud en tiempos de crisis. Nuevos retos del Bioderecho en una sociedad plural*, Ed. Tirant lo Blanch, Valencia, España, 2014.

PÉREZ TRIVIÑO, J. L., "Mejoramiento genético y deporte", en C.M. Romeo Casabona, ed., *Más allá de la salud. Intervenciones de mejora en humanos*, Ed. Cátedra Interuniversitaria de Derecho y Genoma Humano-Comares, Bilbao-Granada, España, 2012.

PÉREZ TRIVIÑO, J. L., "Sport Enhancement: from Natural Doping to Brain Stimulation", *International Journal of Technoethics*, Núm. 2, Vol. 5, 2014.

PÉREZ TRIVIÑO, J. L., "Mood Enhancement and Doping", *Performance Enhancement and Health*, Núm. 1, Vol. 3, 2014.

PÉREZ TRIVIÑO, J. L., "Neurodopaje en el deporte", *Gazeta de Antropología*, Núm. 32, Vol. 2, artículo 04, 2016.

PÉREZ TRIVIÑO, J. L., *El dopaje y las nuevas tecnologías. El nuevo paradigma del deporte*, UOC, Barcelona, España, 2017.

RODRÍGUEZ BUENO, C., "Historia del dopaje", *Historia del dopaje, sustancias y procedimientos de control*, Núm. 52, Estudios sobre Ciencias del Deporte, Consejo Superior de Deportes, Madrid, España, 2008. http://www.csd.gob.es/csd/estaticos/documentos/52_150.pdf

ROMEO CASABONA, C. M., *Los genes y sus leyes. El Derecho ante el genoma humano*, Ed. Cátedra Interuniversitaria de Derecho y Genoma Humano-Comares, Bilbao-Granada, España, 2002.

ROMEO CASABONA, C. M., "Legal perspectives in novel psychiatric treatment and related research", *Poiesis & Praxis*, Núm. 4, Vol. 2, 2004.

ROMEO CASABONA, C. M., "Consideraciones jurídicas sobre los procedimientos experimentales de mejora (*enhancement*) en neurociencias", en C. M. ROMEO CASABONA, ed., *Más allá de la salud. Intervenciones de mejora en humanos*, Ed. Cátedra Interuniversitaria de Derecho y Genoma Humano - Comares, Bilbao-Granada, España, 2012.

ROMEO MALANDA, S., *Intervenciones genéticas sobre el ser humano y Derecho penal*, Ed. Cátedra Interuniversitaria de Derecho y Genoma Humano - Comares, Bilbao-Granada, España, 2006.

ROSE, S., "Brain gain", in J. Wilsdon y pág. Miller, eds., *Better humans: the politics of human enhancement and life extension*, Demos, Londres, Reino Unido, 2006.

SCHLEIM, S., "Dopaje mental", *Mente y cerebro,* Núm. 20, 2006.

VERDUGO GUZMÁN, S. "Resolución de procesos penales en torno a los delitos contra la salud pública. El delito de dopaje deportivo en España", en *Revista Aranzadi Doctrinal,* Núm. 1, Ed. Thomson Reuters - Aranzadi, Pamplona, 2023.

WILLIAMS, J. M., *Applied Sport Psychology: Personal Growth to Peak Performance,* Mayfield Publishing, Palo Alto, California, Estados Unidos de América, 1986.

WORLD ANTIDOPING AGENCY, *The 2021 List of Prohibited Substances and Methods, 2021.*

WORLD ANTIDOPING AGENCY, "Gene doping", *Play True,* Núm. 1, 2005.

Recensión a tratado de derecho deportivo. Silvia Verdugo Guzmán (directora), Editorial Thomson Reuters - Aranzadi, Cizur menor (Navarra), 2021, 697 págs. Isbn: 978-84-1391-184-7.

ANDRÉS BENAVIDES SCHILLER
Profesor de Derecho Penal
Universidad de Valparaíso. Valparaíso - Chile

En una sociedad globalizada como la actual, son cada vez más las agrupaciones humanas que buscan desarrollar su integración, confort y estabilidad. España es uno de los países que no se queda atrás, y diariamente vemos intentos de mejora de la calidad de vida de sus habitantes y de su desarrollo en la forma más dinámica posible. En efecto, desde el punto de vista del deporte, el Capítulo III de la Constitución Española, en su artículo 43.3, se refiere específicamente al fomento del deporte y, *al deber de los poderes públicos a defender y promover el desarrollo de la educación física además del deporte. Asimismo, el Estado facilitará la adecuada utilización del ocio.*

Debido a la evolución e incremento de los interesados en el mundo del deporte, tanto a nivel competitivo como por la recreación de las personas, nos encontramos frente a conflictos jurídicos cada vez más complejos de resolver. Fue la primera regulación normativa en España por medio de la Ley 13/1980, de 31 de marzo, General de la Cultura Física y del Deporte. A continuación, surgió la Ley 10/1990, de 15 de octubre, del Deporte, que estuvo vigente por más de dos décadas para resolver diversos conflictos deportivos que se han producido a lo largo del tiempo, hasta que llega la Ley 39/2022, de 30 de diciembre, del Deporte, a partir de la cual una nueva sociedad se intenta acomodar a los tiempos que corren. Por ello, es necesario conocer adecuadamente las problemáticas cuestiones que se plantean diariamente en el deporte que se practica en el ámbito nacional e internacional.

La globalización arrastra la existencia de distintas áreas jurídicas que han surgido y evolucionado en los últimos años. En efecto, el campo del Derecho Deportivo se abre cada vez más a la necesidad de un acabado conocimiento e interés de más agentes jurídicos. Así, es de encontrar las peculiaridades que ofrece el Derecho en su conjunto cuando es aplicado al fenómeno del deporte, surgiendo entonces distintos sectores. Por ejemplo, una *arista penal*, que contempla delitos en el deporte como el fraude, corrupción, violencia, amaños, delitos fiscales, ciberdelitos. Una *arista administrativa*, con procedimientos administrativos, la responsabilidad del Estado y de los órganos administrativos. La *arista civil*, mediante la formulación de contratos con deportistas, auspiciadores, etc. También, una *arista internacional*, verificando la representación jurídica ante el Comité Olímpico Internacional, FIFA, TAS (Tribunal de Arbitraje Deportivo). Pero además existe una *arista laboral, mercantil, tributaria, digital*, etc.

El Tratado de Derecho Deportivo ha sido Dirigido por la Doctora Silvia Verdugo Guzmán, cuya tesis doctoral justamente fue producto de uno de los temas que cooperan a la expansión del Derecho Deportivo. Así, todo comenzó con su monografía "Dopaje deportivo. Análisis jurídico-penal y estrategias de prevención", con la editorial J. M. Bosch, Barcelona, el 2017. Justamente desde ese año es profesora de Derecho Penal de la Fundación San Pablo - CEU Andalucía, donde además coordina el Máster en Derecho Deportivo, desde su *Primera edición* el año 2018. Ya el curso académico 2022 / 2023, lleva *Seis ediciones* en que han participado una veintena de especialistas en Derecho del deporte, y con varias generaciones de alumnos que se siguen relacionando con estos temas jurídicos.

Y basados en ese Máster en Derecho Deportivo de la Fundación San Pablo - CEU Andalucía, coordinado por quien es la Directora del Tratado de Derecho Deportivo, se encuentran Treinta Capítulos que abarcan diversos aspectos que tocan de una u otra forma cuestiones jurídico-deportivas. El Prólogo ha sido elaborado por el Director Legal de FIFA, el Dr. Emilio García Silvero, quien se refiere a los inicios del Derecho Deportivo y su desarrollo en España. La Presentación está a cargo del Dr. Alberto Palomar Olmeda, Magistrado de lo Contencioso Administrativo y Profesor Titular de Derecho Administrativo, para dar un recorrido por los conceptos, orígenes y términos del debate actual en torno al mundo deportivo.

Si bien se trata de una treintena de capítulos, básicamente se pueden abarcar en nueve temáticas. En *primer lugar*, respecto a cuestiones sobre la evolución y actualidad del Derecho Deportivo. Se realiza una introducción a los orígenes y expansión del Derecho Deportivo a otros campos del Derecho, su evolución histórica, las fuentes normativas, la legislación deportiva. También el ordenamiento jurídico español: su origen, evolución y estado actual, junto con el esquema institucional deportivo actual.

En *segundo lugar*, sobre las asociaciones deportivas. En esta área se estudia el régimen general de las asociaciones internacionales, el jurídico y las estructuras deportivas en España. Las federaciones deportivas nacionales: la disciplina deportiva, los clubes deportivos, ligas profesionales, Sociedades Anónimas Deportivas. Por otro lado, respecto al Derecho patrimonial en el deporte, se analizan los derechos de la personalidad y deporte (honor, intimidad e imagen), representantes y agentes deportivos, la regulación del patrocinio y la publicidad en el deporte, los seguros deportivos. También se abarca la responsabilidad civil contractual y extracontractual de directivos y administradores de entidades deportivas, la contratación de menores en el deporte: Traspaso y los derechos de formación. Además, la explotación de los derechos televisivos.

En *tercer lugar*, el área del Derecho Administrativo del deporte, abarca temas como la Administración pública deportiva; el régimen normativo del deporte a nivel internacional, europeo, latinoamericano, y a nivel público en España. Así también la responsabilidad patrimonial del Estado, la regulación en los centros deportivos, el tema de contratos administrativos en el mercado del deporte, y las políticas deportivas multidisciplinares.

En *cuarto lugar*, es necesario analizar la intromisión del Derecho penal en el deporte. Se verifica el actual problema de la violencia endógena y exógena, los discursos de odio, el fenómeno del dopaje deportivo (a nivel disciplinario, administrativo y penal cuando es delictivo). También, el tema de los amaños, el fraude, corrupción y las apuestas deportivas. Así además los problemas en torno a la responsabilidad fiscal del deportista profesional, finalizando con el tema de responsabilidad penal de las entidades deportivas.

En *quinto lugar*, tema importantísimo actualmente es el relativo a la Gobernanza, la integridad y *Fair Play*, sus principales instituciones y Principios del buen gobierno. También se analiza *Fair Play* Financiero y *compliance* en entidades deportivas, así como el *Fair Play* Tecnológico.

En *sexto lugar*, respecto a la resolución de conflictos en el mercado deportivo, se abarca a nivel internacional el Tribunal de Arbitraje Deportivo (TAS / CAS), siendo importante saber sus orígenes y evolución, su estructura orgánica y composición de sus miembros, sus competencias y aspectos procedimentales, los efectos de sus decisiones y laudos arbitrales. La cuestión de la extraterritorialidad. Luego se estudia la resolución de conflictos deportivos en España, especialmente el Tribunal Administrativo del Deporte, y los efectos de sus resoluciones y recursos. También, la figura del Arbitraje deportivo *Ad-Hoc* y la mediación deportiva, clave para efectiva y rápida resolución de conflictos que lo requieran.

En *séptimo lugar*, es necesario saber cómo es la relación laboral del deportista profesional, los contratos de trabajo, su ámbito de aplicación, la distinción entre deportista profesional y aficionado, los derechos y deberes de las partes. El tema de la Seguridad Social y la Prevención de riesgos laborales. También se analizará el trabajo de menores de edad. Además, el régimen jurídico de las transferencias internacionales de deportistas, el Estatuto de Transferencias FIFA y protección de menores. Es atractivo verificar el tema de las Profesiones afines al deporte, lo que sucede con entrenadores, preparadores físicos, técnicos, árbitros. También respecto de los Profesionales pertenecientes a entidades e instituciones deportivas (directivos, directores deportivos, directivos, personal de servicio, administrativos, etc.).

En *octavo lugar*, sobre la fiscalidad en el deporte hay bastantes cuestiones por resolver. Tema importante son los Impuestos sobre la renta de las personas físicas, los elementos integradores de la renta de un deportista, de la residencia fiscal y el régimen aplicable a deportistas desplazados. También, la Conflictividad en la tributación internacional de los deportistas. Además, la Fiscalidad en el impuesto sobre sociedades (como las Sociedades Anónimas Deportivas), entre otros temas, como el IVA en el deporte.

Y *finalmente*, encontraremos una novedosa materia poco regulada a nivel de sociedad actual y que no se encuentra fácilmente tratada, abarca todo aquello relacionado a la tecnología y los nuevos paradigmas del deporte. Cabe referirse a los *ciborg*-deportistas, el dopaje genético y el neurodopaje, cuestiones de Biotecnología y *Human Enhancement*. También llama la atención una polémica regulación actual incluso en el Comité Olímpico Internacional, esto es los *e-sports*, su historia y relevancia y su institucionalización como deporte, en este marco se verán las cuestiones laborales, mercantiles y fiscales de los *e-sports*.

Los títulos que componen el Tratado de Derecho Deportivo son realizados por los siguientes autores: *Capítulo I. Las normas del deporte en la antigüedad grecorromana*, Pablo Haldón Contreras; *Capítulo II. Expansión del Derecho Deportivo en la sociedad*, Miguel Pérez Rocamora; *Capítulo III. Régimen jurídico de las Federaciones Deportivas*, Javier Rodríguez Ten; *Capítulo IV. Modelos y estructuras del deporte a nivel internacional. Los sistemas europeo y americano*, Diego Molina Ruiz del Portal; *Capítulo V. Las federaciones deportivas y ligas profesionales,* Miguel María García Caba; *Capítulo VI. Organización pública del deporte español,* José Manuel Fernández Luque; *Capítulo VII. Los clubes deportivos y las Sociedades Anónimas Deportivas. Régimen jurídico estatal aplicable,* Miguel María García Caba; *Capítulo VII. Los seguros deportivos,* Amador Berbel Navarro; *Capítulo VIII. Régimen electoral de las federaciones deportivas en España,* Antonio Tejero Bermudo; *Capítulo IX. La disciplina deportiva en el ámbito del deporte internacional,* Kepa Larumbe; *Capítulo X. Responsabilidad patrimonial de la administración en eventos deportivos,* Belén Burgos Garrido; *Capítulo XI. Lealtad y transparencia en el procesamiento de información en el contexto del Derecho Deportivo,* Juan Francisco Rodríguez Ayuso; *Capítulo XII. Protección de datos y dopaje deportivo,* Chelo Paola Rivera; *Capítulo XIII. Dopaje Deportivo. El Pasaporte Biológico del Atleta,* Agustín González González; *Capítulo XIV. Derecho penal y deporte. Una interacción funcional,* Miguel Polaino-Orts; *Capítulo XV. Violencia endógena. Problemas dentro del contexto deportivo,* José Manuel Ríos Corbacho; *Capítulo XVI. Violencia exógena. Los grupos ultra, hinchadas y barras bravas en el fútbol,* Manuel Rodríguez Monserrat; *Capítulo XVII. El discurso de odio por motivos religiosos en el fútbol español: respuestas y soluciones,* Rafael Valencia Candalija; *Capítulo XVIII. Ciberdelincuencia en videojuegos. Ataques y secuestros informáticos en los e-sports,* Silvia Verdugo Guzmán; *Capítulo XIX. El asesor fiscal en el ámbito del Derecho Deportivo. Especial referencia a los delitos tributarios,* Iván Colina Ramírez; *Capítulo XX. Régimen de la responsabilidad penal de las personas jurídicas aplicado al deporte,* Víctor Martínez Patón; *Capítulo XXI. Corrupción, Gobernanza y buen gobierno en el deporte,* Antonio Romero Campanero; *Capítulo XXII. Integridad y Fair Play financiero,* Andrés Hernández Sánchez; *Capítulo XXIII. La relación laboral en el deporte,* Francisco Rubio Sánchez; *Capítulo XIV. La mediación laboral y deportiva,* Javier Gómez Vallecillos; *Capítulo XXV. Contratación de menores de edad en el deporte,* Francisco Rubio Sánchez; *Capítulo XXVI. Régimen jurídico aplicable a los derechos audiovisuales del fútbol español,* Miguel María García Caba; *Capítulo XXVII. Fiscalidad y Mecenazgo a entidades deportivas y los contratos de patrocinio,* Pedro Contreras Jurado; *Capítulo XXVIII. Los e-sports. Una visión del panorama actual en el deporte,* Águeda Martín Fernández; *Capítulo XIX. La tecnología en el deporte y el fair play tecnológico,* José Luis Pérez Triviño; *Capítulo XXX. Biotecnología y Human Enhancement en el contexto deportivo,* Elena Atienza Macías; *Referencias bibliográficas,* Francisco Manuel Rosado Medina.

Las conductas "neutrales" del asesor fiscal en el ámbito del derecho deportivo[1]

EDGAR IVÁN COLINA RAMÍREZ

Profesor de Derecho Penal
Universidad de Sevilla

1. INTRODUCCIÓN

En los últimos años, un sinnúmero de deportistas han sido ejemplo no de un contexto deportivo, sino que por conductas que en no pocos casos han sido causa de la intervención del Derecho penal. En este sentido, a efectos del presente artículo, cabe referirse específicamente al mal hacer con sus ingresos económicos derivados justamente de la actividad en que se desempeñan[2]. Así,

---

[1] La presente investigación se ha realizado en el marco de ayudas de movilidad auspiciado por la Universidad Federico II (Nápoles), bajo la propuesta del Prof. Dr. Giuseppe Amarelli. El autor agradece la hospitalidad recibida durante dicha estancia de movilidad.

[2] VERDUGO GUZMÁN, señala que, con el transcurso del tiempo en el deporte son cada vez más los oscuros círculos de actividades ilícitas, que contemplan desde el uso desustancias dopantes, actos violentos entre deportistas, corrupciones, amaños y apuestas. Así por ejemplo, se documentaba que los egipcios de la edad antigua apostaban en juegos de tablero o que existían arreglos en las carreras de cuadrigas y combates entre gladiadores; en la edad media hubo acuerdos ilícitos en carreras de caballos, y en los tiempos modernos era más que conocido el desarrollo masivo de apuestas entre gente de clases bajas en torno a carreras de perros galgo, en la esgrima o el críquet. Durante el Siglo de Oro Español, se realizaban distintos juegos y competiciones entre los caballeros, que también escondían curiosos métodos de engaño y estafas para obtener el triunfo a la vez de obtener fama y prestigio, en VERDUGO GUZMÁN, S., "Delitos contra la propiedad de los particulares: de las estafas y engaños en el Código Penal de 1822", en *Estudios sobre*

en el ámbito patrimonial[3], y específicamente el fiscal, el gran problema que debe llamar la atención es que en este tipo de casos la mayoría de los obligados tributarios aluden a que ellos no tenían conocimiento alguno de la defraudación que se estaba llevando a cabo en su nombre, pues habían dejado en manos de sus asesores fiscales todo lo relativo al pago de impuestos. Sin embargo, dicho argumento ha servido de poco por no decir casi nada para obtener una sentencia absolutoria, pues en la mayoría de los casos, se les condena como autores por un delito de defraudación tributaria, sin embargo, los tribunales cada día están poniendo de manifiesto diversas formas de participación del asesor fiscal.

No cabe duda que una de las figuras de mayor relevancia en el ámbito de la fiscalidad (en todos los niveles) es precisamente el del asesor, pues en muchas operaciones de gran envergadura nos encontramos con la participación de estos expertos sobre la materia, sin embargo, no existe una normativa específica que regule su ámbito de actuación, a pesar de los diversos intentos en su regulación[4], estos no se llegaron a materializar, por solo citar un ejemplo el borrador del Proyecto de Ley de regulación del Gestor Tributario, en el que se definió al *"gestor tributario"*, como:

"…el profesional que, con título administrativo expedido al efecto, e inscrito en el registro oficial de gestores tributarios del Ministerio de economía y Hacienda coma en virtud del contrato celebrado con el interesado, viene obligado actuar, a favor de este, determinados servicios consistentes en la realización de las operaciones lógicas

---

el *Código Penal de 1822 en su bicentenario* (coords. G. Callejo H. / V. Martínez P.), Editorial BOE, Madrid, 2022, págs. 331-336.

[3]   Sigue exponiendo VERDUGO GUZMÁN, "parecía ser un problema importante la realización de trampas y engaños en la sociedad europea a eso de los siglos XVIII y XIX, por lo que especialmente en España, el primer CP de 1822 reguló las defraudaciones que en aquellos tiempos se producían especialmente en torno a la propiedad de los particulares. Esto se confirma con la estafa del tesoro, o también y donde se ha puesto énfasis, con los causados a propósito de la expansión de diversos deportes y las apuestas que los acompañaban, en que además llama la atención que las preocupaciones existían entre las autoridades cuando la gente del pueblo dejaba de producir y trabajar el campo, para apostar y probar suerte, aunque no tuviese más que pobreza, siendo propensos especialmente los hombres a la comisión de diversos ilícitos, además de los problemas documentados respecto a las familias que se dejaban abandonadas por el juego y el alcohol", en VERDUGO GUZMÁN, S., "Delitos contra la propiedad de los particulares: de las estafas y engaños en el Código Penal de 1822", *op. cit.*, 2022, págs. 334.

[4]   *Vid.* MARTÍNEZ CARRASCO PIGNATELLI, J. M., *El asesor fiscal como sujeto infractor y responsable*, Editoriales de Derecho Reunidas, Madrid, 2003, pág. 17.

y matemáticas precisas para la elaboración de las declaraciones y autoliquidaciones que el sujeto pasivo deba presentar ante la Hacienda Pública en cumplimiento de sus obligaciones tributarias".

Si bien, podemos encontrar algunas disposiciones que se refieren al asesor fiscal de manera análoga, en la actualidad podemos encontrar diversas referencias que hacen alusión expresa al asesor fiscal, así por ejemplo el artículo 46.1 de la Ley 58/2003, de 17 de diciembre que al efecto establece:

"Los obligados tributarios con capacidad de obrar podrán actuar por medio de representante, que podrá ser un asesor fiscal, con el que se entenderán las sucesivas actuaciones administrativas, salvo que se haga manifestación expresa en contrario".

De igual forma el Real Decreto 1065/2007, de 27 de julio, por el que se aprueba el Reglamento General de las actuaciones y los procedimientos de gestión e inspección tributaria y de desarrollo de las normas comunes de los procedimientos de aplicación de los tributos, establece en diversos artículos, como por ejemplo el artículo 79, que:

"sujetos de la colaboración social en la aplicación de los tributos.... En particular, tendrán especial consideración a efectos de la colaboración social los colegios y asociaciones de profesionales de la asesoría fiscal.

d) Personas o entidades que realicen actividades económicas, en relación con la presentación telemática de declaraciones, comunicaciones de datos y otros documentos tributarios correspondientes al Impuesto sobre la Renta de las Personas Físicas y al Impuesto sobre el Patrimonio de sus trabajadores y, en su caso, de la correspondiente unidad familiar a que se refiere el artículo 82.1 de la Ley 35/2006, de 28 de noviembre, del Impuesto sobre la Renta de las Personas Físicas y de modificación parcial de las leyes de los Impuestos sobre Sociedades, sobre la Renta de no Residentes y sobre el Patrimonio, y respecto de la prestación de servicios y asistencia a dichos trabajadores...

e) Personas o entidades que realicen actividades económicas, cuando su localización geográfica o red comercial pueda ayudar a la consecución de los fines de la Administración tributaria".

De igual forma, en el ámbito jurisprudencial[5] se ha entendido al asesor fiscal como:

"... aquel profesional cuya actividad consiste en facilitar a los contribuyentes las relaciones con la Administración, bien sea realizando gestiones, bien sea repre-

---

5   SAP de Madrid de 3 de junio de 2011.

sentándole, o bien sea interpretando las normas impositivas con el objeto de cumplir correctamente con las obligaciones legales, buscando la solución menos gravosa para el contribuyente. Por ello, las principales funciones del asesor fiscal son tres: asesoramiento o consultoría, asistencia técnica en el cumplimiento de las obligaciones tributarias y la defensa del cliente (esta última no ante los tribunales sino ante la Administración tributaria).

Numerosas sentencias señalan, entre ellas la SAP de Madrid de 3 de julio de 2000 que ante la falta de normativa sobre la profesión del asesor fiscal se obliga a acudir a los preceptos de la teoría general de las obligaciones que completan en lo necesario el contenido contractual (artículos 1258 y 1287 CC), así como las reglas sobre el alcance y fuerza de los contratos. En cuanto a la legislación vigente, el artículo 37.5 e) del Reglamento General de la Inspección de los Tributos, aprobado por Real Decreto 93911986, de 25 de abril estipula que "tendrán la consideración de asesores quienes, con arreglo a Derecho, desarrollen una actividad profesional reconocida que tenga por objeto la asistencia jurídica, económica o financiera". De esta definición se puede entender que se trata de una actividad que consiste en la asistencia jurídica, económica o financiera. Actividad que es reconocida con arreglo a Derecho, lo que dotará a la misma de carácter profesional y que consiste en una asistencia técnica o especializada, como la define la STS de 22 de enero de 1999"" (Cursivas añadidas).

Ahora bien, en el ámbito de la doctrina se entiende que el asesor fiscal es un profesional que realiza labores de asistencia técnica y orientación, ya sea como representante o mero asesor, en el ejercicio de los derechos de su cliente y en el cumplimiento de deberes materiales y formales de contenido estrictamente tributario ante la Hacienda Pública, planificando de esta manera su fiscalidad[6].

Por ejemplo, la STS de 18 de junio de 2014, en lo que aquí interesa estableció que el delito de defraudación tributaria no sólo puede ser cometido por el obligado tributario, sino que se puede condenar a un tercero (asesor fiscal) como cooperador necesario u otras formas de participación —inductores, cómplices—, por lo que según dicho criterio los delitos fiscales pueden ser cometidos por diversas personas a los obligados tributarios[7].

---

[6]   MARTÍNEZ CARRASCO PIGNATELLI, J. M., *El asesor fiscal…*, *op. cit.*, 2003, pág. 21.

[7]   *Cfr.* COLINA RAMÍREZ, I., "Capítulo XVIII. El asesor fiscal en el ámbito del Derecho deportivo. Especial referencia a los delitos tributarios", en S. VERDUGO GUZMÁN, *Tratado de Derecho Deportivo*, ed. Thomson Reuter - Aranzadi, Pamplona, 2021, págs. 435 y ss.

Así la citada jurisprudencia razonó que:

"No es cierto que el delito fiscal sólo pueda ser cometido por el obligado tributario. Basta reparar en que esta Sala ha llegado a condenar como cooperador necesario de ese delito a un inspector de Hacienda que, participando en el plan ideado para llevar a cabo las defraudaciones, evitó el descubrimiento de las bases ocultadas fraudulentamente, extendiendo en las actas suscritas el "conforme" pese a las irregularidades tributarias que habían sido detectadas (cfr. STS 17/2005, 3 de febrero).

La misma idea aparece reflejada en otros precedentes que han estimado cooperador necesario al asesor fiscal que planeó y diseñó la compleja operación de ocultación de beneficios (cfr. SSTS 1231/1999, 26 de julio y 264/2003, 30 de marzo). En este punto, pues, la jurisprudencia no coincide con la tesis de la defensa. Y es que cuando nos encontramos, como sucede en este caso, ante obligaciones tributarias con cargo a personas jurídicas que adoptan la forma de sociedades, es evidente que la responsabilidad penal recae en todos aquellos que, de una u otra manera, tienen capacidad decisoria y han acordado realizar las operaciones o transacciones que generaron la deuda tributaria (cfr. STS 83/2005, 2 de marzo).

La ley, en fin, no impide la punibilidad del extraneus en el delito propio del intraneus. Se admiten por consiguiente en este delito las diversas formas de participación — inductores, cooperadores necesarios, cómplices—. Se rechaza que este delito, por tanto, pueda ser cometido exclusivamente por el obligado tributario (cfr. STS 274/1996, 20 de mayo). De acuerdo con esta idea, quien crea y suministra facturas falsas para su fraudulenta desgravación, participa en el delito cometido por el obligado tributario".

Pues bien, *grosso* modo se concibe que cualquier persona que realice dicha asistencia técnica en materia tributaria es un asesor fiscal, pues no existe ningún título habilitante para ejercer como tal, ello ha dado lugar a que esta figura se preste a confusión con diversas profesiones como puede ser la de abogado, pues resulta bastante común que dichos profesionales presten asesoramiento en materia tributaria, sin embargo, cuando estos representan a sus clientes en el ámbito administrativo o judicial más allá del asesoramiento o planificación fiscal, está ejerciendo precisamente como abogado y no así como asesor fiscal, si bien, visto así parece una obviedad, en muchas de las ocasiones se llega a confundir sus actuaciones.

Sin embargo, las responsabilidades que puede tener una u otra actuación son asimétricas, pues mientras que en el ejercicio de la abogacía se encuentra regulado bajo un régimen normativo perfectamente establecido, mientras que en el asesor fiscal resultan difusos sus límites en cuanto derechos y obligaciones, pues estos no van más allá de los que en la propia hoja de encargo se establezcan, así como el deber de diligencia en el asunto encargado.

2. ÁMBITO DE ACTUACIÓN DEL ASESOR
FISCAL EN EL DERECHO DEPORTIVO

Dada la complejidad que reviste la propia normativa tributaria, en el ámbito deportivo esta se torna aún más compleja si cabe, pues no sólo se atiende a un solo factor de tributación como podrían ser las rentas derivadas del trabajo, el IVA, etc., sino que además se debe estar a una gran variedad de supuestos, que revisten un confuso y por demás complicado sistema tributario, pues dada la especialidad y complejos supuestos lo hacen casi ininteligibles no sólo para los profanos sino también para profesionales tributarios que no se dedican al sector deportivo.

Si bien, entendemos que en principio no se puede desconocer que cualquier actividad que produzca ganancias debe ser gravada, pues esto, es acorde a un sistema básico y equitativo de tributación, que dicho sea de paso tiene rango constitucional, y en él cual se establece la obligación del sostenimiento del gasto público, lo que coloca a la actividad deportiva también en dicha obligación, pues resulta más que obvio que los deportistas de *elite* también deben contribuir al gasto público, pues también se benefician de las infraestructuras del Estado.

No obstante que, en cuanto al Impuesto sobre la Renta de las Personas Físicas —IRPF—, de los deportistas no presenta mayor complejidad que la del propio tributo tiene, pues resulta obvio que el impuesto queda gravado, ya que son ganancias obtenidas por los deportistas profesionales como consecuencia directa de la práctica deportiva, sin embargo, más allá de dicho impuesto, se puede decir que no existe una regulación específica, lo cual genera una importante limitación en los propios alcances de los tributos específicos[8].

Sin embargo y con independencia de lo anterior, la mayoría de los problemas que a nivel tributario se generan son los derivados de la explotación de la propia imagen del deportista, pues sólo basta observar las sentencias que por defraudación tributaria se les ha imputado (jugadores de futbol), se han derivado del impago de los impuestos relativos precisamente a los derechos de imagen.

---

[8]   VAQUERO GARCÍA, A., "Fiscalidad y deporte profesional: algunas consideraciones aplicadas" en *Impuestos Revista de doctrina, legislación y jurisprudencia*, No. 24, No.1, 2008, págs. 141 y ss.

Ello es así, dada la enrevesada casuística que el pago de los impuestos de estos derechos conlleva, pues generalmente se utilizan complejas operaciones (de ingeniería financiera), para tratar de eludirlos pues generalmente los jugadores ceden sus derechos a empresas, que dicho sea de paso en su gran mayoría pertenecen al propio jugador, cuya domiciliación se encuentran fuera de España (paraísos fiscales), lo que hace muy difícil su descubrimiento, a pesar de que cada día al menos a nivel europeo se han tratado de establecer diversas directivas a efectos de impedir la elusión de impuestos.

En este aspecto, los deportistas profesionales tienen cuando menos dos ingresos debido a su actividad profesional, uno por jugar el deporte que practiquen (derivado de su contrato laboral) cuyo impuesto está sujeto al IRPF y el otro por sus derechos de imagen. Sin embargo, el impuesto que, como venimos señalando crea mayores problemas dada su complejidad, pues se requiere el asesoramiento de un experto es precisamente los derechos de imagen, no obstante, y dado que la mayoría de estos derechos son cedidos a empresas cuyo domicilio estaba fuera del territorio, la Agencia Tributaria consideró que el pago correspondiente a tales derechos son inseparables a la práctica deportiva, de tal manera que se deben abonar en el propio salario o mejor dicho bajo el mismo concepto.

En este sentido el artículo 92 de la Ley 35/2006, de 28 de noviembre. No obstante, cabe matizar que la tributación de este impuesto, dependerá de quien o donde provenga dicha retribución, se atenderá a un tipo de rendimiento u otro, por ejemplo si las ganancias provienen del club o equipo para el que labora el sujeto pasivo del impuesto, se considera como un rendimiento del trabajo; mientras que será un rendimiento de actividades económicas si el deportista no trabaja para ningún club, es decir es autónomo; ahora bien, se podrá tributar como de capital mobiliario si se cede la explotación de derechos de imagen a una empresa o un tercero, mientras que si la cesión se realiza a través de una empresa interpuesta entre el deportista y el club, estaremos ante una imputación de rentas.

De lo dicho anteriormente resulta obvio que este sistema de fiscalidad es complejo y en gran medida difícil de desentrañar, pues ni en la propia doctrina tributaria existe un consenso común que determine cuando se da un supuesto u otro[9]. Si a lo anterior añadimos que existen supuestos en

---

[9]   *Vid.* por todos GONZÁLEZ DEL RÍO, J. M., "Derechos de imagen de futbolista profesional y jurisdicción competente. STSJ Galicia 8 noviembre 2011", *Aranzadi Social. Revista Doctrinal*, Vol. 5, No. 1, Navarra, 2012, págs. 63 y ss., CORDERO

los que el deportista no es residente en España, supuesto que se presenta cuando el sujeto pasivo del tributo es residente de un Estado con el que no existe convenio que evite la doble imposición, se estará a la Ley Impuesto sobre la Renta de No Residentes, Real Decreto Legislativo 5/2004 de 5 de marzo.

Pero a mayor *inri*, la Ley 35/2006 de 28 de noviembre, también conocida como Ley Beckham, establece que los extranjeros que se encuentren desarrollando una actividad laboral en España tributaran a un 24%, es decir una tributación inferior a los residentes. Si bien, esta ley no fue pensada en principio para deportistas de "elite", sino más bien era favorecer la llegada de personas cualificadas, expertos y capital humano que aportase valor añadido a las empresas españolas y por ende hacerlas competitivas ante una economía globalizada[10], la práctica demostró lo contrario, pues los mayores beneficiados fueron los clubes de futbol, pues amparados en dicha regulación atrajeron numerosos deportistas, uno de los más significativos fue David Beckham, tan es así que a esta ley se le conoce por su nombre.

Sin embargo, y vistos las indeseables consecuencias para las arcas tributarias, a partir del 1 de enero de 2015, se excluyó a los deportistas profesionales cuya relación laboral especial está regulada por el Real Decreto 1006/1985, de 26 de junio.

Pues bien, como se ha puesto de manifiesto, la regulación en el ámbito deportivo refleja mayores complicaciones que la simple regulación tributaria *¡por si esto fuera poco!*, y es precisamente en actuaciones tan específicas donde entran las actuaciones de los asesores fiscales, sin embargo, a efectos de poder atribuir responsabilidad penal resulta de vital importancia indagar si las actuaciones del mencionado asesor entran en el ámbito de las conductas neutrales o si por el contrario éstas resultan delictivas.

SAAVEDRA, L., "Las cuantías abonadas por entidades deportivas a cesionarias de derechos de imagen de deportistas profesionales y el supuesto de su calificación jurídico-tributaria como rendimientos de trabajo personal", en *Jurisprudencia Tributaria*, No. 2, Aranzadi, Navarra, 2003, pág. 9.

[10]   ALMONACID LARENA, D., "Residencia fiscal de las personas físicas y jurídicas: aspectos internacionales", en *Documentos de Trabajo IELAT*, No. 116, noviembre 2018, pág. 40 (consultado en línea, file:///C:/Users/icoli/AppData/Local/Temp/Dialnet-ResidenciaFiscalDeLasPersonasFisicasYJuridicas-6764273.pdf, el 10 de noviembre de 2022.

3. SOBRE LAS CONDUCTAS NEUTRALES DEL ASESOR FISCAL

En opinión de WOHLLEBEN, las conductas neutrales son aquellas que quien las ejecuta las hubiera realizado frente a todo el que se hallara en la situación del autor, porque él, con su acción, persigue fines propios jurídicamente no desaprobados que son independientemente del hecho de su autor[11].

Ahora bien, de la definición anterior se desprende que en dicha figura encontramos tanto elementos objetivos como subjetivos. Por cuanto hace a los primeros, se trata de conductas que se adecuan plenamente al rol que desempeña el sujeto, es decir, que se encuentran plenamente amparadas en base a la función que desarrollaba el sujeto, por ejemplo, la función del asesor fiscal es aconsejar en temas tributarios y ayudar a la realización de las diversas autoliquidaciones y declaraciones para que se puedan presentarlas ante la Hacienda pública. En el ámbito subjetivo, es preciso señalar ciertos matices antes de plantear su repercusión en las conductas neutrales.

En un principio el fuero interno (que es donde se desarrolla el ámbito subjetivo del individuo) no puede constituir objeto de intervención penal, puesto que el conocimiento en su configuración natural no representa ninguna perturbación social, ámbito que en tanto no se haga manifiesto resulta impenetrable para la esfera jurídica[12].

Ello revela por qué el Derecho penal no penetra en la esfera interna del individuo y por tanto no puede establecer dicho ámbito interno como objeto de imputación, en razón de su limitada constitución que proscribe toda posibilidad de imputación de la culpabilidad. En este sentido el

---

[11]   Citado por ROBLES PLANAS, R., *La participación en el delito: fundamento y límites*, Marcial Pons, Madrid - Barcelona, 2003, pág. 33.

[12]   En este sentido Jakobs afirma a este respecto que: *"... ámbito privado, esto es, de la esfera civil interna. Ésta es, en la relación del ciudadano con el Estado, parte del ciudadano como sujeto. Cuando el Estado se inmiscuye en el ámbito privado determina la privacidad y con ella la posición del ciudadano como sujeto; sin su ámbito privado el ciudadano no existe. Si los seres humanos produjeran y desplazaran consigo su morada al modo de la concha del caracol, sería perceptible por los sentidos que la morada pertenece a lo interno de la misma forma que el cuerpo. Pero no existe ningún impedimento para abandonar el concepto naturalista de sujeto y determinar el alcance del sistema normativamente; entonces una habitación alquilada puede ser equiparada a la concha de un caracol".* (cursivas añadidas) *Vid.* en JAKOBS, G., *Estudios de Derecho de Derecho penal*, traducción de E. PEÑARANDA; C. J. SÚAREZ; Y M. CANCIO MELIÁ. Coeditado con Ediciones de la Universidad Autónoma de Madrid, 1997, pág. 297.

principio de culpabilidad sólo puede advertirse mediante la imposición de una pena en base al comportamiento doloso o imprudente del sujeto, más nunca se podrá imponer una pena en base a un conocimiento distinto a los mencionados. Así podemos afirmar que sólo el conocimiento que admite graduación puede ser castigado con una pena[13].

En el ámbito de la teoría psicologista que fundamenta la culpabilidad[14], en relación al elemento cognitivo, lo dejan intocado en base a su *ratio* naturalística. El modelo de imputación, defendido por la teoría final de la acción, se encuentra influenciado por el psicologicismo, y por tanto no se puede normativizar *"el conocimiento"*, ya que, para éste, sólo es necesario en su manifestación natural como un ejercicio consciente de finalidad para dar contenido al dolo. Lo que importa en la teoría final de la acción es que el sujeto, en virtud del conocimiento, respecto al suceso natural, establece un punto final a donde va a dirigir su acción, es en ese momento cuando evalúa los factores concomitantes, selecciona los medios, e impulsa finalmente la acción para conseguir el plan efectuado originariamente en la mente del autor[15]. En este sentido se puede afirmar que la determina-

[13] STRATENWERTH, G., *Derecho penal Parte general. I: El hecho punible*, traductores M. CANCIO MELIÁ, M. SANCINETTI A., Civitas. Madrid, 2005, págs. 146 y ss.

[14] VON LISTZ, F., señala que: "La relación subjetiva entre el hecho y el autor sólo puede ser psicológica", *Vid.* en *Tratado de Derecho penal*, 4ª., ed., T.II, trad. de la 20ª., ed. alemana por L. JIMÉNEZ DE ASUA y adicionado con el Derecho penal español por Q. SALDAÑA, Madrid, 1999, p.388.

[15] *Vid.* a WELZEL, H., que aduce que: "Toda acción consciente es conducida por la decisión de la acción, es decir, por la conciencia de lo que se quiere —el momento intelectual— y por la decisión al respecto de querer realizarlo —el momento volitivo. Ambos momentos, conjuntamente, como factores configuradores de una acción típica real, forman el dolo (=: "dolo de tipo". La acción objetiva es la ejecución adecuada del dolo. Esta ejecución puede quedar detenida en sus comienzos: en la tentativa; en este caso, el dolo va más allá de lo que logra alcanzar. Si la decisión al hecho es ejecutada adecuadamente hasta el término, el hecho está consumado. En este caso, el hecho total no sólo ha sido querido dolosamente, sino también ejecutado dolosamente. Aquí, el dolo es un elemento final de la acción, en todo su contenido. El dolo como mera resolución es penalmente irrelevante, ya que el Derecho Penal no puede alcanzar al puro ánimo. Sólo en los casos en que conduzca a un hecho real y lo gobierne, pasa a ser penalmente relevante. El dolo penal tiene siempre dos dimensiones: no es sólo la voluntad tendiente a la realización típica, sino también la voluntad capaz de la realización del tipo. Esta función final-objetiva del dolo para la acción se presupone siempre en el Derecho Penal, cuando se define el dolo como conciencia del hecho y resolución al hecho" (cursivas añadidas), en *Derecho penal alemán. Parte General*, 11ª., ed., 2ª., ed. caste-

ción para cometer el injusto penal radica en la mente del autor en una conexión psicológica entre éste y el resultado.

Se ha planteado que la figura de las conductas neutrales se desarrolla únicamente en el ámbito de la participación; no obstante, para poder desarrollar si efectivamente las conductas neutrales se desarrollan exclusivamente en la participación, es necesario establecer *prima facie* el contenido del concepto de conductas neutrales[16]. El desarrollo de una conducta neutral, nace bajo la ejecución de una conducta estándar, es decir, son conductas *per se* lícitas que tienen como fundamento la creación de juridicidad respecto al que se dirigen. Estas conductas generalmente se dan en las comunicaciones sociales altamente reguladas[17], por esta razón, los sujetos no configuran su comunicación, sino más bien la adaptan al estándar previamente definido.

En las conductas neutrales existe por lo regular un común denominador, a saber, que el sujeto que lleva a cabo dicha conducta sabe que un tercero utilizará su aportación para cometer el delito. No obstante, no se puede perder de vista que la conducta que practica el sujeto se realiza en el marco de una actividad cotidiana, es decir conforme al rol que este desempeña[18]. En este sentido el asesor fiscal que a sabiendas de que la información que le da su cliente es falsa elabora una autoliquidación, o el supuesto dentro de este tópico más famoso en Alemania del empleado del Banco Dresdner que realizó diversas operaciones (trasferencias a un banco extranjero) por encargo de un cliente —teniendo conocimiento— que tales trasferencias tenían como finalidad la defraudación de tributos[19], actúan bajo un ámbito de libertad reconocido por el Estado a sus ciudadanos, que coincide precisamente con su actividad cotidiana. De ahí, que bajo esta perspectiva dichos sujetos no se les puede considerar partícipes del delito cometido por terceros que aprovecharon su actuar para cometer el delito, debido a que el significado social de su conducta coincide bajo esta perspectiva con el significado normativo de neutralidad o de concordancia con la vigencia de las normas de un Estado de libertades.

---

llana, trad. J. BUSTOS RAMÍREZ / S. YAÑEZ PÉREZ, Editorial Jurídica de Chile, Santiago de Chile, 1976, págs. 94 y ss.

[16]   *Cfr.* ROBLES PLANAS, R., *ibidem*, pág. 33.

[17]   *Vid.* ROBLES PLANAS, R., *ibidem*, pág. 34.

[18]   *Vid.* ROBLES PLANAS, R., *ibidem*, págs. 275 y ss.

[19]   Caso citado por ROBLES PLANAS, R., *ibidem*, pág. 37, nota 47.

Sin embargo, no podemos pasar por alto que, si bien la conducta se desarrolla en concordancia con la vigencia de la norma, no basta desconocer que precisamente el sujeto tiene conocimiento de que su conducta favorece un hecho delictivo de un tercero. Empero, a esta objeción se puede contraponer que el conocimiento es únicamente un dato psíquico no perteneciente a su rol, esto tiene su fundamento en que una mera representación de su psique, si bien lo puede acompañar en su actuar, si en el contexto social de la acción no le es exigible jurídicamente poseerlo ni aplicarlo, por lo que su conducta es atípica. De vuelta con los ejemplos anteriores el asesor fiscal o el empleado bancario pueden saber que sus clientes pretenden defraudar a la Hacienda pública, no obstante, el mero conocimiento que ellos deben tener, no forma parte de su respectivo rol, ya sea como asesor o como empleado bancario, puesto que en tales profesiones su función no es vigilar que sus clientes no comentan defraudaciones tributarias. De ahí que conocimiento especial no pone una conducta cotidiana a la comunidad delictiva de terceros que se aprovechan de las aportaciones brindadas en el marco de una actividad neutral.

El ámbito de las conductas neutrales, se desarrolla mayoritariamente en el plano de la participación, como una especie de casos que, en vista de su peculiaridad neutral, obliga un tratamiento diferenciado de los demás supuestos de inducción y complicidad[20]. No obstante, consideramos que, si bien dichas conductas son perfectamente encuadrables en la participación, también estas se podrán presentar en el ámbito de la coautoría, por ejemplo, el conocido caso del camarero[21]. Puesto que no es óbice que se cause directamente el resultado, siempre y cuando sea la conducta adecuada al rol del interviniente la que directamente cause el resultado lesivo[22].

Diversas críticas han salido al paso de las conductas neutrales, ello lo fundamentan en que estas no justifican la adopción de medidas diversas

---

[20]   *Vid.* ROBLES PLANAS, R., *La participación…*, 2003, pp.39 y ss.

[21]   Ejemplo planteado por JAKOBS, G., en el que: "Un estudiante de biología gana algún dinero trabajando por las tardes como camarero. Cuando se le encarga servir una ensalada exótica descubre en ella una fruta de la que sabe por sus estudios que es venenosa. De todos modos, sirve la ensalada" (cursivas añadidas) *Vid.* en *La imputación objetiva …*, 1996, pág. 137. No obstante en el concreto ámbito del delito tributario las conductas neutrales de causación directa del resultado, difícilmente se podrán presentar, por la misma complejidad de la relación contribuyente / Hacienda pública.

[22]   *Vid.* ROBLES PLANAS, R., *La participación…*, 2003, p.40.

para casos "normales" de complicidad[23], sustentándose tal postura en que la ley no conoce limitaciones en las formas de participación en base a determinados medios, por tanto, toda contribución dolosa de un tercero es apta para constituir la complicidad. Además, si en tal conducta se sabe las intenciones del tercero y pese a ello se realiza, no estaremos ante una conducta neutral, sino más bien ante una lesión al bien jurídico, no obstante, se matiza que dicha lesión es accesoria[24]. Otra crítica se basa, en que toda conducta puede ser neutral si se inserta en un campo social inocuo y esto no quita *per se* que dicha conducta no sea delictiva. Sin embargo, a tales críticas, se debe señalar lo siguiente:

a) Las conductas neutrales más que tratar de desarrollar conceptos de imputación diversos, tarta de trazar la delgada frontera de los objetivamente imputable a título de participación, pues en esta figura lo que se trata es de analizar si se establecen los requisitos necesarios para saber si tal conducta es jurídico-penalmente relevante.

b) Por otra parte, no es dable señalar que una conducta no es neutral en razón de que no existen conductas cotidianas de complicidad, puesto que participar en un evento delictivo nunca puede ser neutral, sin embargo, tal crítica resulta desenfocada puesto que de lo que se trata es precisamente de poder establecer si con tal conducta se participó o no en el delito.

c) Finalmente, resta señalar que la noción de neutralidad se fija en el contexto social que se desarrolla, sin embargo, este supuesto se resuelve al igual que la figura del riesgo permitido[25], pues no será objetivamente imputable a su autor aquella conducta que no obstante a lo previsto las consecuencias de su actuar se mueve en el ámbito de lo jurídicamente tolerado.

Para dar respuesta a la casuística de los supuestos de complicidad mediante conductas neutrales, han surgido diversas soluciones doctrinales. En primer lugar, las teorías extensivas se basan en que la complicidad representa en aquellos casos en que se coopera dolosamente en la comisión de un delito ajeno y en este sentido las conductas neutrales serán punibles en tanto que exista causalidad, dolo e incremento de riesgo en la produc-

---

[23] *Vid.* ROBLES PLANAS, R., *La participación…*, 2003, pág. 43.

[24] *Vid.* ROBLES PLANAS, R., *La participación…*, *l.o.c.*

[25] Respecto a la figura del riesgo permitido *vid.* al respecto a ANARTE BORRALLO, E., *Causalidad e imputación objetiva en Derecho penal. Estructura. Relaciones y perspectivas*, Universidad de Huelva, 2002, págs. 222 y ss.

ción del resultado[26]. Sin embargo, la postura que se acaba de mencionar no es de recibo por la doctrina mayoritaria, ya que esta es partidaria de restringir la punibilidad en el ámbito de la tipicidad.

Por otra parte, se manifiestan de igual manera teorías subjetivas que establecen que la distinción entre la complicidad punible de una conducta neutral se basa en el ámbito interno del que ejecuta la acción favorecedora, es decir sobre el dolo, conocimientos especiales, finalidad, relevancia, etc. Ya de antiguo se planteaba tal postura en la "teoría de la impunidad por dolo eventual", misma que proponía que solo existiría complicidad en los supuestos que el sujeto tuviera la intención de cooperar como consecuencia de su acción[27]. En la actualidad cierto sector de la doctrina, sostiene una postura similar a la planteada *ex ante*[28].

Para OTTO, el criterio que resulta decisivo para delimitar las acciones punibles de las conductas neutrales en el ámbito de la complicidad es la clase de dolo con que el participe abarca la comisión del delito[29]. De lo que se desprende que al igual que la postura de la teoría de la impunidad por dolo eventual el sujeto que favorece deberá quedar impune cuando se reconoce la posibilidad de la comisión del delito por parte de su autor. Si el dolo va más allá del mero conocimiento de la probabilidad de la producción del resultado lesivo, entra ya en el plano del dolo directo y por tanto se deberá castigar como complicidad.

Ahora bien, al igual que las posiciones subjetivas, parte de la doctrina ha tratado de definir el ámbito de las conductas neutrales a través de posiciones puramente objetivas, las cuales ponen en el juicio de valor el significado normativo del hecho, como algo que traspasa las fronteras de la mente

---

[26]   *Vid.* ROBLES PLANAS, R., "Las conductas neutrales en el ámbito de los delitos fraudulentos. Espacios de riesgo permitido en la intervención del delito", en SILVA SÁNCHEZ, J. M., *¿Libertad económica o fraudes punibles? Riesgos penalmente relevantes e irrelevantes en la actividad económico-empresarial*, Marcial Pons, Madrid - Barcelona, 2003, pág. 21.

[27]   ROBLES PLANAS, R., "Las conductas neutrales...", pág. 22.

[28]   En efecto dichos sector distingue las acciones llevadas a cabo con dolo directo o dolo eventual se diferencian en que cuando la conducta es llevada a cabo con dolo directo se deberá de observar que existe una referencia delictiva y por tanto existirá una complicidad punible. *Vid.* al respecto a ROXIN, C., *Derecho penal Parte General, T.I Fundamentos. La estructura de la teoría del delito*, trad. D. LUZÓN PEÑA, M. DÍAZ Y GARCÍA CONLLEDO, Y J. DE VICENTE REMESAL, Civitas, Reimpresión 1999, Madrid, pág. 424.

[29]   Citado por ROBLES PLANAS, R., "Las conductas neutrales...", pág. 23.

del autor, por manifestar *per se* una infracción normativa. En ese sentido lo primordial para la imputación no es el ámbito subjetivo, sino el sentido objetivo de una conducta[30].

El pensamiento objetivista propone establecer un juicio de responsabilidad, basado en que la punibilidad aportación mediante una actividad socialmente aceptada se condicione al sentido objetivo de la infracción de la conducta. Dicho pensamiento como ha quedado de manifiesto en líneas anteriores recibió mayor impulso con la teoría de la adecuación social de WELZEL, de ahí que resulte necesario a la luz de esta teoría que para valorar cualquier forma de comportamiento se deba de examinar la conducta exterior y no así el ámbito subjetivo de la mente del sujeto.

En el ámbito de la intervención delictiva bajo una perspectiva objetivista se puede llegar a la conclusión de que las conductas neutrales no son más que la concreción del riesgo permitido en los supuestos de favorecimiento a un delito mediante la realización de una actividad cotidiana o estereotipada a una profesión u oficio.

La impunidad de una conducta neutral se deberá interpretar en el contexto social de actuación mediante la comprobación de si el sujeto actuó conforme a su rol. En este sentido podremos afirmar que todo sujeto inserto en la sociedad, responde penalmente sólo en el marco de su posición de garante, dicho de otra forma *"no todo atañe a todos, pero al garante atañe lo que resulte de la quiebra de su garantía; y esto rige tanto para la comisión como para la omisión*[31]*"*, así, el rol social que desempeña un sujeto se entenderá como aquellas expectativas vinculadas al comportamiento del portador de una determinada posición, esta posición de deber que cada interviniente tiene como parte del sistema jurídico para posibilitar su funcionamiento.

El rol que todo individuo perteneciente al sistema social desempeña es precisamente el de persona, es precisamente en dicho rol en donde se desempeña la posición de deber más general por cumplir, para poder hablar de una sociedad funcional. El aspecto que va más allá de los meramente individual es el que interesa en el mundo social pues la premisa hegeliana "sé persona y respeta a los demás como personas[32]", es la garantía básica de la

---

[30]   *Cfr.* ROBLES PLANAS, R., *La participación…*, 2003, págs. 177 y ss.

[31]   *Vid.* JAKOBS, G., *Estudios de Derecho…*, 1997, pág. 211.

[32]   Citado por JAKOBS, G., *Sociedad, norma y persona en una teoría de un Derecho penal funcional*, trad. M. CANCIO MELIÁ, B. FEIJÓO SÁNCHEZ, Civitas, Madrid 2000, pág. 39.

que se parte para poder establecer una interacción basada en expectativas de comportamientos sustraídos al inabarcable mundo individual de los actores sociales[33]. No obstante, en razón de los complejos contactos sociales que comúnmente desarrollamos ha llevado a diferenciar en cada preciso momento que rol estamos desempeñando puesto que el rol general de persona únicamente es la entrada en la sociedad en la cual se va a diferenciar los roles especiales que desempeñamos en cada momento, por ejemplo, de contribuyente, de empresario, de asesor fiscal, padre de familia, etc.

Por tanto, se puede dar la garantía de que en tanto se ejerza la actividad concreta designada por el rol, se debe de imputar jurídico penalmente el incumplimiento de los deberes que traen aparejada su posición. De ahí que quien al desempeñar su rol tiene de alguna manera diversos conocimientos especiales como formación externa e independiente no tiene el deber de incorporar dichos conocimientos a su rol, puesto que para la valoración de la superación de un riesgo permitido excluye toda circunstancia que la persona en la autoadministración de su posición no está obligada a conocer.

En el ámbito del delito de defraudación tributaria la figura aquí expuesta es perfectamente encuadrable en los supuestos de participación, pues es común que los obligados tributarios se valgan de asesores fiscales u otros profesionales para poder hacer frente a tan compleja actividad fiscal; en ese sentido, la conducta de todos aquellos profesionales que desarrollen su actividad dentro del estándar establecido, ya sea jurídicamente o por cualquier otro medio, será impune en razón de que se desarrolla precisamente dentro de su rol y por tanto dicha conducta es neutral, sin que sea óbice para ello que se sepa que la intención del cliente sea defraudar a la Hacienda pública. En definitiva, todos aquellos profesionales que se desarrollen en el ámbito legal de su actividad encuentran amparada su conducta pues esta es inocua.

Ahora bien, cosa distinta es que el propio asesor realice actos más allá de las funciones que las estrictamente necesarias para su asesoramiento, pues en dichos supuestos podríamos estar ante conductas de participación, que si se pueden atribuir al asesor fiscal. En el plano legislativo cabe pensar que cuando el legislador trata de establecer responsabilidad sobre los asesores

---

[33]   *Vid.* al respecto un importante referente sobre este tópico a SÁNCHEZ-VERA GÓMÉZ-TRELLES, J., "Algunas referencias de historia de las ideas, como base de la protección de expectativas por el Derecho penal", en *Cuadernos de Política Criminal*, No. 71, Madrid, 2002, págs. 391 y ss.

fiscales, busca proporcionar a la Hacienda pública una supragarantía que dote de mayor facilidad para el resguardo y percepción del crédito fiscal. En este sentido la responsabilidad penal del asesor fiscal aspira a funcionar como complemento necesario para la efectiva recaudación de los derechos fiscales, situación que hasta ahora a través de los órganos administrativos ha demostrado su ineficacia operativa.

4. CONCLUSIONES

Gran problema de los últimos tiempos se produce en torno a la tributación por parte de deportistas profesional. En materia fiscal, la inquietud que debe llamar la atención es que en este tipo de casos la mayoría de los obligados tributarios aluden a que ellos no tenían conocimiento alguno de la defraudación que se estaba llevando a cabo en su nombre, pues habían dejado en manos de sus asesores fiscales todo lo relativo al pago de impuestos.

El ámbito de la regulación fiscal en el Derecho deportivo resulta harto complejo debido a las aristas que se presentan referente a los deportistas, tales como la residencia, si los derechos de imagen se los paga el club, los percibe directamente o a través de otra enditad, etc., lo cual hacen que cada día se requiera una alta especialización no sólo en el ámbito fiscal sino directamente en el ámbito deportivo.

Resulta frecuente que los deportistas de "elite", recurran al servicio de asesores fiscales altamente especializados para que les ayuden a realizar el pago de impuestos, así como les recomienden la manera de hacerse acreedores a deducciones fiscales importantes. De ahí que una de las profesiones más rentables como lo es la asesoría fiscal a deportistas este en auge, sin embargo, llama la atención que no exista una normativa que regule la actuación de estos.

Por otra parte es importante señalar que el hecho de que se contrate un asesor fiscal no exime de responsabilidad alguna al obligado tributario (ni administrativa, ni mucho menos penal), pues no se pude perder de vista que la obligación del pago de impuestos no es delegable, pues se entiende que es personalísima y sólo afecta a la persona generadora del impuesto, de ahí que resulte inverosímil argumentar que se delegó tal facultad al asesor, pues se insiste las obligaciones tributarias no son delegables.

Máxime que el delito tributario es de los denominados de infracción de deber y sólo el obligado es quien puede realizar el delito y no así un tercero. Además, que no se puede perder de vista que el ámbito del ase-soramiento es de los denominados conductas neutrales que no salen del ámbito de actuación del propio asesor.

Cuestión distinta, es si el asesor va más allá del simple asesoramiento y realiza conductas tendentes a eludir el pago de los tributos, pues en este caso no encontramos ante formas de participación como pueden ser la complicidad o inclusive la cooperación necesaria, sin embargo, no pode-mos perder de vista que dichas conductas accesorias están sujetas a la ac-tuación del autor del delito.

5. REFERENCIAS BIBLIOGRÁFICAS

ALMONACID LARENA, D., "Residencia fiscal de las personas físicas y jurídicas: aspec-tos internacionales", en Documentos de Trabajo IELAT, No. 116, noviembre 2018.

ALONSO GONZÁLEZ, L., "El delito fiscal en los tributos autoliquidados", en *RTT*, N°.77, abril-junio, AEDAF, Madrid, 2007.

BAJO FERNÁNDEZ, M. / Bacigalupo, S., *Delitos contra la hacienda pública*, Centro de Estudios ramón Areces, Madrid, 2000.

COLINA RAMÍREZ, I., "Capítulo XVIII. El asesor fiscal en el ámbito del Derecho de-portivo. Especial referencia a los delitos tributarios", en S. VERDUGO GUZMÁN (dir.), *Tratado de Derecho Deportivo*, Editorial Thomson Reuter - Aranzadi, Cizur Me-nor - Navarra, 2021.

COLINA RAMÍREZ, E., *La defraudación tributaria en el Código penal español. Análisis jurí-dico-dogmático del art. 305 Cp*, JM Bosch, Barcelona, 2010.

CORDERO SAAVEDRA, L., "Las cuantías abonadas por entidades deportivas a cesiona-rias de derechos de imagen de deportistas profesionales y el supuesto de su califica-ción jurídico-tributaria como rendimientos de trabajo personal", en *Jurisprudencia Tributaria*, No.2, Aranzadi, Navarra, 2003.

DÍAZ VICENTE, O., *Ilícitos tributarios. Perspectiva jurídica y económica*, Astrea, Buenos Aires, 2006.

FEIJOÓ SÁNCHEZ, B., *Imputación objetiva en Derecho penal*, Grigley, Perú, 2002.

GONZÁLEZ DEL RÍO, J. M. "Derechos de imagen de futbolista profesional y jurisdic-ción competente. STSJ Galicia 8 noviembre 2011", *Aranzadi Social. Revista Doctrinal*, Vol. 5, No. 1, Navarra, 2012.

GONZÁLEZ, L., *La responsabilidad fiscal del asesor fiscal.*, 1999 (ponencia inédita).

JAKOBS, G., *Derecho penal. P.G. Fundamentos y teoría de la imputación, trad.*, J. CUELLO CONTRERAS y J. L. SERRANO GONZÁLEZ DE MURILLO, *2ª, ed., Marcial Pons, Madrid*, 1997.

MARTÍNEZ CARRASCO PIGNATELLI, J. M., *El asesor fiscal como sujeto infractor y respon-sable*, Editoriales de Derecho Reunidas, Madrid, 2003.

MATA BARRANCO, N. J., "Ausencia de neutralidad profesional y posibilidades dogmá-ticas de atribución penal de responsabilidad al asesor fiscal", en *Revista General de Derecho penal*, N°. 33, Iustel, Madrid, 2020.

MORILLAS CUEVA, L., "Derecho penal y deporte", Á. Prados Ruiz (dir.), *Revista Andaluza de Derecho del Deporte*, núm. 1, septiembre 2006, edita Junta de Andalucía. Consejería de Turismo, Comercio y Deporte, Sevilla, 2006.

MORILLAS CUEVA, L., "Delitos contra la hacienda pública", en COBO DEL ROSAL, M. (dir.), *Manual de Derecho penal (PE)*, Editorial de Derecho Reunidas, Madrid, 1999.

MORILLO MÉNDEZ, A., *Infracciones, sanciones tributarias y delitos contra la hacienda pública*, Cisspraxis, Valencia, 1999.

MUÑOZ BAÑOS, C., *Infracciones tributarias y delitos contra la Hacienda pública*, 2ª. ed., Edersa, Madrid, 1999.

PÉREZ DEL VALLE, C., *Lecciones de Derecho penal. Parte General*, Dykinson, Madrid, 2019.

RANCAÑO MARTÍN, M. A., *El delito de defraudación tributaria*, Thomson-Civitas, Cizur Menor, 1997.

ROBLES PLANAS, R., *La participación en el delito: fundamento y límites*, Marcial Pons, Madrid-Barcelona, 2003.

RODRÍGUEZ LÓPEZ, P., *Delitos contra la Hacienda pública y contra la seguridad social*, Bosch, Barcelona, 2008.

SÁNCHEZ-VERA GÓMEZ-TRELLES, J., *Delito de infracción de deber y participación delictiva*, Marcial Pons, Madrid, 2002.

SERRANO GONZÁLEZ DE MURILLO, J. L. / CORTÉS BECHIARELLI, E., *Delitos contra la hacienda pública*, Edersa, Madrid, 2002.

SILVA SÁNCHEZ, J., *El nuevo escenario del delito fiscal en España*, Atelier, Barcelona, 2005.

STRATENWERTH, G., *Derecho penal. Parte General. I. El hecho punible*, trad. M. CANCIO MELIÁ / M. A. SANCINETTI, Civitas, Madrid, 2005.

VAQUERO GARCÍA, A., "Fiscalidad y deporte profesional: algunas consideraciones aplicadas", en *Impuestos Revista de doctrina, legislación y jurisprudencia*, No. 24, No.1, 2008.

VERDUGO GUZMÁN, S., "Delitos contra la propiedad de los particulares: de las estafas y engaños en el Código Penal de 1822", en *Estudios sobre el Código Penal de 1822 en su bicentenario*, G. CALLEJO HERNANZ / V. MARTÍNEZ PATÓN (coords.), Editorial BOE, Madrid, 2022.

Realidades y fantasías del metaverso. Los videojuegos como un medio de comisión delictiva y de vulneración de datos personales[1]*

SILVIA VERDUGO GUZMÁN
Universidad Internacional de La Rioja
Fundación San Pablo - CEU Andalucía

1. ¿QUÉ ES LA REALIDAD VIRTUAL? PARADIGMAS DEL METAVERSO

Cada vez con más fuerza se habla acerca de la realidad virtual, como algo que poco a poco se ha ido normalizando en las interacciones entre seres humanos[2]. Aspectos fundamentales de un asunto tan novedoso como el Metaverso, su relación con los derechos humanos y con el Derecho penal,

---

[1] La publicación de este capítulo se realiza en el marco de la estancia de investigación postdoctoral realizada en la ciudad de Valparaíso - Chile, entre diciembre 2022 y enero 2023.

[2] Últimamente se habla cada vez con más intensidad sobre la posibilidad de vivir en el ciberespacio en un tiempo real, donde converge la realidad física y con la virtual. Ya en 1992 fue utilizada la palabra Metaverso por Neal Stephenson en su novela "Snow Crash", donde recrea un universo basado en uno propio pero virtual en el que interactúan seres humanos y avatares. Un año después, el nortea-

se tornan una cuestión fundamental de preocupación a nivel jurídico y social, pues, analizando la verídica posibilidad de que los llamados "avatares" ya se convierten en víctimas de delitos diversos, son llamados a intentar acercar al entendimiento de sus repercusiones, advirtiendo también sobre los riesgos y consecuencias que conlleva la cesión de datos personales obtenidos con estas tecnologías. El énfasis se realizará en relación a los videojuegos, como canal principal de conexión entre el hombre y estas nuevas tecnologías.

En primer lugar, cabe señalar que nos atrevemos a conceptualizar un Metaverso simplemente como un ecosistema digital siempre disponible y activo al que se accede mediante Internet, compuesto por un universo virtual autosuficiente de distintos metaversos en que las personas pueden interactuar de un modo ficticio gracias a un avatar, con ilimitadas e infinitas posibilidades de actividades y una vida surrealista que está más allá del mundo físico[3]. La palabra Metaverso se origina del inglés *Metaverse*, que proviene del griego "*meta*" que significaría "después de, o, más allá"[4], y de "*verso*", que se relaciona con el "universo"[5].

Un Metaverso integra una gran variedad de tecnologías emergentes que conforman una realidad mundial, alternativa y diferente a la que conoce-

---

mericano Steve Jackson Games, lanzó un software para redes de ordenadores que pudieran conectarse a través de una línea telefónica llamada *The Metaverse*.

[3]   Una definición del propio ámbito digital se refiere al Metaverso como, "un universo post-realidad, un entorno multiusuario perpetuo y persistente que fusiona la realidad física con la virtualidad digital. Se basa en la convergencia de tecnologías, como la realidad virtual y la realidad aumentada, que permiten interacciones multisensoriales con entornos virtuales, objetos digitales y personas. Por tanto, el Metaverso es una red interconectada de entornos inmersivos y sociales en plataformas multiusuario persistentes, en Wikipedia. *Concepto de Metaverso*. Accesible en: https://es.wikipedia.org/wiki/Metaverso. Última consulta: 28.I.2023.

[4]   O bien, "fin a que se dirigen las cosas o deseos de alguien", Diccionario de la Real Academia Española, versión en línea. *Concepto de Meta*.

[5]   Por su parte, BALL señala que, "… el Metaverso es una red masiva e interoperable de mundos virtuales 3D renderizados en tiempo real que pueden ser experimentados de forma sincrónica y persistente por un número ilimitado de usuarios con un sentido de presencia individual, y con continuidad de datos tales como identidad, historia, derechos, objetos, comunicaciones y pagos", BALL, M., "Marco para el Metaverso" (en español), 29.VI.2021. Accesible en: https://www.matthewball.vc/all/forwardtothemetaverseprimer. Última consulta: 28. I. 2023.

mos[6], que abarcan la Realidad Virtual, Realidad Mixta, Realidad Aumentada, experiencias en 3D, conexiones 5G, dispositivos de rastreo —GFS—, interfaz cerebral o de memoria (BCI), Inteligencia Artificial, *Blockchain*, etc. En otros términos, significa que el gemelo digital produce una imagen espectacular del mundo real[7]. A esto se agrega la posibilidad de adquirir terrenos virtuales donde poder residir, trabajar y jugar, como es lógico[8].

Si bien ya tenemos claro qué entender por Metaverso, siguiendo a BALL, es posible distinguir ocho categorías principales que ayudan a obtener la composición de un Metaverso[9], en que, por ahora, nos quedaremos con la más importante:

"PLATAFORMAS VIRTUALES. Es el desarrollo y operación de simulaciones, entornos y mundos digitales inmersivos y, a menudo, tridimensionales, en los que los usuarios y las empresas pueden explotar, crear, socializar y participar en una amplia variedad de experiencias (por ejemplo, competir en un automóvil, pintar un cuadro, asistir a clases, escuchar música), y realizar actividades económicas. Estos negocios se diferencian de las experiencias en línea tradicionales y los videojuegos multijugador por la existencia de un gran exosistema de desarrolladores y creadores de contenido que generan la mayor parte del contenido y/o recaudan la mayoría de los ingresos construidos sobre la plataforma subyacente".

---

[6] Tal y como afirma SERRANO ACITORES, "… las innovaciones digitales enriquecen nuestras vidas al aumentar y mejorar nuestra realidad; al involucrarnos en visiones alternativas de la realidad que nos hacen partícipes activos del mundo que nos rodea; al permitirnos jugar con el tiempo de formas que no son posibles de otro modo; al sumergirnos en mundos virtuales que nos encantan y capturan nuestro tiempo; al permitirnos interactuar con esos mundos a través de dispositivos materiales e incluso gestos; al permitirnos realizar físicamente cualquier cosa que imaginemos; y al permitir representaciones virtuales que reflejan nuestra realidad para iluminarnos desde un nuevo punto de vista", en SERRANO ACITORES, A., *Metaverso y Derecho*, editorial Tecnos, Madrid, pág. 73.

[7] La traducción es, "in particular, digital twin produces a mirror image of the real world", en WANG, Y., SU, Z., ZHANG, N., XING, R., LIU, D., LUAN, T. SHEN, X., *A Survey on Metaverse: Fundamentals, Security, and Privacy*, 05.III.2022, pág. 1. Accesible en: https://arxiv.org/pdf/2203.02662.pdf Última consulta: 28. I. 2023.

[8] La Universidad CEU San Pablo, en el 2022 ha sido en España la primera en presentar un marco educativo basado en un "Metaverso Universitario CEU", donde los alumnos pueden desarrollar parte de sus actividades académicas e interaccionar con otros alumnos, entre otras cosas.

[9] Traducción libre al español de BALL, M., "Marco para el Metaverso", *op. cit.*, pág. 1.

2. METAVERSOS Y AVATARES

En el ciberespacio se encuentran distintos metaversos en los que se puede interactuar utilizando una serie de dispositivos que tengan conexión a Internet[10]. Son múltiples espacios virtuales tridimensionales, compartidos y persistentes, en que los seres humanos interactúan e intercambian experiencias virtuales mediante el uso de avatares, que son, "(…) una representación gráfica que se asocia a un usuario en particular para su identificación en un videojuego, foro de internet. etc. El avatar puede ser una fotografía, icono, *gift* (animado), figura o dibujo artístico y puede tomar forma tridimensional, como en juegos o mundos virtuales, o bidimensional, como icono en los foros de internet y otras comunidades en línea"[11]. A ellos nos aproximamos el año 2009 con la épica película de ciencia ficción *Avatar*, de James Cameron.

Un avatar puede ser conceptualizado como, el reflejo de un ser humano físico mediante una figura imaginaria o un animal, es decir, con aquél que el usuario quiera ingresar al ecosistema y en que podrá interactuar frente a otros *de su especie*, o bien, realizar actividades en solitario, pero siempre experimentando una vida alternativa de manera virtual[12].

En un Metaverso los usuarios individuales poseen su respectivo avatar, y para alcanzar la dualidad —que el usuario físico tenga un avatar en la virtualidad—, el desarrollo tiene que pasar por tres etapas, que son:

Primero, los *gemelos digitales*, modelos y entidades digitales a gran escala y de alta fidelidad duplicados en entornos virtuales[13].

Segunda, hecha la copia digital de la realidad física, esto es el *nativo digital*, se centra en la creación de contenidos nativos, que, tal vez representados por avatares, participan en creaciones digitales dentro de los mundos

---

[10]   Entonces, de aquí en adelante, se hablará en singular Metaverso, entendiendo que existe más de uno y con distintas finalidades.

[11]   Wikipedia. *Concepto de Avatar (Internet)*. Accesible en: https://es.wikipedia.org/wiki/Avatar_(Internet). Última consulta: 28. I. 2023.

[12]   El término proviene de la religión hindú, que describe la encarnación terrestre de un dios hindú, especialmente Visnú, o también, se entiende que es la representación gráfica de la identidad virtual de un usuario en entornos digitales, en *DRAE*, *op. cit.*

[13]   SERRANO ACITORES, A., *Metaverso y Derecho, op. cit.*, págs. 120 y ss.

digitales, y que pueden estar vinculadas a sus contrapartes físicas o existir solos en el mundo digital[14].

Tercera, la coexistencia de la realidad física-virtual, o, la llamada surrealidad. Aquí el Metaverso puede convertirse en un mundo virtual que es autosuficiente y persistente, que coexiste e interopera con el mundo físico a un alto nivel de independencia. De este modo los avatares podrán experimentar actividades heterogéneas en tiempo real caracterizadas por un número ilimitado de usuarios concurrentes teóricamente en múltiples mundos virtuales[15].

2.1 Primeros videojuegos del Metaverso: Second Life

Los metaversos (que son infinitos, porque no existe solo uno) sirven en el terreno del entretenimiento y los videojuegos, de la teleeducación, la telemedicina, la economía digital, la música, como hábitat en ciudades inteligentes, etc.[16]. En este sentido, el primer paso serio de una comunidad virtual se encuentra en la *Second Life* desde el 2003, un juego disponible en forma gratuita para los usuarios en Internet, que pueden acceder por medio del uso de uno de los múltiples programas de interfaz llamados *viewers* (visores), para interactuar un avatar con otros avatares en el mundo virtual, establecer relaciones sociales, participar en actividades individuales y en grupo, crear y comerciar propiedad virtual, y ofrecer servicios diversos[17].

Sin embargo, aunque en principio *Second Life* es una comunidad virtual en que no existen reglas, sucede lo contrario, pues cuando se ingresa con un personaje —avatar— se recibe una explicación con las normas básicas,

---

[14] LEE, L., BRAUD, T., ZHOU, P., WANG, L., XU, D., LIN, Z., KUMAR, A. BERMEJO, C., HUI, P., "All One Needs to Knowabout Metaverse: A Complete Survey on Technological Singularity, Virtual Ecosystem, and Research Agenda", *Journal of Latex Class Files*, vol. 14, núm. 8, sept. 2021, pág. 4.

[15] SERRANO ACITORES, A., *Metaverso y Derecho*, *op. cit.*, pág. 122.

[16] El 2004 comenzó a funcionar Facebook, un servicio de redes y medios sociales en línea y gratuito, con sede en California. El 28 de octubre de 2021, en el evento "Facebook Connect 2021", anunció que la compañía Facebook pasó a formar parte de "Meta" (Meta Platforms, Inc.), que, a la cabeza del norteamericano Mark Zuckerberg, se propone a desarrollar nuevos campos de metaversos en el campo de la tecnología. Él mismo los define como, "un entorno virtual en el que se puede estar presente con personas en espacios digitales (...). Una especie de internet físico donde se vive una experiencia desde dentro en vez de mirar únicamente".

[17] Wikipedia. *Concepto de Metaverso*, *op. cit.*

por ejemplo, algunas técnicas que indican cómo moverse o volar en el juego, pero otras son imperativas y que indican qué se puede hacer y qué no.

Pero cabe advertir, tal como describe LESSIG, que "Dios no creó *Second Life*", ya que el hecho de que sea posible volar, es una decisión de los desarrolladores del juego mediante un código, lo mismo adónde se puede volar o si aparece una ventana de advertencia cuando se choca con alguien, y también es una decisión de los desarrolladores del código que se puedan desactivar las conversaciones de mensajería instantánea de aquellos con que no se quiera saber nada[18].

A raíz de lo anterior, si bien podría pensarse que estamos ante una muestra de libertad en que las personas pueden desarrollar su vida tomando sus propias decisiones, como una de las principales políticas de los defensores de la existencia de los metaversos, claramente esto es relativo, ya que no es absoluta la libertad proclamada, al hallarse unas reglas que entonces permiten un cierto control del ecosistema.

2.2 *Plataformas digitales y videojuegos*

Las plataformas digitales de los metaversos no son al cien por cien creaciones virtuales, ya que incluyen, "conjuntos de características que se solapan con servicios *web* o actividades del mundo real más antiguos, infografías en 3D en tiempo real y avatares personalizados, una variedad de interacciones sociales de persona a persona que son menos competitivas y orientadas a objetivos que los juegos estereotipados, soporte para que los usuarios creen sus propios objetos y entornos virtuales, enlaces con sistemas económicos externos para que la gente pueda obtener beneficios de los bienes virtuales, diseños que parecen bien adaptados a los casos de realidad virtual y aumentada"[19]. En paralelo, además en el Metaverso se encuentra el mercado de las criptomonedas, como medio de pago digital utilizado en la compra y venta de bienes y servicios en él.

---

[18]   LESSIG, L., *El Código 2.0 (trad. del libro "El Código y Otras Leyes del Ciberespacio" de 2001)*, Traficantes de Sueño, Universidad de Málaga, Málaga, 2009, pág. 448.

[19]   PASTOR SEMPERE, C., "Capítulo 1. Nuevos retos regulatorios en los mercados de criptoactivos: metaversos, "play-to-earn" y "descentralized autonomous organization"", en A. Madrid Parra, L. Alvarado Herrera (dirs.), *Derecho Digital y Nuevas Tecnologías*, Thomson Reuters - Aranzadi, Cizur Menor (Pamplona), 2022, pág. 714.

Respecto a los videojuegos, que es a lo que comúnmente se asocia un Metaverso, encontramos diversos juegos de entretenimiento y modalidades con distinta tecnología. Por ejemplo, el desarrollador *Forza Motorsport* creó el *Drivatar*, un sistema de Inteligencia Artificial que aprende el estilo de conducción de los jugadores, y con los datos recopilados origina videojugadores con el mismo estilo de conducción. Cuando los jugadores no están jugando, otros usuarios pueden hacer carreras con esos mismos avatares. Concretamente porque el sistema *Drivatar* recoge datos de conducción de los jugadores, incluida la posición en la carrera, la línea de carrera, velocidad, freno y acelerado: lo positivo es que no necesariamente obtendrá el mismo resultado en las carreras ese avatar nuevo[20].

3. ESPECIAL RECONOCIMIENTO DE LA PRIVACIDAD Y PROTECCIÓN DE DATOS EN EL METAVERSO

Si bien en el ciberespacio es posible encontrar cualquier bien y servicio disponible ilimitadamente, e incluso en el mercado negro digital, lo propio sucede en el Metaverso. Claro, se considera que el desarrollo de uno cualquiera se produce en tres fases sucesivas, la de *gemelos digitales*, la de *nativos digitales*, y, por último. la de *surrealismo*[21].

---

[20] LEE, L., BRAUD, T., ZHOU, P., WANG, L., XU, D., LIN, Z., KUMAR, A., BERMEJO, C., HUI, P., "*All One Needs to Knowabout Metaverse: A Complete Survey on Technological Singularity, Virtual Ecosystem, and Research Agenda*", *op cit.*, pág. 16.

[21] En la *primera*, se produce un mundo espejo que consiste en gemelos digitales a gran escala y de alta fidelidad de seres humanos y cosas en entornos virtuales, para obtener una representación digital vívida de la realidad física, en que las actividades y propiedades virtuales como la emoción y el movimiento de los usuarios son imitaciones de su persona física, en que la realidad y la virtualidad son paralelos. La *segunda*, consiste en la creación de contenidos nativos digitales representados por avatares que sólo pueden existir en espacios virtuales. Además, los contenidos creados masivamente en el mundo digital se equiparan con sus homólogos físicos, en que el mundo digital tiene la capacidad de transformar e innovar el proceso de producción del mundo físico, creando así más interacciones entre estos dos mundos.
En la *tercera*, un Metaverso crece hasta su madurez y se convierte en un mundo surrealista persistente y autosuficiente que asimila la realidad en sí misma. La integración sin fisuras y la simbiosis mutua de los mundos físico y virtual, llevan a que el segundo sea mayor que el mundo real, con más escenas y vidas en el reino virtual (trad. Libre), de WANG, Y., SU, Z., ZHANG, N., XING, R., LIU, D., LUAN,

En el caso de Meta —ex Facebook—, se encuentra trabajando en el desarrollo de plataformas de realidades virtuales alternativas, por ejemplo, en Apple, Amazon, Alibaba, Disney, Epic Games, Microsoft, Snapchat, Sony. En este sentido, es preocupante que por medio del espionaje que se produce a través de las *cookies* de una plataforma informática —por ejemplo— es posible detectar el comportamiento de un usuario, y, en consecuencia, realizar su seguimiento para ofrecerle productos diversos. Así entonces, claramente se vulnera la privacidad de las personas.

Producto de lo anterior, el seguimiento informático —mediante *cookies* por ejemplo— además de la información recopilada siempre y constantemente a la hora de entrar al Metaverso, es procesado mediante algoritmos y estadísticas diversas, lo cual conlleva también a que será el mismo ecosistema de un Metaverso el que guíe al ser humano hacia la información que crea le puede interesar. Esto es un tema no menor, pues se podría llegar incluso a una esclavitud digital en que seamos prisioneros de la información procesada que nos llega constantemente, aunque no queramos.

Pero, además, con videojuegos también se puede vulnerar claramente diversos derechos, especialmente en torno a la privacidad de las personas. A la hora de aceptar la cesión de datos personales, por ejemplo, mediante el fenómeno mundial de *Pokemon Go,* a eso del año 2016, en que millones de niños —y no tan niños— jugaban con aplicaciones móviles cuya dinámica incluía caminar por las calles de las ciudades (aunque también en campos, playas, etc.) con ese sistema —juego— disponible en los teléfonos móviles, en que mal que mal, se trataba ya de pasos serios del uso de las Tecnologías de la Información y Comunicación en un Metaverso al que se accede desde cualquier lugar y momento[22].

A efectos del derecho a la privacidad de las personas, cabe destacar dos cuestiones importantes. En *primer lugar,* existe una gran preocupación porque se verifica que el Metaverso aún no cuenta con la tecnología que permita detectar impactos positivos en torno a la protección de los datos personales de cara a obtener un nivel de privacidad seguro. En *segundo lugar,* ciertas plataformas de metaverso podrían permitir a los individuos

---

T., SHEN, X., *A Survey on Metaverse: Fundamentals, Security, and Privacy, op. cit.*, pág. 1.

[22]   Véase DÁVARA FERNÁNDEZ DE MARCO, L., *Menores en Internet y Redes Sociales: Derecho Aplicable y Deberes de los Padres y Centros Educativos, Breve referencia al fenómeno Pokémon Go,* en Agencia Española de Protección de Datos - Agencia Estatal Boletín Oficial del Estado, Madrid, 2017, págs. 79 y ss.

crear avatares con personajes totalmente ficticios que no se asemejan a la apariencia física o incluir alguna información relacionada con la persona real o crear elementos u objetos que tengan características diferentes de los que corresponden a la realidad, en otros términos, significa que podría usarse para mejorar el anonimato hacia otros usuarios o proveedores en el proceso de interacción en una plataforma[23].

Es igualmente preocupante y no muy conocido por las personas, que las plataformas de Metaverso pueden captar, recopilar, almacenar y confiar diversa información que sirve para captar perfiles precisos gracias al comportamiento de los usuarios, cuestión que quizás supera las barreras de lo lícito y protegido, así entonces, se vean fácilmente sobrepasadas. Claro, si bien Europa contempla el Reglamento General de Protección de Datos[24] que se refiere a la recopilación fraccionada de estos y un sinnúmero de derechos y obligaciones del propio interesado, en el Metaverso tal cuestión no se encuentra regulada jurídicamente y en forma detallada ni mucho menos está protegida la información personal, al existir incluso cesión de datos involuntarios e infinitos por las interacciones espontáneas, por ejemplo, mediante la captación de experiencias a través de las gafas de Realidad Virtual.

Y es que, la invasión de la privacidad se ha vuelto una normalidad debido a que el Metaverso acerca las tecnologías a todos los aspectos de la vida física del usuario mediante el uso de dispositivos portátiles, sensores de movimiento, micrófonos, monitoreos cardíacos y respiratorios, etc., por lo que existe vigilancia en las interacciones de los usuarios en un grado aún mayor que el que había con las aplicaciones tradicionales[25]. En definitiva, esto significa que "cualquier entorno virtual está por diseño plenamente datificado y permite tratar un espectro más amplio de información relativa a las actividades humanas"[26].

---

[23]   IVANOV, C., "Metaverso", en *Supervisor Europeo de Protección de Datos*, UE. Accesible en: https://edps.europa.eu/press-publications/publications/techsonar/metaverse_fr. Última consulta: 28. I. 2023.

[24]   Reglamento (UE) 2016/679 del Parlamento Europeo y del Consejo, de 27 de abril de 2016, relativo a la protección de las personas físicas en lo que respecta al tratamiento de datos personales y a la circulación de estos datos y por el que se deroga la Directiva 95/46/CE (Reglamento General de Protección de Datos).

[25]   IVANOV, C., "Metaverso", *op. cit.*

[26]   En otros términos, expone la Agencia Española de Protección de Datos, "... en particular, puede implicar nuevas categorías de datos con mayor granularidad y precisión. Sirva de ejemplo que la diversidad de datos biométricos recogidos au-

Cabe agregar también que es verídico el seguimiento de categorías especiales de datos como respuestas fisiológicas, emociones y datos biométricos, la forma de caminar de una persona, las expresiones faciales, movimientos oculares, inflexiones vocales, signos vitales en tiempo real, etc., teniendo en cuenta que las declaraciones y acciones directas en la plataforma (por ejemplo, a la hora de visitar un lugar específico), se permite *al sistema* revisar fácilmente otras categorías especiales de datos, como son los relativos a las creencias políticas, orientación sexual, religiosa, etc. En definitiva, significa que todo el sigiloso procesamiento de datos personales y la clasificación de usuarios en un Metaverso genera una importante vulneración de derechos[27].

A lo anterior se suma que, mediante el análisis de la posición y variaciones corporales de un avatar es posible un análisis de información en lo que sería un lenguaje no verbal, que, gracias a un procesamiento automático generará información no deseada y a la vez una explotable por medios automáticos[28].

Lo oportuno, de cara a la expansión de los metaversos y almacenamiento de diversos datos, es que lejos de exponer largos avisos de privacidad como parte de cualquier registro, llegue información transparente a los usuarios con símbolos fácilmente comprensibles y mensajes breves sobre la protección de datos personales, según sea necesario, por ejemplo, antes de

---

menta a través de los *wearables* o los interfaces neuronales, aunque lo más interesante es la información que se está buscando de esos datos biométricos. Las gafas de Realidad Virtual extraen información de las variaciones del iris, y los mandos que hacen de interfaz con el metaverso desvelan los cambios posturales, lo que permite analizar la respuesta emocional", en *Agencia Española de Protección de Datos,* "Metaverso y Privacidad", 29. IX. 2022. Accesible en: https://www.aepd.es/es/prensa-y-comunicacion/blog/metaverso-y-privacidad Última consulta: 28. I. 2023.

[27]   IVANOV, C., "Metaverso", *op. cit.*

[28]   Señala la AEPD, que, "(l)os tiempos y la forma de reacción permiten estudiar biomecánicamente al individuo, y así sucesivamente. Esto, unido a los interfaces neuronales, permite conocer y perfilar al individuo a niveles no conocidos previamente en las redes sociales. Además, esta información fluye en dos sentidos, del individuo al entorno, y del entorno al individuo. En este último caso, la proyección de pequeñas variaciones corporales se traducirá en los avatares de las personas con las que se interacciona en el mundo virtual, con lo que se podrá desvelar información de forma no deseada y que sería incluso explotable por medios automáticos. Y por supuesto, se podrían emplear con gran precisión novedosas técnicas neuromarketing", en *Agencia Española de Protección de Datos,* "Metaverso y Privacidad", *op. cit.*

que ingrese a la tienda virtual en un Metaverso y el operador recopile los datos del visitante. Además, respetando siempre los derechos de los interesados conforme a los Artículos 15 y siguientes del Reglamento Europeo de Protección de Datos —RGPD—, en que los usuarios tengan formas simples de ejercer sus derechos en el Metaverso[29].

4. DERECHO PENAL EN EL METAVERSO. ¿METADELINCUENTE?

Si bien ya se han descrito los problemas jurídico-penales que existen "dentro" del ciberespacio bajo el denominado cibercrimen, con una importante cantidad de delitos que ya se encuentran más o menos delimitados[30], los problemas siguen existiendo en torno a la cooperación policial y la competencia judicial, especialmente. Ahora bien, en el caso de los metaversos los dilemas son similares, y también aquí vamos a exponer algunos de los terribles desenlaces que se han producido en torno a los videojuegos existentes. A modo de ejemplo, con *Pokemon Go*, como un juego de Realidad Virtual disponible en algo tan sencillo como teléfonos móviles y Tablet, hay una larga lista de personas fallecidas, lesionados y diversos daños a personas "de carne y hueso" alrededor del mundo[31].

En relación al Metaverso, sucede *y sucederán* delitos, y serán cada vez más, pues la delincuencia informática es un preocupante fenómeno fuera de control efectivo por parte de las autoridades y gobiernos. Pero en este caso concreto, además, debido a que recién entramos al uso de este nuevo

---

[29]　KAULARTZ, M., SCHMID, A., "Legal advice in the metaverse", *CMS Law Nev*, 04. I. 2022, pág. 4.

[30]　Véase, VERDUGO GUZMÁN, S., "Capítulo XXVIII. Cibercrimen en videojuegos. Ataques y secuestros informáticos en los *e-sports*", en S. VERDUGO GUZMÁN (dir.), *Tratado de Derecho Deportivo*, Editorial Thomson Reuter - Aranzadi, Cizur Menor - Navarra, 2021, págs. 631-648.

[31]　Y esto porque el juego permite acceder a lugares peligrosos, propiedades privadas e incluso conducir mientras se maneja la aplicación en el móvil. Un estudio de la Universidad de Purdue (EE.UU.), estima que en un estudio de cinco meses, hubo unos 145.000 accidentes, de los cuales 30.000 fueron con resultado de lesiones, y más de 250 fallecidos. Además, el estudio se refiere a los daños provocados por los accidentes ascienden a los 7.000 millones de dólares, en *Andro4all.com*. "Un estudio calcula que el juego ha provocado más de 140.000 accidentes", 03. VII. 2021. Accesible en: https://andro4all.com-/juegos-gratis/cuanta-gente-ha-muerto-por-pokemon-go-un-estudio-calcula-que-el-juego-ha-provoca-do-mas-de-140-000-accidentes Última consulta: 28. I. 2023.

ecosistema virtual en que los peligros y daños seguramente serán mayores e incluso hasta ahora desconocidos. Es más, ya hay casos en que los propios usuarios y sus avatares en un Metaverso han sido víctimas de actividades delictuales, con la frustración evidente de imposibilidad de acudir a un tribunal físico a interponer una denuncia, o al menos encontrarse ante un tercero "de carne y hueso" que imparta justicia.

A raíz de lo admirable que es el Metaverso en la vida de muchos y donde es posible hacer prácticamente de todo, lamentablemente es incluso alucinante señalar que existe un número importante de delitos a propósito de esta nueva realidad virtual, y que influye en la vida de las personas físicas que se relacionan con él. Por ejemplo, ya se habla de avatares piratas, suplantaciones de identidad digital, robo y fuga de datos personales y biométricos, *deepfakes*[32], y otros problemas que, si bien en principio no se relacionan físicamente con una persona del mundo físico, sí pueden afectar al usuario en la Realidad Virtual o la Realidad Aumentada. Vamos a intentar ordenar los posibles delitos que podemos localizar en un Metaverso.

4.1 Daños informáticos y hackeos a gafas o cascos de Realidad Virtual o Realidad Aumentada

Es perfectamente posible que un tercero (llamémoslo ciberdelincuente, o quizás "metadelincuente") acceda al sistema de conexión a la Realidad Virtual, por medio de visores, micrófonos, cascos, pulseras, que, si bien en principio al ingresar al Metaverso cuenta con un poderoso sistema de protección en que la transmisión de la información no sea fácilmente codificable debido a la gran variedad de modelos existentes, es igualmente posible para los metadelincuentes, porque tienen el poder para guardar o modificar la información que circule a través de ellos tan sólo aproximándose al usuario ya conectado al mundo virtual con esos medios dispositivos especiales[33].

---

[32] Es un vídeo que muestra imágenes falsas en general de una persona que ha sido modificado utilizando IA. Luego, "(…) por ejemplo, el MIT y Mozilla lanzaron un video falso que muestra al presidente Nixon anunciando que el Apolo 11 no había tenido éxito en su misión a la luna. Este vídeo de una especie de realidad alternativa ha recibido mucha cobertura y ayudó a promover la conversación sobre *deepfakes* y ética", en HACKL, C., "Es momento de hablar de ética y privacidad en el metaverso", *op. cit.*

[33] *CIO México.* "Cinco peligros del Metaverso", 22. III. 2022. Accesible en: https://cio.com.mx/cinco-peligros-del-metaverso/ Última consulta: 28. I. 2023.

4.2 Delitos contra el patrimonio virtual. Robo de datos biométricos

Si bien sobre este problema se ha tratado en el apartado anterior, cabe señalar que en el Metaverso se afectan las propias empresas y compañías mediante la fuga de datos e información desde sus bases de datos. Esto porque cuando se cuenta con defectuosos sistemas de ciberseguridad la vulneración de su protección puede perjudicar tanto a ellas, así como a sus clientes.

A modo de prevención, propuestas giran hacia las campañas de publicidad que se realizan en el Metaverso, que deberían guardar al menos cierta distancia y lealtad en su competencia, sin afectar negativamente a otros agentes del mercado económico, pues tanto ellas como los mismos usuarios del Metaverso pueden verse afectados por prácticas maliciosas que, siendo virtuales, causarían perjuicios económicos y también daños físicos y mentales del usuario[34].

Además, debido a que se requieren una importante cantidad de datos para identificar al usuario, el "dueño de su avatar" y responsable de las interacciones, compra o venta de sus activos digitales, etc., necesita usar datos biométricos para entrar al Metaverso: la huella digital, el escaneo facial o de retina, entre otros. Y serán fundamentales para determinar si una persona es quien dice ser, sin embargo, "(…) el problema es que estos datos mientras sean compartidos en el Metaverso, tiene el riesgo potencial de ser robados o alterados y permitir el robo de identidad para cometer fraudes. Las empresas que están desarrollando las tecnologías de Metaverso: Meta, Alphabet, Disney, tendrán que garantizar la seguridad de esta información antes de abrir cualquier puerta a sus mundos"[35].

---

[34] Así, "(…) las marcas están aprovechando la realidad aumentada para mejorar sus productos con anuncio de realidad aumentada —RA—. En 2019, Burger King lanzó una campaña publicitaria de RA en la que los clientes podían quemar los anuncios de los competidores de Burger King, lo que les valió una hamburguesa gratis. La experiencia aumentada mostró el anuncio de un competidor en llamas. Al incorporar anuncios en el metaverso, es importante considerar el impacto sensorial de la experiencia. Ejemplos de hiperrealidad como este, muestran cómo los anuncios superpuestos a la experiencia pueden ser tan abrumadores que una persona nunca querrá volver. La sobrecarga sensorial puede desencadenar convulsiones en personas que sufren epilepsia. Incluso cuando las velocidades de fotogramas mejoran las transiciones fluidas al metaverso, los usuarios pueden sufrir mareos por movimiento", en HACKL, C., "Es momento de hablar de ética y privacidad en el metaverso, *op. cit.*

[35] *CIO México.* "Cinco peligros del Metaverso", *op. cit.*

4.3 Avatares como víctimas de delitos contra el patrimonio

Es perfectamente posible que un avatar sufra un robo de su billetera virtual, con todo el dinero o criptoactivos que posea, cuya consecuencia es que no podrá interactuar en el Metaverso adquiriendo bienes y servicios. Esto, por ejemplo, si se produce la suplantación de un avatar por otro, incluso el de una entidad autorizada, para acceder a un servicio o sistema, encajando a la perfección entonces el delito de estafa que se tipifica por ejemplo en el Código Penal español. Así, un metadelincuente puede invadir el caso Realidad Virtual y explotar los datos biométricos del usuario para crear réplicas digitales y hacerse pasar por la víctima, o directamente puede crearse un avatar falso utilizando réplicas digitales de la víctima para así cometer delitos contra los amigos de la víctima en el Metaverso.

Y debido a que el Metaverso es un mundo infinito de interacciones, es posible captar los hábitos de compra, de ingresos, de pasatiempos, lugares y videojuegos preferidos de un usuario. Entonces, "dado que se puede registrar la voz, el tono, la expresión facial "de avatar", la manera en que camina, la ubicación, etc., se creará un perfil dentro de la plataforma, que será más detallado, y por ello, el riesgo de "conocer" a las personas que lo usen se incrementa, para poder generar duplicados, robo de identidad o cualquier otro"[36].

4.4 Vulneración de la privacidad de avatares y su protección de datos "personales"

Nos referimos a la interacción dentro del Metaverso, porque un usuario mediante su avatar puede ser grabado, medido, estudiado y analizado a la perfección en muy poco tiempo. Y es que se considera que el objetivo principal es que la Inteligencia Artificial logre adelantarse al usuario ofreciendo opciones a sus deseos, intereses, expectativas y acciones. Por ello, "la privacidad será comprometida por entero. No habrá nada que se pueda ocultar a las computadoras (salvo los pensamientos) y habrá que cuidar mucho lo que se dice o hace en línea, bajo la pena de ser exhibidos públicamente o penalizados"[37].

Por otro lado, los problemas de autentificación del avatar pueden producirse cuando se crea un *boot* de Inteligencia Artificial (humano digital),

---

[36]   *CIO México*. "Cinco peligros del Metaverso", *op. cit.*
[37]   *CIO México*. "Cinco peligros del Metaverso", *op. cit.*

que aparece, oye y se comporta igual que el avatar real del usuario en el mundo virtual (Roblox, por ejemplo), imitando su apariencia, voz y comportamiento[38]. La consecuencia es que podría ser necesaria más información personal como prueba para garantizar una autentificación segura del avatar, sin embargo, otra vez, se pueden producir nuevos problemas de violación de la privacidad.

4.5 Delitos contra la identidad digital. Deepfakes y shallowfakes

Más de una vez se ha visto fotografías trucadas o que bailan, gracias a modificaciones a niveles digitales. A la hora en que comenzamos nuestra existencia en Internet y nuestros datos son cedidos a diversos terceros —constantemente—, surge la denominada Identidad Digital, que puede ser representada con un avatar independientemente de su aspecto visual. Es evidente que hacen falta medidas de seguridad y controles de privacidad efectivos en el Metaverso, especialmente por la constante vulnerabilidad a la reputación "personal" mediante las falsificaciones (*deepfakes*), y las falsificaciones superficiales (*shallowfakes*). Así también, se produce creando material pornográfico (porno de venganza o *revenge porn*), y más aún, con fines políticos modificando discursos de figuras públicas.

Los *deepfakes*, se producen principalmente mediante *software* que manipulan los rasgos fáciles de una persona, la generación de rostros (cuando se crea uno nuevo que no se relaciona con el individuo específico), intercambio de rostros (se intercambia el rostro de una persona con otro), y síntesis de voz (cuando se recrean voces). Los *shallowfakes* son similares, pero implican técnicas de edición más básicas. En ambos casos se consideran como, "una amenaza directa para la exactitud de la información relativa a cualquier individuo en el entorno digital existente"[39].

4.6 Avatares como víctimas de delitos contra su integridad e indemnidad sexual

No es increíble que se produzcan estos delitos en la virtualidad, aunque se diga que solamente pueden cometerse "físicamente". Es perfecta-

---

[38] WANG, Y., SU, Z., ZHANG, N., XING, R., LIU, D., LUAN, T., SHEN, X., *A Survey on Metaverse: Fundamentals, Security, and Privacy, op. cit.,* pág. 9.

[39] SERRANO ACITORES, A., *Metaverso y Derecho, op. cit.,* pág. 268.

mente posible que un avatar sea víctima de acosos u hostigamientos en las redes de un Metaverso, tal y como sucede en redes sociales actualmente con el llamado *ciberbulling* o *sexting*. Es más, también es posible que se pueda obligar a pagar un rescate monetario —digital— bajo amenaza de violencia o ataques al avatar que es víctima. Los problemas se producen a nivel cerebral del usuario, aunque sepa que no es real lo que está experimentando.

Por lo anterior, es verídico que avatares han sido víctimas de conductas impropias dentro del Metaverso, y por ejemplo, respecto a Meta —perteneciente a la compañía norteamericana de Facebook—, ya se denunció públicamente (porque no existe competencia policial ni mucho menos jurisdicción territorial) que a comienzos del 2022, algunos avatares femeninos eran contactados para abusar de ellos.

Especialmente alarmante es que existe un caso en el videojuego gratuito Mundos Horizonte (*Horizon Worlds*), lanzado en diciembre de 2021 para personas mayores de 18 años de edad, y que se juega con un visor de Realidad Virtual específico. En aquél ya hay experiencias de insultos homófobos y racistas, violencia armada en la plataforma, y por supuesto, diversas e incomprensibles actividades sexuales cuyos protagonistas son avatares, no personas de "carne y hueso", pero que experimentan sensaciones y estímulos que se producen a nivel cerebral y por tanto afectan al cuerpo físico[40].

Alucinante y fuera de todo contexto fue el caso de lo sucedido en el videojuego Roblox, creado para niños mayores de 7 años, cuando en Estados Unidos de América el 28 de junio del año 2018, se gestó una insólita violación grupal a una avatar femenina por parte de tres avatares encima

---

[40] Hubo un caso en que ciertos usuarios invitaron a una fiesta privada al avatar de una investigadora universitaria que llevaba a cabo un estudio sobre el tema, en la cual le pidieron que desactivara un ajuste que impedía que otros avatares de aspecto masculino se acercaran a menos de un metro de ella, y aunque el hecho ha ocurrido en una realidad virtual, "la investigadora observó que su mando vibraba cuando los avatares masculinos la tocaban, lo que provocaba una sensación física que era el resultado de lo que estaba experimentando en línea", en *Business Insider*, "Agreden sexualmente al avatar de una investigadora en el metaverso", 30. V. 2022. Accesible en: https://www.businessinsider.es/avatar-investigadora-agredido-sexualmente-plataforma-metaverso-propiedad-meta-1069081 Última consulta: 28. I. 2023.

de ella, que posteriormente salieron huyendo y dejaron a la víctima boca abajo tirada en una zona de juegos infantiles virtual[41].

En esta línea, la detección del ciberacoso se produce mediante algoritmos que se actualizan continuamente, pero también las soluciones giran en torno a la atención, el apoyo socio-virtual y las mismas denuncias de los propios afectados, si bien además de sus precauciones personales. Sin embargo, en los videojuegos es complejo detectar el ciberacoso, porque el mal comportamiento de los usuarios puede ser aún más difícil de identificar si se trata de mundos virtuales en 3D ya que los escenarios son mucho más complejos visualmente[42]. La tarea es un desafío importante para los desarrolladores de videojuegos.

Lo anterior, en efecto, nos lleva a un problema no menor, ya que derivado de las conductas delictuales como las descritas, si bien las investigaciones penales pueden desembocar en sanciones efectivas a los responsables finales aplicando las penas que contemple el Código Penal del país que pueda ser competente. En cualquier caso, los derechos humanos claramente se ven vulnerados por el uso y abuso de las plataformas virtuales. Entonces, parece ser que el llamado está en buscar herramientas que eviten los daños físicos y psicológicos, pues se quiera o no, ciertas experiencias impactan en el cerebro y la memoria, que pueden llevar a recuerdos o experiencias posteriores, depresiones, daños corporales e incluso perjuicios morales al usuario que se encuentre en un Metaverso. Por ahora, parece que la vía de indemnización civil por los daños y perjuicios causados en ese ecosistema es la única solución real.

---

[41]   Y, "(…) se puede apreciar a un personaje mostrando una representación del pene entre las piernas del avatar de la niña, que aparece rodeada de otros dos muñecos, porque el tercero salió corriendo. El incidente se ha producido pese a contar con moderadores de forma permanente… el usuario ya ha sido identificado y expulsado de la plataforma de forma permanente", en *20 minutos.es,* "Polémica por una "violación grupal" al avatar de una niña en el videojuego Roblox", 06.VII.2018. Accesible en: https://www.20minutos.es/noticia/338872-5/0/roblox-violacion-grupal-virtual-avatar-nina-7-anos-videojuego/ Última consulta: 28. I. 2023.

[42]   LEE, L., BRAUD, T., ZHOU, P., WANG, L., XU, D., LIN, Z., KUMAR, A., BERME-JO, C., HUI, P., "*All One Needs to Knowabout Metaverse: A Complete Survey on Technological Singularity, Virtual Ecosystem, and Research Agenda*", op. cit., pág. 38.

4.7 Menores de edad en el Metaverso. Trata de personas mediante videojuegos violentos

Otro de los grandes problemas se encuentra por la participación de menores de edad en diversas plataformas del entorno virtual. Los peligros a los que se exponen son cada vez más evidentes[43].

La casuística gira en torno a la captación de menores mediante videojuegos que son reclutados por organizaciones criminales, que en algunos casos son entrenados para cometer delitos diversos o directamente para ser explotados laboral o sexualmente. Por ejemplo, la atracción de menores se produce con videojuegos tales como el *Call of Duty, Gears of War, Grand Theft Auto V*, o el *Free Fire*, este último, que tiene un alto contenido de violencia y que el 2021 contaba con al menos 80 millones de cuentas activas a nivel mundial.

El *modus operandi* principal basado en estos videojuegos, consiste en que el reclutador se hace pasar por un joven que envía invitaciones de madrugada o cuando no hay padres vigilando a los menores. En México, el perfil que buscan las organizaciones criminales es el de jóvenes interesados en armas y adrenalina, a los que posteriormente se les envía invitaciones a eventos privados donde les dan las instrucciones para su reclutamiento en las filas delictivas. En estos casos, no usan palabras como "narco", "cártel" o "sicario", sino que recurren a siglas como CNG (Cártel Nueva Generación), CND (Cártel del Noreste), sicarios, cartel, etc., para evitar los algoritmos que puedan ser detectados por las policías para ubicarlos[44].

Pero también a raíz de lo anterior, hay casos de menores de edad que son reclutados por narcotraficantes, en que el perfil de los "halcones" —quienes serán explotados laboralmente— se basa en ser atraídos por el

---

[43] Por ejemplo, en los últimos tiempos, la red Tik Tok, que, mediante la emisión de pequeños vídeos, incita a que las personas realicen una serie de actividades o "retos", como un desafío. Con el llamado "reto viral del Apagón o *Blockout Challenge*", un niño británico de 12 años, se ahorcó con un cinturón hasta quedar sin respiración y por tanto con muerte cerebral el 7 de abril de 2022. Fue desconectado de la máquina de soporte que lo mantenía con vida —no sin polémicas y a nivel jurisdiccional, incluido el TEDH—, el 6 de agosto del mismo año, por ser irreversible su estado de salud.

[44] *Informador.mx,* "Crimen organizado recluta a menores como "halcones" a través de videojuegos: SSP", 20. X. 2021. Accesible en: https://www.informador.mx/mexico/Crimen-organizado-SSP-alerta-que-carteles-reclutan-a-menores-como-halcones-a-traves-de-videojuegos-20211020-0081.html Última consulta: 28. I. 2023.

juego *Free Fire*, que tiene altos niveles de violencia y donde los participantes deben matar con armas de fuego a otros para seguir vivos[45]. Con este escenario, clasifican a los menores que cumplen el perfil delictivo.

En resumen, el escenario perfecto para la comisión de estos delitos gira en torno a la participación de niños y adolescentes mediante videojuegos, por lo que es importante una preocupación de los padres, tutores o curadores legales, de cara a controlar los riesgos a los que se enfrentaría un menor que puede ser víctima o el autor de algún delito digital a causa de un videojuego. Entonces, entre las medidas de prevención quizás se puede señalar la posibilidad de controlar la edad del usuario, regular el acceso e identificar al menor que ingresa a un Metaverso, y para ello sería primordial: utilizando datos biométricos, técnicas como el reconocimiento facial, por ejemplo[46].

---

[45] En una zona de Oaxaca, México, el 9 de octubre de 2021, tres menores con edades de entre 11 y 14 años, fueron víctimas de un delito de Trata de personas en su modalidad de explotación laboral, a modo de "halcones" de vigilancia ante presencia policial. Uno de los menores fue captado mediante el videojuego *Free Fire*, que se descarga libremente desde cualquier dispositivo móvil, en forma gratuita y que contiene un alto grado de violencia. Así, "a través del videojuego el menor, el 1 en agosto de 2021 comenzó una amistad con un usuario que se llamaba Rafael. Empezó el acercamiento entre el criminal y el menor, luego se hicieron amigos en *Facebook* y posteriormente el menor le proporcionó su número de celular al criminal para seguir en contacto vía *WhatsApp*. El criminal le ofreció entonces trabajo en Monterrey —otra ciudad— cuyas funciones serían permanecer en un cerro vigilando frecuencias de radio y avisar si había presencia de policía. Para esta actividad recibía la cantidad de 8 mil pesos quincenales. El menor aceptó la oferta de trabajo y compartió la información con dos compañeros de su escuela, que manifestaron que también querían trabajar. (…). Los tres menores viajaron el 9 de octubre en un taxi hacia la ciudad de Oaxaca de Juárez. Fueron localizados en un domicilio ubicado en el municipio de Santa Lucía del Camino, y en el lugar también se detuvo a una mujer presuntamente implicada en el delito de tratas". *Ultimominuto.news*, "Alerta SSPC que narco recluta a niños "halcones" con videojuegos", 20.X.2021. Accesible en: https://www.ultimominuto.news/noticias/Alerta-SSPC-que-narco-recluta-a-ninos-halcone-s-con-videojuegos-20211020-0010.html Última consulta: 28. I. 2023.

[46] Sin embargo, según expone, DÁVARA FERNÁNDEZ DE MARCO, "A día de hoy el problema no es la edad —catorce o dieciséis— sino la manera de verificar que el usuario que se registra tiene la edad que afirma tener. Si bien la solución más eficaz sería la generalización del uso del DNI electrónico —también por parte de los menores, pero con unos atributos más limitados que los de los adultos—, actualmente estamos muy lejos de que el uso generalizado del DNI electrónico sea una realidad", en DÁVARA FERNÁNDEZ DE MARCO, L., *Menores en Internet y*

5. CONCLUSIONES. ESTRATEGIAS PREVENTIVAS Y DE BUENA GOBERNANZA

Si bien el Metaverso es un ecosistema autónomo y que cuenta con variados aspectos positivos, en nuestra opinión, será necesario delimitar cada ecosistema que se vaya generando con unas reglas mínimas de funcionamiento. Así también, producto de las actividades delictivas que seguramente irán incrementando es importante contar con una regulación jurídica, aunque sea mínima. Esto es fundamental para el respeto y protección de los derechos humanos que actualmente se manifiestan mediante el usuario que decide entrar a un Metaverso.

Resulta imperiosa la dictación de normas jurídicas, quizás, comenzando con una Declaración Universal de los Derechos Humanos en el Metaverso, o directamente una Constitución o Carta de Derecho Digitales, en que se puedan aclarar todas las cuestiones —o al menos las básicas— que otorgarán un funcionamiento adecuado y en armonía, evitando situaciones anárquicas, caos o ilegalidad del ecosistema… como en el lejano oeste. Al menos, instrumentos jurídicos en conjunto entre los países (o Directivas de la UE) deberían aparecer pronto para comenzar a regular cuestiones básicas, si bien ya se encuentran luces en documentos tales como la Carta de Derechos Digitales en España, a modo de ejemplo.

Por otro lado, ya es preocupante la cuestión relativa a la protección de datos personales. Producto de la masiva cantidad de información que circula a través del Metaverso, será primordial encontrar regulaciones claras y precisas para compañías y entidades que lo utilizan, pero también sencillas de entender para los usuarios. También sería oportuna la creación de una "especie" de Registro Civil, en que se pueda registrar datos básicos de los avatares incluido un DNI. Existen proyectos que buscan la obligatoriedad de registro e identificación de los usuarios, especialmente para ciertos ámbitos en que se requiere una edad determinada.

Si bien hay bastantes avances especialmente gracias a la Inteligencia Artificial a través del aprendizaje profundo y una gran capacidad de cálculo de datos que posee, cuando se transforma en información que puede ser sensible en la automatización para operadores y diseñadores en el Metaverso, se transforma en un arma de doble filo. Sin embargo, para logra un

---

Redes Sociales: Derecho Aplicable y Deberes de los Padres y Centros Educativos, Breve referencia al fenómeno Pokémon Go, op. cit., pág. 18.

mayor rendimiento y segura se torna imprescindible diseñar modelos de Inteligencia Artificial adecuados.

El llamado es a crear unas políticas claras de gobernanza y transparencia que son claves para construir metaversos en que tanto empresas como usuarios se sientan seguros y confiados de conectarse, porque cuestiones tan importantes como un potente sistema de seguridad del ecosistema es fundamental. Así también la protección de los datos personales y biométricos deben ser sinónimo de transmisión de confianza al usuario recalcando que no serán utilizados con fines ajenos a los que se han consentido, principalmente porque de lo que se trata es de proteger y reafirmar la existencia de los derechos humanos trasladados a un ecosistema digital.

Por último, encontramos importante señalar que si bien siguen existiendo (y probablemente se incrementarán) actividades delictivas en el entorno de compañías como "Meta" (ex Facebook), los esfuerzos para detectar y erradicarlos son enormes, existiendo un seguimiento más o menos efectivo de las conductas directamente ilícitas y también sospechosas. Todo ello se debe valorar en forma positiva, pues se trata de transmitir confianza y seguridad en los usuarios, sin embargo, la autoprotección será también fundamental.

6. REFERENCIAS BIBLIOGRÁFICAS

ADSUARA, B., "El reverso perverso del metaverso: ciberdelitos e identificabilidad", 11. II. 2022. Accesible en: https://www.lainformacion.com/opinion/borja-adsuara/reverso-perverso-metaverso-ciberdelitos-identificabilidad/2859627/.

BALL, M., "Marco para el Metaverso" (en español), 29. VI. 2021. Accesible en: https://www.matthewball.vc/all/forwardtothemetaverseprimer.

DÁVARA FERNÁNDEZ DE MARCO, L., *Menores en Internet y Redes Sociales: Derecho Aplicable y Deberes de los Padres y Centros Educativos, Breve referencia al fenómeno Pokémon Go*, en Agencia Española de Protección de Datos - Agencia Estatal Boletín Oficial del Estado, Madrid, 2017.

DÍAZ CAMPO, J., "*¿Derecho o ética? Las dos vías para regular el metaverso*", 18.09.2022. Accesible en: https://theconversation.com/derecho-o-etica-las-dos-vias-para-regular-el-metaverso-187211.

HACKL, C., "Es momento de hablar de ética y privacidad en el metaverso", *Forbes.com*, 12. V. 2021. Accesible en: https://forbes.es/empresas/73481/es-momento-de-hablar-de-etica-y-privacidad-en-el-metaverso/.

KAULARTZ, M., SCHMID, A., "Legal advice in the metaverse", *CMS Law New*, 04.I.2022.

LEE, L., BRAUD, T., ZHOU, P., WANG, L., XU, D., LIN, Z., KUMAR, A., BERMEJO, C., HUI, P., "All One Needs to Knowabout Metaverse: A Complete Survey on Technological Singularity, Virtual Ecosystem, and Research Agenda", *Journal of Latex Class Files*, vol. 14, núm. 8, sept. 2021.

LESSIG, L., *El Código 2.0 (trad. del libro "El Código y Otras Leyes del Ciberespacio" de 2001)*, Traficantes de Sueño, Universidad de Málaga, Málaga, 2009.

PASTOR SEMPERE, C., "Capítulo 1. Nuevos retos regulatorios en los mercados de criptoactivos: metaversos, "play-to-earn" y "descentralized autonomous organization"", en A. MADRID PARRA / L. ALVARADO HERRERA (dirs.), *Derecho Digital y Nuevas Tecnologías*, Thomson Reuters - Aranzadi, Cizur Menor (Pamplona), 2022.

SAGARDOY DE SIMÓN, I., *El Confidencial*, "El metaverso y los derechos laborales", 22. II. 2022.

SERRANO ACITORES, A., *Metaverso y Derecho*, editorial Tecnos, Madrid, 2022.

VERDUGO GUZMÁN, S., "Capítulo XXVIII. Cibercrimen en videojuegos. Ataques y secuestros informáticos en los *e-sports*", en S. VERDUGO GUZMÁN (dir.), *Tratado de Derecho Deportivo*, Editorial Thomson Reuter - Aranzadi, Cizur Menor - Navarra, 2021.

WANG, Y., SU, Z., ZHANG, N., XING, R., LIU, D., LUAN, T., SHEN, X., *A Survey on Metaverse: Fundamentals, Security, and Privacy*, 05.III.2022. Accesible en: https://arxiv.org/pdf/2203.02662.pdf Última consulta: 28. I. 2023.

DEPORTE PROFESIONAL

Coords. Miguel María García Caba,
Alberto Ruiz de Aguiar Díaz Obregón y
Manuel García-Villarrubia Bernabé

Análisis de la construcción legal del marco regulatorio del multi-club ownership en el fútbol europeo

ALFONSO ÁLVAREZ-CASCOS RUIZ

International Master in Sports Law, LLM Escuela Universitaria Real Madrid - Universidad Europea

1. INTRODUCCIÓN

El más reciente informe de Deloitte *Football Money League* (2022) estima que los clubes de fútbol más valiosos a nivel europeo ingresaron entorno a €8.2 billones durante la temporada 2020/2021. Aunque en ese montante no se tiene en cuenta las pérdidas sufridas por la ausencia de espectadores en los estadios durante la pandemia, que se estiman en torno a €2 billones. Estas cifras son buena muestra del interés que despierta el fútbol a nivel no sólo europeo, sino que también mundial. Por ello, en la actualidad se está llevando a cabo un análisis sobre los distintos modelos de gestión de los clubes a nivel mundial. Este artículo trata de explicar el reconocimiento legal y la construcción del marco regulatorio en Europa de los *Multi-Club Ownership*.

A lo largo de la última década, los aficionados al fútbol y los dueños de clubes no sólo han vivido cómo éstos se han empezado a comportar de una manera más profesional, sino que también cómo los inversores han empezado a desarrollar distintas estructuras legales para la gobernanza del club (Lundgren y Heljeberg, 2021). De hecho, la propiedad del club se está convirtiendo en un factor determinante del triunfo a nivel deportivo (Rhode & Breuer, 2017). Hasta el momento se pueden categorizar en tres los tipos de estructuras de propiedad de clubes (Franck, 2010):

- Clubes que cotizan en bolsa: Son aquellos clubes que cotizan en un mercado de valor y sus acciones están a la venta como instrumentos de renta variable. Los accionistas no poseen capacidad de decisión en el día a día del club (Franck, 2010). Ejemplos de ello pueden ser el Manchester United, que cotiza en NYSE, la Juventus de Turín que cotiza en la Borsa italiana, o el Ajax que cotiza en el Euronext Ámsterdam.

- Propiedad de los aficionados: Son aquellos clubes en los que los aficionados son propietarios de una parte alícuota de acciones, o de la mayoría de la propiedad (Rohde y Breuer, 2017). Ejemplos de ello son los clubes españoles que no se han transformado en Sociedades Anónimas Deportivas, o los clubes alemanes que siguen la regla del 50+1.

- Propiedad privada: Una persona, o grupo empresarial, posee el control absoluto del club. El control del club se tiende a asociar con una única persona (Franck, 2010). Existen muchos ejemplos de ello, pero por destacar alguno: Paris Saint-Germain es propiedad de Qatar Sports Investment, el Chelsea es propiedad de Todd Boehly a través de una sociedad llamada BlueCo 22 Limited.

Como resultado de la implementación de los diferentes modelos de negocio en el fútbol, la diversificación también se ha abierto paso como una de las herramientas de los negocios que se incorporan al fútbol (Breuer, 2018 como se citó en Lundgren y Heljeberg, 2021). Esto se conoce como: *Multi-Club Ownership*, cuya traducción al castellano es la multipropiedad de clubes. Para obtener una definición aproximada debemos acudir en primer lugar al informe UEFA's Club Licensing Benchmarking Report de 2016, donde encontramos una primera definición[1]:

> Private persons having control and/or a decisive influence over more than one football club, entities ("related entities") having control and/or a decisive influence over more than one football club, and clubs having control and/or a decisive influence over other football clubs. (UEFA Club Licensing Benchmarking Report: Financial Year 2016, p.24)

Los consultores especializados en el fútbol ya ven este modelo de negocio como el nuevo estándar "that may dominate the next chapter of world

---

[1]   Que puede traducirse de forma libre al español del modo siguiente: *Personas que poseen un control y/o influencia decisiva sobre más de un club de fútbol, entidades poseedoras del control y/o influencia decisiva en más de un club de fútbol, y clubes poseedores de control y/o influencia decisiva sobre otros clubes de fútbol.*

football"[2] (KPMG Sports Advisory, 2020). Hace un año, Menary (2021) apuntaba que entonces ya existían alrededor del mundo 156 clubes parte de 60 conglomerados que pueden ser considerados clubes en multipropiedad. El más reciente UEFA Club Licensing Benchmark Report (2022) hace un recuento de que existen 66 clubes en Europa con propietarios que poseen acciones en otros clubes.

Los beneficios asociados con la multipropiedad de clubes son la creación de sinergias entre los distintos clubes que se traduce en economías de escala o en beneficios en *scouting*, o, más importante, en el desarrollo de jugadores (Pastore, 2018). A modo de ejemplo, City Football Group firmó un acuerdo a nivel mundial con Puma por un valor $680 millones por los 10 años para el aprovisionamiento de material para todos los equipos del porfolio del grupo, excepto para el New York City, que tiene la obligación de cumplir el acuerdo colectivo de la MLS y que afecta en materia de equipación.

A propósito de la ventaja del desarrollo de jugadores, se podría decir que algunas entidades con clubes en multipropiedad pueden llegar a favorecer ciertos clubes de su porfolio, mientras que usan los equipos menores a modo de satélites para dar tiempo de juego a jugadores jóvenes o de menor calidad (KPMG Sports Advisory, 2020). Un ejemplo de constante movimiento de jugadores para mejorar la calidad de un equipo del porfolio es el caso de la familia Pozzo: una vez que su club, Udinese, se consolidó en la primera división del campeonato italiano, compraron el Granada CF. El Granada CF jugaba en la tercera división del fútbol español - entonces llamada 2ª División B. Durante esa primera temporada, el Udinese le cedió 10 jugadores al Granada CF y obtuvieron el ascenso a la 2ª División española. La siguiente temporada el Granada recibió hasta seis jugadores del Udinese y consiguió el ascenso a la Primera División del fútbol español (Pastore, 2018). Utilizando este modelo de negocio con sus clubes, se estima que la familia Pozzo ha completado en torno más de 50 traspasos entre sus propios clubes (KPMG Sports Advisory, 2020). Sin embargo, debe advertirse que FIFPro ya ha avisado de que las cláusulas en los contratos de los jugadores en las que les obliguen a cambiar a otro club del porfolio de la multipropiedad pueden ser consideradas abusivas (Menary, 2021). Asimismo, las nuevas reglas de la FIFA limitan el número de cesiones que

---

[2]   Que puede traducirse de forma libre al español de la siguiente manera: *que puede dominar el próximo capítulo del fútbol mundial.*

puede asumir un club durante una temporada. Esta medida podría dañar la idea de las cesiones entre clubes en multipropiedad.

La normativa y regulación europea la ha establecido la UEFA en sus reglas de competición, en concreto en las normas de sus competiciones de clubes. Por lo que es una norma de aplicación para sus competiciones, no para el continente en su conjunto. La actual normativa de competición de la Champions League en su artículo 5 establecen lo siguiente[3]:

---

[3] Que puede ser traducido de forma libre al español de la siguiente manera: *Artículo 5. Integridad de la competición / clubes en multipropiedad. 5.01. Para asegurar la integridad de las competiciones de clubes de UEFA.*
a. Ningún club participando en competiciones de clubes de UEFA puede, de manera directa o indirecta
i. Poseer participaciones o acciones de otro club participante en competiciones de la UEFA.
ii. Ser miembro de otro club participante en competiciones de clubes de la UEFA.
iii. Estar involucrado en cualquier capacidad de dirección, administración y/o actuación deportiva de otro club participante en competiciones de clubes de la UEFA.
b. Nadie puede simultáneamente estar involucrado, de manera directa o indirecta, en ninguna responsabilidad de dirección, administración y/o actuación deportiva en más de un club participante en competiciones UEFA.
c. Ninguna persona física o entidad puede tener el control o influencia sobre más de un club participante en las competiciones de clubes de UEFA, definiendo dicho control o influencia decisiva de la siguiente manera:
i. Poseer la mayoría de las acciones con derecho a voto;
ii. Poseer el derecho de nombrar o remover a la mayoría de los miembros de órganos administrativos, directivos o de supervisión del club;
iii. Ser accionista con el control mayoritario de los accionistas con derecho a voto en virtud de un acuerdo alcanzado con otros accionistas del club.
iv. Ser capaz de ejercer, de alguna manera, influencia decisiva en la toma de decisiones del club.
5.02. Si dos o más clubes fallan para cumplir con los criterios que buscan garantizar la integridad de la competición, solo uno de ellos puede ser admitido en cada competición de clubes de UEFA, de acuerdo con los siguientes criterios (aplicables en orden descendiente):
a. El club que se clasifique en base al mérito deportivo para la competición más prestigiosa (en orden descendiente: UEFA Champions League, UEFA Europa League o UEFA Conference League).
b. El club mejor clasificado en el campeonato nacional que da acceso a la correspondiente competición UEFA.
c. El club cuya asociación tuviera mayor ránking en la lista de acceso (ver Anexo A)
5.03. Clubes que no sean admitidos serán reemplazados de acuerdo con el párrafo 4.09.
5.04. Este artículo no resulta de aplicación si en alguno de los casos listados en el párrafo 5.01 sucede entre clubes directamente clasificados a la fase de grupos UEFA Champions League y otro clasificado a cualquier fase de la UEFA Conference League.

Article 5 Integrity of the competition / multi-club ownership

5.01. To ensure the integrity of the UEFA club competitions (i.e. UEFA Champions League, UEFA Europa League and UEFA Europa Conference League), the following criteria apply:

a. No club participating in a UEFA club competition may, either directly or indirectly:

    i)   hold or deal in the securities or shares of any other club participating in a UEFA club competition;

    ii) be a member of any other club participating in a UEFA club competition;

    iii) be involved in any capacity whatsoever in the management, administration and/or sporting performance of any other club participating in a UEFA club competition; or

    iv) have any power whatsoever in the management, administration and/or sporting performance of any other club participating in a UEFA club competition.

b. No one may simultaneously be involved, either directly or indirectly, in any capacity whatsoever in the management, administration and/or sporting performance of more than one club participating in a UEFA club competition.

c. No individual or legal entity may have control or influence over more than one club participating in a UEFA club competition, such control or influence being defined in this context as:

    i)   holding a majority of the shareholders' voting rights;

    ii) having the right to appoint or remove a majority of the members of the administrative, management or supervisory body of the club;

    iii) being a shareholder and alone controlling a majority of the shareholders' voting rights pursuant to an agreement entered into with other shareholders of the club; or

    iv) being able to exercise by any means a decisive influence in the decision-making of the club.

5.02. If two or more clubs fail to meet the criteria aimed at ensuring the integrity of the competition, only one of them may be admitted to a UEFA club competition, in accordance with the following criteria (applicable in descending order):

a. the club which qualifies on sporting merit for the most prestigious UEFA club competition (i.e., in descending order: UEFA Champions League, UEFA Europa League or UEFA Europa Conference League);

b. the club which was ranked highest in the domestic championship giving access to the relevant UEFA club competition;

c. the club whose association is ranked highest in the access list (see Annex A).

5.03. Clubs that are not admitted are replaced in accordance with Paragraph 4.09.

5.04. This article is not applicable if any of the cases listed under Paragraph 5.01 happens between a club directly qualified to the UEFA Champions League group stage and one qualified for any stage of the UEFA Europa Conference League. (UEFA, 2022)

2. CASOS DE ESTUDIO EN EUROPA: ENIC Y RED BULL

Además de la regulación establecida por la UEFA en vigor, existen dos casos que han definido el marco legal con el que Europa ha estructurado la regulación de los clubes en multipropiedad. Se trata del Caso ENIC y del Caso Red Bull.

2.1 Caso ENIC

La empresa English National Investment Company (en adelante, "**ENIC**") decidió en los años 90 empezar a diversificar sus inversiones y entrar en el accionariado de diversos clubes de fútbol. Su propósito era utilizar el club con un fin meramente especulativo, sin el ánimo de entrar a la gestión o la gobernanza de este. Compraron acciones en clubes de distintos países: Glasgow Rangers, SK Slavia Praga, AEK Atenas, Vicenza Calcio o el Tottenham Hotspur.

Tres de esos clubes alcanzaron los cuartos de final de la extinta Recopa de Europa de la UEFA en la temporada 1997/98, pero el sorteo no deparó ningún cruce entre ellos. Sin embargo, ENIC elevó una primera alerta a la UEFA sobre las posibilidades de un cruce entre dos de sus clubes y qué consecuencias tendría que esto sucediera. Tampoco sucedió en los cruces de semifinales porque dos de los tres clubes cayeron eliminados, y sólo uno alcanzó las semifinales, el Vicenza Calcio.

La voz de alarma elevada por ENIC no cayó en saco roto para la UEFA, y entablaron una serie de conversaciones con representantes de la compañía inversora, llegando ésta a proponerle al organismo europeo algo similar a un código ético y de conducta para casos como éste. Los órganos internos de la UEFA aprobaron en mayo de 1998, una vez había terminado la temporada una nueva norma denominada: *"Integrity of the UEFA Club Competitions: Independence of the Clubs"*[4] esta norma[5], aprobada por el Comité

---

[4]   Que puede traducirse de forma libre al español de la siguiente manera: *Integridad de las competiciones de clubes de la UEFA: Independencia del Club.*

[5]   La norma aprobada decía así:
"A. General Principle
It is of fundamental importance that the sporting integrity of the UEFA club competitions be protected. To achieve this aim, UEFA reserves the right to intervene and to take appropriate action in any situation in which it transpires that the same individual or legal entity is in a position to influence the management, administration and/or sporting performance of more than one team participating in the same UEFA club competition.
B. Criteria
With regard to admission to the UEFA club competitions, the following criteria are applicable in addition to the respective competition regulations:
1. No club participating in a UEFA club competition may, either directly or indirectly:
(a) hold or deal in the securities or shares of any other club, or
(b) be a member of any other club, or
(c) be involved in any capacity whatsoever in the management, administration and/or sporting performance of any other club, or
(d) have any power whatsoever in the management, administration and/or sporting
performance of any other club participating in the same UEFA club competition.
2. No person may at the same time, either directly or indirectly, be involved in any capacity whatsoever in the management, administration and/or sporting performance of more than one club participating in the same UEFA club competition.
3. In the case of two or more clubs which are under common control only one may participate in the same UEFA club competition. In this connection, an individual or legal entity has control of a club where he/she/it:
(a) holds a majority of the shareholders' voting rights, or
(b) has the right to appoint or remove a majority of the members of the administrative, management or supervisory body, or
(c) is a shareholder and alone controls a majority of the shareholders' voting rights pursuant to an agreement entered into with other shareholders of the club in question.

Ejecutivo de la UEFA, tenía una entrada en vigor inmediata, lo que significó cambiar las reglas de competiciones UEFA para la siguiente temporada, una vez ya habían sido enviadas a los clubes.

A finales de junio 1998, el AEK Atenas recibió una notificación en la que se establecía que el club había quedado excluido de la Copa de la UEFA porque el Slavia de Praga había sido admitido, y, en virtud de la norma recién aprobada, los dos clubes no podían formar parte de la misma competición. La UEFA sólo aceptaría la entrada del AEK si les informara que habría un cambio efectivo en el control del Club. El Club y la UEFA decidieron someter su disputa al Tribunal de Arbitraje del Deporte (TAS/CAS), por medio del procedimiento ordinario.

Tanto el AEK de Atenas como el Slavia de Praga actuaron como demandantes reclamando que la nueva norma se declarase nula. Asimismo, desde un primer momento solicitaron medidas cautelares durante el procedimiento para garantizar la participación de ambos clubes en la Copa de la UEFA de la temporada 1998/99. El presidente de la División Ordinaria del TAS admitió las medidas cautelares y ambos clubes fueron aceptados en la competición. El principal argumento esgrimido, y más importante para el devenir del caso, es que la aprobación de la norma era contraria a los principios de buena fe y justicia procesal. Se entendía que la UEFA ya había enviado previamente unas normas de competición en las que no se incluía dicha regla en relación con los clubes en régimen de multipropiedad. No solo es que no se incluyera, si no que todavía no se habían aprobado. Es en un momento posterior en el que se vuelven a enviar las normas con la nueva regla aprobada modificando las ya existentes.

En relación con el procedimiento, los clubes manifestaron que la regla era contraria al:

- Derecho civil suizo: Se establecía una violación de los Estatutos de la UEFA pues daba lugar a la creación de dos tipos de miembros UEFA: clubes bajo el control común y otros. Por tanto, se estaría contrariando el principio de igualdad de trato. Asimismo, alegaron que se había violado el derecho a ser oído.

---

4. The Committee for the UEFA Club Competitions will take a final decision with regard to the admission of clubs to these competitions. It furthermore reserves the right to act vis-à-vis clubs which cease to meet the above criteria in the course of an ongoing competition." (UEFA, 1998, como se citó en CAS, 1999)

- Derecho de las Comunidades Europeas (Actual Unión Europea) en materia de competición: Acuerdo entre empresas que restringen, distorsionan e impiden la competición, y abuso de posición de dominio por parte de la UEFA.

- Derecho de competición suizo: Existencia de un cártel por el acuerdo entre empresas.

- Principio de las Comunidades Europeas de libertad de movimiento y de libre circulación de capitales.

- Principios de derecho: abuso del poder regulatorio de la UEFA para preservar su posición como único organizador de competiciones en Europa.

Una cuestión trascendental durante el debate sobre la controversia giró en torno al impacto de los clubes en multipropiedad sobre la integridad del juego, puesto que es la principal causa de preocupación de la UEFA, y de ENIC. El Panel del TAS entendió[6]:

Integrity, in football, is crucially related to authenticity of results, and has a critical core which is that, in the public's perception, both single matches and entire competitions must be a true test of the best possible athletic, technical, coaching and management skills of the opposing sides (CAS, 1999, p.15).

De este pronunciamiento se puede extraer el concepto clave en relación con la integridad del juego: la autenticidad de los resultados a ojos de la opinión pública. Es decir, a ojos de los aficionados, se debe demostrar una apariencia real de que el propósito del equipo no es otro que la victoria.

Entendiendo lo que significa la integridad del juego se puede acudir a la siguiente cuestión: ¿Realmente el régimen de multipropiedad pude llegar a suponer una amenaza para la integridad del juego? ¿Tiene sentido que el regulador demuestre una preocupación al respecto? Desde luego, la preocupación más lógica está asociada al amaño de partidos. A ojos del Panel, el amaño de partidos ya de por si no constituye un problema en el fútbol europeo puesto que está demostrado en la actualidad que existen

---

[6] Que puede ser traducido de forma libre al español de la siguiente manera: *La integridad, en el fútbol, está crucialmente relacionada con la autenticidad de los resultados, y tiene un núcleo que es, a ojos de la percepción de los aficionados, tanto partidos individuales como las competiciones en su conjunto tienen que ser fieles al mejor posible desarrollo de las habilidades atléticas, técnicas, tácticas y de gestión de los equipos.*

herramientas para detectarlo combatirlo con rapidez. Asimismo, tampoco se encuentra una prueba razonable que demuestre que una persona propietaria de varios clubes tenga la tendencia a ser menos honestos que los dueños un único club. Llevando el debate al siguiente nivel, para el Panel es importante atajar la cuestión en relación con el control del club. La tendencia de las empresas en general es el de tener el control sobre sus empresas dependientes. En el caso de ENIC, a pesar de que alegaban no tener control sobre la gobernanza de clubes, se demostró que sí que había vínculos entre los dirigentes de los clubes.

De la misma forma, en materia de integridad el Panel entiende que existen hasta tres preocupaciones que pueden minar la credibilidad de la competición a ojos de los aficionados, y por tanto crear un problema para la integridad del juego. El primer problema derivado del vínculo entre clubes es la asignación de recursos, pues un inversor no hará una inversión idéntica en los clubes de su propiedad, pues las necesidades y objetivos de club varían completamente. En este sentido, parece razonable estimar que no supone un grave problema y es una causa justa desde el punto de vista económico, cuestión distinta es si los fans asumirán que la propiedad no invierta lo requerido en el club. El segundo problema es el riesgo de amaño de partidos en un partido entre ambos clubes, pues la propiedad puede estar especialmente interesada en la victoria de uno de ellos. El tercer problema encontrado es cuando el interés de un tercer club se ve afectado por el devenir de dos clubes bajo la misma propiedad. Este es el caso de las fases de grupo en las que un empate en un partido puede dejar fuera a un tercer club de la competición. Por todo ello, el Panel entiende que estos problemas dañan el concepto señalado de integridad pues minan la percepción del público sobre la autenticidad de resultados. Con todo ello en mente, el Panel considera afirmativamente que[7] "ownership of multiple clubs competing in the same competition represents a justified concern for a sports regulator and organizer." (CAS, 1999, pág. 23).

Estableciendo que existe un interés justificado y necesario para regular la multipropiedad de clubes, se procede al análisis jurídico del caso.

En relación con las alegaciones sobre la vulneración del derecho civil suizo y empezando con el argumento de que se crean dos categorías de clubes, los clubes también afirman que se consideran miembros "indirec-

---

[7]   Que puede ser traducido de forma libre al español de la siguiente manera: *la propiedad de varios clubes compitiendo en la misma competición representa una causa justificada de preocupación para el regulador y organizador del deporte.*

tos" de UEFA. Sin embargo, el Panel, a la vista de los Estatutos de la UEFA describe que los clubes no son miembros de UEFA, puesto que miembros sólo son las federaciones nacionales de fútbol en el continente europeo. Por tanto, son las federaciones nacionales quienes también ejercen una labor de representación de los clubes en la UEFA. Asimismo, establece que la nueva regla no crea distinto tipo de membresías a UEFA "but rather the establishment of conditions of participation in UEFA competitions"[8] (CAS, 1999, p.24). Por tanto, siendo el Comité Ejecutivo de la UEFA el competente para el establecimiento de estas reglas de competición se actuó conforme a las normas de la confederación. En relación con el argumento sobre el derecho a ser oído, el Panel entiende que a resultas de que los clubes no son miembros de la UEFA, no tienen el derecho, pues de admitirse que lo son se debería escuchar a cada club en cada decisión que se tome. Sin embargo, sí que se admite en casos disciplinarios, en los que a pesar de no ser miembro sí que constituye un derecho para el club. Además, se ha probado que UEFA sí que ha escuchado el parecer de ENIC. Finalmente, en relación con la última objeción de los clubes sobre no seguir el procedimiento establecido, el Panel confirma que la UEFA ha actuado en contra de la doctrina de los actos propios. Reproduciendo la decisión en la que se otorgan medidas cautelares, la UEFA ya había enviado las normas de competición de cara a la siguiente temporada y las modificó sin dejar un margen de tiempo proporcionado a los clubes para adaptarse. La modificación que se planteó de manera sobrevenida no es, a los ojos del Panel, una urgencia admisible. Sin embargo, ello no implica que la norma se deba anular por cuestiones procedimentales, pues se trata de una cuestión de aplicación transitoria de la nueva norma.

En relación con el derecho de competición comunitario, la primera salvedad es confirmar que no se trata de una excepción del deporte. Al ser una norma que no versa sobre las reglas del juego, pero sí sobre asuntos económicos, no resulta de aplicación la excepción y, por tanto, conviene analizar la norma bajo la lupa del derecho comunitario.

El primer argumento es que se trata de un acuerdo de empresas que restringe, distorsiona e impide la competición. El Panel entiende que, efectivamente, de acuerdo con la jurisprudencia del TJUE, la UEFA es un acuerdo entre empresas, y a su vez forma parte de un acuerdo de empresas. La norma planteada se despliega sobre el mercado del fútbol europeo, que

---

[8]   Que puede ser traducido de forma libre al español de la siguiente manera: *es más bien el establecimiento de condiciones de participación en las competiciones de la UEFA.*

no es único, si no que se divide por todo el continente. Esta norma afecta al mercado del futbol de competiciones europeas se trata de una norma que desincentiva la inversión en la compra de clubes. El Panel entiende que la norma tiene un propósito de garantizar la integridad de la competición prohibiendo que compitan dos clubes bajo la misma propiedad o influencia. Asimismo, no se ha demostrado que exista un efecto anticompetitivo. En conclusión, efectivamente existe un efecto de la norma para desincentivar a cualquier propietario de un club participante en competiciones UEFA de invertir en otro club. Sin embargo, siendo tan evidentes las ventajas asociadas a la multipropiedad de clubes, los dueños de clubes únicos querrán emular el novedoso modelo para ganar también esas ventajas competitivas. Por tanto, la norma no afecta negativamente al mercado del fútbol de competiciones europeas, y, todo lo contrario, crea un efecto para garantizar la integridad de las competiciones, que a fin de cuentas es el producto que se vende en el mercado.

Sobre la necesidad objetiva y proporcionalidad de la norma, el Panel aclara que el propósito de la regla es evitar un posible conflicto de intereses, garantizando a su vez la incertidumbre de resultados, es decir, la integridad del juego. Asimismo, se acepta que cualquier norma que busque garantizar la integridad del juego debe entenderse como legítima, y en este caso, aceptable. Sobre el alcance de su proporcionalidad, el Panel entiende que no se ha establecido una prohibición total sobre la multipropiedad de clubes. Y que tampoco existe una alternativa eficaz ni menos restrictiva. Al contrario, cualquier otra norma que busque establecer sanciones disciplinarias debe ser entendida como más lesiva, o inviable por los efectos que produce en su aplicación.

El último argumento, en relación con el derecho de la competencia de la comunidad europea, es el de que UEFA tiene posición de dominio y ejerce un abuso de suposición dominante. El Panel entiende que la UEFA no ha realizado ninguna obstrucción. Asimismo, la UEFA no es parte del mercado pues no es propietario de ningún club. En todo caso es el organizador y regulador, responsable de promover el mayor interés de sus competiciones. Además, el Panel entiende que no se han demostrado ninguno de los elementos establecidos por la jurisprudencia europea en relación con la posición de abuso.

Con respecto al resto de alegaciones de los Clubes, el Panel entiende que no ha lugar a dicho debate puesto que la norma cumple con la normativa de competición europea y suiza, así como con los principios generales del derecho.

Basándose en el fondo de la cuestión, el Panel concluye que la norma está justificada, es proporcional y cumple con las leyes aplicables. Sin embargo, la entrada en vigor de la norma se hizo de manera incorrecta puesto que creo un escenario de injusticia e incertidumbre legal lesivo a los intereses del AEK Atenas. En consecuencia, la exclusión del AEK Atenas se declaró nula, pero se autorizó la entrada en vigor de la norma para la siguiente temporada.

Después de esta decisión, ENIC acudió a la Comisión Europea alegando que la norma incumplía los principios del Tratado de las Comunidades Europeas, a lo que la Comisión respondió[9]:

> The Commission found out that the object of the contested rule was not to distort competition but to protect the integrity of the competition and to avoid conflicts of interest. Such rule was therefore motivated by the need to protect integrity of sporting UEFA competitions. (Pastore, 2018, pág. 48)

Con esta aseveración, queda más que reflejado que la norme en sí es conforme a Derecho, especialmente de la Comunidad Europea, ahora Unión, y que como tal se integra en el ordenamiento jurídico futbolístico, gozando de carácter vinculante y con una justificación más que consolidada.

2.2 Caso Red Bull

En un caso más reciente, hemos visto como dos clubes se encontraban con problemas derivados de la regulación UEFA sobre multipropiedad de clubes tras clasificarse para la UEFA Champions League.

Dieter Mateschitz, recientemente fallecido propietario de Red Bull, decidió extender las inversiones de sus negocios y comprar clubes de fútbol. En 2005 compró el SV Austria Salzburg cambiándole el nombre a FC Red Bull Salzburg. En 2006 compró la franquicia de fútbol neoyorkina de la MLS, dándole el nombre de New York Red Bull. En 2007 creó un club en Brasil y en 2009 fundó el RassenBallsport Leipzig y compró la plaza del SSV Markrandstädt que jugaba en la quinta división alemana. Tras siete temporadas, el RB Leipzig ascendió a primera división y actualmente es

---

[9]   Que puede ser traducido de forma libre al español de la siguiente manera: *La Comisión descubrió que el propósito de la norma apelada no es el de distorsionar el mercado, pero el de proteger la integridad de la competición y evitar conflictos de intereses. Dicha regla responde a la motivación de proteger la integridad de las competiciones de la UEFA.*

uno de los clubes que compite temporada tras temporada por un puesto de clasificación europea en la Bundesliga. Ambos clubes, FC Red Bull Salzburg y RB Leipzig se clasificaron vía liga para la edición 2017/18 de la UEFA Champions League.

Una vez que se confirmó la clasificación de ambos clubes a la competición, la UEFA inició una investigación a través del Comité Financiero de Control de Clubes —en inglés *Club Financial Control Body* (CFCB)— para analizar si los clubes cumplían los criterios de elegibilidad previstos en las normas de competición de la Champions League, en concreto las reglas de integridad.

La Cámara de Instrucción averiguó que Red Bull posee "influencia decisiva" sobre ambos clubes, y en concreto, en su control sobre FC RB Salzburg[10]:

> [...] has the ability to control access to the ordinary membership of the General Assembly of the association FC Red Bull Salzburg e.V. which wholly owns FCS (the "FCS Association"), that FCS garners an unusually high level of income from Red Bull via sponsorship agreements and that FCS rents its stadium (and offices) from a subsidiary of Red Bull. (UEFA Club Financial Control Body Adjudicatory Chamber, 2017).

Sobre el RB Leipzig, encontró que Red Bull ejerce un control sobre la propiedad del club y financia su actividad a través de grandes acuerdos de patrocinio y préstamos. Otro de los puntos que llamó la atención del órgano de instrucción fue el alto número de traspasos entre ambos clubes, así como los diversos individuos que tomaban parte en las operaciones de ambos clubes, en especial el CEO de Red Bull. La Cámara de Adjudicación recibió el caso para tomar la decisión final.

Después del Caso ENIC, la UEFA incorporó en una reforma a sus reglas de Integridad el *decisive influence test*, para hacer el proceso de toma de decisión de una manera más transparente y objetiva, sin definir que es *decisive influence*. En todo caso se deja el concepto de una manera general para que se pueda aplicar en base a la teleología de la norma, y a las circunstancias concretas del caso. Para decidir en el caso la Cámara entendía que debía decidir en base al posible daño a la integridad del juego, es

---

[10]   Que puede ser traducido de forma libre al español de la siguiente manera: *[...] tiene la habilidad de controlar el acceso de los miembros de la Asamblea General del FC Red Bull Salzburg e.V, dueño de FCS, que FCS recibe un alto nivel de ingresos de Red Bull en forma de acuerdos de patrocinio y que FCS alquila su estadio (y sus oficinas) de una filial de Red Bull.*

decir, el perjuicio sobre la actuación deportiva, en ningún caso sobre los acuerdos económicos o financieros. Esto se debe a que el mayor temor del presente caso es, sobre la base del caso ENIC, el miedo a que dos equipos puedan confabular para dejar a otro fuera. Asimismo, el criterio a seguir es el siguiente:[11] "the benchmark for establishing decisive influence is a high one, requiring the ability to direct the decision making of both Clubs by any means." (UEFA Club Financial Control Body Adjudicatory Chamber, 2017, pág. 7).

La Cámara de Adjudicación del CFCB toma sus decisiones en base a la situación del club en la fecha de admisión, no en asunciones futuras. También hay que considerar que la carga de la prueba reside en el cuerpo acusador, en este caso la Cámara de Instrucción para probar sus alegaciones en la primera fase.

Siguiendo estas reglas procedimentales, en su investigación la Cámara de Adjudicación descubrió en la fase de investigación que el club de Salzburgo había eliminado de su Asamblea General a los miembros que simultáneamente estaban en la Asamblea General del RB Leipzig. El presidente del club, vinculado a Red Bull, presentó su dimisión y los préstamos entre club y Red Bull quedaron cancelados. Se introdujo un quorum en las decisiones de la Asamblea General del FC Red Bull Salzburgo. Asimismo, el acuerdo de patrocinio entre Salzburg y Red Bull se redujo en cuanto a su cuantía y los derechos para la otra parte, suponiendo además el abandono de Red Bull de la Asamblea General del club de Salzburgo. En relación con el acuerdo de cooperación entre ambos clubes, uno de los puntos que más preocupaba a UEFA, se dio por terminado. Considerando todos estos cambios, se apreció que ya no existían indicios graves de influencia decisiva, quedando por analizar a futuro el acuerdo de patrocinio del estadio y la identidad corporativa del club.

Con la introducción de todos estos cambios en su estructura, la Cámara de Adjudicación entendió que ya son inexistentes las alegaciones sobre la "influencia decisiva" de Red Bull, siendo la relación entre el Club y Red Bull una de mero patrocinio. Por tanto, no procedía analizar la relación de Red Bull con el RB Leipzig y reconociendo con ello que las nuevas circunstancias permitían cumplir con las reglas de integridad. Ambos clubes fueron admitidos a la competición.

---

[11]   Que puede ser traducido de forma libre al español de la siguiente manera: *El requisito para establecer la influencia decisiva es alta, requiriendo la capacidad de dirigir el proceso de toma de decisiones de dos clubes por cualquier forma.*

Este caso podría haber supuesto la oportunidad idónea para la UEFA para arrojar un poco de luz sobre la definición de un concepto tan amplio que evalúan como es el concepto de influencia decisiva (Grell, 2017). Por tanto, la UEFA ha perdido la oportunidad de dar ejemplos[12] "or provide concrete criteria that might have been useful for the stakeholders in order to regulate their conduct" (Pastore, 2018, p.55). De haberlo hecho, los clubes hubieran recibido un concepto más transparente que daría mayor certeza y seguridad jurídica en la aplicación de la regla al caso concreto (*Id.*) (Grell, 2017).

3. LA REGULACIÓN ADOPTADA POR ALGUNAS FEDERACIONES Y LIGAS EUROPEAS

Como se ha podido demostrar, la multipropiedad de clubes es considerada por la confederación europea un elemento que pone en riesgo la integridad de las competiciones. Además de los casos resueltos, y el examen de las reglas de la UEFA, las Federaciones Nacionales también han establecido una serie de reglas para sus clubes buscando el mismo propósito perseguido por UEFA. Tanta relevancia ha adquirido esta amenaza a la integridad competitiva que, a día de hoy, 47 Federaciones nacionales han adoptado una regulación que restringe la multipropiedad de clubes (UEFA Financial Sustainability & Research Division / UEFA Intelligence Centre (2022).

Italia tomó acciones legales en el momento en el que la Salernitana ascendió a primera división. El propietario del club era el mismo dueño que el de la Lazio, Claudio Lotito. La Federazione Italiana Giuoco Calcio (FIGC) forzó la venta del club antes de las navidades de ese año (Menary, 2021). La nueva regulación de la FIGC prohíbe por completo la multipropiedad de clubes, no permitiendo ni una mínima participación (*Id.*).

En caso de España e Inglaterra es muy parecido puesto que ambas permiten la multipropiedad de clubes, pero han establecido reglas más restrictivas que las de la UEFA (Geey y Rotkvic, n.d). La Premier League entiende que existe control sobre un club cuando se posee más de un 30% de las acciones, y prohíbe tener más de un 10% de acciones de dos clubes, de

---

[12]   Que se puede traducir de forma libre al español de la siguiente manera: *o proveer criterios concretos que podrían ser útiles para los grupos de interés para regular su comportamiento.*

acuerdo con su artículo I.5 en relación con la definición establecida en el A.1.200 sobre *significant interest* (The Football Association Premier League Limited, 2022).

Por la parte de España, la regulación viene dada por el Real Decreto 1251/1999, de 16 de julio, sobre sociedades anónimas deportivas, que en su artículo 17 prohíbe a toda aquella persona que posea más de un 5% en un club en forma de sociedad anónima deportiva, poseer un 5% o más de acciones de otro club. (Real Decreto 1251/1999, de 16 de julio, sobre sociedades anónimas deportivas, 1999). Por tanto, se establece un umbral más restrictivo que el de UEFA, que permite poseer el 100% de acciones en un club, mientras que no poseas una influencia decisiva en otro (Geey et al, n.d).

Por otro lado, la FIFA ha hecho ninguna aproximación mínima sobre el asunto a nivel internacional, dejando toda la regulación a las confederaciones, al entender que es una norma que afecta principalmente al desarrollo de competiciones. Los clubes son, de acuerdo con el artículo 20 de los Estatutos de la FIFA, afiliados de la asociación miembro y es responsabilidad de estos de garantizar la independencia de la toma de decisiones de los clubes, así como:

En todo momento, la federación miembro deberá garantizar que ninguna persona física o jurídica (incluidas empresas matrices y filiales) controla de manera alguna (en particular, mediante la mayoría de accionistas, de derechos de voto, de asientos en la junta directiva o de cualquier otro tipo de dependencia o control económico) más de un club si este atentara contra la integridad de partidos o competiciones. (FIFA, 2022, pág. 22)

La pregunta que puede surgir próximamente en el debate público y, a la vista de la creciente y rápida expansión de la multipropiedad de clubes como un fenómeno global, que excede ya a las confederaciones, es qué pasará cuando se enfrenten dos clubes del mismo portfolio de la multipropiedad en las competiciones de clubes de la FIFA: el ejemplo más claro es en el Mundial de Clubes. Podría darse este caso con clubes propiedad de Red Bull, a la vista está que son dueños de clubes en países europeos y americanos, o incluso clubes del City Football Group, dueño del semifinalista de la pasada edición de la Champions League, el Manchester City, así como otros clubes a lo largo del mundo: New York City, Melbourne City, Yokohama F. Marinos, Montevideo City Torque, Girona FC, Sichuan Juiniu, Mumbai City, Lommel SK o ESTAC Troyes (City Football Group, n.d.).

4. CONCLUSIONES

El fútbol europeo ha comenzado a materializar el miedo a la multipropiedad de clubes articulando un proceso de regulación con la que presente garantizar la integridad del juego. Este proceso de regularización, que ya ha tenido su eco en las federaciones nacionales, especialmente en aquellas que no tenían regulación prevista en la materia, tiene aún el reto de consolidar una normativa coherente, y como *ubi societas, ibi ius*, la casuística va a ser quien lleve la batuta sobre la magnitud, intensidad y alcance del desarrollo legal.

No obstante, a pesar de las reticencias, parece evidente que la aparición la multipropiedad de clubes está asociada a ventajas que resultan más que interesantes para los inversores: el caso de la familia Pozzo es el ejemplo del desarrollo de jugadores jóvenes entre sus clubes; el caso del City Football Group en el que se busca el desarrollo de ventajas competitivas en base a la optimización de los recursos financieros; o el caso de Red Bull en el que se utiliza el club para la promoción de la marca propietaria. Los clubes en multipropiedad buscan explotar, en su mayoría estas tres ventajas, a lo que se suma el hecho de que las inversiones se realizan en clubes que, no solo es que no sean del mismo país, sino que tampoco son del mismo continente, haciendo de este fenómeno uno global. Hasta hace poco era muy difícil ver conexiones entre clubes distantes geográficamente. Ahora mismo con la proliferación de la multipropiedad de clubes, parece que se puede convertir en la nueva regla general. Evidentemente, no de manera inmediata, pero de una manera acelerada. Por esta razón, alcanzar una regulación en relación con la multipropiedad de clubes exigirá de la creación de nuevos estándares internacionales que garanticen una implementación igual y harmonizada de reglas similares y justas para la industria del fútbol. Esta regulación puede ser la posición de ventaja que puede tener la FIFA para aumentar su relación con los clubes, en su condición de miembros de la familia futbolera.

En definitiva, estamos ante el inicio de la regulación de una de las herramientas que articulará la industria del fútbol en el futuro.

5. REFERENCIAS BIBLIOGRÁFICAS

CAS 98/200 *AEK Athens and Slavia Prague / Union of European Football Associations (UEFA)*, laudo de 20 de agosto de 1999.

City Football Group. (n.d.). *Our clubs*. [consulta: 13 de noviembre de 2022]. Disponible en: https://www.cityfootballgroup.com/our-clubs/

Deloitte Sport Business Group. (2022). *Football Money League*. Deloitte LLP. https://www2.deloitte.com/content/dam/Deloitte/br/Documents/consumer-business/deloitte-football-money-league-2022.pdf

FIFA. (2022). FIFA Estatutos. Edición mayo 2022. https://digitalhub.fifa.com/m/7812bd8394004ea1/original/FIFA_Statutes_2022-ES.pdf

FRANCK, E. (2010). *Private firm, public corporation or member's association - Governance structures in European football*. International Journal of Sport Finance, 5, 108-127.

GEEY, D., ROSS, V., & ROTKVIC, M. (n.d). Multiple football club ownership: disparities between rules. *DanielGeey.com*. https://www.danielgeey.com/post/multiple-football-club-ownership-disparities-between-rules/

GRELL, T. (2017). Multi-Club Ownership in European Football - Part II: The Concept of Decisive Influence in the Red Bull Case. *Asser International Sports Law Blog*. https://www.asser.nl/SportsLaw/Blog/post/multi-club-ownership-in-european-football-part-ii-the-concept-of-decisive-influence-in-the-red-bull-case-by-tomas-grell

KPMG Sports Advisory (1 de diciembre, 2020). Multi-club ownerships - Is it the future of football? *Football Benchmark*. https://footballbenchmark.com/library/multi_club_ownerships_is_it_the_future_of_football.

LUNDGREN, J, and HELJEBERG, O. (2021). *M-C-O or M-C ... No? Multi-Club Ownership in English football and it's drivers* [Trabajo de Fin de Grado, Umea School of Business, Economics and Statistics]. Digitala Vetenskapliga Arkivet. http://www.diva-portal.org/smash/record.jsf?pid=diva2%3A1573014&dswid=-889

MENARY, S. (27 de octubre, 2021). Multi-club ownership in football challenges governance at many levels. *Play the Game*. https://www.playthegame.org/news/multi-club-ownership-in-football-challenges-governance-at-many-levels/

PASTORE, L. (2018). *Third Party Ownership and Multi-Club Ownership: where football is heading for*. Rivista di Diritto ed Economia dello Sport, XIV (1), 23-58.

Real Decreto 1251/1999, de 16 de julio, sobre sociedades anónimas deportivas (Boletín Oficial del Estado n° 170, de 17 de julio de 1999). https://www.boe.es/buscar/act.php?id=BOE-A-1999-15686

ROHDE, M. & BREUER, C. (2017) The market for football club investors: a review of theory and empirical evidence from professional European football, *European Sport Management Quarterly*, 17 (3), 265-289.

The Football Association Premier League Limited. (2022). *Premier League Handbook 2022/2023*. The Football Association Premier League.

UEFA. (2022). Regulations of the UEFA Champions League 2021-24 cycle. 2022/23 season. https://documents.uefa.com/viewer/book-attachment/~DGFSuNEFVnuh8nI9r~Uzw/iwreZKMmnRZYY2~LIps56g

UEFA Financial Sustainability & Research Division / UEFA Intelligence Centre. (2016). *Club Licensing Benchmarking Report: Financial Year 2016*. UEFA. https://www.football-benchmark.com/documents/files/public/UEFA%20Club%20licensing%20benchmarking%20report.pdf

UEFA Financial Sustainability & Research Division / UEFA Intelligence Centre. (2022). *Club Licensing Benchmarking Report: Financial Year 2022*. UEFA. https://editorial.uefa.com/resources/0272-145b03c04a9e-26dc16d0c545-1000/master_bm_high_res_20220203104923.pdf

UEFA Club Financial Control Body Adjudicatory Chamber. (junio 2017). *Decision (with grounds) in case AC-01/2017 Rasenballsport Leipzig GMBH FC Red Bull Salzburg GMBH.*

https://editorial.uefa.com/resources/0258-0e2dece33fb8-5cc21edafedf-1000/rb_
leipzig_fc_salzburg_-_cfcb_adjudicatory_chamber_decision_-_june_2017.pdf

Conflictos entre el derecho al honor y las libertades de expresión e información en el mundo del deporte. Una breve reflexión con ocasión de la Sentencia núm. 362/2022, de 27 de junio, del Juzgado de Primera Instancia núm. 51 de Madrid

JORGE A. AZAGRA MALO y **LAIA CLIMENT SANCHIS**
Counsel y Abogada de Uría Menéndez Abogados, S.L.P.
Laia Climent Sanchis es también jugadora federada de baloncesto

1. INTRODUCCIÓN

En los últimos años, la relevancia del deporte femenino en los planos social, mediático e incluso político ha experimentado un crecimiento inédito. Esta nueva dimensión ha favorecido que determinadas problemáticas y, con ellas, determinadas reivindicaciones salgan a la luz.

No son pocas las conductas inapropiadas denunciadas públicamente por mujeres profesionales del deporte en medios de comunicación y redes sociales. Algunas de estas conductas, posteriormente, han motivado investigaciones a nivel federativo o, incluso, el inicio de procedimientos judiciales. Uno de los ejemplos más recientes es la investigación independiente encargada por la Federación de Fútbol de Estados Unidos (*U.S. Soccer Federation*) en relación con supuestos comportamientos abusivos y conductas sexuales inapropiadas en la liga profesional de fútbol femenino de Estados Unidos (la *NWSL* o la *National Women's Soccer League*)[1].

El deporte femenino español no es una excepción a esta tendencia. En el mes de agosto de 2021, el mundo del baloncesto se vio sacudido por las declaraciones en prensa de varias exjugadoras de la selección española que denunciaban haber sido víctimas de conductas abusivas por parte de su ex seleccionador —que había sido destituido pocos días antes—. La Federación Española de Baloncesto ("**FEB**") emitió un comunicado oficial dando su apoyo a una de las referidas exjugadoras y mostrando "*su rechazo a cualquier conducta abusiva dentro del mundo del deporte*"[2].

Este caso acabó en los tribunales, aunque no a instancias de las exjugadoras ni de la FEB. Fue el ex seleccionador español quien demandó, ante la jurisdicción civil, a dos exintegrantes de la selección por daños a su honor y, ante la jurisdicción social, a la FEB por su despido[3].

La primera de las demandas dio lugar a un procedimiento para la protección civil del derecho al honor, que finalizó el pasado 27 de junio con la sentencia núm. 362/2022 dictada por el Juzgado de Primera Instancia núm. 51 de Madrid (la "**Sentencia núm. 362/2022**"). Este procedimiento es un ejemplo de la tradicional pugna entre el derecho al honor y las libertades de expresión e información, y nos da pie a analizar, de forma sucinta y sin ánimo exhaustivo, algunas de las particularidades que presenta dicho conflicto jurídico en el mundo del deporte.

Por ello, antes de examinar la Sentencia núm. 362/2022, se lleva a cabo, primero, un sucinto repaso sobre la configuración en nuestro país, tanto del derecho al honor, como de las libertades de expresión e información. Posteriormente, se analizan algunos mecanismos para proteger el derecho

---

[1]   YATES, Sally Q., *Report of the Independent Investigation to the U.S. Soccer Federation Concerning Allegations of Abusive Behavior and Sexual Misconduct in Women's Professional Soccer*, 3 de octubre de 2022 (https://www.kslaw.com/attachments/000/009/931/original/King___Spalding_-_Full_Report_to_USSF.pdf?1664809048)

[2]   https://www.feb.es/2021/8/8/baloncesto/federacion-espanola-baloncesto-muestra-apoyo-marta-xargay-condena-cualquier-conducta-abusiva/87574.aspx

[3]   Este procedimiento, que no será objeto de estudio en el presente artículo, finalizó por acuerdo entre las partes en el mes de noviembre de 2021 (*vid. https://www.marca.com/baloncesto/seleccion/2021/11/24/619e1d83e2704ed91c8b45c0.html*).

a honor en España. Todo ello para concluir con un estudio de la referida resolución dictada por el Juzgado de Primera Instancia núm. 51 de Madrid y una reflexión final.

2. ALGUNAS NOTAS SOBRE LA CONFIGURACIÓN DEL DERECHO AL HONOR Y DE LAS LIBERTADES DE EXPRESIÓN E INFORMACIÓN EN ESPAÑA

2.1 El derecho al honor en su dimensión de derecho sustantivo (art. 18.1 CE)

El derecho al honor es un derecho constitucional que, dada su ubicación en la sección primera del capítulo II del título primero de la Constitución española ("**CE**", (*Tol 173304*)), tiene la consideración de derecho fundamental. Como tal, en comparación con otros derechos constitucionales, posee un sistema complejo y reforzado de garantías. En particular, el artículo 18. 1 de la CE establece que: "*Se garantiza el derecho al honor, a la intimidad personal y familiar y a la propia imagen*".

El honor ha sido definido por nuestra jurisprudencia como la combinación de la estimación que cada uno tiene de sí mismo y la consideración que le tienen los terceros. Aparece así el derecho al honor como un derecho estrechamente vinculado a la dignidad de la persona y encaminado a salvaguardar la vida privada del individuo.

Esta configuración del derecho fundamental obliga a atender a los valores imperantes en la sociedad en un determinado momento para delimitar el ámbito de protección que confiere. En palabras del Tribunal Constitucional: "*El contenido del derecho al honor (…) es, sin duda, dependiente de las normas, valores e ideas sociales vigentes en cada momento (…) las circunstancias en que se producen los hechos y las ideas dominantes que la sociedad tiene sobre la valoración de aquél son especialmente significativas para determinar si se ha producido o no lesión*"[4].

En atención a su naturaleza y contenido, el derecho al honor se configura como un "derecho de libertad" y, dentro de esta categoría, se encuentra entre los que afectan de forma más directa a la esfera de la persona[5].

---

[4]   Sentencia núm. 185/1989, de 13 de noviembre ("**Caso Persona "Non Grata"**", (*Tol 81758*)).

[5]   Los derechos a la vida y a la integridad física (art. 15 CE), a la libertad ideológica y religiosa (art. 16 CE), a la inviolabilidad del domicilio (art. 18.2 CE), al secreto

Este tipo de derechos se caracteriza por delimitar la libertad del individuo, protegiéndola de intromisiones —sobre todo, por parte de los poderes públicos—. En palabras de Pérez Tremps, *"ello significa que, en cuanto l(í)mite, lo que impone(n) básicamente es una actitud de abstención por parte, en especial, del poder público"*[6]. Se distinguen así de los denominados "derechos de prestación", cuya efectividad depende de la actuación (y no de la abstención) de los poderes públicos (por ejemplo, el derecho a la educación del art. 27 CE).

Como todos los derechos fundamentales, el derecho al honor es propio de las personas físicas. Sin embargo, el Tribunal Constitucional ha ampliado el reconocimiento de este derecho en favor de:

(i) Los colectivos[7], que están muy presentes en el ámbito deportivo. Por ejemplo, podrían tener la consideración de *"colectivo de personas más o menos amplio (…) cuando ést(a)s sean identificables, como individuos, dentro de la colectividad"*[8], las jugadoras de la liga profesional de fútbol, las personas con discapacidad que participan en deportes paralímpicos, los integrantes de una determinada selección nacional o los clubes de la liga profesional de baloncesto.

---

de las comunicaciones (art. 18.3 CE), a la protección frente al uso de la informática (art. 18.4 CE), a la libertad de residencia y desplazamiento (art. 19 CE), a la intimidad personal y familiar (art. 18.1 CE) y a la propia imagen (art. 18.1 CE) también entran en la clasificación de "derechos de la esfera personal".

[6] LÓPEZ GUERRA, Luis, ESPÍN, Eduardo, GARCÍA MORILLO, Joaquín, PÉREZ TREMPS, Pablo y SATRÚSTEGUI, Miguel, en *Derecho Constitucional. Volumen I. El ordenamiento constitucional. Derechos y deberes de los ciudadanos*, Valencia: Tirant lo Blanch, 2013 (p. 128).

[7] Este reconocimiento se produce a partir de la Sentencia del Tribunal Constitucional núm. 214/1991, de 11 de noviembre (**"Caso Violeta Friedman"**, (*Tol 81898*)), en la que se afirma que *"El significado personalista que el derecho al honor tiene en la Constitución no impone que los ataques o lesiones al citado derecho fundamental, para que tengan protección constitucional, hayan de estar necesariamente perfecta y debidamente individualizados "ad personam", pues, de ser así, ello supondría tanto como excluir radicalmente la protección del honor de la totalidad de las personas jurídicas, incluidas las de substrato personalista, y admitir, en todos los supuestos, la legitimidad constitucional de los ataques o intromisiones en el honor de personas, individualmente consideradas, por el mero hecho de que los mismos se realicen de forma innominada, genérica o imprecisa"*.

[8] Caso Violeta Friedman (*Tol 81898*).

(ii) Las personas jurídicas[9]. En el mundo del deporte, en que las competiciones se organizan, con carácter principal, en torno a clubes, federaciones y ligas, resulta especialmente relevante esta ampliación. De hecho, existen ya en nuestra jurisprudencia casos en los que se han otorgado indemnizaciones a favor de clubes deportivos por la vulneración de su derecho al honor[10].

2.2 *El derecho al honor como límite de las libertades de expresión e información (art. 20.4 CE)*

El derecho al honor se caracteriza por presentar una doble configuración constitucional. No aparece en la CE únicamente como derecho sustantivo, sino que también se presenta como límite de otros dos derechos fundamentales: las libertades de expresión e información.

Lo cierto es que, si bien —de forma general— las referidas libertades están limitadas por todos los derechos reconocidos en el titulo primero de la CE, el artículo 20.4 CE establece que la libertad de expresión encuentra dicho límite *"especialmente, en el derecho al honor, a la intimidad, a la propia imagen y a la protección de la juventud y de la infancia"*. Espín considera que esta mención especial *"es el fiel reflejo de la clara contraposición en que se encuentran ambos bloques de derechos, que se manifiesta en la frecuente existencia de conflictos entre unos y otros"*[11].

---

[9]   En la Sentencia del Tribunal Constitucional núm. 139/1995, de 26 de septiembre (**"Caso Ediciones Zeta"**, (*Tol 82878*)) se establece que *"el significado del derecho al honor ni puede ni debe excluir de su ámbito de protección a las personas jurídicas (…) Resulta evidente, pues, que, a través de los fines para los que cada persona jurídica privada ha sido creada, puede establecerse un ámbito de protección de su propia identidad y en dos sentidos distintos: tanto para proteger su identidad cuando desarrolla sus fines como para proteger las condiciones de ejercicio de su identidad, bajo las que recaería el derecho al honor"*.

[10]   Este es el caso, por ejemplo, de las Sentencias del Tribunal Supremo (Sala Primera) núm. 807/2011, de 7 de noviembre (**"Caso Fútbol Club Barcelona"**, (*Tol 2269000*)), y núm. 70/2014, de 24 de febrero (**"Caso Real Madrid"**, (*Tol 4110279*)), en las que el Alto Tribunal —confirmando las resoluciones de primera instancia y de apelación— considera que el diario *Le Monde* habría vulnerado el derecho al honor de ambos clubes de fútbol tras vincularles con la trama de dopaje "Operación Puerto" sin que la información cumpliese con el requisito de veracidad (*infra* apartado 5.2.1).

[11]   LÓPEZ GUERRA, ESPÍN, GARCÍA MORILLO, PÉREZ TREMPS y SATRÚSTEGUI, *op. cit.* (p. 206)

2.3 Breve referencia a la configuración de las libertades de expresión e información

El artículo 20.1 CE reconoce las diversas manifestaciones del derecho fundamental a la libertad de expresión[12], entre las que destacamos[13]:

(i) La libertad de expresión en sentido estricto (apartado a), que consiste en *"expresar y difundir libremente los pensamientos, ideas y opiniones mediante la palabra, el escrito o cualquier otro medio de reproducción"*; y

(ii) La libertad de información (apartado d), que consiste en *"comunicar o recibir libremente información veraz por cualquier medio de difusión"*.

Aunque, *a priori*, se trate de derechos cuyo ámbito de protección es distinto —*"la libertad de expresión (…) tiene un campo de acción más amplio que la libertad de información"*[14]—, la realidad es que en muchas ocasiones es difícil disociarlos porque *"la expresión de pensamientos necesita a menudo apoyarse en la narración de hechos y, a la inversa"*[15]. Si no resulta posible separar los elementos valorativos de los elementos informativos, la jurisprudencia ha optado por atender al elemento preponderante para determinar bajo qué libertad se encontraría amparada (o no) una determinada conducta.

La libertad de expresión —en sentido amplio, esto es, en todas sus manifestaciones— tiene una importancia en nuestro sistema constitucional que trasciende de su consideración como derecho fundamental, pues constituye una verdadera garantía institucional de la *"comunicación pública libre, sin la cual quedarían vaciados de contenido real otros derechos que la Constitución consagra, reducidas a formas hueras las instituciones representativas y absolutamente falseado el principio de legitimidad democrática que enuncia el artículo 1.2 de la CE, y que es la base de toda nuestra ordenación jurídico-política"*[16]. Esta doble dimensión resulta especialmente trascendente cuando las libertades de expresión e información entran en conflicto con otros derechos fundamentales, como el derecho al honor.

---

[12]   Ambas libertades se encuentran también protegidas en la DUDH (art. 19) y en el CEDH (art. 10).

[13]   Existen otras manifestaciones que no son objeto del presente artículo, como la libertad de producción y creación literaria, artística, científica y técnica (art. 20.4.b CE) y la libertad de cátedra (art. 20.4.c CE).

[14]   Sentencia del Tribunal Supremo (Sala de lo Civil) núm. 428/2011, de 7 de junio (**"Caso "Clarence Seedorf de Biografie""**, (*Tol 2186999*)).

[15]   Caso Clarence Seedorf de Biografie (*Tol 2186999*).

[16]   Sentencia del Tribunal Constitucional núm. 6/1981, de 16 de marzo (*Tol 109401*).

3. ALGUNOS MECANISMOS PARA PROTEGER EL DERECHO AL HONOR

El derecho al honor, junto con el resto de derechos reconocidos en el art. 18.1 CE, cuenta con distintas vías para su protección, entre las que destacan las siguientes:

(*i*) Derecho de rectificación. Permite solicitar a un determinado medio de comunicación que rectifique la información difundida en relación con personas físicas y jurídicas, siempre que les perjudique. Se encuentra regulado en la Ley Orgánica 2/1984, de 26 de marzo, reguladora del derecho de rectificación ("**LO 2/84**", (*Tol 5905*)) y ha sido objeto de desarrollo jurisprudencial.

Si bien el término "rectificación" podría llevar a pensar que el medio de comunicación implicado debe modificar o retractarse de la información publicada, la verdadera finalidad de este derecho es permitir ofrecer una versión alternativa de los hechos a que quien considera vulnerado su derecho al honor. En esta línea, el Tribunal Constitucional ha matizado que el ejercicio del derecho de rectificación "*no impide al medio de comunicación social afectado difundir libremente la información veraz ni le obliga a declarar que la información aparecida es incierta o a modificar su contenido (…) ni siquiera limita la facultad del medio de ratificarse en la información inicialmente suministrada o, en su caso, aportar y divulgar todos aquellos datos que la confirmen o la avalen*"[17] y que no "*implica la exactitud*" de la versión ofrecida por el perjudicado.

(*ii*) Cesación de la intromisión ilegítima y reclamación de daños y perjuicios por medio de la tutela judicial ordinaria. La Ley Orgánica 1/1982, de 5 de mayo, de protección civil del derecho al honor, a la intimidad personal y familiar y a la propia imagen ("**LO 1/82**", (*Tol 585549*)) prevé expresamente, en su artículo noveno, la tutela judicial frente a las intromisiones ilegítimas. Este es uno de los remedios que, con mayor frecuencia, encontramos en la práctica.

(*iii*) Recurso de amparo ante el Tribunal Constitucional. Se trata de un remedio previsto en el artículo 53.2 CE únicamente en relación con los de-

---

[17]   Sentencia del Tribunal Constitucional núm. 168/1986, de 22 de diciembre (*Tol 123329*).

rechos fundamentales, cuya sola finalidad es el "*restablecimiento o preservación de los derechos*"[18] que se habrían visto vulnerados por los poderes públicos.

(iv) Vía penal, a través de los delitos de injurias —acción o expresión que lesiona la dignidad de otra persona, menoscabando su fama o atentando contra su propia estimación— y calumnias —imputación de un delito hecha con conocimiento de su falsedad o temerario desprecio hacia la verdad—. El estudio de estos delitos excede del objeto de este trabajo.

4. LA SENTENCIA NÚM. 362/2022 Y UNA REFLEXIÓN FINAL

4.1 Hechos objeto del caso de la selección femenina de baloncesto

La Sentencia núm. 362/2022[19] se dicta en el marco de un procedimiento civil de protección del derecho al honor, instado por quien fue entrenador de la selección femenina de baloncesto (el "**Demandante**") frente a dos exintegrantes de ella (las "**Demandadas**"). El Demandante solicitaba que se declarase que las conductas que a continuación se expondrán "*son constitutivas de una intromisión ilegítima en el honor*" (pág. 2) y que se condenase "*solidariamente a las demandadas a pagar (…) la suma de 200.000 euros*" (pág. 2).

Los hechos objeto del procedimiento se remontan al mes de agosto de 2021, cuando se publicaron dos artículos en un diario de tirada nacional que contenían declaraciones efectuadas por las Demandadas en relación con su experiencia y salida de la selección femenina de baloncesto, de la que el Demandante era seleccionador.

(i) El primero de estos artículos se publicó el 8 de agosto de 2021, bajo el titular "Doña Lidia[20]: "*Tuve que anteponer la persona a la deportista*"" y, según el Demandante, en este artículo se le califica de "*ser un maltratador psicológico, causante de los trastornos alimentarios y psiquiátricos de bulimia y ortorexia, de no saber controlar su autoridad y de un comportamiento ofensivo con faltas de respeto profesionales y personales hacia la jugadora*" (pág. 2).

La conducta litigiosa vinculada con el primer artículo se limita a las siguientes declaraciones efectuadas por una de las Demandadas:

---

[18]   https://www.tribunalconstitucional.es/es/tribunal/Composicion-Organizacion/competencias/Paginas/04-Recurso-de-amparo.aspx.

[19]   Todos los números de página que se mencionen en el cuerpo del texto, salvo que se diga lo contrario, deben entenderse referidos a la Sentencia núm. 362/2022.

[20]   Pseudónimo utilizado en la versión anonimizada de la Sentencia núm. 362/2022.

"*Llegó el momento en que tuve que anteponer la persona a la deportista. No podía seguir aguantando cosas inasumibles. Hay límites que no hay que traspasar, y él a mí me llevó a un límite muy heavy. Es duro. He tenido muchos problemas con la comida por culpa de esta persona. Todo empezó en Rusia, en mi etapa en el Dínamo de Kursk. Nos pesaban cada semana y él estaba siempre detrás vigilándolo todo. Hubo varias situaciones, en concentraciones del equipo, en las que se acercó a S.P. y a mí y me dijo que nosotras no teníamos postre porque estábamos gordas. En ese momento yo pesaba 67 kilos y mido 1,82. Me encontraba bien físicamente, por eso me generó mucha inseguridad, dentro y fuera de la pista. Constantemente me decía que estaba fuera de peso. Esto me causó una revolución física y mental. Mentalmente estaba out, pero al acabar fue una liberación. No tengo por qué aguantar más esto cuando lo he dado todo sin crear problemas, cuando he hecho siempre lo que me han pedido. No sé si es consciente de lo que me ha causado. Me sentía mal por comer, aunque fuera una ensalada, no disfrutaba de la comida, me ponía a comer por ansiedad y después me iba al baño. Mi psicóloga no me dejaba pesarme y en la concentración con la selección seguía ese control. Me creaba mucha ansiedad. Cuando sabía que a la mañana siguiente nos tenían que pesar, por la noche no dormía. Perdí el sentido de la realidad, de cómo era yo físicamente. No ha sabido controlar su autoridad. En ningún momento me respetó ni como jugadora ni como persona. Ha tenido muchos comentarios públicos y privados atacándome y metiéndose a valorar mi vida privada y mis relaciones*" (pág. 7).

(ii) El segundo artículo se publicó el 12 de agosto de 2021, bajo el titular "Doña Sara[21]: *"Me hizo la vida imposible"*" y, según el Demandante, en él se le califica de "*ser un maltratador psicológico continuado causante de estrés, ansiedad y depresión, así como abusar de su poder hasta provocar humillación y ser un acosador laboral*" (pág. 2).

La conducta litigiosa vinculada con el segundo artículo se limita a las siguientes declaraciones efectuadas por una de las Demandadas:
"*ha hecho mucho daño a gente que más de una vez le ha sacado las castañas del fuego. Cuesta mucho llegar a la élite y es muy duro tenerlo que dejar porque una persona te hace la vida imposible. Lo haces para salvar tu salud. Su maltrato psicológico continuado me generó estrés, ansiedad y depresión. Me llevó a abandonar la selección y a vivir un proceso muy difícil. Utilizaba lo del peso como estrategia de presión y acoso, no de control médico. Sus aspavientos detrás de la báscula eran de escarnio público. Ha hundido a muchas jugadoras. A mí no me pilló por ahí pero me fue minando por otras vías. Ojalá ninguna compañera tenga que vivir nunca ese trato. Exponerse a obedecer a alguien que te hace la vida imposible es durísimo mentalmente. Si no ríes las gracias pasas a llevar la etiqueta de problemática. Esto no deja de ser un trabajo y esas prácticas son de acoso laboral*" (pág. 9).

---

[21]   Pseudónimo utilizado en la versión anonimizada de la Sentencia núm. 362/2022.

4.2 La Sentencia del Juzgado de Primera Instancia núm. 51 de Madrid

El procedimiento finalizó con la desestimación de la demanda —con imposición de las costas al Demandante, que no vio atendida ninguna de sus pretensiones—.

La Sentencia núm. 362/2022, tras la exposición de abundante jurisprudencia y el análisis de la prueba practicada en el acto de juicio, concluye que "*todas las circunstancias antes expuestas determinan que no deba prevalecer el derecho al honor del actor sobre la libertad de expresión que corresponde a las demandadas, que ha de estar especialmente protegida en un estado de derecho para formarse una opinión pública plural*" (pág. 13).

4.2.1 El mecanismo jurisprudencial de ponderación entre el derecho al honor y las libertades de expresión y de información

La decisión del Juzgado de Primera Instancia núm. 51 de Madrid (el "**Juzgado**") tiene en cuenta los criterios establecidos por el Tribunal Constitucional, y adoptados por el Tribunal Supremo, para la resolución de los conflictos entre las libertades de expresión e información y el derecho al honor en el ámbito civil, y que son los siguientes:

(i) La decisión sobre la prevalencia de uno u otro derecho ha de hacerse caso por caso, sin que pueda fijarse apriorísticamente.

(ii) La ponderación debe hacerse teniendo en cuenta la "*posición prevalente, que no jerárquica o absoluta*"[22] que ostentan las libertades respecto del derecho al honor (y el resto de derechos de la personalidad). Esta prevalencia se debe a la doble configuración que presenta la libertad de expresión —en todas sus manifestaciones—, como derecho fundamental y como garantía institucional.

(iii) Para que prevalezcan las libertades de expresión e información, el pensamiento, idea, opinión o información debe referirse a asuntos de relevancia pública, que sean de interés general por su objeto (materia que tratan) y/o por los sujetos intervinientes. Si la persona que supuestamente ve afectado su derecho al honor es un personaje público, la jurisprudencia ha entendido que tiene un mayor deber de soportar determinadas intromisiones. Ahora bien, "*tal relevancia comunitaria, y no la simple satisfacción de*

---

[22]   Entre muchas otras, Sentencia del Tribunal Supremo (Sala de lo Civil) núm. 818/2004, de 12 de julio ("**Caso entrenador Racing de Santander**", (*Tol 475473*)).

la curiosidad ajena, con frecuencia mal orientada e indebidamente fomentada, es lo único que puede fomentar la exigencia de que asuman aquellas perturbaciones o molestias ocasionadas por la difusión de determinada noticia"[23]. En otras palabras, la opinión o hecho que sea susceptible de "perturbar" el honor de una persona debe ser propiamente de interés general y no perseguir otros fines como, por ejemplo, la mera voluntad de exponer la vida privada de alguien.

Este requisito, en el mundo del deporte profesional, se cumple en la mayoría de los casos. Deportistas, clubes y selecciones ocupan a diario espacios en las redes sociales, televisión, radio o prensa, circunstancia que demuestra que el deporte es un asunto de interés general y que convierte a quienes participan de él a nivel profesional en figuras públicas. Algunas materias que, de forma recurrente, aparecen en la jurisprudencia y que esta califica de "interés general" son el dopaje o la corrupción en el deporte.

(iv) En relación únicamente con la libertad de información, se exige que la información difundida sea veraz. La veracidad requiere el empleo "*de una razonable diligencia por parte del informador para contrastar la noticia de acuerdo con pautas profesionales ajustándose a las circunstancias del caso, aun cuando la información, con el transcurso del tiempo, pueda ser desmentida o no resultar confirmada*"[24], pero "*no puede ser entendido como exigencia de verdad absoluta*", ya que se admiten los errores e inexactitudes que no afecten a la esencia de lo informado.

(v) Finalmente, en todo caso, la jurisprudencia proscribe el uso de "*expresiones indudablemente injuriosas o sin relación con las ideas u opiniones que se expongan y que resulten innecesarias*"[25].

4.2.2 ¿Libertad de expresión o de información? Aplicación del mecanismo de ponderación al caso de la selección femenina de baloncesto

Con la finalidad de aplicar correctamente el mecanismo expuesto, la Sentencia núm. 362/2022 —antes que nada— trata de dilucidar si en el

---

[23] Sentencia del Tribunal Supremo (Sala de lo Civil) núm. 259/1995, de 25 de marzo ("**Caso Federación Española de Judo**", (*Tol 1658029*)).

[24] Sentencia del Tribunal Supremo (Sala de lo Civil) núm. 167/2011, de 21 de marzo ("**Caso la "Lista de la Sangre"**", (*Tol 2181841*)).

[25] Sentencia del Tribunal Supremo (Sala de lo Civil) núm. 671/2004, de 12 de julio ("**Caso "El aprendiz de matón"**","(*Tol 476878*)).

caso enjuiciado la libertad en juego es la de expresión (en sentido estricto) o la de información, extremo que *"tiene decisiva importancia a la hora de determinar la legitimidad del ejercicio de esas libertades, pues mientras los hechos son susceptibles de prueba, las opiniones o juicios de valor, por su naturaleza abstracta, no se prestan a una demostración de exactitud"* (pág. 5).

Lo cierto es que la Sentencia núm. 362/2022 no llega a una conclusión clara al respecto, probablemente porque las Demandadas son quienes vivieron personalmente los hechos relatados en las declaraciones (sobre los que, además, tienen su propia opinión). Parece que trata de disociar los elementos de las declaraciones objeto del procedimiento (*supra* apartado 5.1) que son pensamientos u opiniones de aquellos que son hechos, para entrar a valorar la prueba en relación con estos últimos (sobre los que pesa el requisito de veracidad). Si la demanda se hubiera dirigido contra el medio de comunicación que publicó las entrevistas, cuestión que será tratada más adelante (*infra* apartado 5.2.3), habría sido más sencillo situar el contenido del artículo en el ámbito de la libertad de información —en particular, como ejemplo del denominado "reportaje neutral"—.

La primera conclusión que alcanza el Juzgado es que las partes implicadas *"son personas de notoria relevancia pública y social"* (pág. 5), dado que *"(e)l demandante fue seleccionador nacional y las demandadas son dos figuras muy relevantes del baloncesto femenino"* (pág. 5) y que la labor que llevaba a cabo el Demandante es un tema de *"interés general"* (pág. 6). Sobre esta primera cuestión, conviene hacer dos puntualizaciones.

Por un lado, como bien reconoce la Sentencia núm. 362/2022, reiterada jurisprudencia ha considerado que la reputación o prestigio profesional forman parte del ámbito de protección del derecho al honor en la medida en que incide en la consideración que tienen los terceros sobre una persona. Sin embargo, no toda crítica al desempeño profesional de una persona es susceptible de vulnerar el referido derecho, sino solo *"aquellas críticas que, pese a estar formalmente dirigidas a la actividad profesional de un individuo, constituyen en el fondo una descalificación personal (…) poseyendo un especial relieve aquellas infamias que pongan en duda o menosprecien su probidad o su ética"* (pág. 8).

Por otro lado, las opiniones y hechos manifestados en los artículos de prensa que publicaron las entrevistas a las jugadoras de baloncesto tratan temas de gran actualidad y relevancia social, incluso política: el deporte femenino y la salud mental. Aunque la Sentencia núm. 362/2022 no entre en esta cuestión directamente, lo cierto es que afirma que *"el concepto del honor es de naturaleza cambiante, según los valores e ideas sociales vigentes en cada momento*" (pág. 6), y que la decisión de si ha sido o no vulnerado "*nos sitúa en el terreno de los demás, que no son sino la gente, cuya opinión colectiva marca en cualquier lugar y tiempo el nivel de tolerancia o de rechazo*" (pág. 6).

La segunda conclusión que se alcanza en la Sentencia núm. 362/2022 parece afectar únicamente al segundo artículo publicado el 12 de agosto de 2021, aunque bien podría predicarse del primero, como se dirá. Pues bien, el Juzgado, tras advertir que "(e)*l elemento de veracidad no ha de ser valorado en cuanto a las opiniones expresadas*" (pág. 12), concluye que "*aunque admitiéramos a efectos puramente dialécticos que lo relatado por la demandada tiene que ser "veraz", lo cierto es que lo es*" (pág. 12). Así, se concluye en la Sentencia núm. 362/2022 que la conducta del Demandante es " *"concausa" de la situación de estrés, ansiedad o depresión vivida por la demandada*" (pág. 12).

En cuanto al primer artículo, lo cierto es que el Juzgado también valora la prueba practicada —en este caso, únicamente de carácter testifical— para concluir que los hechos relatados han quedado acreditados: "*la testigo (...) ha señalado que normalmente* (el Demandante) *estaba presente cuando las pesaban, así como que era cierto que en una ocasión las llamó "gordas""* (pág. 8). De este modo, también podría decirse respecto del primer artículo que, aunque sea "*a efectos puramente dialécticos*" —por estar, en realidad, amparado por la libertad de expresión y no de información—, el relato es veraz.

Finalmente, la Sentencia núm. 362/2022 recuerda que la libertad de expresión no ampara el trato "*injurioso, denigrante o desproporcionado*" (pág. 8), pero que sí debe prevalecer "*cuando se emplean expresiones que, aun aisladamente ofensivas, al ser puestas en relación con la opinión que se pretende comunicar o con la situación política o social en que tiene lugar la crítica experimentan una disminución de su significación ofensiva y sugieren un aumento del grado de tolerancia*" (pág. 9). En particular, considera que las declaraciones hechas por las Demandadas contenidas en los dos artículos publicados son proporcionadas atendiendo al contexto y porque no contienen insultos, sino un relato genérico e inespecífico que no alcanza la vida personal del Demandante.

En este punto, es indispensable traer a colación el concepto de variabilidad del ámbito de protección que confiere el derecho al honor y, en consecuencia, el artículo 2.1 LO 1/82. Este precepto, en su apartado 1, establece que "*la protección civil del honor* (...) *quedará delimitada por* (...) *los usos sociales*". En el ámbito del deporte, y también en el periodismo deportivo, estos "usos sociales" pueden traducirse en un alto grado de competitividad y rivalidad, la tendencia a la exageración y la ridiculización, y la crítica dura de la labor de deportistas y entrenadores. Estas circunstancias pueden llevar a la aceptación de expresiones cercanas al insulto cuando, en otros campos, resulta impensable.

En conclusión, en el caso enjuiciado por el Juzgado se entiende que no se ha producido una intromisión ilegítima en el derecho al honor del Demandado y que las declaraciones de las Demandadas están amparadas por la libertad de expresión porque versan sobre "*un asunto de interés general*" en relación con "*personas que cuentan con un perfil público*"; porque "*(l)os hechos tienen el correspondiente soporte fáctico*" y "*(n)o se trata de la divulgación de meros rumores*"; y porque "*no se acompañan de connotaciones peyorativas*" (pág. 13).

4.2.3 Reflexión final

Como cierre de este artículo, nos gustaría dejar apuntados dos interrogantes que quedan abiertos en relación con el caso enjuiciado mediante la Sentencia núm. 362/2022.

El primer interrogante es el motivo por el que el Demandante no demandó (o, al menos, a estos autores no les consta) al medio de comunicación que publicó la entrevista o a los periodistas que redactaron los artículos. Este, de hecho, es el modo de proceder habitual cuando nos encontramos ante conflictos entre el derecho al honor y las libertades de expresión e información en el mundo del deporte[26].

Si bien es cierto que las Demandadas son quienes vierten determinadas declaraciones (*supra* apartado 4.1), la realidad es que los artículos publicados no se limitan exclusivamente a transcribir las referidas declaraciones[27].

---

[26]   Por ejemplo, en las Sentencias del Tribunal Supremo (Sala de lo Civil) de 20 de mayo de 1993 ("**Caso RFEF**", (*Tol 1663804*)) y núm. 819/1998, de 31 de julio ("**Caso Presidente del Real Madrid**", (*Tol 5156960*)), la demandada es la entidad Antena 3 de Radio, S.A. y uno de sus periodistas; en el Caso de "El aprendiz de matón" (*Tol 476878*) se demanda al diario *La Tribuna de Toledo*; en el Caso de la "Lista de la Sangre" (*Tol 2181841*) se demanda a la revista *Interviú*; en la Sentencia del Tribunal Supremo (Sala de lo Civil) núm. 549/2011, de 5 de julio ("**Caso Oscar Pereiro**", (*Tol 2184438*)) el demandado es el diario *Il Giornale*, etc.

[27]   En este aspecto difiere el caso enjuiciado en la Sentencia núm. 262/2022 de, por ejemplo, el caso "*Clarence Seedorf de Biografie*" (*Tol 2186999*). En este caso, el demandante era también un exentrenador y el único demandado era también un exjugador. Sin embargo, las manifestaciones que se analizaban como potencialmente vulneradoras del derecho al honor se encontraban en un libro íntegramente escrito por el demandado, sin intervención de medio de comunicación alguno.

Como reconoce la Sentencia núm. 262/2022, "*ambas declaraciones están trufadas*[28] *de comentarios periodísticos, y los titulares han sido redactados por los periodistas autores de los artículos en los que se insertan las entrevistas, titulares redactados a partir de dichas declaraciones*" (pág. 7).

Lo anterior obligaría a hacer una breve referencia a la figura del "reportaje neutral". Este concepto, de desarrollo jurisprudencial, es un supuesto concreto de trabajo periodístico en que el medio de comunicación actúa como mero transmisor de determinadas declaraciones u opiniones susceptibles de vulnerar el derecho al honor. La labor informativa debe limitarse a recoger de forma fidedigna tales declaraciones, indicar el nombre de su autor y no alterar su importancia en el marco de la noticia —no sacarlas de contexto—. Si se cumplen estas exigencias, en palabras de Espín, "*la responsabilidad por (las declaraciones) recae sobre el autor de las mismas, no sobre el periodista o el medio que las recoge*"[29].

El segundo interrogante es si el derecho de rectificación hubiera podido resultar de mayor utilidad al Demandante. No puede darse una respuesta absoluta a esta cuestión sin conocer todos los detalles del caso, aunque sí algunas orientaciones.

Cuando la conducta que podría constituir una intromisión ilegítima en el derecho al honor es una manifestación de la libertad de expresión en sentido estricto —esto es, una opinión, idea o pensamiento— y no puede apreciarse claramente el carácter peyorativo de sus términos, parece difícil por todo lo expuesto que pueda prosperar una demanda de protección civil del derecho al honor, dada la prevalencia de la libertad de expresión. En estos supuestos, el derecho de rectificación se erige como una vía que, aunque no sirva para eliminar las opiniones ya manifestadas por terceros, sí permite expresar las propias y así ofrecer puntos de vista distintos.

---

[28] El ejemplo más evidente lo encontramos en el titular del artículo publicado en fecha 8 de agosto de 2021: "La exjugadora internacional de baloncesto, de 30 años, revela que sufrió bulimia a consecuencia del trato del ya exseleccionador (…)". Respecto a ello, el Juzgado afirma que la Demandada "*no emplea en sus declaraciones la palabra "bulimia", por lo que el titular antes referido parte de unas palabras jamás pronunciadas por la demandada, y, respecto de las que, por tanto, no cabe responsabilizarla*" (pág. 8).

[29] LÓPEZ GUERRA, ESPÍN, GARCÍA MORILLO, PÉREZ TREMPS y SATRÚSTEGUI, *op. cit.* (pág. 263).

5. REFERENCIAS BIBLIOGRÁFICAS

LÓPEZ GUERRA, Luis, ESPÍN, Eduardo, GARCÍA MORILLO, Joaquín, PÉREZ TREMPS, Pablo y SATRÚSTEGUI, Miguel, en *Derecho Constitucional. Volumen I. El ordenamiento constitucional. Derechos y deberes de los ciudadanos*, Valencia: Tirant lo Blanch, 2013.

YATES, Sally Q., *Report of the Independent Investigation to the U.S. Soccer Federation Concerning Allegations of Abusive Behavior and Sexual Misconduct in Women's Professional Soccer*, 3 de octubre de 2022 (https://www.kslaw.com/attachments/000/009/931/original/King___Spalding_-_Full_Report_to_USSF.pdf?1664809048)

El Fair Play financiero y sus implicaciones en el contexto de crisis generalizada actual

MIGUEL ÁNGEL BARRILERO MARTÍN

Abogado senior especialista en Derecho Bancario, Mercantil, Procesal y Deportivo
AUREN

1. ENTRADA EN VIGOR DE LAS NORMAS DE FAIR PLAY FINANCIERO DE LA UEFA. CONTEXTO Y REGULACIÓN

El mercado de fichajes de verano de 2022 será recordado como la ventana de las "*palancas*". Dicho término fue acuñado por el presidente del FC Barcelona, Joan Laporta, para referirse a la venta de parte del patrimonio futuro del club (principalmente, derechos televisivos y Barça Studios) con el objeto de anticipar la consecución de ingresos extraordinarios con los que cuadrar el balance del ejercicio contable a fecha 30 de junio de 2022, así como cumplir con las reglas del "*Fair Play Financiero*" (en adelante, "FPF").

Aunque el caso del equipo que acabamos de mencionar es el que más repercusión ha tenido a lo largo de las últimas semanas por sus problemas para dar cumplimiento a las reglas meritadas anteriormente, todos los clubes de fútbol de Europa están obligado al acatamiento de las normas de Fair Play Financiero. Ello determina que, muchos de ellos opten por acudir a auténticos resortes de ingeniería contable y financiera con el único objetivo de poder mejorar sus plantillas y plantar cara a clubes como el Paris Saint Germain (propiedad de Qatar Sports Investments, creada por el hijo del emir y heredero al trono catarí Sheikh Tamim Bin Hamad al Thani); el Bayern de Múnich (que reparte su propiedad con sus aficionados (75%) y con las multinacionales alemanas Adidas, Allianz y Audi (cada una posee un 8,33% de participación en el equipo); el Manchester City, propiedad de Sheikh Mansour Bin Zayed al Nahyan (78%), político de Emiratos Árabes Unidos y miembro de la familia gobernante de Abu Dabi, y del Fondo de Capital Riesgo Silver Lake (10%) y el holding de entretenimiento CMC (12%); o el Inter de Milán, de cuyo accionariado el grupo de electrónica chino Suning Commerce Group compró el 70% por 270 millones de euros en 2016.

El Fair Play Financiero consiste en una serie de normas, criterios y baremos que son aplicados por órganos creados *ad hoc* para ello con el fin de controlar la salud financiera de los equipos de fútbol, tanto desde una perspectiva europea (a cargo de la UEFA) como desde una perspectiva nacional (a cargo de la Liga de Fútbol Profesional (LFP). El germen de dichas normas surgió en el seno de la UEFA en mayo del año 2010, cuando su Comité Ejecutivo aprobó el *"Reglamento de Licencias y Juego Limpio Financiero de Clubes"*, cuyo principal objetivo era asegurar que los clubes de fútbol no pudieran gastar más de lo que ingresan, y que todas las deudas pendientes de pago hubieran sido satisfechas de forma puntual. Asimismo, se buscaba fomentar la inversión en el desarrollo de jóvenes jugadores y la mejora de las infraestructuras deportivas.

De esta forma, el Reglamento promulgado por la UEFA, cuyo objetivo era acabar con los desequilibrios económicos de los clubes y mejorar su salud financiera, se basaba en **dos principios básicos: un principio de equilibrio, encaminado a asegurar que los clubes no gastaban más de lo que ingresaban; y un principio de ausencia de deudas, en virtud del cual los clubes clasificados para disputar competiciones auspiciadas y organizadas por la UEFA debían demostrar que no tenían deudas pendientes de pago con otros clubes, con sus técnicos o jugadores, o con la administración tributaria** (salvo que existiera un convenio de pagos en ejecución y en estado de cumplimiento efectivo).

A los efectos de determinar si los clubes de fútbol participantes en competiciones UEFA cumplían con los requisitos establecidos, los ingresos relevantes a tener en cuenta eran los ingresos por venta de entradas y otros ingresos procedentes de la explotación del estadio, derechos televisivos, patrocinio y publicidad, actividades comerciales y otros ingresos de explotación, así como los ingresos por traspasos o cesiones de jugadores, y los ingresos por la cesión de activos fijos materiales y los ingresos financieros. Por su parte, los gastos relevantes engloban, según lo establecido en el meritado Reglamento, las cantidades satisfechas a otros clubes por los traspasos o cesiones de jugadores, los sueldos y salarios de los jugadores y empleados y otros gastos de explotación, los costes financieros y los dividendos. No han de tenerse en cuenta como gastos a dichos efectos la amortización del inmovilizado material, los gastos incurridos en el desarrollo de jugadores jóvenes, los gastos financieros directamente atribuibles a la construcción de inmovilizado material, los gastos fiscales o determinados gastos de operaciones no relacionadas con el fútbol.

De esta manera, se incentivan las inversiones en el fútbol juvenil y en infraestructuras y estadios, para que los clubes centren sus esfuerzos en el largo plazo y no en la obtención de resultados inmediatos mediante el desembolso de grandes cantidades de dinero con el único fin de hacerse con los servicios de los mejores jugadores del momento sin tener que rendir cuentas sobre su gestión económica.

La normativa de FPF incide en la necesidad de que la deuda a largo plazo de los clubes se destine hacia su desarrollo (estadio, cantera, infraestructuras etc) de una manera eficiente. La deuda de los clubes, incluyendo la monetización actual de los ingresos futuros (que se utiliza para financiar la actividad operativa del día a día, como puede ser el pago de los salarios y el importe de los traspasos, debe ser controlada de una manera efectiva, pues de otro modo los clubes incurrirían en sobre endeudamiento que comprometería su viabilidad a largo plazo.

Para determinar si los equipos cumplían o no con el equilibrio entre gastos e ingresos establecidos en los preceptos del Reglamento, se estableció que los clubes podrían gastar hasta 5 millones de euros más que la cantidad ingresada durante un periodo de evaluación de tres años, es decir, los clubes podían sufrir una pérdida de explotación de hasta 5 millones de euros (tomando en consideración los conceptos indicados en el párrafo anterior). Sin embargo, se admitían pérdidas mayores en caso de que dicho exceso fuera compensado mediante aportaciones directas de los accionistas (propietarios) o partes vinculadas del club. En esos casos, se estableció un déficit máximo de 45 millones de euros para el trienio 2012 a 2014, y de 30 millones de euros para el trienio 2015 a 2018; con el objeto de que los estados financieros de los clubes estuvieran equilibrados a partir de 2018. De esta manera, se trataba de evitar que los *nuevos ricos* del fútbol gastaran cantidades excesivas que no se correspondieran con sus ingresos reales, salvo que procedan directamente de sus propietarios, con las limitaciones referidas con anterioridad.

El objetivo último de la promulgación e implantación de dichas normas por parte de la UEFA era evitar que los propietarios de *clubes estado* como el París Saint Germain (patrocinado por el estado de Qatar) o el Manchester City (financiado por el estado de Abu Dhabi) insuflaran liquidez a las cuentas de sus equipos a través de contratos o acuerdos de patrocinio suscritos entre empresas de su grupo, o de su gobierno con los clubes por ellas participadas, de manera que el importe de dichos acuerdos no podía suponer más del 30% de los ingresos del club en cuestión en un ejercicio. Tales contratos quedaban sujetos al control del **Comité de Control Financiero de Clubes (CFCB) de la UEFA, que es el órgano encargado de vigilar el cumplimiento de las normas relativas al FPF.**

Así, los clubes clasificados para disputar competiciones europeas organizadas por la UEFA están obligados a someter sus cuentas al control del CFCB, para que éste compruebe que no tienen deudas pendientes con otros clubes, con sus jugadores o con las autoridades tributarias de los diferentes países. Para ello, el Comité de Control Financiero de Clubes (CFCB) analiza cada temporada los datos económicos de los tres últimos ejercicios de cada club presente en competiciones UEFA.

Si el CFCB considera que algún club ha cometido una infracción de las normas previstas en las regulaciones de FPF, acordará la imposición de una medida disciplinaria frente a dicho club. La resolución puede ser recurrida por los clubes ante la Cámara de Adjudicación en el plazo de diez días desde la fecha de publicación de la decisión, y la resolución que es su día se dicte por esta última puede a su vez ser recurrida ante el TAS.

El incumplimiento de los límites establecidos en la normativa del FPF no implica la exclusión automática de los clubes incumplidores de las competiciones organizadas por parte de la UEFA, sino que puede dar lugar a la imposición de sanciones de carácter disciplinario por parte de la UEFA, graduadas en función de la gravedad de las infracciones cometidas. La más leve es una amonestación y la más grave es la retirada de títulos o de premios económicos, si bien existe todo un abanico de sanciones entre otra, pasando por una multa económica, la deducción de puntos en competiciones deportivas, la restricción o prohibición para inscribir jugadores, la retención de ingresos económicos obtenidos en las competiciones organizadas por la UEFA, o incluso la prohibición de participar en competiciones auspiciadas por la UEFA o la descalificación de las mismas. Es el Comité de Control Financiero de Clubes el encargado de proponer la sanción más adecuada en función de la gravedad de la infracción cometida por un club.

No obstante lo anterior, en numerosas ocasiones el CFCB ha decidido aplicar las normas relativas al FPF de una manera restrictiva, de manera que primara un espíritu rehabilitador, dando a los equipos la posibilidad de corregir el rumbo económico, de manera que, ciertas deudas de importancia (en función del acreedor y del importe), como pueden ser las deudas con los jugadores, con otros clubes, con la seguridad social o con las autoridades tributarias, son monitorizadas de manera periódica por parte del CFCB.

Desde la introducción de la normativa del FPF de la UEFA, únicamente seis clubes han sido sancionados con la prohibición de participar en competiciones europeas organizadas por la UEFA como consecuencia de infracciones consistentes en no pagar a sus jugadores o por no pagar traspasos a otros clubes (principio de ausencia de deudas), y únicamente un club ha sido excluido de competiciones UEFA al no cumplir con los requisitos establecidos por la normativa en relación con el principio de equilibrio entre ingresos y gastos.

Durante los primeros años en los que se aplicaron las normas del FPF, las sanciones más relevantes fueron las siguientes: en el año 2013, el Málaga CF fue excluido de las competiciones europeas organizadas por la UEFA (en concreto, en la temporada anterior se había clasificado para disputar la Copa de la UEFA) y además se le impuso una multa de 300.000 euros; en 2014, el Manchester City y el París Saint Germain tuvieron que pagar 60 millones de euros de multa cada uno de ellos y además sus plantillas para la siguiente edición de la Champions League se vieron reducidas de veinticinco a veintiún jugadores; en 2015, un total de diez equipos (entre los que se encontraban el Inter de Milán, la Roma, el Mónaco, el Sporting de Lisboa o el Besiktas) fueron sancionados con una reducción similar del número de jugadores inscritos en las competiciones europeas, y además tuvieron que pagar una multa de menor cuantía; en 2016, el TAS confirmó la sanción impuesta por el incumplimiento de las normativas financieras al Galatasaray turco, que fue sancionado con la prohibición de disputar competiciones europeas en la temporada 2016/2017; en 2018, el Milán superó el límite presupuestario marcado por la UEFA conforme a los criterios de aplicación, y el CFCB sancionó al club con la pérdida de la plaza para disputar la Europa League de la temporada siguiente; en 2020, el Olympique de Marsella fue multado con tres millones de euros por incurrir en unas pérdidas de 91,4 millones de euros en la temporada 2018-2019 y de 78,5 millones de euros en la temporada 2019-2020; ya en 2022, la UEFA multó a un total de ocho clubes (Milan, Mónaco, Roma, Besiktas, Inter, Juventus, Olympique de Marsella y PSG) por incumplir las normas relativas al FPF. Las sanciones económicas, que fueron aceptadas por los clubes en el marco de acuerdos de conciliación, ascendieron a un importe total de 172 millones de euros. Las cantidades objeto de condena serán detraídas de los ingresos que los clubes obtengan por participar en las competiciones de la UEFA o se pagarán directamente.

Otra de las medidas más eficaces aplicadas por la UEFA para asegurar el cumplimiento de la normativa por parte de los clubes e la **imposición de sanciones consistentes en restricciones para inscribir jugadores**. Como analizaremos posteriormente, dicha herramienta, que nació como una sanción, ha terminado por convertirse en una regla en si misma, de manera que no se permite la inscripción de jugadores si los clubes rebasan los límites establecidos por la normativa financiera y no respetan el debido equilibrio entre gastos e ingresos.

Como se acaba de analizar, la UEFA, a través de su Comité de Control Financiero de Clubes, entendió hace ya más de una década que la mejor manera de controlar los desaforados e incontrolables gastos de los clubes era estableciendo sanciones cuyas consecuencias se dejaran notar sobre la capacidad de aquéllos para inscribir jugadores de prestigio en sus plantillas, o sobre su posibilidad para participar en determinadas competiciones europeas que resultan sumamente atractivas para su masa social. Es decir, que los clubes y sus aficionados sufrieran las consecuencias de los incumplimientos de las normas relativas al control financiero, de manera que los dirigentes de los equipos hubieran de ser extremadamente cautelosos a la hora de realizar inversiones y gastos para mejorar el rendimiento competitivo de los clubes, pues de lo contrario se enfrentaría a restricciones para participar en competiciones europeas organizadas por la UEFA, con restricciones para inscribir jugadores o con descensos administrativos de categoría.

Si bien la implementación de las normas relativas al FPF comenzó de una manera laxa, cada temporada se introducen novedades en la misma para ajustarla a la realidad económica y del mercado, de manera que se prohíben conductas que suponen auténticas obras de ingeniería financiera que los clubes idean para eludir las normas que tipifican las infracciones y que imponen sanciones por el incumplimiento de aquéllas.

2. ADOPCIÓN DE LA REGULACIÓN DEL FAIR PLAY FINANCIERO POR PARTE DE LA LIGA DE FÚTBOL PROFESIONAL. PARTICULARIDADES EN EL MERCADO ESPAÑOL

La Liga de Fútbol Profesional (en adelante, "LFP"), es una Asociación deportiva de carácter privado que, a tenor de lo establecido en los artículos

12 y 41 de la Ley 10/1990, de 15 de octubre, del Deporte; y 23 a 28 del Real Decreto 1835/1991, de 20 de diciembre, sobre Federaciones Deportivas Españolas, está integrada exclusiva y obligatoriamente por todas las sociedades anónimas deportivas y clubes de Primera y Segunda División que participan en las competiciones futbolísticas oficiales de carácter profesional y ámbito estatal. La LFP tiene personalidad jurídica propia y goza de autonomía, para su organización interna y funcionamiento, respecto de la Real Federación Española de Fútbol.

Mediante acuerdos tomados por los clubes que conforman la Primera y la Segunda División, **la LFP ha seguido el modelo iniciado por la UEFA y ha implementado un sistema propio para regular el control y la supervisión financieros de los clubes que participan en competiciones organizadas por aquélla**. Dado que los resultados deportivos son impredecibles e imprevisibles, y las normas contenidas en los Reglamentos de la UEFA únicamente se aplican de manera directa a clubes que participan en competiciones organizadas por dicho organismo (que sólo controla las cuentas de aquéllos a través del Comité de Control Financiero de Clubes), resultaba obligatorio introducir un modelo que permitiera controlar el equilibrio financiero de todos los clubes participantes, de manera que si cualquiera de ellos se clasificaba para disputar una competición auspiciada por la UEFA, se encontrara dentro de los estándares financieros establecidos por ésta y superara los controles realizados por el CFCB para poder participar en las mismas.

Así, LFP consideró necesario establecer normas de control económico que adaptaran al ordenamiento jurídico español la normativa de la UEFA sobre FPF, con el objeto de garantizar la viabilidad financiera y económica de todos sus clubes. De esta manera es como se promulga el Reglamento de Control Económico de los Clubes y Sociedades Anónimas Deportivas afiliados a la LFP, cuya primera versión fue aprobada el 21 de mayo de 2014. Las disposiciones contenidas en dicho Reglamente regulan la materia de una manera más estricta que las normas de la propia UEFA.

Si bien la competencia para controlar y supervisar la gestión de los clubes de fútbol españoles en materia económico-financiera corresponde a la propia LFP, **el órgano encargado de verificar el adecuado cumplimiento de las reglas de control económico es el Comité de Control Económico** (CCE), que según dispone el artículo 5 del Reglamento también ostenta la competencia para imponer medidas disciplinarias en caso de incumplimiento.

Según establece el Reglamento, todos los Clubes Sociedades Anónimas Deportivas (en adelante, "SADs") participantes en competiciones de la LFP deben presentar ante el CCE sus cuentas anuales individuales y consolidadas y sus informes de auditoría antes del 30 de noviembre siguiente a la finalización de cada temporada (artículo 13); sus estados financieros intermedios a fecha 31 de diciembre (artículo 14), además de la documentación de naturaleza económico-financiera que establece el artículo 15).

Tras el análisis de dicha documentación y de otra adicional y específica relativa a los traspasos de jugadores (listado de traspasos y adquisiciones de jugadores —incluso en aquellos casos en los que no existan cantidades pendientes de pago—), el CCE determina si los Clubes o las SADs, a fecha 31 de diciembre de cada año, tienen deudas pendientes de pago con otros clubes (artículo 16), con los empleados (artículo 17) y con la Administración pública (artículo 18). Para cumplir con las reglas de carácter económico-financiero del Reglamento, *"ningún Club o SAD podrá tener deudas pendientes de pago a fecha de los estados financieros intermedios presentados, y por tanto su incumplimiento se considerará además indicativo de una posible situación de desequilibrio económico financiero futuro tal y como las mismas son definidas en los artículos 16, 17 y 18 de este Reglamento"*.

El Capítulo III del Reglamento se encarga de regular los indicadores de una posible situación de desequilibrio económico-financiero futuro (artículos 20 a 25), y define lo que se conoce como "indicador del punto de equilibrio" como la diferencia entre ingresos relevantes menos gastos relevantes. A dichos efectos, establece el artículo 21 del Reglamento que ningún Club ni SAD podrá incumplir el principio de empresa en funcionamiento, de manera que, si el informe de auditoría contiene un párrafo de énfasis relativo al principio de empresa en funcionamiento, serán los miembros del CCE los que, atendiendo al análisis conjunto de la situación económica del Club o SAD, así como a la información adicional requerida, decidirán si existe o no incumplimiento de dicho indicador.

Además de ello, el Reglamento de la LFP considera indicativos de una posible situación de desequilibrio económico-financiero futuro que los gastos totales de la primera plantilla —jugadores y técnicos— supere el setenta por ciento de los ingresos relevantes de la temporada (artículo 22), o que la deuda neta a fecha 30 de junio de cada temporada deportiva supere el cien por cien de los ingresos relevantes del Club o de la SAD en esa temporada (artículo 23).

No obstante, los criterios establecidos en los preceptos anteriormente indicados, el artículo 5 del Anexo I del Reglamento permite que los Clubes y las SAD incurran en lo que se denomina "una desviación aceptable". A los clubes se les permite lo que se llama una "desviación aceptable", que es de 5 millones de euros para los Clubes y SADs de Primera División y de 2 millones de euros para los de Segunda División. No obstante, puede superar este nivel hasta las siguientes cantidades, sólo si dicha cantidad superior está totalmente cubierta por aportaciones de accionistas o de partes relacionadas: a) 45 millones de euros para el periodo de seguimiento valorado desde la temporada 2011/12 hasta la temporada 2014/15, ambas inclusive. b) 30 millones de euros para el periodo de seguimiento valorado en las temporadas de 2015/16, 2016/17 y 2017/18; c) Para los posteriores periodos de seguimiento, se fijarán, de forma decreciente y a través de modificación reglamentaria, los límites a las aportaciones de accionistas o de partes vinculadas a efectos del cálculo de la desviación aceptable. Se aprecia que el sistema de escalas establecido resulta similar al predispuesto por la UEFA en su propio Reglamento.

El incumplimiento de los límites indicados anteriormente dará lugar a la aplicación de medidas correctivas (Capítulo 4º, artículo 24) o a la elaboración de un Plan de Viabilidad (artículo 1.1 del Anexo III), que se ejecutará durante un periodo de 18 meses. El cumplimiento del plan es supervisado a través de un seguimiento puntual por parte del CCE y supone para el Club o SAD afectado unas obligaciones adicionales de suministro de información en los cierres contables siguientes. Asimismo, en caso de incumplimiento de las reglas de control económico-financiero, se aplicarán a los Clubes y SADs incumplidores las sanciones establecidas en el artículo 78 bis de los Estatutos Sociales de la LFP, a los que se remite el artículo 26 del Reglamento.

El citado precepto recoge el régimen sancionador aplicable al control económico y a las normas y criterios para la elaboración de los presupuestos, y establece que las infracciones en materia de control económico podrán ser calificadas como muy graves, graves o leves por el CCE, de conformidad con lo establecido en los Estatutos Sociales. Además, en cuanto al régimen de recursos, determina que, frente a los actos dictados por el CCE en la citada materia, se podrá interponer recurso ante el Comité de Segunda Instancia de la Licencia UEFA de la RFEF en el plazo de diez días naturales a contar desde la notificación de la resolución.

Según dispone el artículo 78 bis citado, las infracciones en materia de control económico pueden ser calificadas como muy graves, graves o leves. No es menester la reproducción de todas las infracciones, pero se citan, a modo de ejemplo de infracciones muy graves, por la relevancia que su incumplimiento puede suponer para un Club o una SAD, las siguientes: a) Infringir los acuerdos adoptados por CCE en materia de control económico; b) Impedir u obstaculizar la supervisión de las auditorías anuales o parciales que puedan ser ordenadas por el CCE o por otros órganos competentes de la LFP; c) Alterar, ocultar, falsear, facilitar o incluir información incorrecta en los documentos que exija el CCE u otros órganos competentes de la LFP, al objeto de comprobar el cumplimiento de las obligaciones de los Clubes/SADs afiliados establecidas en los artículos 12 a 18, 20, y 22 a 24, inclusive, del Reglamento; d) Incumplir el pago de las deudas a las que se refieren los artículos 16 a 18, ambos inclusive, del Reglamento; e) Incumplir la regla del punto de equilibrio, de conformidad con lo establecido en el artículo 20 y el Anexo I del Reglamento, en una cantidad superior al 1% de la cifra de negocios del último ejercicio auditado; y f) Incumplir los hitos económicos y/o financieros fijados en el plan de viabilidad presentado por el Club/SAD, a requerimiento del CCE. A estos efectos, la apreciación del incumplimiento de los hitos económicos y/o financieros se regirá por los criterios objetivos sobre desviaciones aceptables en el plan de viabilidad que se establezcan a través de circular por la LFP.

Los apartados 8, 10 y 12 del Artículo 78 bis de los Estatutos Sociales de la LFP establecen las sanciones incardinadas a la comisión de infracciones muy graves, graves y leves, respectivamente, en materia de control económico. Dichas sanciones son en esencia económicas, con un máximo de 300.000 euros, pudiendo llegar en los casos más graves, y especialmente en los de reincidencia, a la suspensión del derecho de tramitación de licencias federativas para la temporada siguiente a la infracción (es decir, no poder fichar jugadores) o incluso al descenso de categoría del Club o SAD infractor.

La entrada en vigor y la implementación de las normas relativas al Control Económico de la LFP, así como el estricto control del cumplimiento de las mismas por parte del CCE, han resultado sumamente eficaces, toda vez que se han reducido notablemente las denuncias por impago a jugadores en España (que han pasado de 153 jugadores en la temporada 2012/2013 a 60 jugadores en la temporada 2014/15 (que es cuando se aprobó el Reglamento de control económico de la LFP), y a 0 jugadores a partir de la temporada 2015/2016, situación que se mantiene en la actualidad.

De todo lo anterior se deduce que el control económico financiero que lleva a cabo la LFP a través de su CCE, en comparación con las normas implementadas por la UEFA, es más estricto y sus normas son más restrictivas. Por otra parte, se colige de las sanciones que se anudan a los incumplimientos e infracciones en materia de control económico o FPF, que la LFP se guía en su actuación por un criterio general de que las infracciones económicas han de ser sancionadas con multas económicas, mientras que las infracciones deportivas o administrativas han de castigarse con sanciones de tipo competitivo o administrativo.

No obstante lo expuesto en el párrafo anterior, lo cierto es que en caso de infracciones muy graves cometidas por parte de Clubes o SADs que participen en competiciones europeas organizadas por la UEFA, se pueden imponer sanciones deportivas que afecten principalmente a la prohibición o limitación de la inscripción de jugadores y a una posible exclusión de las competiciones, ya que las normas de la UEFA y de la LFP resultan de aplicación a los Clubes o SADs que compiten en ambos niveles, resultando las normativas de aplicación con carácter supletorio.

Sin embargo, al comparar la regulación de la LFP con el Reglamento de FPF de la UEFA, ha de hacerse alusión a una cuestión de extrema relevancia, pero que no es objeto del presente análisis, y es que en el caso de la LFP, ha de tomarse en consideración la existencia de la Ley 22/2003, Concursal, que ha permitido en el pasado a numerosas SADs que no tenían la capacidad de afrontar sus deudas, declararse en Concurso de Acreedores y, de este modo, podían continuar compitiendo en la Liga sin que la debacle económica conllevara necesariamente consecuencias deportivas severas.

En contraposición con ello, tal y como ya se ha indicado con anterioridad en el presente trabajo, la UEFA prohíbe la participación, en las competiciones por ella promovidas, de aquellos clubes que no pudieran hacer frente a sus deudas y que, en consecuencia, se hubieran acogido al régimen establecido por la antedicha Ley Concursal. El más claro ejemplo de ello lo tenemos en el Rayo Vallecano SAD, que vio rechazada su solicitud de licencia UEFA para participar en la Europa League en la temporada 2012/2013, y, sin embargo, no percibió ningún tipo de multa o sanción por parte de la LFP.

No fue hasta el 1 de enero de 2012 cuando entró en vigor la Ley 38/2011, de Reforma de la Ley Concursal, que permite que los clubes o SADs que no hagan frente a los pagos debidos a sus jugadores, desciendan de categoría (descenso administrativo).

3. EVOLUCIÓN DE LAS NORMAS DEL FAIR PLAY FINANCIERO A NIVEL EUROPEO Y A NIVEL ESTATAL

Desde la implantación de las normas sobre FPF de las UEFA a principios de la pasada década, tanto el mercado de fichajes como la economía han sufrido profundos cambios y han evolucionado de manera diversa, por lo que se ha hecho necesario adaptar las normas aplicables al control financiero a las nuevas estrategias adoptadas por los Clubes para obtener ingresos adicionales con los que hacer frente a la competitividad en el mercado (lo que incrementa el importe de los traspasos) y a los cada vez mayores sueldos y comisiones por conceptos diversos demandados por las estrellas del planeta fútbol y por sus agentes.

En 2015 entró en vigor la nueva versión del Reglamento de Licencias de Clubes y Juego Limpio Financiero de la UEFA, que aborda las situaciones en las que los clubes han sufrido una reestructuración empresarial o una adquisición reciente y las ocasiones en las que los clubes desean invertir de forma sostenible en infraestructuras o instalaciones, o en su cantera o equipos juveniles. Con la entrada en vigor de la nueva versión del Reglamento, se aumentó el alcance de la supervisión ejercida sobre los clubes que se encontraran en dichas circunstancias, mediante la aplicación de condiciones rigurosas.

Además, las modificaciones introducidas tenían en cuenta las desventajas a las que se podían enfrentar los clubes debido a crisis económicas sobrevenidas o imprevistas y a las graves deficiencias estructurales del mercado en su ámbito geográfico actuación. La normativa también incluía un refuerzo de los criterios de equilibrio financiero y una nueva definición de partes vinculadas.

Sin embargo, dicha versión también planteaba algunas cuestiones de dudosa interpretación, como por ejemplo el hecho de que permitía a los clubes posponer el cumplimiento las sanciones durante los dos primeros años de vigencia las nuevas normas; y que los clubes aplicarían su ingeniería contable al concepto de "amortización de traspasos", de manera que se diferiría la cantidad a pagar durante varias temporadas y se reducirían los costes en las cuentas anuales del ejercicio en cuestión en el que se realiza el traspaso.

Asimismo, se permitía a los clubes incluir en los cálculos de los ingresos cualquier ganancia proveniente de operaciones que no sean de fútbol, siempre y cuando las operaciones estuvieran relacionadas con el estadio o con las instalaciones de la cantera, y se utilizara el nombre o la marca del club como parte de las operaciones. Ello significa que un club podría excluir los gastos del proyecto, mientras que los ingresos ser considerados como ingresos relevantes a efectos de cálculo de los correspondientes ratios de equilibrio.

Siguiendo con la evolución que ha seguido la normativa a nivel europeo, la UEFA ha publicado otras tres versiones más recientes del Reglamento sobre Licencias de Clubes y Juego Limpio Financiero, en los años 2018, 2020 y 2022, respectivamente. Centrándonos en esta última versión, se han introducido varias modificaciones de relevancia respecto a los textos anteriores, como la modificación del artículo 69 (patrimonio neto), que garantiza que los clubes operen con fondos propios positivos. Según dicho precepto, si el patrimonio neto de un club es negativo a 31 de diciembre anterior a la fecha límite de presentación de la solicitud de la licencia, el club debe haber reducido su posición de capital negativo en un 10% o más antes del 31 de marzo, previa emisión de un nuevo balance auditado que demuestre el cumplimiento de dicho requisito.

Asimismo, se modifica en la última versión el criterio relativo a la existencia de deudas vencidas con otros clubes, con los empleados o con la Agencia Tributaria o la Seguridad Social (artículos 70 a 72 del Reglamento). La modificación consiste en que se ha pospuesto la fecha de vencimiento, de manera que ahora la fecha a tener en cuenta es el 31 de marzo y no el 31 de diciembre del año anterior. En cuanto a la definición de "empleados", se ha ampliado el concepto, de manera que incluye a los proveedores de servicios y a todas las personas que desempeñan funciones relacionadas tanto con el equipo profesional como con la cantera. Por otra parte, se establece la obligación de que los clubes tampoco tengan deudas vencidas con la propia UEFA.

También se modifican el artículo 87 y el Anexo J, relativos al concepto de "desviación aceptable", de manera que la misma aumenta, para un periodo de control (tres temporadas) de 30 millones de euros a 60 millones de euros si el exceso de 5 millones de euros se cubre en su totalidad con aportaciones en el periodo de referencia o con fondos propios al final de este. En cuanto al cálculo del ratio de solvencia de los clubes, el artículo 89 define la lista de gastos/costes considerados como inversiones pertinentes, que pueden utilizarse para realizar un ajuste al alza de los ingresos futbolísticos. Las inversiones relevantes a dichos efectos incluyen los gastos directamente atribuibles a los equipos juveniles, al fútbol femenino, a las actividades comunitarias y a las operaciones no futbolísticas relacionadas con el club una vez descontados los ingresos correspondientes, así como los costes financieros directamente atribuibles a la construcción/modificación sustancial de activos materiales y los costes de los contratos de arrendamiento.

En el terreno nacional, la LFP ha venido publicando, en desarrollo del Reglamento, circulares sobre el Límite de Coste de plantilla deportiva. Como se ha indicado con anterioridad, este límite no supone una sanción por incumplimiento, sino una restricción presupuestaria para que los Clubes y SADs se mantengan siempre dentro de los márgenes que marca el principio de equilibrio financiero. Según se define en la última Circular (aplicable a la temporada en curso 2022/2023), este límite de coste de plantilla es el importe máximo que cada Club o SAD puede consumir durante la temporada tras el mercado de verano, y que incluye el gasto en jugadores, primer entrenador, segundo entrenador y preparador físico del primer equipo (plantilla inscribible según el Artículo 38 de las Normas de Elaboración de Presupuestos). Este límite incluye, además, el gasto en filiales, cantera y otras secciones (plantilla no inscribible, según se define en el Artículo 38 de las Normas de Elaboración de Presupuestos).

Los conceptos que se incluyen en el límite de coste de plantilla deportiva inscribible y no inscribible son: los salarios fijos y variables, tanto dinerarias como en especie; las retribuciones por cesiones de los derechos de imagen individuales o colectivos; el importe de la amortización anual del coste de adquisición de los derechos federativos (importe de compra de los jugadores imputado anualmente en función del número de años de contrato del jugador); cuotas de la seguridad social o de planes de pensiones u otras modalidades de previsión social, las primas colectivas por consecución de objetivos deportivos; los gastos de adquisición (incluidas comisiones para agentes); y las indemnizaciones o compensaciones a cargo del Club o SAD por la extinción de contratos de trabajo. Por su parte, las retribuciones variables "fáciles de alcanzar" se consideran también como coste de plantilla deportiva. También reciben dicha consideración los importes correspondientes al 25% de las opciones de compra obligatoria.

El procedimiento para la determinación del Coste de Plantilla es el siguiente: cada Club o SAD propone a la LFP su límite de Coste de la Plantilla, en cumplimiento de las normas de elaboración de presupuestos de clubes, correspondiendo al Órgano de Validación de la LFP la aprobación del límite propuesto o, en su caso, su rectificación hasta el importe que garantice la estabilidad financiera del Club.

La solicitud que tramita un Club o SAD sobre su Límite de Coste de la Plantilla Deportiva no siempre corresponde con su límite máximo. Un Club o SAD puede solicitar el límite que estime oportuno para hacer frente a su presupuesto de gastos deportivos, siempre que no supere su límite máximo. Asimismo, la LFP aclara que la solicitud del Límite del Coste de la Plantilla Deportiva por un importe determinado no implica que vaya a ser consumido en su totalidad. Además, el Límite del Coste de la Plantilla Deportiva no es definitivo ni inamovible, puede verse incrementado en las condiciones y con el procedimiento establecido en las normas de elaboración de presupuestos de Clubes y SADs.

Las principales modificaciones de presupuestos que pueden provocar cambios en el Coste de Plantilla Deportiva son: (i) la firma de nuevos contratos con patrocinadores o contratos de publicidad; (ii) los ingresos por venta de jugadores. Al inicio de la temporada el Club o SAD sólo puede estimar, como regla general, la media de ingresos que, por este concepto, haya tenido en las tres últimas temporadas y con un máximo del 25% de la cifra de negocio en Primera División y del 10% en Segunda División. Cuando se va acercando el cierre del mercado y los Clubes y SADs conocen de manera más certera cuáles son sus ingresos reales, se modifica el Coste de la Plantilla Deportiva; y (iii) Aportaciones de capital. Los propietarios o accionistas mayoritarios pueden inyectar capital (aportaciones dinerarias) en el Club o SAD, del cual una parte, bajo una serie de premisas y limitaciones, puede ser destinado a incrementar el Coste de la Plantilla Deportiva.

Un Club o SAD que se encuentre excedido puede inscribir nuevos jugadores; sin embargo, en base a lo establecido en el artículo 100, que regula la conocida como *"regla del 1 a 4"*, únicamente se puede destinar a inscripción el 25% del ahorro generado por la extinción temporal o definitiva de la relación contractual de jugadores. Transitoriamente, para las temporadas 2020/2021 y 2021/2022, también se permitía computar el beneficio neto por traspaso de dichos jugadores.

Otra regla relevante a efectos del cálculo del Coste de la Plantilla Deportiva afecta a la valoración de los patrocinios a efectos del cálculo del Coste de la Plantilla Deportiva. Anteriormente hemos indicado como los ingresos de patrocinios o publicidad forman parte de los ingresos de un Club o SAD y por tanto son un elemento a tener en cuenta a la hora de determinar el LCPD. En concreto, estos acuerdos de patrocinio se valorarán de acuerdo con su valor razonable y precio de mercado, para lo que puede requerirse un informe emitido por un tercero a efectos de valorar el patrocinio en base al contrato y sus contraprestaciones. Si el resultado de este informe expresa que el precio de ese contrato está sobrevalorado, se ajustarán los ingresos del Club o SAD al importe establecido en dicho informe.

4. CONSECUENCIAS DE LAS NORMAS DEL FAIR PLAY FINANCIERO EN EL MERCADO DE FICHAJES EN UN CONTEXTO DE CRISIS GENERALIZADA COMO EL ACTUAL

A pesar de que la introducción de las normas de Fair Play Financiero por parte de la UEFA en las competiciones organizadas por ella era una condición necesaria para mantener el equilibrio competitivo y los costes en una industria en la que no existe techo de gasto debido a las nuestras estructuras y regímenes de control de los clubes, **las normas han de ir adaptándose a las condiciones de mercado y a las obras de ingeniería contractual y financiera de los Clubes para obtener mayores ingresos**.

Es cierto que la UEFA ha introducido modificaciones de la normativa cada dos o tres años, y que las diferentes ligas han desarrollado una normativa exhaustiva en materia de control financiero, pero **el sistema dista de ser perfecto**. En primer lugar, ha de tenerse en cuenta la disparidad de criterios entre la normativa europea a nivel UEFA, que es directamente aplicable a los equipos que participan en sus competiciones (y, por tanto, los equipos que mejor se adaptan a dicha normativa sin sorpresas son los que se clasifican para disputarlas cada año, es decir, los equipos punteros de cada país) y la normativa de cada país, que resulta aplicable a todos los equipos profesionales (en el caso de España), por lo que, un tercio de los Clubes o SADs de la Primera División han de tener en cuenta que deben cumplir con los criterios establecidos en ambas normativas de manera simultánea. A largo plazo, lo ideal sería que las diferentes ligas adoptaran regulaciones similares en aras de favorecer la igualdad competitiva tanto a nivel europeo como a nivel nacional, si bien es cierto que los ingresos difieren sobremanera entre una liga y otra.

Por otra parte, la normativa aplicable al control financiero de los Clubes necesita una constante revisión de sus preceptos, máxime en un contexto de crisis generalizada como el actual, en el que los Clubes todavía siguen notando los efectos de la pandemia y de la lenta recuperación económica posterior. Por ejemplo, los Clubes y SADs de la Primera División española facturaron un 7,8% menos en la temporada 2020-2021 que en la previa al Covid-19, provocando un desequilibrio en las cuentas y la búsqueda de soluciones originales para obtener mayores ingresos o reducir gastos que suponen auténticas acrobacias financieras.

Actualmente, los clubes se caracterizan por tener unas estructuras empresariales cada vez más complejas, tal y como se ha referido al inicio del presente trabajo. Debido a las complicadas interconexiones entre varias empresas, tanto la UEFA como las Ligas se enfrentan al reto de evaluar la ingente documentación remitida por todos los equipos, que además se rigen por diferentes sistemas contables. En este sentido, el Presidente del París Saint Germain ya ha señado que buscarán la creatividad: *"Seguiremos las reglas. El Sr. Platini dijo que debemos ser creativos. Tenemos algunas ideas"*. Es de esperar que los Clubes intenten eludir la regulación con conductas no previstas en la normativa y, por tanto, no tipificadas y que, inexorablemente, no puedan ser sancionadas. Un ejemplo claro de ello son las famosas *palancas* del FC Barcelona a las que nos referíamos al inicio del presente artículo. A pesar de las voces que las han catalogado de injustas (por haber sido empleadas por un Club con cuantiosas pérdidas para realizar fichajes de mayor calado que sus competidores y ponerse al nivel competitivo de los mismos), lo cierto es que las normas no prohíben la actualización de ingresos futuros del Club y, por tanto, no se puede sancionar esa manera de proceder, por mucho que no se adecúe a los usos y costumbres del mercado futbolístico tal y como lo conocemos en la actualidad.

Sin embargo, tampoco parece adecuado que Clubes que han sido financieramente responsables, amoldando sus gastos a su presupuesto de ingresos, como el Bayern de Múnich o el Real Madrid, se vean perjudicados a nivel competitivo y no puedan retener a jugadores que formaban parte de sus plantillas en detrimento de otros que han utilizado ingeniería financiera para equilibrar sus cuentas y poder inscribir jugadores a los que ofrecen contratos más suculentos que los clubes citados anteriormente. En definitiva, es obvio que los clubes por un lado tenderán a adherirse a las reglas mientras que, por otro, tratarán de declarar los ingresos de las operaciones no vinculadas con el fútbol como "ingresos relevantes" con el fin de evitar la aplicación de las restricciones establecidas en la normativa de FPF.

Una tercera vertiente sobre la que ha de trabajarse a la hora de modificar las normas que actualmente se encuentran en vigor, es la que atañe a los efectos a corto y a largo plazo de las normas de FPF. A corto plazo se busca primordialmente el equilibrio entre gastos e ingresos y la viabilidad de los clubes y de las competiciones, mientras que a largo plazo ha de favorecerse, en palabras de la propia UEFA, una redistribución intencional de los ingresos que provoque una reasignación de los factores de producción (jugadores, por ejemplo).

En cualquier caso, para dar cumplimiento a las reglas del FPF, los Clubes deben tomar medidas para aumentar sus ingresos y para racionalizar sus costes, en particular los salarios de los jugadores, así como mejorar la inversión en capital humano y activos fijos. Parece que a los clubes no les queda más remedio (y a los hechos nos remitimos) que *invertir* en estadios, infraestructura y academias juveniles en lugar de *gasta*r el remanente obtenido en traspasos de jugadores como se venía haciendo hasta hace pocos años, toda vez que aquéllos son considerados como ingresos relevantes a la hora de calcular los ratios de equilibrio financiero.

5. REFERENCIAS BIBLIOGRÁFICAS

UEFA Club Licensing and Financial Fair Play Regulations, Edition 2010.
UEFA Club Licensing and Financial Fair Play Regulations, Edition 2015.
UEFA Club Licensing and Financial Fair Play Regulations, Edition 2018.
UEFA Club Licensing and Financial Sustainability Regulations, Edition 2022.
Estatutos Sociales de la Liga Nacional de Fútbol Profesional.
Reglamento General de la Liga Nacional de Fútbol Profesional.
Normas de Elaboración de Presupuestos de Clubes/SADs publicadas por la LFP.
Reglamento de control económico de los Clubes y Sociedades Anónimas Deportivas afiliados a la Liga Nacional de Fútbol Profesional, Edición aprobada en Asamblea el 21 de mayo de 2014.
Relación de preguntas y respuestas sobre el Límite de Coste de Plantilla Deportiva elaborada por el Departamento de Control Económico de la LFP y publicada en su página web.
José Javier ARIZA ROSSY, Confilegal, 2018: https://confilegal.com/20181213-como-adapta-laliga-las-normas-de-fair-play-juego-limpio-financiero-de-la-uefa/
Stavros Tsiovolos, thesafiablog.com, 2021: https://thesafiablog.com/2021/01/05/a-short-overview-of-uefas-financial-fair-play-regulations/
Football Collectivo, s.f.: https://footballcollective.org.uk/rules/financial-fair-play-rules-what-are-they-how-do-they-work/
Miguel Ángel GARCÍA VEGA, 2020, "Una burbuja llamada fútbol": https://elpais.com/economia/2020/01/16/actualidad/1579196525_489238.html

Una nueva interpretación de los breves resúmenes informativos del fútbol: comentario a la sentencia del tribunal supremo, de 10 de noviembre de 2022

MIGUEL MARÍA GARCÍA CABA

Profesor de Derecho Administrativo, Universidad Carlos III
Académico Correspondiente, Real Academia de Jurisprudencia y Legislación

1. INTRODUCCIÓN

El pasado día 10 de noviembre de 2022, la Sección tercera de la Sala de lo Contencioso-Administrativo del Tribunal Supremo[1] ha dictado una sentencia de especial relevancia en relación con el marco legal aplicable al derecho a la información de los eventos futbolísticos. En concreto, la Sentencia vuelve a analizar el concepto de los breves resúmenes informati-

---

[1] Ha sido ponente el Excmo. Sr. José Mª del Riego Valledor. La Sala estaba compuesta por los Excmos. Sres. y Excma. Sra. D. Eduardo Espín Templado, presidente; D. Eduardo Calvo Rojas, Dª María Isabel Perelló Doménech, D. José María del Riego Valledor y D. Diego Córdoba Castroverde.

vos sobre un acontecimiento de interés general del artículo 19.3 de la Ley 7/2010, de 31 de marzo, General de la Comunicación Audiovisual[2].

En concreto, la mencionada sentencia ha resuelto el recurso de casación interpuesto contra la sentencia, de 2 de octubre de 2020, de la Sección Primera de la Sala de lo Contencioso-Administrativo de la Audiencia Nacional[3].

Dicha resolución trae causa, a su vez, del Conflicto resuelto por la Sala de Supervisión Regulatoria de la Comisión Nacional de los Mercados y la Competencia[4] en fecha 17 de octubre de 2018. La sentencia posee, por tanto, una especial importancia porque el Tribunal Supremo realiza una nueva interpretación casacional del artículo 19.3 de la LGCA, complementando, así, lo ya afirmado con ocasión de las Sentencias precedentes de esa misma Sección y Sala, de fechas 9 de julio de 2020 y 22 de abril de 2022, respectivamente[5].

De acuerdo con lo significado previamente, el objeto del presente artículo consistirá en el análisis de la referida sentencia. Para ello se analizan los antecedentes de los que trae causa, ex apartado 2 para, a continuación, estudiar los razonamientos jurídicos empleados en relación con la interpretación del precitado artículo 19.3 de la LGCA, ex apartado 3. A la luz de lo significado en dichos apartados se realiza una sucinta conclusión, ex apartado 4 y se realiza una breve referencia bibliográfica, ex apartado 5.

---

[2]   En adelante nos referimos a dicha norma como LGCA, para mejor facilidad. Dicha Ley ha sido derogada, con efectos de 9 de julio de 2022, por la disposición derogatoria única 1.b) de la Ley 13/2022, de 7 de julio. Ref. BOE-A-2022-11311.

[3]   En concreto, del recurso nº 1420/2021, interpuesto por la mercantil Mediaset España Comunicación S.A. En lo sucesivo designada como Mediaset, para mejor facilidad.

[4]   En adelante, denominada como "CNMC".

[5]   Sobre dichas Sentencias se pueden consultar nuestros trabajos, "El derecho a la información y el fútbol: la interpretación casacional del artículo 19.3 de la Ley General de Comunicación Audiovisual" en *Anuario de Derecho Deportivo 2021.* (co-director junto con D. Enrique Ortega Burgos) Tirant lo Blanch, Valencia, 2021, páginas 847 a 869 y "El derecho de acceso de las televisiones a los estadios y los breves resúmenes informativos. Comentario a la Sentencia del Tribunal Supremo, de 28 de abril del 2022 y su incidencia en el fútbol" en *Revista Aranzadi de derecho de deporte y entretenimiento,* nº 76, Aranzadi, Cizur Menor, 2022.

2. LOS ANTECEDENTES DE LA SENTENCIA

2.1 *El conflicto tramitado y resuelto por la CNMC*

La Sentencia objeto del presente comentario trae causa de la resolución de la Sala de Supervisión Regulatoria de la CNMC, de 17 de octubre de 2018, que resolvió el conflicto sobre el derecho de acceso del artículo 19.3 de la LGCA.

La resolución, en lo que ahora interesa, establece en el apartado tercero de su parte dispositiva que el breve resumen informativo de 90 segundos del artículo 19.3 de la LGCA puede incluir imágenes de lo sucedido en el recinto, siempre que estas imágenes se refieran a cuestiones informativas de interés general y no solo a imágenes de lo desarrollado en el terreno de juego[6].

Para la CNMC, todas las imágenes tomadas y difundidas en virtud del ejercicio del derecho de acceso reconocido en el artículo 19.3 de la LGCA deben ser computadas en la duración de los 90 segundos[7]. A tal efecto, se recuerda que el artículo 19.3 in fine garantiza el derecho a acceder "*a los espacios en los que se celebre tal acontecimiento*" sin limitar la grabación ni la emisión exclusivamente al juego.

Asimismo, tal previsión debe interpretarse, a juicio de la CNMC, en consonancia con lo dispuesto en el párrafo tercero, cuando se refiere a los resúmenes informativos sobre "*un acontecimiento conjunto unitario de acontecimientos o competición deportiva*"[8].

---

[6] Y precisa que en todo caso el breve resumen informativo debe comprender información de lo sucedido en el evento deportivo como un todo, sin que se pueda utilizar este derecho exclusivamente para cuestiones accesorias o indirectamente relacionadas con el evento.

[7] Pronunciamiento que se basa en los siguientes razonamientos: "*... El artículo 19 de la LGCA y el artículo 15.3 de la Directiva Audiovisual garantizan el derecho de acceso al recinto y la emisión de un breve resumen informativo como un derecho finalista que tiene por objeto permitir el acceso y la grabación de imágenes a los prestadores para informar esencialmente de lo ocurrido en el terreno del juego (...) No obstante, esta Sala no comparte que ello suponga que la LGCA limite la toma de imágenes solo al terreno de juego, pues el evento en sí constituye un todo. Es habitual que, durante el desarrollo de un partido, tengan lugar otros hechos que son igualmente de indudable trascendencia informativa como, por ejemplo, la interacción de los jugadores entre sí, con su entrenador o, incluso, con las gradas, o la reacción de los espectadores ante el partido*".

[8] Y añade que "*... si los prestadores que acceden al campo en virtud del artículo 19.3 se limitan a grabar y difundir aspectos concretos que sucede en el campo (por ejemplo, el se-*

En consecuencia, la CNMC afirma que el derecho reconocido por la Jurisprudencia y por la LGCA lo que pretende es que los medios de comunicación, haciendo uso responsable de su derecho, informen sobre los acontecimientos de interés general en su contenido mínimo. Ello supone la posibilidad de grabar o informar de todo lo ocurrido en el mismo, pero sin centrarse en cuestiones accesorias o anecdóticas que estén solo tangencialmente relacionadas con el partido de futbol disputado[9].

2.2 *El recurso contencioso-administrativo resuelto por la Audiencia Nacional*

Tal y como ya ha sido anticipado, la Sección Primera de la Sala de lo Contencioso-Administrativo de la Audiencia Nacional dictó sentencia el 2 de octubre de 2020 mediante la que desestimó el recurso contencioso-administrativo interpuesto frente a la Resolución de la CNMC[10].

De forma sucinta, por un lado, la Audiencia Nacional recuerda que la competencia de la CNMC para resolver los conflictos del artículo 19 de la LGCA deriva de los artículos 1, 9.7 y 12.1.e) 1° de la Ley 3/2013, de 4 de junio, de creación de la CNMC[11] y del artículo 19 de la LGCA. Así, afirma que la LCNMC le atribuye una competencia general en todo el territorio español y en todos los mercados para preservar, garantizar y promover el correcto funcionamiento, la transparencia y la existencia de una competencia efectiva en todos los mercados y sectores productivos[12].

---

guimiento de un jugador determinado durante todo el encuentro) obviando lo sucedido en el juego, en términos generales, se podrían entender que el derecho se estaría ejerciendo de manera inadecuada dado que no se presta atención al evento que justifica el acceso(...) Por el contrario, si la grabación y difusión es de todo lo acontecido, con independencia de que en determinados momentos se pueda realizar una captación de lo sucedido dentro del recinto, pero no en el terreno de juego, se puede presumir un ejercicio adecuado de dicho derecho".

[9] Así se afirma en la referida resolución de la CNMC de forma expresa.

[10] Fue ponente de la referida sentencia la Ilma. Sra. Nieves Buisán García, estando compuesta la Sección por el IImo. Sr. presidente, D. Eduardo Menéndez Rexach y los Ilmos. e Ilmas. Dª Felisa Atienza Rodriguez, Dª Lourdes Sanz Calvo, D. Fernando De Mateo Menéndez y Dª Nieves Buisán García.

[11] En adelante, LCNMC

[12] El artículo 9 enumera las funciones de supervisión y control en materia de mercado audiovisual y, entre ellas, su apartado 7 menciona el control del cumplimiento de las obligaciones y límites impuestos para la contratación en exclusiva de contenidos audiovisuales y la compraventa de los derechos exclusivos de las competiciones futbolísticas españolas regulares, en los términos de los artículos 19 a 21 de la LGCA.

Por otra parte, se afirma que la LCNMC, al regular la resolución de conflictos, ex artículo 12 de la LCNMC, le reconoce la facultad en lo que se suscite *"entre los agentes … sobre materias en las que … tenga atribuida competencia"*[13] y *"el acceso al estadio y los recintos deportivos por los prestadores de servicio de comunicación audiovisual radiofónicos a que se refiere el artículo 19.4 de la LGCA*[14]*"*.

En base a dicha normativa considera la Audiencia que interpretar qué imágenes pueden tomarse en consideración para la elaboración de los breves resúmenes informativos constituye una manifestación de la facultad de control de los límites para la contratación en exclusiva de contenidos audiovisuales de la CNMC[15].

Adicionalmente, se considera que, de acuerdo con la normativa y jurisprudencia tanto comunitaria como nacional aplicable que será expuesta a continuación, el alcance informativo de los partidos excede, por su dimensión social y el interés que despierta en el público, de lo que estrictamente sucede sobre el terreno de juego[16]. De esta forma, coincide con la CNMC al entender que el derecho de los operadores de comunicación audiovisual les habilita a acceder a los recintos en los que se celebren eventos de interés general con sus propios medios, para tomar imágenes de lo ocurrido, con el fin de conformar la noticia en su contenido mínimo[17].

---

[13]　Cfr. el artículo 12.1 e) 1°) de la mencionada Ley; https://www.boe.es/buscar/act.php?id=BOE-A-2013-5940, consulta efectuada en fecha 1 de diciembre de 2022.

[14]　Vide. el artículo 12.1.e) 3° de la repetida Ley; https://www.boe.es/buscar/act.php?id=BOE-A-2013-5940, consulta efectuada en fecha 1 de diciembre de 2022.

[15]　En palabras de la Sentencia de la Audiencia Nacional: *"En definitiva, la actividad de la entidad recurrente como agente interviniente en el mercado audiovisual no tiene duda, como tampoco la tiene la competencia de la Comisión sobre los "conflictos que se susciten entre los agentes intervinientes en los medios de comunicación audiovisual sobre materias en las que la Comisión tenga atribuida competencia" (art. 12.1 e) 1°) Ley de creación de la CNMC) y, por tanto, sobre el aquí planteado, como correctamente ha apreciado la Resolución impugnada en su respuesta a esta alegación (Fundamento Jurídico Primero)"*.

[16]　Al igual que realiza la CNMC en la resolución administrativa recurrida.

[17]　Contenido mínimo razonable para conformar la noticia, que ha sido interpretado por la Jurisprudencia del Tribunal Supremo, recuerda la Audiencia Nacional, mediante la Sentencia de 15 de octubre de 2018, y que ha de ser entendido en sentido amplio, sin excluir sucesos que, aunque no ocurran en el terreno de juego, puedan ser relevantes y completar la información de lo ocurrido en el propio campo.

Y se afirma, además, que el evento deportivo es en sí un todo, que incluye principalmente el desarrollo del propio partido, pero que en ocasiones puede incluir otras circunstancias que, siendo accesorias al mismo, complementan lo acontecido en dicho terreno de juego y tienen también, por ello, indudable interés informativo[18]. Así, entiende que la interpretación de la CNMC, en cuanto al contenido de las imágenes que pueden ser grabadas en el ejercicio del breve resumen informativo, es conforme con la legislación tanto europea como española.

2.3 La admisión del recurso de casación y las cuestiones de interés casacional objetivo

Interpuesto recurso de casación contra la sentencia de la Audiencia Nacional, la Sección de Admisión del Tribunal Supremo, mediante auto de 30 de septiembre de 2021, acordó la admisión a trámite del recurso de casación. En este sentido se identifican como normas jurídicas que serán objeto de interpretación a los efectos que aquí nos ocupan, los artículos 19.3 de la LGCA, 9.7 y 12.1.e) de la LCNMC.

Al respecto, dicho auto declara que las cuestiones que revisten interés casacional objetivo para la formación de jurisprudencia consisten en determinar, por un lado, si la CNMC es competente para establecer que todas las imágenes tomadas y difundidas en virtud del ejercicio del derecho de acceso reconocido en el artículo 19 de la LGCA deben ser computadas en la duración de 90 segundos, aunque se trate de imágenes ajenas al evento deportivo.

Por otro lado, también se afirma que se analizará si las imágenes que se puedan captar en el recinto deportivo y que no formen parte propiamente del evento deben, o no, computar en el límite de 90 segundos del artículo 19.3 de la LGCA.

---

[18]   En definitiva, si los operadores tienen acceso al recinto donde se desarrolla la actividad deportiva es porque les asiste el derecho de captar imágenes del partido, habilitados por el artículo 19 de la LGCA. Asimismo, recuerda que esta cuestión, si bien desde una perspectiva distinta, fue ya analizada y resuelta por la Sentencia de Tribunal Supremo, de 20 de diciembre de 2019, que confirma en casación la anterior Sentencia de la propia Audiencia Nacional, de fecha 6 de febrero de 2018.

2.4 Referencia al marco legal aplicable

El considerando 48 de la Directiva 2010/13/UE del Parlamento Europeo y del Consejo, de 10 de marzo de 2010, sobre la coordinación de determinadas disposiciones legales, reglamentarias y administrativas de los Estados miembros relativas a la prestación de servicios de comunicación audiovisual (Directiva de servicios de comunicación audiovisual), prevé la adquisición con carácter exclusivo de los derechos de radiodifusión televisiva de acontecimientos de gran interés para el público. Sin embargo, precisa que es esencial fomentar el pluralismo mediante la diversidad de programación y producción de noticias en la Unión y respetar los principios del artículo 11 de la Carta de los Derechos Fundamentales de la Unión Europea, relativos a la libertad de expresión y de información.

El considerando 55 establece los criterios que permiten compaginar los derechos exclusivos con la libertad de expresión y de información en los siguientes términos: *"Para proteger la libertad fundamental de recibir información y garantizar la plena y adecuada protección de los intereses de los espectadores de la Unión Europea, quienes gocen de derechos exclusivos de radiodifusión televisiva sobre un acontecimiento de gran interés para el público deben conceder a otros organismos de radiodifusión televisiva el derecho a utilizar extractos breves para su emisión en programas de información general en condiciones equitativas, razonables y no discriminatorias, y teniendo debidamente en cuenta los derechos exclusivos[19]"*.

Los expresados criterios sobre los breves resúmenes informativos se desarrollan en el artículo 15. Así, se prevé que, por un lado, que los Estados miembros velarán por que cualquier organismo de radiodifusión televisiva establecido en la Unión tenga acceso, en condiciones justas, razonables y no discriminatorias a acontecimientos de gran interés público transmitidos en exclusiva por un organismo de radiodifusión televisiva bajo su jurisdicción[20].

Por otro lado, se exige que los Estados velen por la garantía de dicho acceso, permitiendo a los organismos de radiodifusión televisiva seleccionar libremente extractos breves procedentes de la señal emitida por el organismo de radiodifusión televisiva transmisor indicando su origen[21]. Y

---

[19] Tales condiciones deben comunicarse oportunamente antes de que se celebre el acontecimiento a fin de conceder tiempo suficiente para ejercer tal derecho.

[20] Cfr. apartado primero del artículo 15.

[21] Vide. apartado tercero del artículo 15.

se afirma que los extractos se utilizarán únicamente para programas de información general[22].

Por último, se prevé que los Estados, de conformidad con sus ordenamientos, determinen las modalidades y las condiciones sobre la prestación de los breves extractos, su longitud máxima y los límites de tiempo en lo que se refiere a su transmisión[23].

Así, el derecho estatal, al igual que la Directiva, trata de garantizar en el artículo 19.3 de la LGCA la coexistencia del derecho de emisión en exclusiva de un acontecimiento de interés general con el derecho a la información de los ciudadanos[24]. A su vez, la competencia de la CNMC en la materia está contemplada expresamente en la LCNMC[25].

En este sentido, como organismo supervisor del mercado de comunicación audiovisual, el artículo 9.7 de la LCNMC, en la redacción aplicable a los hechos, le reconocía competencia para: "*Controlar el cumplimiento de las obligaciones y los límites impuestos para la contratación en exclusiva de contenidos audiovisuales, la emisión de contenidos incluidos en el catálogo de acontecimientos de interés general y la compraventa de los derechos exclusivos en las competiciones futbolísticas españolas regulares, en los términos previstos en los artículos 19 a 21 de la Ley 7/2010, de 31 de marzo, sin perjuicio de lo establecido en la Disposición adicional duodécima de esta Ley*"[26].

---

[22]   Vide. apartado quinto del artículo 15.

[23]   Vide. apartado sexto del artículo 15.

[24]   Dicho precepto presenta el siguiente tenor literal: "*3. El derecho de emisión en exclusiva no puede limitar el derecho a la información de los ciudadanos. Los prestadores del servicio de comunicación audiovisual que hayan contratado en exclusiva la emisión de un acontecimiento de interés general para la sociedad deben permitir a los restantes prestadores la emisión de un breve resumen informativo en condiciones razonables, objetivas y no discriminatorias. Este servicio se utilizará únicamente para programas de información general y sólo podrá utilizarse en los servicios de comunicación audiovisual a petición si el mismo prestador del servicio de comunicación ofrece el mismo programa en diferido. No será exigible contraprestación alguna cuando el resumen informativo sobre un acontecimiento, conjunto unitario de acontecimientos o competición deportiva se emita en un informativo de carácter general, en diferido y con una duración inferior a noventa segundos…*".

[25]   En la exposición de motivos se configura como organismo supervisor de medios audiovisuales para "*velar por el correcto funcionamiento de determinados sectores de la actividad económica, hacer propuestas sobre aspectos técnicos, así como resolver conflictos entre las empresas y la Administración…*".

[26]   Cfr. https://www.boe.es/buscar/pdf/2013/BOE-A-2013-5940-consolidado.pdf; consulta efectuada en fecha 1 de diciembre de 2022.

También en relación con las cuestiones planteadas, el artículo 12 de la LCNMC le reconocía competencia para resolver los conflictos planteados por los operadores económicos en los casos del apartado 1.e). 1° relativos a *"Los conflictos que se susciten entre los agentes intervinientes en los mercados de comunicación audiovisual sobre materias en las que la Comisión tenga atribuida competencia"*[27].

3. LA INTERPRETACIÓN CASACIONAL DEL ARTICULO 19.3 DE LA LGCA: ANÁLISIS DE LA SENTENCIA

3.1 Los argumentos de las partes

En lo que aquí interesa, los argumentos del recurso comienzan alegando una infracción de los artículos 9.7 y 12.1.c) de la LCNMC al reconocer capacidad a la CNMC para determinar que todas las imágenes captadas en el estadio deban computar en el límite de 90 segundos del artículo 19 de la LGCA[28]. Así, se entiende que las competencias que la LCNMC le reconoce a la CNMC están circunscritas al resumen informativo de 90 segundos del evento de interés general pero no puede alcanzar a cualesquiera otros hipotéticos hechos ajenos al mismo.

Se sostiene que la CNMC no es competente para pronunciarse sobre cualesquiera controversias relativas a contenidos o imágenes que hayan podido ser captadas en los estadios pero que no forman parte o no estén directamente relacionadas con el evento de interés general, dado que es esto último lo que es objeto de regulación por el artículo 19.3 LGCA. Añade que ello no supone que la CNMC habilite a los operadores de televisión que acceden, ex artículo 19 de la LGCA, a emitir otros contenidos más allá del resumen de 90 segundos; en su opinión significa que simplemente no debe pronunciarse sobre la legitimidad o no que puedan tener los operadores que accedan al estadio para emitir imágenes ajenas al evento deportivo[29].

---

27 Ibídem.

28 En relación con los artículos 117.3 de la Constitución, 2.1, 9.2 y 86.3 2ª de la Ley Orgánica del Poder Judicial.

29 En este sentido, según su tesis, la CNMC no sería el órgano competente para conocer de una hipotética infracción por la emisión de otras imágenes captadas en el estadio no directamente relacionadas con el evento deportivo, sino que la competencia para conocer de tales acciones corresponde a los juzgados y tribuna-

Por otro lado, la parte recurrente considera que al afirmar la sentencia que todo lo captado dentro del estadio debe emitirse dentro del límite máximo de 90 segundos del artículo 19 de la LGCA infringe el artículo 20 de la Constitución sobre el derecho fundamental a comunicar o recibir libremente información veraz por cualquier medio de difusión[30].

En este sentido, afirma que los límites del artículo 19.3 LGCA se explican por la necesidad de buscar un equilibrio entre el derecho de información sobre los eventos de interés general y la protección, a la vez, del derecho del operador adquirente de los derechos de retransmisión en exclusiva del evento, por lo que no puede alcanzar dicha limitación a cualquier otro hecho ajeno al evento, por el mero hecho de que quedan fuera del objeto del artículo 19 de la LGCA[31].

La parte recurrente considera al mismo tiempo que la sentencia impugnada se limitó simplemente a afirmar que la CNMC era competente para pronunciarse sobre el conflicto y que la interpretación que efectúa la resolución de la CNMC es conforme con la legislación tanto europea

---

les; es decir, los posibles excesos en el uso del derecho contemplado en el artículo 19 de la LGCA constituyen un asunto estrictamente privado que enfrenta a dos operadores y sería la jurisdicción civil quien tiene atribuida la competencia para conocer de este tipo de conflictos. Al respecto considera que una interpretación correcta de la normativa debe conducir a considerar que la CNMC no tiene competencia para establecer que todas las imágenes tomadas y difundidas en virtud del ejercicio del derecho de acceso reconocido por el artículo 19 de la LGCA deben ser computadas en la duración de 90 segundos, pues la CNMC no sería, en particular, competente para pronunciarse sobre las imágenes ajenas al evento deportivo, al quedar fuera del objeto del artículo 19.3 de la LGCA.

[30] En defensa de su tesis, la parte recurre a algunas suposiciones como una pelea en una parte de la grada entre dos aficiones que concluye con varios heridos, intervención policial y detención de intervinientes o una avalancha en una grada, la caída de una parte del estadio o un incendio, supuestos estos que afirma que han sucedido en los últimos años o podrían ocurrir, y considera que según la sentencia, en caso de acceso al estadio haciendo uso del derecho contemplado en el artículo 19.3 LGCA, no podría informar de forma debida o completa de tales hechos, al tener que relatarse la noticia en un máximo de 90 segundos.

[31] En consecuencia, sostiene que una interpretación correcta de la normativa debe conducir a considerar lo que constituye el objeto del artículo 19.3 de la LGCA y las imágenes que pueden conformar el resumen de hasta 90 segundos, que solo pueden ser las referidas al evento de interés general y pueden extenderse a las imágenes accesorias a dicho evento, pero sin incluir en ningún caso aquellas otras relativas a hechos totalmente ajenos al evento de interés general pues, por el propio concepto, quedarían fuera del objeto del citado artículo 19 de la LGCA.

como española, por lo que la sentencia debe ser casada, pues incurrió en falta de motivación al limitarse en esencia a reproducir lo establecido en la resolución de la CNMC.

Las partes que se opusieron al recurso de casación, en lo que aquí interesa, sostienen la competencia de la CNMC para establecer que todas las imágenes tomadas y difundidas deben computar en la duración de 90 segundos del breve resumen informativo del artículo 19.3 LGCA y que no existe infracción del artículo 20.1 de la Constitución, puesto que el derecho a la información por el que se vela en la LGCA está circunscrito al derecho a emitir un breve resumen informativo.

Por otro lado, se alega una infracción del derecho a la tutela judicial efectiva, por incongruencia omisiva de la sentencia, al evitar pronunciarse sobre el alcance del derecho a informar en el caso de ocurrir hechos noticiables dentro del estadio ajenos al evento deportivo y sobre el alcance concreto de las competencias de la CNMC, de acuerdo con el artículo 19.3 de la LGCA. Alega la parte recurrente que la sentencia incurre en incongruencia omisiva porque no dedica ningún párrafo o apartado a argumentar los específicos motivos del recurso referidos al alcance que debe darse al derecho a la información contenido en el artículo 19 de la LGCA en el caso particular de hechos ocurridos dentro del estadio que resulten totalmente ajenos al evento de interés general, así como a la falta de competencia de la CNMC para pronunciarse sobre materias que escapan al objeto del artículo 19.3 de la LGCA como serían precisamente tales hechos ajenos al evento de interés general.

3.2 Sobre la competencia de la CNMC para determinar que todas las imágenes captadas en el estadio deben computar en el límite de 90 segundos del artículo 19.3 de la LGCA

El Tribunal Supremo destaca que el artículo 9.7 de la LCNMC reconoce a ésta como órgano que tiene encomendada la supervisión y control del correcto funcionamiento del mercado de comunicación audiovisual, la función de controlar el cumplimiento de las obligaciones y los límites impuestos para la contratación en exclusiva de los derechos audiovisuales y la emisión de contenidos del catálogo de acontecimientos de interés general, ex artículos 19 a 21 de la LGCA. Dicha remisión incluye, para el Alto Tribunal, las condiciones y límites del breve resumen informativo del artículo 19.3 de la LGCA.

También se admite que, de acuerdo con el artículo 12.1.e) 1º de la LC-NMC, es competente para resolver los conflictos planteados por los operadores económicos en el mercado de comunicación audiovisual en relación con las materias sobre las que dicho organismo tenga atribuida la competencia. Considera la Sala que lo que se está cuestionando es la interpretación del artículo 19.3 de la LGCA y, en particular, lo que abarca ese breve resumen informativo[32].

El Tribunal Supremo recuerda que uno de los aspectos en los que se planteó el conflicto se refería al tipo de imágenes que los prestadores del servicio pueden grabar dentro del recinto deportivo para utilizarlas en la elaboración y emisión del breve resumen informativo; es decir, si dichas imágenes se debían limitar a lo acontecido en el terreno de juego, como sostenía la LNFP, o si, por el contrario, también se podían grabar y emitir imágenes del recinto, aunque no se ciñeran estrictamente al juego en sí, que era la interpretación que defendían los operadores de servicios de comunicación audiovisual[33].

En esta materia, el Alto Tribunal afirma que la CNMC dio la razón a los operadores audiovisuales frente a la LNFP porque considera que el evento deportivo constituye un todo, al ser habitual que durante el desarrollo del partido tengan lugar otros hechos que son de indudable trascendencia informativa[34] y, además, porque el artículo 19.3 in fine de la LGCA garantiza el derecho a acceder "*a los espacios en los que se celebre tal acontecimiento*", sin limitar, por tanto, la grabación exclusivamente al juego[35].

El Tribunal desestima el motivo del recurso y comparte la doctrina de la CNMC y de la Audiencia Nacional al considerar que las imágenes del recinto deportivo (entrenadores, palco, espectadores) que, aunque no se ciñan al terreno de juego, estén relacionadas con el evento deportivo, deben

---

[32]   Correspondiendo a la CNMC, ex artículos 9.7 y 12.1.e).1º precitados de la Ley 3/2013, resolver las discrepancias de los operadores económicos en esta materia.

[33]   Por ejemplo, a título enunciativo, de los banquillos, los entrenadores, el palco, el público, etc.

[34]   Verbigracia, la interacción de los jugadores entre sí, con su entrenador o, incluso con las gradas, o las reacciones de los espectadores ante el partido.

[35]   No obstante, la CNMC, con apoyo en la sentencia de la Sala 1ª del Tribunal Supremo, de 15 de octubre de 2008 (recurso 2232/2005), advirtió que el derecho a la información solo comprende el derecho de los medios a obtener la información necesaria para poder conformar la noticia en su contenido mínimo razonable, sin que pueda confundirse con el derecho a la información "de calidad".

computarse en los 90 segundos de duración máxima del breve resumen informativo de la LGCA[36].

Asimismo, considera que no es exigible a la CNMC, en ejercicio de sus funciones de supervisor del mercado de comunicación audiovisual a quien se confía la interpretación del artículo 19.3 de la LGCA para la resolución de conflictos, que emita un pronunciamiento sobre un tipo de imágenes que son "ajenas al evento deportivo" y que quedan "fuera del objeto del artículo 19.3 de la LGCA"[37]. La Sala coincide con los argumentos de la CNMC, pues si emitiera cualquier pronunciamiento sobre el tratamiento de unas imágenes ajenas al evento deportivo y al derecho reconocido por el artículo 19.3 de la LGCA incurriría en la falta de competencia que ahora denuncia la parte recurrente[38].

3.3 Sobre la infracción del artículo 20.1.d) de la Constitución, al restringir el derecho a la información de aquello que ocurra en el interior de un recinto deportivo al que se haya tenido acceso

El Alto Tribunal comienza afirmando, como ha reiterado el Tribunal Constitucional, que los derechos fundamentales y, entre ellos, el de información, no tienen un carácter absoluto o ilimitado, sino que presentan límites a fin de hacer posible su coexistencia con otros derechos. Y así, entiende que en el caso del artículo 19.3 de la LGCA se ha tratado de buscar un equilibrio entre el derecho a la información y el derecho de los presta-

---

[36] Así subraya que por las mismas razones que se permite su inclusión en dicho resumen, ya que forman un todo con el desarrollo del partido y el artículo 19.3 de la LGCA autoriza el acceso de los prestadores del servicio de comunicación audiovisual, en la zona autorizada, a los espacios en los que se celebre el acontecimiento deportivo, sin limitar la grabación al terreno de juego, y tampoco sin excluir ninguna imagen del breve resumen informativo del cómputo de la duración máxima de 90 segundos.

[37] La omisión de pronunciamiento sobre estas imágenes ajenas al evento deportivo y al derecho a elaborar un breve resumen informativo, ex artículo 19.3 de la LGCA, se justifica por la CNMC dado que: "... *el artículo 19.5 en conexión con el 19.3 permite la entrada a los estadios y la grabación de todo lo sucedido en el mismo, y de igual manera, dado que la entrada está garantizada por dicho artículo es razonable entender que lo emitido respecto al evento, se incluya dentro de los 90 segundos reconocidos en el artículo 19.3. Todo ello, sin entrar a valorar si unos hechos pudieran ser o no noticiables al margen de este derecho del artículo 19.3, dado que no corresponde a esta Sala enjuiciar dichas cuestiones...*".

[38] Ibídem.

dores del servicio de comunicación audiovisual que hayan contratado en exclusiva la emisión de un acontecimiento de interés general[39].

Esta limitación de la información al breve resumen informativo no supone una vulneración del derecho a comunicar o recibir libremente información veraz, ex artículo 20.1.d) de la Constitución, como ya mantuvo la sentencia de ese Tribunal, Sala Civil, de 15 de octubre de 2008, antes referenciada, que distinguió entre el derecho a la información constitucionalmente protegido y el derecho a la información de "calidad", entendiendo que solo debe considerarse como digno de protección el derecho de los medios a la información necesaria para poder conformar la noticia en su contenido mínimo razonable[40].

El Tribunal Supremo entiende que se interesa un pronunciamiento que excede el marco de un expediente para la resolución de un conflicto entre los agentes que intervienen en el mercado de comunicación audiovisual, en relación con el cumplimiento de las obligaciones y límites impuestos para la contratación en exclusiva de contenidos audiovisuales en los términos previstos por el artículo 19.3 de la LGCA[41].

Sobre tal cuestión la sentencia impugnada, en la misma línea que la CNMC, considera que el derecho de los operadores permite la toma de las imágenes necesarias para la conformación de la noticia en su contenido amplio, comprendiendo también, en contra de lo que sostenía la LNFP, los sucesos que, aunque no ocurran en el terreno de juego, sean relevantes

---

[39]   Para ello garantiza a los restantes prestadores la emisión de un breve resumen informativo, en determinadas condiciones, como su emisión en programas de información general, en diferido y con una duración inferior a 90 segundos, sin que sea exigible contraprestación alguna, salvo los gastos necesarios para facilitar la elaboración del resumen informativo.

[40]   Decía al respecto la citada sentencia de la Sala Civil de este Tribunal (FD 2º): "*En este orden de cosas, ha de concluirse, con el juzgador de primera, que no pude confundirse el derecho a la información como derecho constitucionalmente protegido, con el derecho a la información "de calidad". Únicamente debe ser considerado como digno de protección el derecho de los medios a obtener la información necesaria para poder conformar la noticia en su contenido mínimo razonable, sin que pueda extenderse a otras cuestiones accesorias, solo indirectamente relacionadas con el partido de fútbol disputado, pues, de lo contrario, se estaría dando carta de naturaleza a la eventual vulneración de otros derechos de los que es titular el propietario del recinto deportivo*".

[41]   En efecto, tanto la sentencia impugnada como la resolución del conflicto por la CNMC impugnada en la instancia se pronuncian sobre la interpretación del breve resumen informativo.

para completar la información del evento deportivo[42]. Sin embargo, para el Tribunal Supremo, lo que plantea la parte recurrente se refiere al tratamiento informativo que deba darse a "*hechos totalmente ajenos al evento de interés general*", es decir a hechos que —literalmente— considera que "*por el propio concepto quedarían fuera del objeto del citado artículo 19 de la LGCA*"[43].

La pretensión de la parte recurrente, a juicio del Alto Tribunal, es la obtención de una declaración sobre unos "*hechos totalmente ajenos al evento de interés general*" y que, por tanto, quedan al margen del artículo 19.3 de la LGCA. Por tal razón, para el Tribunal Supremo "*parece claro que esos hechos totalmente ajenos al evento deportivo no están contemplados en el artículo 19.3 LGCA, sino que son ajenos al mismo, por lo que no cabe el pronunciamiento que interesa la parte en la resolución de un conflicto que tiene por finalidad precisamente la interpretación del indicado precepto legal*"[44].

Por último, el Tribunal añade que, además de la falta de competencia de la CNMC para pronunciarse sobre hechos al margen o fuera del artículo 19.3 de la LGCA, se trata de una materia casuística, en la que no es posible un pronunciamiento *ex ante* sobre unos hechos que no se han producido, tienen carácter hipotético y se desconoce siquiera si llegarán a producirse y su contenido.

---

[42]   Nos recuerda el Tribunal Supremo porque este en si es un todo que incluye principalmente el desarrollo del partido pero puede incluir también otros hechos que, siendo accesorios, tengan también indudable interés informativo

[43]   Es decir, la parte recurrente acepta la interpretación del artículo 19.3 de la LGCA de la sentencia de instancia y la resolución de la CNMC sobre la cuestión de si las imágenes del breve resumen informativo deben ceñirse o no a lo que ocurre en el terreno de juego, que en este punto dieron la razón a los operadores del servicio de comunicación audiovisual frente a las tesis de la LNFP y concluyeron que el precepto legal autoriza a incluir en el breve resumen informativo de 90 segundos imágenes del juego en sí y de otros hechos que ordinariamente estén relacionados con el mismo.

[44]   Y precisa que "*En la resolución del conflicto, el acuerdo de la CNMC, confirmado por la sentencia impugnada, señala las pautas o reglas generales que permiten la delimitación de los ámbitos que abarca el artículo 19.3 de la LGCA, sin entrar a examinar casos hipotéticos que pudieran ser noticiables al margen del indicado precepto y sobre los que carece de competencia para pronunciarse, como son los que expone la parte recurrente en su demanda*".

3.4 Sobre la incongruencia omisiva, al restringir el derecho a la información de aquello que ocurra en el interior de un recinto deportivo al que se haya tenido acceso

El Tribunal Supremo afirma que la CNMC expresamente declaró que no entraba a valorar si unos hechos podían ser o no noticiables al margen del derecho regulado por el artículo 19.3 LGCA por carecer de competencia para el enjuiciamiento de tales cuestiones, pues obedecen a hechos al margen del acontecimiento de interés general y del artículo 19.3 LGCA. Así, afirma que, en coincidencia con la resolución de la CNMC, la sentencia impugnada ha declarado, ex artículos 9.7 y 12.1.e).1 de la LCNMC, su competencia para resolver un conflicto entre los agentes intervinientes en los mercados de comunicación sobre las materias en las que la CNMC tiene atribuida competencia, entre las que se encuentra la interpretación del artículo 19.3 de la LGCA.

Por esta razón es por la que la CNMC ha limitado su respuesta, confirmada por la sentencia impugnada, a los hechos a que se extiende el indicado precepto, que son todos los acontecidos no solo en el terreno de juego, sino también en el recinto deportivo (gradas, espectadores, palco, banquillo de entrenadores y jugadores suplentes, entre otros), que estén relacionados con el acontecimiento deportivo que justificó el acceso al estadio entendido como un todo.

4. A MODO DE CONCLUSIÓN

De acuerdo con lo anteriormente expresado, el criterio del Tribunal Supremo en respuesta a las cuestiones de interés casacional analizadas es que la CNMC es competente para resolver sobre las cuestiones relacionadas con las imágenes que puedan grabarse en el recinto deportivo sobre un acontecimiento de interés general entendido como un todo.

Tal y como ha quedado expuesto con anterioridad, se confirma que **las** imágenes del recinto deportivo que, aunque no se ciñan al terreno de juego, estén relacionadas con el evento deportivo, deben computarse en los 90 segundos de duración máxima del breve resumen informativo previsto por la LGCA; por las mismas razones que se permite su inclusión en dicho resumen, ya que forman un todo con el desarrollo del partido. Todo ello, en ejercicio del derecho reconocido a los prestadores del servicio de comunicación audiovisual a emitir un breve resumen informativo en condiciones razonables, objetivas y no discriminatorias, ex artículo 19.3 de la LGCA.

No obstante, recuerda que el derecho a la información no tiene carácter absoluto o ilimitado. Sostiene que esta limitación de la información dentro del estadio a un breve resumen de 90 segundos no supone una vulneración del derecho a la información, y recuerda que sólo es digno de protección el derecho de los medios de comunicación a obtener la información necesaria para conformar la noticia en su contenido mínimo razonable.

Por el contrario, aclara el Alto Tribunal que no forma parte de las competencias de la CNMC, ni por ello le es exigible, un pronunciamiento *ex ante* sobre la grabación de hechos futuros e hipotéticos totalmente ajenos al acontecimiento deportivo de interés general y al margen del citado artículo 19.3 de la LGCA.

En definitiva, la Sentencia del Tribunal Supremo declara que no ha lugar al recurso de casación interpuesto contra la sentencia de 2 de octubre de 2020, de la Sección Primera de la Sala de lo Contencioso-Administrativo de la Audiencia Nacional y confirma, por tanto, la actuación inicialmente impugnada de la CNMC.

5. REFERENCIAS BIBLIOGRÁFICAS

GARCÍA CABA, M. M. "El derecho a la información y el fútbol: la interpretación casacional del artículo 19.3 de la Ley General de Comunicación Audiovisual' en *Anuario de Derecho Deportivo 2021*. (codirector junto con D. Enrique Ortega Burgos) Tirant lo Blanch, Valencia, 2021, páginas 847 a 869 y

GARCÍA CABA, M. M. "El derecho de acceso de las televisiones a los estadios y los breves resúmenes informativos. Comentario a la Sentencia del Tribunal Supremo, de 28 de abril del 2022 y su incidencia en el fútbol" en *Revista Aranzadi de derecho de deporte y entretenimiento*, nº 76, Aranzadi, Cizur Menor, 2022.

PALOMAR OLMEDA, A y DESCALZO GONZÁLEZ, A.: Los derechos de imagen en el deporte profesional, Dykinson, 2001.

PALOMAR OLMEDA, A. La doctrina del Tribunal de Justicia de la Unión Europea sobre los breves espacios informativos y la necesidad de adaptar la normativa española en *Revista Aranzadi de Derecho de Deporte y Entretenimiento nº 38/2013 parte Doctrina*. Editorial Aranzadi, Cizur Menor, 2013.

El reto de los medios alternativos de resolución de disputas ante la futura Ley del Deporte

SILVIA GARCÍA LÓPEZ
Socia en Deloitte Legal
Departamento de Dispute Resolution & Litigation

MARC PUJOLÀS RECIO
Asociado Senior en Deloitte Legal
Departamento de Dispute Resolution & Litigation

1. INTRODUCCIÓN

La Ley 10/1990, de 15 de octubre, del Deporte ha superado recientemente los treinta y dos años de vigencia. Todo un logro si tenemos en cuenta que su predecesora, la Ley 13/1980, de 31 de marzo, General de la Cultura Física y del Deporte, únicamente estuvo vigente una década.

No obstante, la perpetuación de una norma no siempre es garantía de éxito y mucho menos cuando nos encontramos ante una industria con una constante transformación.

Fruto de dicho dinamismo, el 1 de febrero de 2019 el Consejo de ministros aprobó un primer borrador del Anteproyecto de la Ley del Deporte. Aunque dicha iniciativa legislativa no logró salir adelante, lo cierto es que ese borrador sirvió de base para el actual Proyecto de Ley del Deporte, aprobado por el Consejo de ministros el 17 de diciembre de 2021 y respecto del que se han propuesto 746 enmiendas.

En relación con la resolución de conflictos, ambos Anteproyectos comparten la intención de desarrollar con mayor exactitud dicha materia, con el objetivo de intentar resolver la indeterminación jurídica que en ocasiones impedía diferenciar la naturaleza de los actos entre privada y administrativa.

No obstante, lo cierto es que el Proyecto de Ley contiene varias novedades, entre las que destaca la privatización de la disciplina deportiva y la consecuente relegación del Tribunal Administrativo del Deporte frente a los órganos judiciales civiles o, en su caso, arbitrales.

En efecto, y salvo modificación de última hora, los deportistas y clubes deberán acudir a la jurisdicción civil para recurrir las sanciones disciplinarias (salvo determinadas materias que se reservan al ámbito administrativo).

Sin lugar a dudas, una de las consecuencias de dicha novedad legislativa será el incremento de litigios deportivos que deberán tramitarse ante la justicia ordinaria, con la consecuente demora y, en su caso, el incremento del riesgo de que se interfiera en el devenir de las competiciones. Ante tal escenario, tenemos que preguntarnos cuál será el papel del arbitraje y sus posibilidades para remediar los inconvenientes asociados a la saturación y falta de especialización de los Juzgados de Primera Instancia.

Asimismo, el Proyecto de Ley incorpora otra novedad relativa a la resolución de conflictos: la obligación de crear un sistema extrajudicial por parte de las federaciones deportivas y las ligas profesionales. Dicha referencia a los sistemas extrajudiciales es una oportunidad para que, finalmente, los distintos actores del mundo del deporte utilicen los medios alternativos de resolución de disputas para lograr solucionar sus conflictos sin la necesidad de instar un procedimiento judicial o arbitral.

2. LA RESOLUCIÓN DE CONFLICTOS EN LA ACTUAL LEY DEL DEPORTE

Para analizar las consecuencias que conllevarán las previsiones que contiene la actual redacción del Proyecto de Ley del Deporte, resulta indispensable tener en cuenta cual es el actual escenario en materia disciplinaria y, asimismo, con respecto a los medios alternativos de resolución de disputas.

En este sentido, la Ley del Deporte configuró el actual sistema de resolución de disputas sobre la base de la naturaleza pública otorgada a la generalidad de los asuntos vinculados al mundo del deporte.

Por ello, en la mayoría de las materias, entre las que se encuentra la disciplina deportiva, la Administración ostenta una posición privilegiada en la resolución de las disputas: las sanciones disciplinarias deben recurrirse ante un órgano administrativo y, a su vez, sus resoluciones son recurribles ante la justicia ordinaria, en el orden contencioso-administrativo.

Por otro lado, existen determinadas cuestiones privadas de libre disposición a las que la Ley del Deporte abrió la puerta para que pudieran someterse a la denominada *"conciliación extrajudicial del deporte"*.

2.1 La disciplina deportiva: una función pública asignada a las federaciones deportivas españolas y cuyas decisiones pueden recurrirse ante el Tribunal Administrativo del Deporte

En el marco de la actual Ley del Deporte, las federaciones deportivas, pese a su carácter privado, tienen delegadas varias funciones públicas, entre las que se encuentra la disciplina deportiva.

Así, debemos destacar que en la Exposición de Motivos de la Ley del Deporte se indica que *"por primera vez se reconoce en la legislación la naturaleza jurídico-privada de las Federaciones, al tiempo que se les atribuyen funciones públicas de carácter administrativo"*.

En relación con ello, el artículo 75.d de la Ley del Deporte establece que las disposiciones estatutarias o reglamentarias[1] de las federaciones deportivas deben prever *"los distintos procedimientos disciplinarios de tramitación e imposición, en su caso, de sanciones"*.

En consecuencia, nos encontramos ante una función pública asumida por entes privados y cuyo régimen, además de en la Ley del Deporte, se fundamenta en los estatutos y reglamentos de las federaciones (y de los clubes y las ligas), además del Real Decreto 1591/1992, de 23 de diciembre, reglamento de disciplina deportiva.

---

[1] Dicho precepto legal también se refiere a las disposiciones estatutarias o reglamentarias de los clubes deportivos que participan en competiciones de ámbito estatal y a las ligas profesionales.

A pesar de ello, lo cierto es que la actual Ley del Deporte carece de una clara diferenciación de los actos administrativos o públicos y privados —como veremos, con el Proyecto de Ley se ha intentado remediar esta indeterminación jurídica—. No obstante, ello no impidió que desde su promulgación se considerase que la disciplina deportiva era un ámbito público que debía sustentarse en vía administrativa.

De hecho, el Tribunal Administrativo del Deporte, órgano adscrito al Consejo Superior de Deportes, tiene asignada la función de decidir en vía administrativa mediante los recursos que se interponen frente a las decisiones de las federaciones, en virtud del artículo 84 de la Ley del Deporte.

El Tribunal Administrativo del Deporte es un órgano gratuito, colegiado y especializado, que, pese a la celeridad para resolver que se le exige, en los últimos años no ha ofrecido la agilidad necesaria por la insuficiencia de recursos y el calendario de reuniones de sus miembros —una vez a la semana—[2].

Dicho ente fue creado en 2013, en virtud de la Ley Orgánica 3/2013, de 20 de junio, de protección de la salud del deportista y lucha contra el dopaje en la actividad deportiva[3] y el Real Decreto 53/2014, de 31 de enero, por el que se desarrolla la composición, organización y funciones del Tribunal Administrativo del Deporte, y sustituyó la figura ocupada hasta entonces por el Comité Español de Disciplina Deportiva (también a la Junta de Garantías Electorales en materia electoral). A su vez, se trata de un Tribunal adscrito al Consejo Superior de Deportes.

Por último, el mecanismo de resolución de disputas en el ámbito disciplinario concluye con el eventual recurso ante el orden jurisdiccional contencioso-administrativo (artículo 10 del Real Decreto 53/2014, de 31 de enero, por el que se desarrolla la composición, organización y funciones del Tribunal Administrativo del Deporte).

---

[2]   En marzo de 2021, la organización de clubes no profesionales "ProLiga" planteó al Consejo Superior de Deportes la necesidad de remodelar el Tribunal Administrativo del Deporte mediante las siguientes iniciativas: dedicación exclusiva de sus componentes con dedicación diaria, distribución por secciones y miembros "ad hoc" según la disciplina deportiva.

[3]   La disposición final cuarta de la Ley Orgánica 3/2013, de 20 de junio, de protección de la salud del deportista y lucha contra el dopaje en la actividad deportiva modificó la redacción del artículo 84 de la Ley del Deporte, creando el Tribunal Administrativo del Deporte.

2.2 La conciliación extrajudicial del deporte

Pese a que la Ley del Deporte conllevó que una gran parte de las materias relacionadas con el ámbito deportivo tuvieran carácter administrativo, lo cierto es que dicho cuerpo normativo supuso un gran avance en los medios alternativos de resolución de disputas, ya que se incluyó la posibilidad de someter determinadas cuestiones litigiosas a "*fórmulas específicas de conciliación o arbitraje*":

"Las cuestiones litigiosas de naturaleza jurídicodeportiva, planteadas o que puedan plantearse entre los deportistas, técnicos, jueces o árbitros, Clubes deportivos, asociados, Federaciones deportivas españolas, Ligas profesionales y demás partes interesadas, podrán ser resueltas mediante la aplicación de fórmulas específicas de conciliación o arbitraje, en los términos y bajo las condiciones de la legislación del Estado sobre la materia".

En relación con ello, las cuestiones que pueden someterse a dichos sistemas de solución de conflictos vienen recogidas en el artículo 34 del Real Decreto 1835/1991, de 20 de diciembre, sobre Federaciones deportivas españolas:

> "Las fórmulas específicas de conciliación y arbitraje a que se refiere el Título XIII de la Ley del Deporte, están destinadas a resolver cualquier diferencia o cuestión litigiosa producida entre los interesados, con ocasión de la aplicación de reglas deportivas no incluidas en dicha Ley y disposiciones de desarrollo, entendiendo por ello aquellas que sean objeto de libre disposición de las partes, y cuya vulneración no sea objeto de sanción disciplinaria".

En este sentido, las materias reservadas para este tipo de procedimientos extrajudiciales son muy limitadas, precisamente porque únicamente pueden conocer de conflictos de naturaleza privada, que son una minoría según el actual régimen legal.

No obstante, la previsión de este tipo de métodos extrajudiciales respondía al objetivo del legislador de evitar que se incrementara exponencialmente el volumen de asuntos procedentes del deporte que conocían los tribunales españoles y, asimismo, lograr que las disputas se solucionaran en la mayor brevedad posible.

Así, el sistema más utilizado hasta la fecha es el arbitraje, ya que varios organismos optaron para crear tribunales arbitrales propios.

Por último, debemos señalar que la actual Ley del Deporte únicamente hace referencia a la conciliación y al arbitraje porque la mediación no se instauró en España hasta la Ley 5/2012, de 6 de julio, de mediación en asuntos civiles y mercantiles. En cualquier caso, pese a no referenciarse este método de resolución de controversias en la legislación sectorial, nada obsta a que pueda utilizarse la mediación deportiva para intentar lograr una solución en conflictos privados.

3. LOS CAMBIOS INTRODUCIDOS EN EL PROYECTO DE LEY DEL DEPORTE: PRIVATIZACIÓN DE LA DISCIPLINA DEPORTIVA Y LA CREACIÓN DE UN SISTEMA EXTRAJUDICIAL DE RESOLUCIÓN DE CONFLICTOS

Centrando nuestro análisis del Proyecto de Ley del Deporte en la resolución de disputas, destacan claramente dos novedades por encima de las demás. La primera de ellas afecta a la naturaleza del régimen disciplinario y el cambio en los órganos competenciales que deben resolver los conflictos, mientras que la otra se fundamenta en la obligatoriedad que se pretende imponer a las federaciones deportivas y ligas profesionales para que establezcan un sistema común de carácter extrajudicial de solución de conflictos.

3.1 Privatización de la disciplina deportiva

Uno de los principales debates suscitados durante la tramitación del Proyecto de Ley de 2021 es la clara apuesta para devolver a la esfera privada determinados asuntos que actualmente aún son considerados administrativos, como es la disciplina deportiva. De hecho, dicha controversia ya se inició tras la publicación del Anteproyecto de Ley de 2019, por cuanto que ya anticipaba una modificación de la naturaleza del régimen disciplinario deportivo.

En este sentido, varias voces autorizadas se han posicionado a favor de dicha postura con base al origen asociativo privado del deporte moderno. En efecto, fue el legislador quién, en su día, decidió otorgar una naturaleza pública a varias cuestiones en materia deportiva que hasta entonces se habían resuelto en el ámbito privado.

No obstante, otro sector se ha mostrado disconforme con ese cambio y defiende que el sistema mantenido durante los últimos años ha funcionado correctamente, pese a reconocer que es mejorable[4].

---

[4]   AGUIAR, I.: "Por el mantenimiento del Tribunal Administrativo del Deporte: una propuesta de mejora", en Iusport. 11 de febrero de 2022: https://iusport.com/

En cualquier caso, el Proyecto de Ley del Deporte es una muestra de la intención del legislador de devolver al ámbito privado determinadas materias a las que se les otorgó un carácter administrativo, reduciendo, a su vez, la esfera de control que aún ostenta el Tribunal Administrativo del Deporte.

La Exposición de Motivos del Proyecto de Ley del Deporte (Motivo X) es manifiestamente clara:

> *"La ley también establece un mecanismo preventivo para favorecer la transparencia y ejemplaridad en la gestión del deporte, a través del código de buena conducta para los dirigentes. Por otro lado, nos encontramos con el régimen disciplinario, derivado de la vulneración de las reglas del juego y la competición, que esencialmente se deja en manos de las federaciones deportivas y ligas profesionales dentro de su ámbito competencial; las cuales establecerán su propio sistema de infracciones, sanciones y forma de coerción de estas conductas, respetando los principios esenciales del procedimiento administrativo sancionador pero sin la intervención del poder público en instancia alguna, por lo que el Tribunal Administrativo del Deporte ya no conocerá en vía de recurso de las sanciones impuestas a miembros de estas entidades ni, lógicamente, el orden contencioso-administrativo. Por el contrario, las diferencias que se sustancien en este ámbito serán susceptibles de resolverse en la correspondiente jurisdicción civil, o mediante el sometimiento voluntario y previo a un sistema arbitral, quedando las vías heterocompositivas limitadas a la previa resolución del Tribunal Administrativo del Deporte."*

En consecuencia, el Tribunal Arbitral del Deporte sufriría un recorte de sus funciones, y pasaría a ocuparse únicamente de los procesos electorales, de determinados expedientes sancionadores a instancia del Consejo Superior de Deportes, y de las sanciones que supongan privación, renovación o suspensión definitiva de los derechos inherentes a la licencia.

Asimismo, otra derivada será la competencia de la jurisdicción civil o, en su caso, del correspondiente tribunal arbitral para conocer, en última instancia, de todos los conflictos que se deriven en materia de disciplina deportiva, en detrimento del orden contencioso-administrativo.

De este modo, los juzgados de primera instancia serán los encargados de conocer de cualquier recurso que se plantee frente a las resoluciones disciplinarias adoptadas por las federaciones deportivas, salvo que dichas federaciones hayan previsto la creación o sumisión a un tribunal arbitral

---

art/34565/por-el-mantenimiento-del-tribunal-administrativo-del-deporte-una-propuesta-de-mejora.

privado y que los clubes y los deportistas hayan aceptado su sometimiento, puesto que tiene carácter voluntario.

3.2 Sistema común de carácter extrajudicial de solución de conflictos

El Proyecto de Ley del Deporte supone una apuesta por los medios extrajudiciales de resolución de disputas, siguiendo la estela marcada por la actual Ley del Deporte.

No obstante, la intención del legislador no se limita a permitir que determinadas cuestiones litigiosas puedan resolverse por la vía extrajudicial, sino que fomenta su utilización en virtud del artículo 113.3:

> *"Las federaciones deportivas españolas y las ligas profesionales deberán establecer en sus estatutos o reglamentos, o mediante acuerdos de la asamblea general, un sistema común de carácter extrajudicial de solución de conflictos con los requisitos que se determinen reglamentariamente".*

En este sentido, resulta gratificante ver cómo el legislador, consciente de la saturación que sufren la mayoría de los juzgados de primera instancia españoles, exige que entidades como las federaciones deportivas y las ligas profesionales ofrezcan un sistema alternativo a la vía judicial para resolver determinados los conflictos de naturaleza privada.

Esta imposición supone una modificación, a su vez, de lo previsto inicialmente en el Anteproyecto de Ley de 2019. Así, en dicho borrador normativo únicamente se planteaba la posibilidad de crear este sistema extrajudicial de solución de conflictos (art. 127), lo que permitía que fueran las propias federaciones deportivas y las ligas profesionales quienes decidieran si optaban por su creación o no.

En cualquier caso, la citada obligatoriedad viene completada por una referencia al carácter voluntario inherente a cualquier medio alternativo de resolución de disputas. Así, el propio artículo 113.3 dispone que el *"sistema tendrá en todo caso carácter voluntario para los agentes, que deberán manifestar su aceptación expresa, y deberá contar con la adecuada publicidad de su contenido"*.

Por último, debemos destacar la referencia a la Ley del Arbitraje y a la Ley de Mediación, así como a la expresión de los posibles *"laudos o acuerdos que puedan adoptarse"*. La decisión de contemplar ambas normativas responde a la falta de concreción en el Proyecto de Ley del Deporte del medio de resolución de conflictos extrajudicial que deben adoptar las federaciones deportivas y las ligas profesionales.

Siendo así, dichos entes ostentarían la potestad de decidir qué sistemas establecen en sus estatutos o reglamentos, lo que podría suponer un auge del uso de la mediación como alternativa para lograr soluciones amistosas, mediante un mecanismo lo suficientemente ágil como para evitar que se enquisten las disputas y que, con ello, se deterioren o incluso se rompan las relaciones entre las partes.

4. EL ARBITRAJE: LA ALTERNATIVA PARA INTENTAR SOLVENTAR LOS INCONVENIENTES DE LA VÍA JUDICIAL EN MATERIA DISCIPLINARIA

El cambio en la resolución de conflictos derivados de cuestiones disciplinarias que contempla el Proyecto de Ley del Deporte otorga un papel trascendental a la jurisdicción civil.

No obstante, la realidad de nuestros tribunales es uno de los argumentos utilizados por los detractores de esta iniciativa legislativa para sostener que ello supondrá una demora injustificada en la resolución de los recursos interpuestos frente a las sanciones disciplinarias, lo que puede afectar directamente a la competición en cuestión.

En este sentido, son varios los estudios[5] que sitúan a la justicia española en la cola de la Unión Europea por su demora en la resolución de los procedimientos[6].

Asimismo, otro argumento en contra de la apuesta por el ordenamiento civil es la falta de especialización de los jueces titulares de los Juzgados de Primera Instancia. Sin embargo, puede decirse que sucede lo mismo en los Juzgados de lo Contencioso Administrativo que actualmente tramitan los recursos frente a las resoluciones del Tribunal Administrativo del Deporte.

---

[5] A modo ilustrativo, sobre los plazos medios en la resolución de este tipo de conflictos, vid., "España a la cola de la UE en Justicia: 362 días de media para resolver un asunto", La Razón, 16 de enero de 2022: https://www.larazon.es/espana/20220116/iaftoyoeznh7bfurin6nn6svdq.html. Consultado el 28 de octubre de 2022.

[6] El 10 de octubre de 2022, el Tribunal Constitucional publicó el fallo en un asunto relativo a retrasos en los señalamientos judiciales, declarando que supone una vulneración del derecho a un proceso sin dilaciones indebidas (art. 24.2 de la Constitución Española).

En cualquier caso, el arbitraje podría ser la respuesta a dichas críticas. Así, la posibilidad de recurrir las decisiones en materia disciplinaria ante un sistema arbitral, coloca al arbitraje en una posición privilegiada para ser una alternativa que permita resolver las disputas por parte de expertos y en un plazo prudencial que evite intromisiones en el devenir de las competiciones.

Ahora bien, pese al reconocimiento internacional del Tribunal Arbitral del Deporte (TAS), queda un largo camino hasta poder afirmar que a nivel nacional tenemos un sistema arbitral atractivo que aporte las garantías necesarias para que los afectados por los conflictos disciplinarios acepten su competencia.

4.1 La situación actual del arbitraje deportivo

Tal y como hemos referenciado con anterioridad, desde la promulgación de la actual Ley del Deporte se dispuso la posibilidad de someter "*las cuestiones litigiosas de naturaleza jurídicodeportiva*" a arbitraje (y a conciliación).

Pese a ello, lo cierto es que en España el uso del arbitraje ha sido mínimo si lo comparamos con la utilización de este medio extrajudicial de resolución de disputas en el ámbito internacional.

Dicha circunstancia resulta paradójica si tenemos en cuenta que en 1998 el Comité Olímpico Español, al amparo de la Ley del Deporte, creó el Tribunal Español de Arbitraje Deportivo. Su constitución se llevó a cabo a semejanza del Tribunal Arbitral del Deporte (TAS) con sede en Lausana, pero no ha obtenido, ni mucho menos, el mismo reconocimiento.

Pese a su creación, lo cierto es que el Comité Olímpico Español no se ha focalizado en promover su uso, y tampoco ha instado a las federaciones deportivas españolas o a las ligas profesionales a que incorporen cláusulas de sumisión en sus estatutos.

Por su parte, el Tribunal Arbitral del Deporte (TAS)[7] sí que goza de un amplio reconocimiento a nivel internacional. De hecho, incluso una parte importante de los contratos vinculados a la industria deportiva (represen-

---

[7]   Iniciativa de Juan Antonio Samaranch en su condición de Presidente del Comité Olímpica Internacional. Los Estatutos y Reglamentos de este Tribunal entraron en vigor el 30 de junio de 1984.

tación, esponsorización, cesión derechos de imagen, etc.) contienen cláusulas de sumisión a este Tribunal.

Asimismo, el Comité Olímpico Internacional optó por crear una Cámara ad hoc, dependiente del TAS, encargada de resolver las disputas que se generan durante la celebración de los Juegos Olímpicos.

Por último, a nivel internacional, también encontramos varias Federaciones Deportivas que han optado por crear un sistema interno de arbitraje. El ejemplo más consolidado es el Basketball Arbitration Tribunal, creado por la Federación Internacional de Baloncesto[8].

4.2 El desafío del arbitraje para posicionarse como una alternativa real a la vía judicial

Es claro que, aunque no en España, en el ámbito internacional el Arbitraje se ha postulado como una alternativa muy adecuada para la resolución de los conflictos deportivos por sus evidentes ventajas.

Así, los conflictos deportivos requieren expertos que sean capaces de resolver las controversias con conocimiento tanto de la ley como del deporte, a fin de obtener resoluciones acordes con las necesidades de las competiciones, que demandan básicamente rapidez en las decisiones.

A priori, el arbitraje es una institución que podría cumplir perfectamente con esos requisitos y resultar un medio eficaz de resolución de controversias, pero la realidad es que no lo ha sido.

Profundizar en las causas sería una ardua tarea que requeriría un capítulo entero o varios. Sin embargo, consideramos que existen algunas medidas que podrían adoptarse para dar el necesario impulso que, a nuestro modo de ver, requiere la institución.

En primer lugar, convendría promover la inclusión de cláusulas de sumisión en los estatutos y reglamentos de las competiciones y federaciones o ligas. Y, asimismo, lograr un consenso para su aceptación por parte de estas instituciones.

---

[8]   La creación del Basketball Arbitration Tribunal respondía a la voluntad de la FIBA de evitar que los conflictos del mundo del baloncesto se resolvieran por el Tribunal Arbitral del Deporte (TAS), prefiriendo un órgano más especializado.

En este sentido, lo cierto es que conseguir la inclusión de cláusulas arbitrales y, lo que es más importante, su aceptación y cumplimiento, tiene mucho que ver con la credibilidad que se le dé a la institución.

Para ello, consideramos que existen tres aspectos esenciales a trabajar: la efectividad del sistema arbitral, la especialización de los árbitros, y la independencia e imparcialidad de éstos y de las instituciones arbitrales. Como veremos a continuación, estas tres cuestiones están profundamente interconectadas, puesto que no pueden funcionar unas sin otras para que la institución arbitral sea realmente efectiva.

Sobre la efectividad y eficacia del sistema, tratándose de controversias que se producen en el ámbito de la competición deportiva huelga decir que la principal característica del proceso arbitral debe ser la celeridad. Las resoluciones tienen que ser rápidas para poder dar solución a cuestiones que se plantean con un decalaje de pocos días. Para ello, es preciso que el proceso sea ágil y flexible de tal modo que pueda adaptar su ritmo al de la competición en la que se ha producido la controversia.

Así, es necesario que se articulen procesos "exprés" o simplificados cuando ello sea requerido, así como que los árbitros tengan la capacidad y conocimientos para adaptarse a las necesidades del procedimiento y de la controversia.

Esto nos lleva al segundo aspecto anticipado: la necesidad de especialización de los árbitros. En efecto, el sistema no puede funcionar si no existe una especialización de los árbitros tanto de las cuestiones técnicas objeto de controversia, como respecto del funcionamiento de las competiciones y de las disciplinas deportivas. De otro modo es imposible tener la sensibilidad y conocimientos necesarios como para manejar el proceso de forma satisfactoria y dar respuesta a las necesidades de celeridad y eficacia demandadas.

Finalmente, todo lo anterior conecta con la necesidad de independencia de la institución arbitral. Así no es posible que exista la creencia de que el órgano arbitral va a estar vinculado a la competición, federación o liga correspondiente y que, por tanto, no va a gozar de la independencia e imparcialidad necesaria para resolver.

Hasta el momento, en España, la Liga Nacional de Fútbol Profesional ha sido pionera en arbitraje y prevé en sus Estatutos la adopción de este mecanismo como método de resolución de controversias en materia jurídico-deportiva y económico-financiera (artículo 91) entre la propia Liga y sus afiliados o entre éstos.

También existen tribunales deportivos creados por federaciones autonómicas para conflictos locales pero que en ocasiones pueden tener una repercusión más amplia, en función de la materia objeto de debate.

La creación del Tribunal Español de Arbitraje del Deporte, con similitud al TAS y a raíz de las previsiones de la actual Ley del Deporte, debería haber impulsado la institución del arbitraje en todas las disciplinas deportivas. Sin embargo, ello no ha sido así precisamente porque no cumple con la flexibilidad y celeridad que requeriría para ser una alternativa eficaz a la justicia ordinaria.

5. LA MEDIACIÓN U OTROS MEDIOS ALTERNATIVOS DE RESOLUCIÓN DE CONFLICTOS: LA SOLUCIÓN ANTE EL DEBER DE CREAR UN SISTEMA EXTRAJUDICIAL

Tal y como se ha adelantado en el apartado III, el Proyecto de Ley del Deporte impone la obligación de crear un sistema común de carácter extrajudicial de solución de conflictos a las federaciones deportivas españolas y a las ligas profesionales. Evidentemente, dicho sistema únicamente conocerá de las materias de libre disposición, de tal manera que el régimen disciplinario se mantendrá fuera de su ámbito.

En este sentido, los medios alternativos de resolución de conflictos son unos sistemas que buscan vías distintas a la jurisdiccional. Estos sistemas son, básicamente, además del arbitraje, la mediación, la conciliación e, incluso, la negociación.

Pese a las ventajas del arbitraje frente a los procedimientos judiciales, lo cierto es que ambos sistemas presentan, a su vez, determinadas similitudes que les impiden adaptarse a las necesidades de las partes confrontadas. En consecuencia, los otros medios alternativos y, en especial, la mediación, pueden resultar muy útiles para todas aquellas controversias deportivas con un carácter patrimonial.

5.1 El limitado auge de la mediación deportiva hasta la actualidad

Tras la entrada en vigor de la Ley de Mediación, se han llevado a cabo varias iniciativas para favorecer la resolución de las disputas en el ámbito deportivo mediante la mediación.

Por ejemplo, en 2014 el Tribunal Español de Arbitraje Deportivo puso en marcha un sistema de mediación que se completó con un curso de mediación impartido a los cien árbitros que en ese momento formaban dicho tribunal.

Dicha iniciativa no debe extrañar si tenemos en cuenta que en los Estatutos del Comité Olímpico Español se establece como una de sus funciones la de "*velar por la resolución de conflictos entre partes, en el ámbito del deporte español, mediante sistemas extrajudiciales, como la mediación y el arbitraje deportivos*" (artículo 4.2.q)

Asimismo, el Comité Olímpico Español aprobó un Código de Mediación y Arbitraje en el que se indica que: "*Los sistemas extrajudiciales de resolución de conflictos entre partes en el ámbito del deporte son la Mediación Deportiva y el Arbitraje Deportivo*" (artículo 1.1.)

No obstante, la mediación a nivel nacional ha sufrido el mismo desencanto que el propio Tribunal Español de Arbitraje Deportivo, como consecuencia de la falta del necesario impulso por parte del Comité Olímpico Español.

Por su parte, el Tribunal Arbitral del Deporte (TAS) también ofrece la posibilidad de iniciar un procedimiento de mediación (CAS Mediation Rules). Pese a ello, su uso ha sido meramente secundario, ya que las partes que acuden a dicho Tribunal tienen la voluntad de lograr una resolución arbitral.

Finalmente, en el ámbito autonómico han aparecido ciertas iniciativas para potenciar este medio de resolución de disputas. Un ejemplo de ello es la Comisión de Mediación y Arbitraje Deportivo que creó la Federación Catalana de Fútbol en 2015, que ha impulsado la mediación como un sistema para que los participantes en sus competiciones puedan resolver los conflictos de mutuo acuerdo.

En cualquier caso, es cierto que en los últimos años ha ido aumentando el uso de este mecanismo para solventar disputas en la industria deportiva, en claro paralelismo con el incremento de las voces que apuestan por la mediación para zanjar cualquier conflicto civil o mercantil. Aun así, la utilización de la mediación en materia deportiva aún es muy residual.

5.2　La necesaria apuesta por la mediación y sus ventajas

Tal y como indica Javier Latorre Martínez[9] la mediación deportiva haría referencia a las controversias que se generen con ocasión de la práctica y

---

[9]　LATORRE MARTÍNEZ, J., Mediación deportiva: una decidida apuesta en la resolución de conflictos, Revista de Internet, Derecho y Política, n° 25, septiembre de 2017, Ed. Universitat Autònoma de Catalunya

gestión deportiva. Así pues, quedarían al margen los asuntos que afecten a derechos y obligaciones no disponibles por las partes en virtud de la legislación aplicable de ámbito general o deportivo, y en general las cuestiones relativas a la disciplina deportiva, que serían competencia de los órganos correspondientes de las federaciones deportivas (i.e. infracciones a las reglas de juego o competición, a las normas generales deportivas, procedimientos sancionadores en materia de dopaje y violencia en los espectáculos deportivos).

En todo caso, el ámbito es amplio, y como analizaremos a continuación, la mediación tiene una serie de características que le son propias, muy ventajosas y totalmente aplicables al ámbito de los conflictos deportivos anteriormente delimitado.

Esas características, proceden de los principios informadores de la mediación que establece en sus artículos 6 a 10 la Ley 5/2012, de 6 de julio, de mediación en asuntos civiles y mercantiles y son los siguientes.

1. Voluntariedad y libre disposición (artículo 6)

El procedimiento de mediación es absolutamente voluntario, en la medida en que las partes deciden libremente acudir a él. Pueden decidir someterse a una mediación en cualquier momento y tienen pleno poder de disposición sobre el mismo, tanto con el objeto de la controversia como con respecto a su solución. Asimismo, también pueden elegir de mutuo acuerdo el mediador o la institución correspondiente que desean que conduzca el proceso.

2. Igualdad de partes e imparcialidad de los mediadores (artículo 7)

Este principio garantiza que las partes intervengan con plena igualdad de oportunidades en el procedimiento manteniendo el equilibrio entre sus posiciones y el respeto hacia los puntos de vista por ellas expresados, sin que el mediador pueda actuar en perjuicio o interés de cualquiera de ellas.

De este modo se garantiza que no habrá parcialidad alguna aunque haya una gran diferencia de medios económicos y de entidad, como puede suceder entre las entidades deportivas de gran envergadura y otros actores del espectro deportivo que pueden ser personas físicas, como deportistas o entrenadores.

3. Neutralidad (artículo 8)

El mediador actúa con total neutralidad puesto que son las partes quienes van a alcanzar por sí mismas una solución al conflicto.

El mediador simplemente conduce el proceso y ayuda a las partes a llegar a esa solución facilitando la comunicación entre ellas y el acercamiento de posturas.

Asimismo, el mediador tiene la obligación de renunciar a la mediación si existe el menor atisbo de riesgo de imparcialidad en su persona por las relaciones previas con las partes o con la controversia.

4. Confidencialidad (artículo 9)

Éste es uno de los principios más relevantes de la mediación y que la hacen más atractiva para cualquier controversia y también para la deportiva. El artículo 9 lo define perfectamente en sus dos primeros apartados:

> *"1. El procedimiento de mediación y la documentación utilizada en el mismo es confidencial. La obligación de confidencialidad se extiende al mediador, que quedará protegido por el secreto profesional, a las instituciones de mediación y a las partes intervinientes de modo que no podrán revelar la información que hubieran podido obtener derivada del procedimiento.*
> *2. La confidencialidad de la mediación y de su contenido impide que los mediadores o las "personas que participen en el procedimiento de mediación estén obligados a declarar o aportar documentación en un procedimiento judicial o en un arbitraje sobre la información y documentación derivada de un procedimiento de mediación o relacionada con el mismo".*

Ese deber de confidencialidad solo se exceptúa en dos casos: cuando las partes de manera expresa y por escrito les dispensen del deber de confidencialidad; y cuando, mediante resolución judicial motivada, sea solicitada por los jueces del orden jurisdiccional penal.

Asimismo, la infracción del deber de confidencialidad generará responsabilidad en los términos previstos en el ordenamiento jurídico.

Este principio, tal y como está configurado, garantiza que si la mediación no llega a buen término, las partes no correrán el riesgo de que la documentación o información de la mediación sea utilizada en un procedimiento federativo, judicial o arbitral posterior. Además, tampoco habrá riesgo de que se difunda publicidad relacionada con el objeto de la mediación, circunstancia que podría ser muy perjudicial en el ámbito deportivo, especialmente en cuanto a imagen frente a terceros.

Igualmente, y al margen de los principios antedichos, la mediación permite un procedimiento de resolución absolutamente flexible en cuanto a forma y, además eminentemente rápido. La mayoría de las mediaciones pueden resolverse en un solo día o en muy pocas sesiones concentradas en un lapso temporal muy corto. Eso abarata también el coste del procedimiento y lo hace sin duda ventajoso y conveniente.

Por último, la mediación no impide acudir a la resolución por otras vías (federativas, judiciales, arbitrales, etc.) de modo que no se cercenan derechos de defensa si esta no resulta efectiva.

Y, asimismo y aunque el mediador sea una figura neutral en el proceso, permite que la especialización sea también respetada y sea un activo para acercar posturas en la controversia. De este modo, un mediador con especialización en el ámbito deportivo va a ser sensible a las inquietudes de las partes, a las limitaciones de la competición y a las sensibilidades profesionales de los intervinientes.

En una mediación la empatía y la sensibilidad son cruciales para saber conducir el proceso entre las partes hacia una solución constructiva y que posteriormente pueda mantenerse en el tiempo. Esto permite que en el acuerdo puedan entrar aspectos más específicos o propios de la relación personal entre los contendientes que difícilmente tienen cabida en procedimientos heterocompositivos como la jurisdicción y el arbitraje, donde es un tercero quien impone una resolución.

Finalmente, es un hecho innegable que puesto que la solución alcanzada se produce por la construcción de la misma por las propias partes, la relación entre ellas no va a sufrir deterioro y podrá seguir incólume puesto que no hay vencedor ni vencido.

Como resumió acertadamente Gómez Vallecillo[10], la conveniencia de la mediación en el deporte se fundamenta básicamente en: i) su adecuación a la naturaleza de las partes, probablemente no especializadas en el ámbito jurídico; ii) la agilidad del procedimiento; iii) el abaratamiento de los costes procesales; y, iv) la especialización de los mediadores intervinientes.

En definitiva, la adecuación de la mediación al ámbito deportivo es indudable y solo es necesario un impulso desde las instituciones de mediación que están proliferando así como desde las entidades deportivas para dar a conocer sus innegables ventajas a todos los operadores, puesto que, sean deportistas, agentes, federaciones o ligas, van a beneficiarse de un sistema de resolución de controversias que es capaz de adaptarse a sus necesidades e intereses.

---

[10]   GÓMEZ VALLECILLO, J., Resolución de conflictos en el deporte: análisis y propuestas. Mediación y conciliación en el deporte. Reus Editorial, Madrid, 2019.

6. CONCLUSIÓN

La actual redacción del Proyecto de Ley del Deporte es la antesala de un cambio de paradigma en la resolución de los conflictos en el ámbito deportivo. Sus principales novedades radican en la privatización del régimen disciplinario y en la intención de potenciar el uso de un sistema extrajudicial para resolver las disputas en asuntos de libre disposición.

Los cambios previstos en materia disciplinaria han suscitado un amplio debate entre quienes apuestan por privatizarla y aquellos que la mantendrían como una función pública y, en consecuencia, bajo el control del orden administrativo.

En cualquier caso, para evitar que dicha privatización conlleve un uso desproporcionado de la jurisdicción civil, con la consecuente demora en la resolución de las disputas que afectaría el devenir de las propias competiciones, resulta indispensable una apuesta real por el arbitraje en asuntos disciplinarios.

En consecuencia, uno de los principales retos será lograr la inclusión de cláusulas arbitrales en los estatutos de las entidades deportivas (independientemente de su naturaleza), así como su aceptación por todos los sujetos involucrados. No obstante, también será importante que dicho sistema arbitral sea efectivo y capaz de resolver las contiendas con agilidad, se componga por árbitros especializados en el ámbito deportivo y, por último, demuestre sin ninguna duda su necesaria imparcialidad.

La obligación impuesta a las federaciones deportivas y a las ligas profesionales para crear un sistema común de carácter extrajudicial de solución de conflictos ofrece al resto de los medios alternativos de resolución de conflictos, entre los que destaca la mediación, una oportunidad única para posicionarse como la alternativa a la jurisdicción civil e, incluso, al arbitraje, para todas aquellas materias disponibles por las partes.

Pese al residual uso que hasta la fecha se ha realizado de estos métodos, lo cierto es que las características de la mediación se adaptan perfectamente a las necesidades del mundo del deporte, por cuanto que se trata de un procedimiento sencillo y flexible en el que las partes se vinculan voluntariamente, apostando por lograr una solución de común acuerdo en un marco de confidencialidad.

En definitiva, tanto el arbitraje como la medicación (así como otros métodos extrajudiciales de resolución de conflictos) son sistemas plenamente válidos para aliviar nuestros tribunales y resolver disputas deportivas, aunque es necesario que las instituciones apuesten encarecidamente por ellos y lleven a cabo una labor didáctica para que las iniciativas previstas en el Proyecto de Ley del Deporte resulten, esta vez, eficaces.

7. REFERENCIAS BIBLIOGRÁFICAS

AGUIAR, I.: "Por el mantenimiento del Tribunal Administrativo del Deporte: una propuesta de mejora", Iusport, 11 de febrero de 2022.

LATORRE MARTÍNEZ, J.: "Mediación deportiva: una decidida apuesta en la resolución de conflictos". Revista de Internet, Derecho y Política, nº 25, septiembre de 2017, Ed. Universitat Autònoma de Catalunya

MONTESINOS MUÑOZ, O.: "Mediación Deportiva". Revista de Mediación nº 10, 2012.

PÉREZ-UGENA COROMINA, M : "Mediación y Deporte", Dykinson, Madrid, 2016.

PÉREZ TRIVIÑO, J. L. (Coordinador): "Resolución de conflictos en el deporte: análisis y propuestas", Reus Editorial, Madrid, 2019.

Problemática de los clubes de fútbol para acceder a los mercados de capitales

JAVIER MATEOS
Socio de PwC Tax & Legal

ALBERTO DE PABLO
Manager de PwC Tax & Legal

SUMARIO: 1. INTRODUCCIÓN. 2. BARRERAS A LA INCORPORACIÓN DE LOS VALORES DE LOS CLUBES DE FÚTBOL ESPAÑOLES A LOS MERCADOS DE CAPITALES. 2.1 Idoneidad de los clubes de fútbol como emisores de valores. 2.2 Idoneidad de los valores emitidos por los clubes de fútbol. 2.3 Requisitos de transparencia. 3. BARRERAS A LA ATRACCIÓN DE INVERSIONES. 4. BARRERAS A LA ATRACCIÓN DE DIRECTIVOS. 5. PROYECTO DE REFORMA DE LA LEY DE DEPORTE.

1. INTRODUCCIÓN

De acuerdo con la descripción contenida en el artículo 13 de la Ley 10/1990, de 15 de octubre, del Deporte (la "**Ley del Deporte**"), los clubes deportivos son asociaciones privadas, integradas por personas físicas o jurídicas, que tienen por objeto la promoción de una o varias modalidades deportivas, la práctica de las mismas por sus asociados, así como la participación en actividades y competiciones deportivas. El artículo 14 de la Ley del Deporte clasifica los clubes deportivos en elementales, básicos y sociedades anónimas deportivas ("**SAD**"), siendo esta última tipología la que aplica a la mayoría de los clubes de fútbol que participan en competiciones profesionales en España. Conforme al artículo 1 del Libro IV del Reglamento General de la Liga Nacional de Fútbol Profesional, son competiciones profesionales de fútbol el Campeonato Nacional de Liga de Primera División (la "**Primera División**") y el Campeonato Nacional de Liga de Segunda División (la "**Segunda División**"), actualmente conocidas por motivos de patrocinio como LaLiga Santander y LaLiga SmartBank, respectivamente. Tal y como veremos más adelante, hasta 2022, la Ley del Deporte exigía a los clubes que participaban en competiciones profesionales su transformación en SAD, salvo que hubieran demostrado una buena gestión bajo el régimen asociativo, manteniendo un patrimonio neto positivo durante los cuatro ejercicios anteriores a la entrada en vigor de dicha ley o, en su caso, al ingreso del club en la competición correspondiente. Actualmente, los únicos clubes deportivos que participan en competiciones profesionales en España bajo el régimen de asociación deportiva son Real Madrid Club de Fútbol, Club Atlético Osasuna, Athletic Club y Fútbol Club Barcelona.

Tras el nacimiento de las SAD, los clubes de fútbol empezaron a valorar la posibilidad de acceder a los mercados de renta variable con objeto de financiar su actividad. De hecho, la Disposición Transitoria Sexta de la Ley del Deporte y el artículo 9 del Real Decreto 1251/1999, de 16 de julio, sobre sociedades anónimas deportivas (el "**RD de SAD**"), prevén expresamente la posibilidad de que, a partir del 1 de enero de 2002, las SAD que reuniesen los requisitos exigidos por la normativa reguladora en materia de mercado de valores puedan solicitar la admisión a negociación de sus acciones en mercados regulados.

Aún a pesar de la expresa previsión normativa y del crecimiento de la financiación mediante el acceso al mercado de capitales experimentado en otros sectores durante los últimos años (los mercados de valores españoles aportan actualmente casi el 40% de la financiación empresarial), hasta el 28 de octubre de 2021 no tuvo lugar la primera admisión a negociación de acciones de un club de fútbol en un mercado español de renta variable. Dicha admisión tuvo por objeto 4.631.868 acciones de Club de Fútbol Intercity, S.A.D., las cuales fueron incorporadas al segmento de negociación BME Growth de BME MTF Equity (el "**BME Growth**"). Hasta dicha fecha ninguna SAD española había solicitado la incorporación de sus acciones en un sistema multilateral de negociación (como es el caso de nuestro BME Growth) y, a día de hoy, ninguna lo ha hecho a un mercado regulado (como es el caso de nuestras tradicionales Bolsas de Valores).

Esta situación contrasta con lo que ocurre en muchas competiciones profesionales extranjeras en las que muchos clubes de fútbol tienen cotizadas sus acciones en distintos mercados regulados. Este es el caso de las acciones de Juventus Football Club, S.P.A. que cotizan en la Bolsa de Valores de Milán, las de Manchester United PLC que están admitidas a cotización en la Bolsa de Valores de Nueva York o las de Sport Lisboa e Benfica que cotizan en la Bolsa de Valores de Lisboa, entre otras. De hecho, desde 2002 y hasta septiembre de 2020 existía un índice exclusivo para los clubes de fútbol, el STOXX Europe Football, que aglutinaba a los veinticinco clubes de fútbol europeos cuyas acciones cotizaban en Bolsa.

Se plantea, por tanto, la cuestión acerca de los motivos por los que, hasta la fecha, los clubes de fútbol españoles no parecen haber mostrado interés en acceder al mercado de capitales, aún a pesar de los beneficios que dicho acceso puede conllevar en materia de financiación, incentivos para los trabajadores, prestigio e imagen de marca, además del impulso que la cotización en un mercado otorgaría indudablemente al proceso de profesionalización y transparencia en la gestión de los clubes deportivos (objetivos que, como veremos, han estado presentes en los distintos desarrollos legislativos y continúan estándolos en las distintas iniciativas legislativas que están siendo impulsadas en la actualidad), así como las ventajas que ofrecería a los accionistas dicho acceso al mercado de capitales al otorgarles liquidez y una valoración objetiva y permanente de sus acciones.

En el presente artículo se exponen de forma resumida aquellos factores que pueden constituir una barrera para aquellos clubes de fútbol españoles que opten por acceder al mercado de capitales y cotizar sus acciones en un mercado regulado o sistema multilateral de negociación.

2. BARRERAS A LA INCORPORACIÓN DE LOS VALORES DE LOS CLUBES DE FÚTBOL ESPAÑOLES A LOS MERCADOS DE CAPITALES

2.1 Idoneidad de los clubes de fútbol como emisores de valores

El primer requisito que deben cumplir los clubes de fútbol para acceder a cualquier mercado bursátil puede resultar evidente, sin embargo es precisamente la primera barrera con la que se encuentran los dos clubes de fútbol españoles con mayor volumen de ingresos, Real Madrid Club de Fútbol y Fútbol Club Barcelona (dichos clubes ingresaron aproximadamente 722 millones de euros y 1.020 millones de euros, respectivamente, en la temporada 2021-2022), así como el Club Atlético Osasuna y el Athletic Club, ambos participantes en Primera División. Como se ha mencionado anteriormente, a pesar de la posibilidad otorgada a los clubes por la Ley del Deporte de transformarse en una SAD, los referidos cuatro clubes optaron por mantener y, aún a día de hoy, mantienen, la forma jurídica de asociación privada sin ánimo de lucro, no pudiendo, por tanto, solicitar el acceso al mercado de renta variable en la medida en que dicho acceso se encuentra reservado a las acciones emitidas por las sociedades anónimas (de conformidad con lo establecido en la normativa en materia de mercado de valores).

Amparándose en la Disposición Adicional Octava de la Ley del Deporte, dichos clubes optaron por mantener la forma jurídica de asociación deportiva sin ánimo de lucro y, por tanto, nunca han estado en disposición de emitir acciones que puedan ser objeto de negociación en un mercado regulado o sistema multilateral de negociación. Al disponer dichos clubes, durante los cuatro años anteriores a la entrada en vigor de la Ley del Deporte, de un saldo patrimonial positivo de acuerdo con las auditorías realizadas sobre sus cuentas, tales clubes no requirieron la recapitalización que, en cambio, si se exigió, y se ha exigido hasta el año 2022, al resto de clubes de fútbol de Primera y Segunda División de cara a sanear sus cuentas (en 1990 la deuda de los clubes de fútbol de Primera y Segunda División ascendía a un importe de 35.000 millones de pesetas, lo que equivalía a 210 millones de euros).

Tras treinta años desde la entrada en vigor de la Ley del Deporte, estos clubes deportivos siguen sin haber optado por la forma jurídica de SAD y, sin entrar a valorar en profundidad los diversos motivos en los que podría basarse dicha decisión, ésta podría fundarse en el riesgo que perciben los socios o aficionados de dichos clubes a su deslocalización o a la pérdida del control que dichos socios ejercen actualmente sobre la gestión del club.

Lo anterior no impide, no obstante, que, con objeto de dotarse de un mayor nivel de control y transparencia, así como de acceder a fuentes de financiación que les permitan competir en igualdad de recursos económicos con otros clubes europeos, los clubes puedan transformarse a corto o medio plazo en una SAD, lo cual sería un primer paso para poder acceder al mercado de capitales. En cualquier caso, dicho proceso de transformación requeriría de una reforma normativa que facilite el acceso de los socios (no accionistas) de los clubes a los sistemas de toma de decisión y gestión de las SAD y establezca mayores limitaciones para mitigar cualquier riesgo de deslocalización de los clubes o toma de control de los mismos por parte de inversores financieros, gestores o directivos que carezcan de cualquier arraigo con la cultura, historia y tradición del club. A este respecto, con fecha 14 de enero de 2022, el Boletín Oficial de las Cortes Generales publicó el proyecto de la nueva ley del deporte (el **"Proyecto de Ley de Deporte"**) que, sin embargo y como veremos más adelante, únicamente da una respuesta parcial a estas demandas a través de las restricciones a la adquisición de acciones de las SAD que ya prevé la normativa vigente, así como mediante la creación, tras la aprobación de la enmienda presentada por el Grupo Parlamentario Socialista (GPS) y que había sido demandada por el Valencia Club de Fútbol, S.A.D., de la figura del consejero independiente de las SAD designado a propuesta de los aficionados para velar por sus intereses.

Centrando ahora nuestro análisis en las asociaciones deportivas que si han optado por transformarse en una SAD, la normativa reguladora en materia de mercado de valores y del deporte, no solo no contiene prohibición alguna para que dichas sociedades accedan al mercado de capitales, sino que incluso, como se ha mencionado anteriormente, la Ley del Deporte contempla expresamente dicha posibilidad, regulando, asimismo, llegado el caso, la distribución de competencias entre el Consejo Superior de Deportes (el "**CSD**"), organismo regulador del deporte en España, y la Comisión Nacional del Mercado de Valores (la "**CNMV**"), así como el ejercicio de las facultades de control sobre las SAD por parte de la CNMV.

Aún a pesar de estar habilitadas expresamente para acceder al mercado de capitales por la Ley del Deporte, el acceso de las SAD a un mercado regulado (como es el caso de nuestras tradicionales Bolsas de Valores) precisa, asimismo, del cumplimiento por parte de éstas de una serie de requisitos previos establecidos en el Reglamento (UE) 2017/1129 del Parlamento Europeo y del Consejo de 14 de junio de 2017, el Real Decreto 1310/2005 de 4 de noviembre y la Circular 2/2016 de las Bolsas para cualquier sociedad anónima que opte por cotizar sus acciones en un mercado regulado y, que, a día de hoy, algunos clubes deportivos no podrían cumplir. En concreto, las citadas normas exigen que cualquier sociedad que opte por cotizar sus acciones en un mercado regulado debe: (i) tener un capital social por importe nominal de, al menos, 1.202.025 euros; (ii) tener su capital social totalmente desembolsado; (iii) sus acciones tendrán que estar representadas mediante anotaciones en cuenta; y (iv) no tener restricciones legales o estatutarias que impidan la negociación y transmisibilidad de sus acciones. A los efectos de la determinación del capital social mínimo, no se computa la parte de capital social que corresponda a accionistas que posean, directa o indirectamente, una participación mínima en el mismo igual o superior al 25% del capital social con derecho a voto.

En cuanto a los requisitos (i), (ii) y (iii) anteriores, éstos no deberían suponer, en principio, un problema para los clubes ya que, de acuerdo con el artículo 3 y 6 del RD de SAD, el capital social de las SAD debe estar totalmente desembolsado y debe establecerse en el momento de su transformación, al menos, en un importe igual a la suma de (A) un importe equivalente al 25% de la media de los gastos realizados, incluidas amortizaciones, por los clubes que hubiesen participado en la penúltima temporada finalizada su respectiva competición, excluidas las dos entidades con

mayor gasto y las dos con menor gasto realizado y (B) un importe equivalente a los saldos patrimoniales netos negativos que, en su caso, arroje el
balance que forma parte de las cuentas anuales de cada club. Téngase en
cuenta que el capital social deberá establecerse en un importe equivalente
al doble del previsto en el punto (B) anterior en caso de que el importe
establecido en el punto (A) anterior sea inferior al establecido en el punto
(B). Además, el capital social de las SAD en cada momento no podrá ser
inferior a la mitad del importe de capital social existente en la fecha de su
transformación en SAD. En atención a lo anterior, a la vista del gasto medio en el que incurren los clubes de fútbol durante una temporada y sin
perjuicio del análisis que debería realizarse en cada caso en relación con la
distribución del capital social de una SAD, el capital social mínimo exigido
por la normativa en materia de mercado de valores no parece que sea un
problema en caso de que un club deportivo optase por acceder al mercado
de capitales y cotizar sus acciones en un mercado regulado. En este sentido, el CSD, en atención a los gastos medios de los clubes en la temporada
2019-2020, estableció dicho importe en 4,87 millones de euros para la temporada 2021-2022 (cuatro veces superior al capital social mínimo exigido
para cotizar en un mercado regulado).

El problema de negociar las acciones de una SAD en un mercado regulado o sistema multilateral de negociación podría presentarse, no obstante,
a la hora de cumplir con la prohibición de establecer restricciones a la
libre transmisibilidad de sus acciones. El RD de SAD establece la obligación de obtener la autorización previa del CSD para cualquier adquisición
de acciones de una SAD (o de valores análogos que puedan dar derecho,
directa o indirectamente, a su suscripción o adquisición de acciones) que
otorgue a un accionista o inversor un porcentaje igual o superior al 25%
del capital social con derecho a voto. El CSD autorizará dichas operaciones
siempre que entienda que la adquisición propuesta no adultere, desvirtúe
o altere de alguna forma el normal funcionamiento y desarrollo de la competición profesional en la que la correspondiente SAD participe.

Asimismo, la norma prohíbe a las SAD participar, directa o indirectamente, en el capital social de otras SAD que participen en la misma competición profesional o, siendo ésta distinta, pertenezcan a la misma modalidad deportiva. Es decir, a diferencia de lo que ocurre respecto a las
sociedades cotizadas de otros sectores, las SAD no podrán formar parte
de un grupo de sociedades que operen en el mismo sector de actividad,
entendiendo como tal aquéllas que participen en una disciplina deportiva
concreta. Tampoco permite la norma ostentar, directa ni indirectamente,
una participación superior al 5% del capital social de otras SAD que parti-

cipen en la misma competición profesional o, siendo distinta, pertenezcan a la misma modalidad deportiva.

No obstante lo anterior, la aplicación del régimen de transmisión de participaciones significativas establecido en la normativa deportiva no impide que las SAD puedan cumplir con los requisitos de acceso a un mercado regulado puesto que este tipo de normas, independientemente de que, en este caso, puedan estar más o menos justificadas, son similares a otras normas sectoriales que afectan a las sociedades cotizadas de otros sectores. Es el caso, por ejemplo, del régimen de adquisición de participaciones significativas de entidades de crédito (en este caso, la normativa aplicable regula cualquier toma de participación accionarial igual o superior al 5% del capital social con derecho a voto), las cuales pueden ser denegadas por el Banco de España en caso de que dicho supervisor apreciara una falta de honorabilidad comercial o profesional del potencial inversor, insuficiencia de medios patrimoniales, falta de transparencia o exposición inapropiada al riesgo de actividades no financieras o financieras que afecten a la estabilidad o control de la entidad.

Lo mismo que ocurre en los mercados regulados (como nuestras tradicionales Bolsas de Valores) ocurre en los sistemas multilaterales de negociación (como nuestro BME Growth). La Circular 1/2020 de requisitos y procedimiento aplicables a la incorporación y exclusión en el segmento de negociación BME Growth exige que la sociedad anónima que solicite la incorporación de sus acciones en dicho segmento no quede afectada por ninguna restricción legal o estatutaria que impida la negociación y transmisibilidad de sus acciones y, sin embargo, esta previsión normativa no ha impedido que las acciones de Club de Fútbol Intercity, S.A.D. sean incorporadas en el segmento BME Growth. En el caso de Club de Fútbol Intercity, S.A.D., sus estatutos sociales prevén expresamente la necesidad de obtener la autorización previa por parte del CSD en caso de que un accionista o inversor pretenda adquirir acciones que le otorguen, junto con las acciones que en su caso ya posea, una participación accionarial igual o superior al 25% del capital social con derecho a voto.

Si que encontrarían un mayor obstáculo a la hora de cumplir con esta prohibición clubes como Real Sociedad de Fútbol, S.A.D. o Sociedad Deportiva Éibar, S.A.D., puesto que los estatutos sociales del primero prohíben a sus accionistas la tenencia de un porcentaje de participación accionarial superior al 2%, mientras que los estatutos sociales del segundo establecen un derecho de adquisición preferente a favor de sus accionistas ante una eventual transmisión de acciones. Entendemos que estos clubes podrían

verse obligados, en su caso, a adaptar el régimen de transmisión de acciones regulado en sus respectivos estatutos sociales con carácter previo a una
efectiva admisión a negociación de sus acciones en un mercado bursátil.

2.2 Idoneidad de los valores emitidos por los clubes de fútbol

Una vez analizados los requisitos impuestos a las propias SAD por la
normativa bursátil (en particular, el Reglamento (UE) 2017/1129 del Parlamento Europeo y del Consejo de 14 de junio de 2017 y el Real Decreto
1310/2005 de 4 de noviembre), debe llevarse a cabo un análisis de los
requisitos que dicha normativa impone a los valores de aquellas SAD que
vayan a ser objeto de negociación en un mercado regulado (como es el
caso de nuestras tradicionales Bolsas de Valores).

En este sentido, de acuerdo con la referida norma, el importe total de
las acciones cuya admisión a negociación se solicite deberá ser, como mínimo, de 6 millones de euros, calculado éste como el valor esperado de
mercado de las acciones (lo que se conoce como capitalización bursátil).
Además, es necesario que, con carácter previo o, como más tarde, en la
fecha de admisión a negociación, exista una distribución suficiente de tales acciones en uno o más Estados miembros de la Unión Europea, o en
Estados no miembros de la Unión Europea, si las acciones cotizasen en
estos últimos (lo que en la jerga bursátil se conoce como *free float*). A estos
efectos, la norma considera que existe una distribución suficiente si, al menos, un 25% de las acciones están repartidas entre el público o, en su caso,
si el mercado pudiese operar adecuadamente con un porcentaje menor
debido al gran número de acciones emitidas de la misma clase y a su grado
de distribución entre el público.

En lo que respecta a la cotización en sistemas multilaterales de negociación, la normativa reguladora del segmento BME Growth exige que las acciones de las que sean titulares accionistas con porcentajes inferiores al 5%
del capital social deben representar en conjunto un valor estimado no inferior a 2 millones de euros. En dicha normativa no se establece un número
mínimo de accionistas necesario para cumplir con el requisito de difusión
mínima accionarial. Sin embargo en la práctica, el supervisor del segmento
BME Growth viene exigiendo un número mínimo de accionistas de entre
20 y 25 accionistas minoritarios, con una participación inferior al 5% del
capital social (no computándose, entre ellos, los accionistas que ostenten
una participación inferior a 10.000 euros ni aquéllos cuya participación accionarial sea superior a 1 millón de euros). Por su parte, la normativa apli-

cable al nuevo mercado Portfolio Stock Exchange (sistema multilateral de negociación aprobado por la CNMV en junio de 2022) exige, igualmente, alcanzar un nivel de distribución suficiente, entendiendo por tal cuando el 25% del capital social está en manos del público o, en su caso, cuando las acciones en manos del público tengan un valor de mercado de, al menos, 3 millones de euros.

En consideración de lo anterior, el cumplimiento del requisito de capitalización mínima bursátil (6 millones de euros para el mercado regulado, 2 millones euros para el segmento BME Growth y 3 millones de euros para el nuevo mercado Portfolio Stock Exchange), no debería suponer un problema para las SAD que opten por acudir a dichos mercados, habida cuenta de que, de acuerdo con el informe La Liga Stock Market elaborado por 2Playbook (plataforma de negocios especializada en la industria del deporte), la valoración mínima en 2021 de un club de Segunda División alcanza aproximadamente 13,8 millones de euros. Es cierto que el valor de las acciones del Club de Fútbol Intercity, S.A.D. que fueron admitidas a cotización en el segmento BME Growth no era muy elevado, si bien excedía con creces el umbral mínimo exigible para dicho segmento (el valor de las acciones que fueron admitidas a cotización en BME Growth era de 5,58 millones de euros). Debe tenerse en cuenta que dicho club competía en Segunda División RFEF cuando solicitó la admisión a cotización de sus acciones en el segmento BME Growth, siendo ésta una categoría dónde los ingresos son sensiblemente inferiores a los que puede percibir un club que compita, por ejemplo, en Segunda División, en la medida en que, a diferencia de éstos últimos, los clubes que compiten en Segunda División RFEF no perciben ingresos por la venta de los derechos de televisión (en la temporada 2020-2021 la LFP repartió 217 millones de euros entre los clubes que competían en Segunda División —sobre unos ingresos totales de 429 millones de euros— y 1.444,7 millones de euros entre los clubes que competían en Primera División —sobre unos ingresos totales de 2.747 millones de euros—).

En cuanto al requisito de difusión accionarial, debe tenerse en cuenta que, en la mayoría de los casos, las sociedades que acceden a un mercado de renta variable no cumplen inicialmente con dicho requisito sino que éste es alcanzado gracias a la colocación o venta previa de acciones que realizan con motivo de su incorporación al mercado. Este sería el caso de la mayoría de las SAD que opten por cotizar sus acciones en un mercado regulado o sistema multilateral de negociación en la medida en que éstas cuentan generalmente con una difusión accionarial limitada, aunque existen excepciones como es el caso de Real Sociedad de Fútbol, S.A.D. (que no cuenta con accionistas con participaciones significativas) o Sociedad Deportiva Éibar, S.A.D. (que cuenta con más de 11.000 accionistas).

2.3 Requisitos de transparencia

Además de los requisitos de idoneidad del emisor y de los valores cuya admisión a cotización se solicita, la adquisición de la condición de sociedad cotizada en un mercado regulado o sistema multilateral de negociación exige el cumplimiento de una serie de requisitos de transparencia por parte del emisor especialmente dirigidos a dotar al mercado de una información suficiente que favorezca la correcta formación de precios.

En lo que respecta a información periódica, una SAD que solicite la admisión a negociación de sus acciones en un mercado regulado (como es el caso de nuestras tradicionales Bolsas de Valores) debe poner a disposición del mercado, además de las cuentas anuales, el informe de gestión y el informe de auditoría (documentos que estaría obligada a elaborar, en cualquier caso, por su condición de SAD), el informe anual de gobierno corporativo y un informe financiero de carácter semestral. Además, deberá hacer pública toda aquella información privilegiada o relevante, tanto económica como de carácter jurídico, que pudiese afectar de un modo sensible al valor de cotización de las acciones (pago de dividendos, aumento o reducción del capital social, convocatorias de juntas, participación en otras sociedades, modificaciones en la composición del consejo, etc.).

Por su parte, una SAD que opte por cotizar sus acciones en el segmento BME Growth o en el nuevo mercado Portfolio Stock Exchange no estará vinculada por las exigencias propias de un mercado regulado como, por ejemplo, la normativa en materia de gobierno corporativo y, por tanto, sus obligaciones de transparencia serán menores. Así, por ejemplo, no necesitará publicar en ninguno de estos dos mercados el informe anual de gobierno corporativo (al no resultar aplicable la normativa en materia de gobierno corporativo a aquellas sociedades que coticen sus acciones en sistemas multilaterales de negociación) y, en el caso del nuevo mercado Portfolio Stock Exchange, tampoco será necesario publicar un informe financiero de carácter semestral.

Lo anterior, no obstante, no debería plantear problemas a la hora de valorar el acceso de una SAD a un mercado regulado y, menos aún, a un sistema multilateral de negociación, habida cuenta de que la normativa aplicable a las SAD ya exige a éstas un nivel de transparencia reforzado superior al de una sociedad anónima ordinaria.

En lo que respecta a información sobre la composición de capital social, las obligaciones de transparencia establecidas en la Ley del Deporte son más rigurosas que las contempladas en la normativa en materia de mercado de valores.

A este respecto, la normativa deportiva obliga a las SAD a remitir, con carácter semestral, al CSD y a la LFP (asociación deportiva de carácter privado integrada por todas las SAD y asociaciones deportivas que participan en Primera y Segunda División), una certificación global de los movimientos registrados en su libro registro de acciones nominativas, con indicación del número de acciones que han sido objeto de transmisión o gravamen e identificación de sus transmitentes y adquirentes. Además, las SAD deben permitir el examen de su libro registro de acciones nominativas y atender todas las solicitudes de información que les curse el CSD en relación con la titularidad de sus acciones.

En cuanto a participaciones significativas (entendiendo como tal aquéllas que otorguen una participación igual o superior al 5% del capital social de una SAD), cualquier operación de adquisición o enajenación debe ser comunicada al CSD para su registro público en la Sección Cuarta del Registro de Asociaciones Deportivas del CSD. No obstante, con objeto de evitar posibles duplicidades y reducir las obligaciones de información, la normativa dispensa expresamente a las SAD cuyas acciones estén admitidas a negociación en un mercado regulado de la obligación de comunicar las operaciones de adquisición o enajenación de participaciones significativas al CSD, pudiendo hacerlo directamente a la CNMV y siendo ésta última la que comunique la correspondiente operación al CSD.

En cuanto al resto de obligaciones de información, la normativa en materia de deporte exige a las SAD elaborar unos estados financieros intermedios, así como un informe en el que consten las transacciones de la sociedad con sus administradores, directivos y accionistas significativos. En lo que respecta a información financiera anual, la normativa aplicable a las SAD no contempla exigencias adicionales respecto de aquéllas aplicables a cualquier sociedad anónima, salvo por la obligación de remitir las cuentas anuales, el informe de gestión y el informe de auditoría al CSD con carácter previo a su depósito en el Registro Mercantil, así como la obligación de obtener de los auditores un informe especial en caso de que el informe de auditoría tuviese algún tipo de salvedad.

En caso de que el informe de auditoría de una SAD cuyas acciones estén admitidas a negociación en un mercado regulado contenga algún tipo de salvedad, la cotización de tales acciones puede ser suspendida de cara a garantizar la transparencia en la formación de precios. Además, el CSD, de oficio o a petición de la LFP, podrá exigir el sometimiento de una SAD a una auditoría complementaria por una empresa de auditoría que el CSP designe a tales efectos.

En cuanto a la obligación de publicar cualquier información privilegiada (esto es, aquella información que permita a los inversores formarse una opinión sobre los instrumentos negociados y cuyo conocimiento pueda afectar a un inversor razonablemente para adquirir o transmitir valores o instrumentos financieros y, por tanto, pueda influir de forma sensible en su cotización en un mercado regulado) u otra información relevante, aunque la normativa deportiva no contempla la obligación de publicar este tipo de información, habida cuenta del nivel de exposición mediática al que los clubes vienen estando sometidos actualmente y que, en muchos casos, les obliga a hacer pública información que en otras circunstancias no compartirían con el público, la obligación de hacer pública este tipo de información no debería acarrear problema alguno para que aquellas SAD que opten por cotizar sus acciones en un mercado regulado o sistema multilateral de negociación puedan cumplirlo.

Por último, cualquier sociedad que opte por cotizar sus acciones en un mercado regulado debe cumplir con la normativa en materia de gobierno corporativo, así como asumir las recomendaciones o propuestas de buen gobierno que tratan aspectos internos y organizativos, elaboradas bajo el principio de "cumplir o explicar", recogidas en el Código de Buen Gobierno de las sociedades cotizadas publicado por la CNMV en febrero de 2015 y actualizado en junio de 2020 (el "**CBG**"). En este sentido, aunque son meras recomendaciones y, por tanto, no son reglas de obligado cumplimiento, las SAD que opten por acceder a un mercado regulado (como es el caso de nuestras Bolsas de Valores) se encontrarían con algunas dificultades a la hora de aplicar alguna de las recomendaciones del CBG. A título de ejemplo, la aplicación de la recomendación de no limitar el número máximo de votos que un mismo accionista puede emitir (tal y como es el caso de Sociedad Deportiva Éibar, S.A.D.) o la eliminación de las restricciones que dificulten la toma de control mediante la adquisición de acciones en el mercado.

3. BARRERAS A LA ATRACCIÓN DE INVERSIONES

El negocio del fútbol tiene una alta capacidad de atraer capital privado, lo cual se ha visto reflejado en distintas operaciones corporativas y de

M&A de clubes de fútbol españoles acometidas recientemente por diversos inversores nacionales y extranjeros, entre las cuales podemos destacar la suscripción por Wanda Group de una ampliación de capital del Club Atlético de Madrid, S.A.D. por importe de 45 millones de euros acordada en 2015, la suscripción por Robert Sarver de distintas ampliaciones de capital del Real Club Deportivo Mallorca, S.A.D. por un importe total de 42 millones de euros acordadas entre 2016 y 2020 y las recientes adquisiciones del 99% del capital social del Club Deportivo Leganés, S.A.D. por Blue Crow Sports por un importe de 39 millones de euros o del 51% del capital social del Real Zaragoza, S.AD. por un grupo de inversores estadounidenses por un importe aproximado de 16 millones de euros. Estas operaciones corporativas han permitido a los clubes captar entre 2014 y 2019 más de 400 millones de euros.

Actualmente existen algunas barreras legales (tal y como hemos mencionado anteriormente) que dificultan el crecimiento de las inversiones, tanto nacionales como extranjeras, en los clubes de fútbol españoles, lo cual podría afectar, en su caso, al éxito de una oferta pública de venta o suscripción de acciones, así como a la liquidez de las mismas. Además de estas barreras legales que pueden disuadir a potenciales inversores (tal y como es el caso de las obligaciones de comunicación impuestas por el régimen de participaciones significativas mencionado anteriormente y las restricciones que prohíben la tenencia por un mismo accionista de acciones de dos SAD que le otorguen un porcentaje de participación accionarial superior al 5% en ambas SAD), existen una serie de riesgos alternativos de inversión que pueden constituir en ciertas ocasiones una importante barrera de entrada para los inversores.

A diferencia de las inversiones en sociedades que operan en otros sectores de la economía, la rentabilidad de la inversión en un club de fútbol dependerá de diversos factores impredecibles, ajenos a las tendencias del mercado o a la gestión empresarial, como son el desempeño del cuerpo técnico, la correcta preparación física de los jugadores, la ausencia de lesiones o de salidas de jugadores clave (lo que se identifica como el "factor jugador" en el Documento Informativo de Incorporación al BME Growth del Club de Fútbol Intercity, S.A.D.). Esto puede conllevar que los resultados económicos de un club de fútbol queden vinculados a los resultados deportivos. Además, tal y como se ha expuesto anteriormente, aunque una parte muy relevante de los ingresos de los clubes de fútbol que participan en Primera y Segunda División provienen de los patrocinios y la venta de derechos de televisión, el valor de tales patrocinios y derechos de televisión dependerá en última instancia de los resultados deportivos de cada club.

Otros riesgos que pueden constituir una barrera de entrada para el acceso de capital privado son los constantes cambios normativos y el riesgo reputacional. Ambos riegos fueron puestos de manifiesto en el Documento Informativo de Incorporación al BME Growth del Club de Fútbol Intercity, S.A.D. Tal y como hemos comentado, actualmente se está tramitando el Proyecto de Ley del Deporte y, por tanto, hasta que no se logre su aprobación definitiva, esta situación puede generar cierta incertidumbre e inseguridad jurídica entre los inversores. Además, la actividad de las SAD puede verse influenciada por los distintos cambios que se acometan en la normativa interna reguladora de la LFP y la Real Federación Española de Fútbol (asociación privada que tiene por objeto el fomento, la organización, la reglamentación, la protección, el desarrollo y la práctica en España del fútbol en todas sus especialidades). En cuanto al riesgo reputacional, aún a pesar de ser un riesgo que puede afectar a cualquier sociedad cotizada por su carácter público, es cierto que el impacto de este riesgo en los clubes de fútbol puede ser mayor al tener éstos un mayor nivel de exposición mediática debido al interés que genera entre el público cualquier noticia, no solo de carácter deportivo, sino también económico o de otra índole, que pueda afectar o que esté relacionada de alguna manera con los clubes de fútbol o sus empleados (principalmente jugadores, técnicos y directivos).

Por último, la vinculación entre los resultados deportivos y la capitalización bursátil de aquellos clubes de fútbol que optan por cotizar sus acciones en mercados regulados (como, por ejemplo, Juventus Football Club, S.P.A., Manchester United PLC o Celtic PLC) hace que el valor de sus acciones quede expuesto a una elevada volatilidad. Un ejemplo de ello es el incremento de valor que experimentaron las acciones de Juventus Football Club, S.P.A. desde que comenzaron las negociaciones para contratar a Cristiano Ronaldo y hasta la fecha de su contratación en 2018 y que superaron el 30%, mientras que las acciones de Manchester United PLC sufrieron una revalorización del 11% el 27 de agosto de 2021, fecha en la que anunciaron la contratación de dicho futbolista. Algo similar ocurrió cuando Juventus Football Club, S.P.A. salió derrotada en el partido de ida de octavos de final de la Liga de Campeones de la U.E.F.A. que disputó contra el Club Atlético de Madrid, S.A.D. en 2019 y que provocó una caída del 11% en el precio de cotización de sus acciones en una única sesión bursátil.

4. BARRERAS A LA ATRACCIÓN DE DIRECTIVOS

Una de las consecuencias directas del acceso de cualquier sociedad a los mercados de capitales es la necesidad de reforzar la profesionalización de su gestión. El cumplimiento de las normas de gobierno corporativo exige que las sociedades cotizadas en mercado regulados implanten sistemas y procedimientos de control interno, políticas de responsabilidad corporativa y una adecuada segregación de funciones y responsabilidades en los órganos de dirección y gestión de la sociedad (lo cual no es aplicable para aquellas sociedades que opten por cotizar sus acciones en sistemas multilaterales de negociación al no quedar éstas sujetas a la normativa en materia de gobierno corporativo). En este sentido, la Ley 31/2014, de 3 de diciembre, por la que se modificó la Ley de Sociedades de Capital para la mejora del gobierno corporativo, estableció una serie de preceptos tendentes a lograr la profesionalización del órgano de administración de las sociedades cotizadas y facilitar una actuación transparente e independiente por parte de sus miembros.

Por tanto, de cara a lograr el acceso de las SAD al mercado de capitales y generar la confianza necesaria entre sus inversores que les permita lograr sus objetivos de captación de recursos financieros, es necesario que las SAD constituyan un órgano de administración y un equipo directivo profesionalizado que sea capaz de ejercer con garantías sus deberes y responsabilidades. Los directivos y administradores de las SAD deben tener conocimientos, no solo en materia deportiva y, de forma específica, en el funcionamiento del negocio del fútbol, sino que también deben disponer de conocimientos en materia financiera, gestión de riesgos, estrategia y control interno.

Aún a pesar de que la normativa en materia de gobierno corporativo no sea aplicable a las sociedades que coticen en sistemas multilaterales de negociación, aquellas SAD que opten por acceder a dichos mercados quedarán obligadas a constituir en el seno de su órgano de administración una comisión de auditoría que deberá estar compuesta por una mayoría de consejeros independientes, uno de los cuales, al menos, deberá tener conocimientos suficientes en materia de contabilidad, auditoría o ambas.

No obstante, las SAD que opten por acceder a mercados regulados quedarán sujetas a mayores requisitos regulatorios puesto que, junto con la comisión de auditoría, deberán constituir una comisión de nombramientos y retribuciones compuesta de, al menos, dos consejeros independientes. La Guía Técnica 3/2017 sobre comisiones de auditoría de entidades de interés público de la CNMV recomienda que, de los consejeros que formen parte de las comisiones de auditoría, al menos uno de ellos cuente con conocimientos en las tecnologías de la información, mientras que la Guía Técnica 1/2019 sobre comisiones de nombramientos y retribuciones de la CNMV indica que los consejeros que formen parte de estas comisiones deberían contar con experiencias y conocimientos en áreas relacionadas con el análisis y evaluación estratégica de recursos humanos, la selección de consejeros y directivos, incluida la evaluación de los requisitos de idoneidad que pudieran ser exigibles en virtud de las normas aplicables a la sociedad, el desempeño de funciones de alta dirección y el diseño de políticas y planes retributivos de consejeros y altos directivos, entre otros.

En atención a lo anterior, puede afirmarse que la normativa aplicable a las sociedades cotizadas exige un perfil de consejeros muy cualificado y con experiencia relevante en materias técnicas de diversa índole. No obstante, los clubes de fútbol pueden encontrarse con serias dificultades a la hora de atraer este tipo de perfiles especializados debido a la exposición mediática a la que están sujetos los directivos de los clubes de fútbol y la imposibilidad de los consejeros independientes de ejercer su rol en varios clubes de fútbol. Los directivos y consejeros de un club de fútbol tienen un alto grado de exposición mediática y, por tanto, asumen un riesgo muy elevado de que su imagen profesional puede resultar dañada, especialmente si los resultados deportivos no son los esperados por los aficionados del club (aún a pesar de que su gestión financiera sea excelente).

Otra barrera con la que pueden encontrarse los directivos de los clubes de fútbol es la presión que ejerce la prensa especializada y sus aficionados, lo que dificulta en muchas ocasiones su correcta gestión y puede acarrear la adopción de decisiones desacertadas desde un punto de vista financiero, como puede ser el cese de un miembro del equipo técnico de un club tras los nefastos resultados deportivos (lo cual puede conllevar importantes costes económicos, si debido a dicha decisión, es necesario resolver anticipadamente contratos vigentes o contratar un nuevo equipo técnico). A diferencia de lo que ocurre en una sociedad anónima no deportiva, los socios de cualquier SAD valoran la gestión de los consejeros y directivos principalmente desde el punto de vista de los resultados deportivos y no solamente desde la perspectiva del interés social o de la creación de valor.

5. PROYECTO DE REFORMA DE LA LEY DE DEPORTE

Tras la aprobación de la vigente Ley del Deporte, el legislador pretendía poner fin a la situación de endeudamiento de los clubes que, hasta la aparición de la figura de las SAD, desarrollaban su actividad mediante la constitución de asociaciones privadas sin ánimo de lucro, creadas para fomentar el deporte y sin que sus socios respondiesen de forma personal por las deudas del club. De este modo, a través de la Ley del Deporte, se dotó a los clubes de fútbol de una estructura jurídica similar a las sociedades anónimas, pero con normas específicas más rigurosas que las previstas para éstas en la Ley de Sociedades de Capital y con un mayor control externo por la LFP y el CSD. La regulación de las SAD fue desarrollada posteriormente por el Real Decreto 1251/1999, de 16 de julio, sobre sociedades anónimas deportivas.

No obstante, ante el evidente fracaso de la Ley del Deporte y el RD de SAD en su intento de sanear el negocio del fútbol profesional (habida cuenta de que la deuda de los clubes de fútbol que competían en Primera División y Segunda División al cierre de la temporada 2021-2022 alcanzaba en torno a 2.328 millones de euros) y tras la resolución aprobada el 29 de marzo de 2007 por el Parlamento Europeo que insta a los Estados Miembros para desarrollar normas específicas en materia de buen gobierno y transparencia en el sector del fútbol profesional en Europa, actualmente se encuentra en proceso de debate parlamentario el Proyecto de Ley de Deporte. La exposición de motivos del Proyecto de Ley de Deporte reconoce expresamente la ineficacia del modelo de responsabilidad económica de los clubes de fútbol y la situación de insolvencia en la que se encuentran muchos de ellos.

Todo parece indicar que esta nueva norma, en caso de aprobarse, optará por abrir la participación en competiciones profesionales tanto a clubes deportivos como SAD. En esta línea, el legislador defiende que, en la actualidad, existen otros mecanismos de control financiero sobre los clubes basados en la capacidad de las entidades organizadoras de la competición para establecer sistemas de control interno a los participantes (como, por ejemplo, la función supervisora que ejerce el CSD sobre los estados financieros de los clubes o la facultad otorgada a favor del CSD para llevar a cabo una auditoría sobre tales estados financieros). De hecho, el Proyecto de Ley de Deporte prevé, además, la eliminación del aval que la Ley del Deporte exigía constituir a las juntas directivas de las asociaciones deportivas y que debía cubrir, como mínimo, un 15% del importe del presupuesto general de gastos de cada club (de esta manera, entiende el legislador que se democratizarán las estructuras, facilitando el acceso de más candidaturas a la presidencia de los clubes).

En cualquier caso, independientemente del curso que siga el trámite de aprobación del Proyecto de Ley del Deporte, tanto la obligatoriedad para transformarse en SAD como la de constitución de avales por las juntas directivas, ya habían sido recientemente suprimidas por la Ley del Deporte en virtud de la Ley 22/2021, de 28 de diciembre, de Presupuestos Generales del Estado para el año 2022, como consecuencia de una enmienda presentada por el Grupo Parlamentario Vasco (EAJ-PNV). La aprobación de la Ley 22/2021, de 28 de diciembre, de Presupuestos Generales del Estado para el año 2022 supuso, por tanto, la cancelación de los avales por importe de 21 millones de euros otorgados por la Junta Directiva del Athletic Club para la temporada 2021-2022 o el otorgado por la Junta Directiva del Fútbol Club Barcelona por importe de 125 millones de euros, además de permitir a la Sociedad Deportiva Amorebieta, club vizcaíno recién ascendido entonces a Segunda División, mantener el régimen de asociación deportiva, evitando con ello hacer frente a una capitalización por importe de aproximadamente 4,7 millones de euros.

No obstante, la solución que plantea el legislador para hacer frente a los problemas de viabilidad económica de los clubes (el control externo ejercido por parte de la LFP y el CSD) puede ser precisamente uno de los factores que generen cierta desconfianza en el inversor y que, por tanto, dificulten el acceso de los clubes al mercado de capitales. Las distintas normas en materia de gobierno corporativo y abuso de mercado aplicables a los emisores de valores tienen por objeto garantizar el control efectivo de las sociedades cotizadas y su transparencia y, de este modo, garantizar una correcta formación de precios. El problema puede surgir cuando, como ocurre en el caso de los clubes, la supervisión y control se ejerce por organismos cuya independencia puede verse comprometida a la hora de ejercer sus funciones, como es el caso de la función de control que ejerce el CSD, al ser éste un organismo autónomo adscrito al Ministerio de Cultura y Deporte y compuesto por miembros objeto de designación política, o el control que ejerce la LFP, al ser ésta una asociación en la que se agrupan los distintos clubes de fútbol. En este sentido, entendemos que la creación de organismos independientes que ejerzan un control efectivo e independiente sobre la gestión económica de los clubes, como ocurre con el control que ejerce, por ejemplo, el Banco de España sobre las entidades de crédito, otorgaría un mayor grado de confianza a los inversores y facilitaría el acceso de los clubes de fútbol a los mercados de capitales. Para ello, podría tomarse como ejemplo la propuesta de gobernanza del fútbol promovida recientemente por el Gobierno del Reino Unido, en cuyo desarrollo han participado asociaciones de aficionados de los propios clubes ingleses, y que, en caso de aprobarse, implicará la creación de un organismo autónomo que centralizará la labor de control financiero y de operaciones corporativas de los clubes ingleses que actualmente desarrollan Premier League, English Football League (EFL) y Football Association (FA) y que contará con la participación de los aficionados, quienes tendrán, en su caso, un derecho de veto en la adopción de determinados acuerdos. No obstante, no parece que la nueva norma, en caso de aprobarse en los términos contemplados en el Proyecto de Ley de Deporte, vaya a acometer cambio alguno sobre esta materia.

Además, el Proyecto de Ley de Deporte se centra sobre todo en aspectos que, siendo relevantes y cuya regulación es necesaria, como son la promoción del deporte femenino y la eliminación de la discriminación de la mujer, la financiación de planes ADO, el apoyo a patrocinadores, la regulación de las ayudas fiscales al deporte o la reforma de las federaciones, y aunque la mencionada creación de la figura del llamado consejero independiente de la afición puede facilitar que las asociaciones deportivas opten por llevar a cabo su transformación en SAD, no da respuesta, en cambio, a los problemas antes expuestos y, por ello, los clubes de fútbol que opten por acceder al mercado de capitales se encontrarán con ellos.

Lo cierto es que, aunque, tanto la vigente Ley del Deporte como el mencionado Proyecto de Ley de Deporte, contemplan la posibilidad de que las SAD puedan cotizar sus acciones en un mercado regulado (como es el caso de nuestras tradicionales Bolsas de Valores), desde la entrada en vigor de la Ley del Deporte, ningún club ha hecho uso de dicha facultad Es más, cuatro de los más importantes clubes de fútbol españoles ni siquiera han optado hasta la fecha por acordar su transformación en SAD, siendo éste un requisito previo para acceder al mercado de capitales.

Este artículo ha sido elaborado durante la tramitación del Proyecto de Ley del Deporte publicado en el Boletín Oficial de las Cortes Generales el 14 de enero de 2022.

Sobre las limitadas competencias del Consejo Superior de Deportes para dirimir conflictos Liga-Federación de acuerdo con la Ley 10/1990. Comentario a la Sentencia de la Sala de lo Contencioso-Administrativo de la Audiencia Nacional de 19 de enero de 2023

RAMÓN TEROL GÓMEZ

Profesor Titular de Derecho Administrativo. Universidad de Alicante

1. INTRODUCCIÓN. EL CONTEXTO DE LA CONTROVERSIA Y EL MARCO JURÍDICO DE APLICACIÓN PARA LA RESOLUCIÓN DE CONFLICTOS DE ATRIBUCIONES LIGA-FEDERACIÓN

Vamos a referirnos en el presente trabajo a la controversia que se resolvió con la Sentencia de la Sala de los Contencioso-Administrativo de la Audiencia Nacional de 19 de enero de 2023, y que trajo causa de un acuerdo de la Asociación de Clubes de Baloncesto (ACB) adoptado en relación con la participación de clubes adscritos a la misma en la *Euroleague* y la *Eurocup* de Baloncesto, competiciones que se fundaron respectivamente en el año 2000 y el 2002 por la Unión de Ligas Europeas de Baloncesto (ULEB), de la que la ACB es miembro, y que gestiona la sociedad *Euroleague Commercial Assets* (ECA).

En un contexto de conflicto recurrente entre la ULEB y la Federación Internacional de Baloncesto (FIBA)[1] es cuando por parte de la Asamblea General de la ACB, el 4 de abril de 2016, se adoptó el siguiente acuerdo:

> "1.– Los clubs podrán participar indistintamente en las competiciones organizadas por la *FIBA Europe* o en las competiciones organizadas por ECA. 2.– Aceptar la propuesta de ECA de acceso directo a la *Euroleague* del club mejor calificado deportivamente en la competición ACB que no tenga licencia A. Este sistema de acceso se aplicará para la participación en la temporada 2017/18.3.-Aceptar la propuesta de ECA de 3 plazas acceso directo a la *Eurocup*, para los tres clubs mejor calificados en la competición ACB que no participen en la *Euroleague*. En la temporada 2016/17 se ofrecen 4 plazas sino hubiera más de tres clubs en *Euroleague* en esa misma campana. 4.– Aceptar las dos propuestas antes indicadas poro las temporadas 2016/17 a 2019/20 incluida. 5.– Aceptar la participación de dos clubs en la competición denominada FIBA CHAMPIONS LEAGUE, en función de la calificación deportiva en la ACB. 6.-Requerir a ECA para que garantice la participación del campeón de la *Eurocup* en la *Euroleague*. [...]"[2].

Este acuerdo provocó la reacción de *FIBA Europe*, que viendo amenazadas sus propias competiciones se dirigió a la Federación Española de Baloncesto (FEB) —también a las otras federaciones nacionales cuyos clubs apoyaran a la Euroliga— amenazando con sanciones consistentes en vetar la participación de la selección española de baloncesto, la masculina absoluta, tanto en el Campeonato de Europa de selecciones de 2017 como en los Juegos Olímpicos de Río de Janeiro de 2016.

La reacción de la FEB fue acudir al Consejo Superior de Deportes (CSD) planteando un conflicto de competencias liga-federación, esgrimiendo la aplicación de la Disposición Adicional Tercera del Real Decreto 1835/1991, de 20 de diciembre, sobre Federaciones deportivas españolas y Registro de Asociaciones Deportivas (RFD), que establece que "Los conflictos de competencias incluidos los derivados de la interpretación de los

---

[1]   Por todos, ZAMBRANO DOMÍNGUEZ, J., "FIBA vs ECA: un conflicto interminable que tiene en jaque al baloncesto europeo", *Revista Aranzadi de Derecho de Deporte y Entretenimiento*, núm. 72, 2021, y CERDÁ LABANDA, D., "Reflexiones en torno a la configuración de la nueva Euroliga desde el derecho de la competencia. Las competiciones deportivas como infraestructuras esenciales (Essential Facilities Doctrine) y el "posible" abuso de posición de dominio de las entidades organizadoras", *Revista Aranzadi de Derecho de Deporte y Entretenimiento*, núm. 50, 2016, págs. 241-268.

[2]   Este es el tenor literal del acuerdo tal y como se trascribe en el Fundamento Jurídico Primero de la Sentencia de la Sala de los Contencioso-Administrativo de la Audiencia Nacional de 19 de enero de 2023.

convenios, que puedan producirse entre las federaciones deportivas españolas y las ligas profesionales se resolverán mediante resolución del Consejo Superior de Deportes".

Asimismo, el Real Decreto 460/2015, de 5 de junio, por el que se aprueba el Estatuto del CSD señala que es competencia del Director General de Deportes del mismo CSD "Ejercer las competencias en materia de mediación y coordinación de las ligas profesionales con las respectivas federaciones deportivas españolas y elevar al Presidente la propuesta de resolución de los conflictos de competencias que puedan producirse entre ellas"[3].

Como podemos observar, la misma norma que establece la competencia del Director General identifica la facultad de CSD para dirimir conflictos de competencias entre ligas y federaciones como una suerte de "mediación", lo que es coherente con el reconocimiento a estas entidades por la Ley 10/1990 de personalidad jurídica propia y naturaleza privada. En el caso de las ligas declara que "tendrán personalidad jurídica, y gozarán de autonomía para su organización interna y funcionamiento respecto de la Federación deportiva española correspondiente de la que formen parte" (artículo 41.2).

Se trata de una competencia residenciada en el CSD, que este habrá de actuar atendiendo a lo establecido tanto en la normativa que resulte de aplicación como en los convenios que se encuentren en vigor. En concreto, el convenio de coordinación entre la FEB y la ACB de 18 de marzo de 2008, cuya vigencia se ha ido prorrogando y que rige en la actualidad.

En el convenio, su Pacto Sexto señala expresamente que "... En cualquier caso, y en referencia a la participación de los clubes ACB en las competiciones internacionales organizadas por la ULEB y/o FIBA, ambas partes acuerdan que el orden clasificatorio en la ACB será el criterio a seguir para la inscripción de los clubes en las competiciones oficiales internacionales de clubes, favoreciendo ACB el interés y participación de sus Clubes en la competición FIBA". Y en lo que a la resolución de conflictos de interpretación del convenio mismo se refiere, su Pacto Decimosexto viene a establecer lo siguiente:

---

[3]   Esta función ya estaba en el artículo 6.1.l) del derogado Real Decreto 2195/2004, de 25 de noviembre, por el que se regula la estructura orgánica y las funciones del CSD, y previamente en el artículo 7.1.g) del Real Decreto 286/1999 de 22 de febrero, que fue derogado por aquel.

"Las partes acuerdan someter los conflictos que puedan surgir en la interpretación y aplicación del presente Convenio al arbitraje del Tribunal de Arbitraje Deportivo del Comité Olímpico Español, cuya decisión se obligan a
cumplir. La administración del procedimiento arbitral y la designación de los
árbitros se realizará de conformidad con los Estatutos y Reglas del órgano de
arbitraje deportivo del Comité Olímpico Español".

No consta que se activara tal cláusula, acudiendo como se ha visto directamente la FEB al CSD al detectar el conflicto competencial.

El marco jurídico establecido, que no es precisamente un ejemplo de
claridad —sobre todo en lo que se refiere al alcance de las competencias
del CSD— viene conformado por lo establecido en el RFD, que es desarrollo reglamentario de la Ley 10/1990, de 15 de octubre, del deporte.

Tal marco se ha visto afectado por la entrada en vigor de la Ley 39/2022,
de 30 de septiembre, del deporte, que ha derogado la de 1990. Nos referiremos a la nueva regulación tras analizar el *iter* del conflicto planteado
hasta llegar a su resolución mediante a señalada Sentencia de la Sala de los
Contencioso-Administrativo de la Audiencia Nacional de 19 de enero de
2023.

2. LA POSICIÓN DEL CONSEJO SUPERIOR DE DEPORTES. LA RESOLUCIÓN DE 12 DE MAYO DE 2016

Aprobado por la Asamblea General de la ACB el acuerdo antes trascrito
el 4 de abril de 2016, por la FEB se dio traslado posteriormente al CSD el
28 de abril de una comunicación de *FIBA Europe* en la que se anunciaba la
pérdida de los derecho de participación de la selección española de baloncesto en el Campeonato de Europa de Baloncesto de 2017, planteando un
conflicto de competencias con arreglo a lo que establece la antes referida
Disposición adicional tercera del RFD y el artículo 8.g) de la Ley 10/1990,
y solicitando que se adopten las medidas necesarias.

Asimismo, al día siguiente, se presentó un segundo escrito por la FEB
solicitando del CSD que cautelarmente suspendiera el acuerdo de la Asamblea General de la ACB, aduciendo el perjuicio irreparable que podría
suponer, incluso, la no participación de la selección de baloncesto en la
Juegos Olímpicos de Río de Janeiro de 2016.

Entiende el presidente del CSD en su Resolución de 12 de mayo de
2016 que el conflicto que se plantea incide directamente en la participación de clubes españoles y la selección nacional masculina de baloncesto

en competiciones internacionales, y que "… con independencia de lo que se establece en el Convenio de coordinación entre ambas entidades, las competencias sobre participación en competiciones internacionales en el ámbito del deporte federado, tanto de clubes que participan en competiciones organizadas por la ACB, como de los que participen en competiciones organizadas por la FEB, forman parte del sistema deportivo federativo y la normativa vigente atribuye tales competencias a las federaciones deportivas españolas…".

Justifica lo anterior con la cita de los dispuesto en los apartados 1.e) y 2 del artículo 33 de la Ley 10/1990[4] y los artículos 3.1.e) y 28.1 RFD, de donde infiere que "… la ACB carece por completo de competencias para intervenir o participar en el proceso de inscripción en competiciones internacionales…".

En el muy extenso Fundamento Segundo de la Resolución, se indica lo siguiente:

> "… La ACB, en cuanto Liga Profesional, está integrada en la FEB y, por ende, en el sistema federativo español, lo que implica que debe acatar y cumplir las normas que rigen el sistema deportivo español. En este sentido, y de acuerdo con lo dispuesto en el artículo 4 de los Estatutos de la FEB, la ACB forma parte de la FEB y está, a su vez, está integrada en la FIBA cuyos Estatutos y demás normativa se obliga a cumplir, siendo una de las obligaciones que derivan de esta integración la participación en las competiciones internacionales de carácter oficial organizadas por esta entidad de las selecciones españolas de baloncesto. No debe, por lo tanto, la ACB, propiciar un incumplimiento de estas obligaciones ni directa, ni indirectamente.
>
> Así, y dado que la ACB carece de cualquier competencia respecto a la organización de competiciones internacionales, no resulta procedente que a través de otras vías, como el acuerdo que está en el origen de este conflicto, esta entidad adopte decisiones o acuerdos que de facto impidan, obstaculicen o pongan en peligro la mencionada participación. Y es que en el controvertido acuerdo adoptado por la Asamblea General de la ACB se reconoce que determinados equipos que participan en organiza dicha entidad (competición oficial de ámbito estatal y carácter profesional reconocida por el legislador

---

4   El artículo 33.1.e) de la Ley 10/1990 es el que establecía que "1. Las Federaciones deportivas españolas, bajo la coordinación y tutela del Consejo Superior de Deportes, ejercerán las siguientes funciones:… e) Organizar o tutelar las competiciones oficiales de carácter internacional que se celebren en el territorio del Estado". El apartado 2 del mismo precepto señalaba que "Las Federaciones deportivas españolas ostentarán la representación de España en las actividades y competiciones deportivas de carácter internacional. A estos efectos será competencia de cada Federación la elección de los deportistas que han de integrar las selecciones nacionales".

español) accederán a la competición organizada por ECA sobre la base de
criterios ajenos al mérito deportivos, mientras que otros equipos que también
participan en competiciones organizadas por ACB acceden a esa competición
por méritos deportivos.

Esta decisión pone en riesgo el cumplimiento de los compromisos deportivos
internacionales que el CSD está obligado a garantizar, de acuerdo con lo
establecido por el artículo 41.4 de la Ley del Deporte y por el artículo 28 del
Real Decreto 1835/1991), ya que el acuerdo adoptado por ACB propicia y
alienta la participación de clubes federados que participan en una competición oficial de ámbito estatal en la competición internacional organizada
por ECA, cuyo máximo representante ha manifestado públicamente que no
interrumpirá su calendario para permitir la participación de los jugadores de
Euroleague con sus selecciones nacionales.

El acuerdo adoptado por la Asamblea General de la ACB no sólo compromete
gravemente el cumplimiento de compromisos deportivos internaciones, tal
y como ha acreditado la FEB, sino que infringe lo dispuesto por la propia
normativa de la ACB por cuanto, al tratarse de una decisión unilateral y no
consensuada con la FEB vulnera lo establecido por el artículo 2 de los Estatutos de la ACB que dispone: "La Asociación desarrollará sus actividades en
todo el territorio nacional y, en cuanto proceda, en el ámbito internacional de
acuerdo con la Federación Española de Baloncesto…".

En la parte dispositiva de la Resolución firmada por el Presidente del
CSD, con mención expresa de que se resuelve en ejercicio de las competencias que le atribuye la Disposición adicional tercera del RFD, se dispone
que:

"… resuelvo estimar el conflicto planteado por la FEB y declarar la nulidad
del acuerdo de la Asamblea General de la ACB de 4 de abril de 2016, ya que
vulnera la normativa de la ACB, de la FEB y la legislación deportiva española,
que atribuyen a la FEB y, en su caso, al CSD las competiciones relativas a la
participación de los clubes españoles de baloncesto en competiciones internacionales".

En resumidas cuentas, aprecia el entonces presidente del CSD que al
aprobar ese acuerdo la ACB el mismo afecta a la participación en competiciones internacionales, y que ello es competencia de la FEB y no de la ACB.

Declarada la competencia de la FEB sobre la cuestión planteada, lo que
podría activar otros mecanismos por parte de la FEB para asegurar u ordenar la participación de sus clubes adscritos en las competiciones internacionales a que nos referimos, el CSD da un paso más, va más allá de la resolución del conflicto, y anula el acuerdo de la Asamblea General de la ACB.

3. LA RESOLUCIÓN DEL CONFLICTO: LA SENTENCIA DE LA SALA DE LOS CONTENCIOSO-ADMINISTRATIVO DE LA AUDIENCIA NACIONAL DE 19 DE ENERO DE 2023

La Resolución del CSD fue recurrida por la ACB, y objeto del pronunciamiento contenido en la Sentencia de la Sala de los Contencioso-Administrativo de la Audiencia Nacional de 19 de enero de 2023, a la que nos vamos a referir ahora.

Una sentencia que se ha pronunciado casi siete años después de la emisión de la resolución recurrida, cuando ya sabemos que la selección absoluta de baloncesto masculino participó con éxito en el Europeo de Baloncesto de 2017, alcanzando el tercer puesto. El mismo que se consiguió en los Juegos Olímpicos de Río de Janeiro del año anterior. La Euroliga de Baloncesto, además, siguió disputándose. Las amenazas de la FIBA no fueron para tanto.

También, en un momento en que la normativa de aplicación al caso ya no resulta de aplicación, tras la entrada en vigor días antes de la Ley 39/2022, de 30 de diciembre, del deporte. Al régimen que se establece con la nueva ley nos referiremos más delante.

Lo primero que anticipa la Sentencia en su Fundamento Jurídico Segundo es que "… no va a hacer una valoración del fondo de la polémica sobre la organización de la competición deportiva en el marco europeo, sobre la intervención de la EUROLEAGUE COMERCIAL ASSETS S.A., o la que le correspondería a la FIBA en este tipo de eventos…", indicando que el objeto del análisis será "… el marco legal en el que el CSD, en su función mediadora, se ha atribuido la competencia para anular no ya un convenio, pacto o contrato, sino el acuerdo adoptado por la asamblea de una entidad privada a instancias de una Federación deportiva…".

La cuestión sobre la que pronunciarse, por tanto, es si las facultades que el ordenamiento otorga al CSD para dirimir conflictos de atribuciones liga-federación, de mediar en tales conflictos, le faculta para anular acuerdos de las ligas profesionales. La respecta es, claramente, negativa, tal y como se razona en la Sentencia de este modo:

> "… No debemos olvidar que lo anulado es un punto de un acuerdo en una junta general de una asociación que, como la ACB y conforme al artículo primero de sus estatutos, "[g]oza de personalidad jurídica propia y está integrada exclusiva y obligatoriamente por todos los Clubes que participen en competiciones oficiales de baloncesto de carácter profesional y ámbito estatal […]". Tampoco podemos obviar que no se trata de la suscripción del pacto o firma de un contrato, sino del acuerdo adoptado por su órgano de representación,

de cara a la aceptación de una serie de propuestas de otra organización o asociación deportiva completadas con una exigencia, en forma de requerimiento, que deberá suscribirse o materializarse en el correspondiente convenio o contrato entre ambas asociaciones.

El CSD reputó ilícito el acuerdo y se atribuyó la competencia para acordar su anulación en función de las atribuciones de mediación que le confiere la disposición adicional tercera del Real Decreto 1835/1991, de 20 de diciembre, sobre Federaciones Deportivas Españolas y Registro de Asociaciones Deportivas, y en el artículo 5.2 del Real Decreto 460/2015, de 5 de junio, por el que se aprueba el Estatuto del Consejo Superior de Deportes.

Establece la primera que "[L]os conflictos de competencias incluidos los derivados de la interpretación de los convenios, que puedan producirse entre las Federaciones deportivas españolas y las Ligas profesionales se resolverán mediante resolución del Consejo Superior de Deportes. [...]". El segundo se refiere a las competencias del Presidente del CSD, y entre las doce que recoge el precepto ninguna se refiere expresamente a concretas potestades anulatorias, en el caso de asociaciones de derecho privado como la ACB, más allá de la genérica remisión que hace el punto j) "[E]jercer las demás facultades y prerrogativas que le atribuyan las disposiciones legales vigentes, [...]".

Es cierto que el artículo 28.1 del Real Decreto 1835/1991, recoge que "[L]as ligas profesionales organizarán sus propias competiciones en coordinación con la respectiva Federación deportiva española, y de acuerdo con los criterios que, en garantía exclusiva de los compromisos nacionales o internacionales, pueda establecer el Consejo Superior de Deportes. [...]", coordinación que deberá plasmarse en la suscripción de convenios entre las partes. Es sobre estos convenios sobre los que cabría llevar a cabo el control que ahora se pretende, y no sobre el solo acuerdo de una entidad privada.

De ninguno de los preceptos invocados por la resolución impugnada se desprende, con la indubitada contundencia que lo hace el CSD, su competencia para anular y dejar sin efecto el acuerdo de la junta general de la ACB, sobre todo bajo una premisa que ni se materializó ni tuvo lugar como explicaremos a continuación.

Recordemos que fue una comunicación de la FIBA dirigida a la Federación, en la que se amenaza de sanción a la selección española de baloncesto para poder participar en competiciones internacionales, la que dio lugar al inicio de la controversia y motivó la llamada de la Federación de Baloncesto al CDS para mediar entre esta institución y la ACB.

Este dato no puede caer en saco roto, puesto que el presupuesto habilitante por el que la Federación solicitó la mediación del CSD, fue una supuesta sanción o amenaza de sanción por parte de la FIBA, cuyos términos y procedimiento, a la vista de la información que aparece en el expediente administrativo, difícilmente resultarían compatibles con las garantías y principios de nuestro derecho punitivo. No pretendemos entrar a analizar ni esta sanción ni el procedimiento en que tuvo lugar, puesto que no constituyen el objeto del presente litigio, pero no puede pasársenos por alto puesto que fue el hecho que justificó la llamada del CDS.

De lo dicho se desprende que el presente litigio debe ser estimado con anulación de la resolución impugnada, en cuanto las facultades de mediación del CSD no le permiten anular el solo acuerdo de la asamblea de la ACB. En todo caso, no estamos ante una nulidad de pleno derecho, como reclama

> la actora, puesto que la actuación del CSD no encaja en ninguno de los supuestos del artículo 47 de la Ley 39/2015 sino ante la residual infracción del ordenamiento jurídico a la que se refiere el artículo 48, como supuesto de simple anulabilidad".

El resultado es la estimación del recurso interpuesto por la ACB, anulando en consecuencia la Resolución del Presidente del CSD de 12 de mayo de 2016 y, también, condenando en costas a la Administración demandada.

Es claro que contra la Sentencia cabe recurso de casación ante la Sala de lo Contencioso-Administrativo del Tribunal Supremo, sin que en el momento de escribir estas líneas no nos conste que haya sido interpuesto.

Este pronunciamiento además, por el tiempo transcurrido, no tiene un efecto perceptible en las competiciones de baloncesto profesional ni en la actual participación de los clubes de la ACB en las competiciones internacionales de clubes. Asimismo, como ya advertimos, la vigente Ley 39/2022 ha cambiado sustancialmente el régimen jurídico de aplicación para la resolución del conflicto objeto de la sentencia que comentamos. A ello vamos a referirnos seguidamente.

En cualquier caso, la Sentencia constituye un espaldarazo a la autonomía de las ligas profesionales y a su naturaleza de entidad privada, sin que le pueda corresponder al CSD facultad alguna respecto de la revisión o anulación de sus acuerdos por mucho que se le reconociera la facultad de dirimir o "mediar" en conflictos de atribuciones con las federaciones en que están integradas. Una naturaleza privada de las ligas profesionales que se refuerza con la Ley 39/2022, como seguidamente veremos.

4. SOBRE EL MARCO JURÍDICO QUE SE ESTABLECE CON LA LEY 39/2022, DE 30 DE DICIEMBRE, DEL DEPORTE, PARA LA RESOLUCIÓN DE CONFLICTOS LIGA-FEDERACIÓN

Hay que comenzar señalando que la Ley 39/2022, en lo que a la ordenación del deporte profesional se refiere es eminentemente continuista, pues sigue considerando a las ligas profesionales como entidades privadas integradas en su correspondiente federación, cuyo fin principal es la organización de la competición oficial-federada de ámbito estatal y carácter profesional.

Se mantiene por tanto el modelo de intervención, esto es, ligas profesionales de creación obligatoria, vinculación con la federación correspondiente y aprobación de normas por el CSD. Se prevé además y a grandes rasgos la inclusión preceptiva en los Estatutos de las Ligas de cuestiones ya asumidas en la práctica como las obligaciones de transparencia, el régimen de responsabilidad de directivos y la prevención de los conflictos de intereses; deja de ser obligatorio transformase en SAD para acceder a la competición profesional[5], y se despublifica sólo parcialmente el régimen sancionador.

Como su predecesora, la Ley 39/2022 establece que "En las federaciones deportivas españolas donde exista competición oficial de carácter profesional y ámbito estatal se constituirán ligas, integradas exclusiva y obligatoriamente por todas las entidades deportivas o deportistas que participen en dicha competición, según la modalidad o especialidad deportiva de la que se trate, de acuerdo con los requisitos establecidos en esta ley…" (artículo 56.1 primer párrafo)[6].

Sobre la naturaleza de las ligas profesionales, su consideración como entidades privadas de configuración legal, como hemos indicado, no varía un ápice. De hecho, el apartado 2 del artículo 56 de la Ley 39/2022 es en parte trascripción literal del apartado 1 del artículo 41 de la Ley 10/1990, y este es su tenor literal:

> "Las ligas profesionales tendrán personalidad jurídica, *naturaleza asociativa* y gozarán de autonomía para su organización interna y funcionamiento respecto de la federación deportiva española correspondiente de la que formen parte".

La cursiva es nuestra, y sirve para destacar el texto que resulta novedoso en la Ley 39/2022, que pone el acento en la naturaleza jurídica de las ligas profesionales, que es asociativa, de asociación, en resumidas cuentas. Asimismo, persiste en la propia definición de la naturaleza de las ligas tanto su vinculación federativa como, sobre todo, su autonomía respecto de la

---

[5] Así se establece en la Ley 39/2022, sin perjuicio de que ello ya se estableció con la reforma de la Ley 10/1990 operada por la Ley 22/2021, de 28 de diciembre, de Presupuestos Generales del Estado para el año 2022, eliminando la obligatoria transformación en SAD. A tal fin, se reformó el artículo 19.1 de la Ley 10/1990.

[6] Su tenor literal es prácticamente coincidente con el del artículo 41.1 de la derogada Ley 10/1990, que disponía que "En las Federaciones deportivas españolas donde exista competición oficial de carácter profesional y ámbito estatal se constituirán Ligas, integradas exclusiva y obligatoriamente por todos los Clubes que participen en dicha competición".

federación en lo que se refiere a su organización interna y funcionamiento, como puede observarse.

Una autonomía que lleva a que se continué dejando al correspondiente convenio entre liga y federación el núcleo de su régimen de relaciones, aunque bien es cierto que fijando en la ley cuál ha de ser su contenido mínimo. Se mantiene por tanto el modelo de la Ley 10/1990 al determinar que las relaciones liga-federación se articulan mediante convenio.

Un aspecto que ha cambiado respecto del régimen que inauguraba la Ley 10/1990 tiene que ver con la resolución de los conflictos liga-federación, que como vimos se encomendaba por el RFD al CSD, lo que se recoge también el Real Decreto 460/2015, que establece el estatuto del organismo.

La regulación vigente está, precisamente, centrada en lo que se establece vía convenio, y a este respecto, el artículo 96 de la Ley 39/2022 señala entre el contenido mínimo de los indicados convenios:

> "f) Un sistema de solución de conflictos que pudieran darse tanto en la interpretación como en la ejecución del convenio".

Como vemos, un cambio importante respecto de la regulación anterior es que la resolución de conflictos sobre la interpretación y ejecución de los convenios ya no corresponde la CSD. Ello ha de preverse en el propio convenio.

Asimismo, se afirma en el artículo 117.c) de la Ley 39/2022 la naturaleza privada de "Las actuaciones relativas a la interpretación de los convenios de coordinación vigentes entre las federaciones deportivas españolas y las ligas profesionales correspondientes, siempre que no se trate de las materias previstas en el artículo 116.2.e)", precepto este que determina la naturaleza administrativa de los "… actos que establecen las condiciones mínimas para la celebración de competiciones profesionales, de acuerdo con lo establecido reglamentariamente, cuando no se encuentre vigente un convenio entre federación deportiva española y liga profesional". Aspecto este último que resulta novedoso, pues se ha optado por el acto administrativo emitido por el CSD para suplir la ausencia de convenio, lo que se regula en el apartado 2 del artículo 96 de la Ley 39/2022[7].

---

[7]   Este es su tenor literal:
    "En el supuesto de que no se celebre un nuevo convenio a la fecha de expiración del vigente, se prorrogará transitoriamente de manera automática con un plazo

Afirmada la naturaleza privada de los conflictos indicados, la misma Ley 39/2022 señala en su artículo 119 que "los tribunales del orden civil serán competentes para conocer de las cuestiones relativas a cualesquiera actuaciones previstas en el artículo 117, salvo las relativas a la prevención de la insolvencia" (apartado 1), reconociéndose una legitimación adicional al CSD que el organismo "…estará legitimado para el ejercicio de acciones en defensa de la legalidad del ordenamiento deportivo o de los derechos fundamentales de los agentes deportivos que hayan sido lesionados por decisiones o actos de las federaciones españolas" (artículo 119.2).

El mismo artículo 119 de la Ley 39/2022 se refiere a la solución extrajudicial de conflictos, estableciendo lo siguiente en su apartado 3:

"Las federaciones deportivas españolas y las ligas profesionales deberán establecer en sus estatutos o reglamentos, o mediante acuerdos de la asamblea general, un sistema común de carácter extrajudicial de solución de conflictos. El Consejo Superior de Deportes, de acuerdo con lo establecido en el punto af) del artículo 14[8], establecerá reglamentariamente los requisitos de dicho sistema, que deberá contar con la adecuada publicidad de su contenido. Tendrá en todo caso carácter voluntario y gratuito para las personas deportistas, que deberán manifestar su aceptación expresa.

Si fuera un sistema de carácter internacional se establecerá, expresamente, una forma para la ejecución de los laudos o acuerdos que puedan adoptarse, sin perjuicio de lo establecido en la Ley 60/2003, de 23 de diciembre, de Arbitraje, y en la Ley 5/2012, de 6 de julio, de mediación en asuntos civiles y mercantiles".

---

máximo de duración de un año. Si, transcurrido el plazo máximo, no se ha celebrado un nuevo convenio, se arbitrará un sistema en el seno del Consejo Superior de Deportes para la atribución de las competencias señaladas en este artículo, de acuerdo con lo que, en su caso, se establezca reglamentariamente.

En los casos en que no existiere convenio de coordinación entre una liga profesional de nueva creación y la federación deportiva española correspondiente, se arbitrará un sistema en el seno del Consejo Superior de Deportes para la atribución de las competencias señaladas en este artículo y para la resolución de aquellas cuestiones estrictamente necesarias en las que deba existir coordinación entre la liga profesional y la federación deportiva española correspondiente para garantizar el inicio y desarrollo de la competición, de acuerdo con lo que, en su caso, se establezca reglamentariamente".

Sobre esta cuestión, RODRÍGUEZ TEN, J., "La regulación de los convenios de coordinación entre federaciones deportivas españolas y ligas profesionales en el proyecto de ley del deporte", *Nuevos estudios sobre el proyecto de ley del deporte* (Millán Garrido, A., Coord.); Reus, Madrid, 2022, págs. 147-159.

[8]   Establece que es competencia del CSD "Desarrollar reglamentariamente los requisitos del sistema común de solución de conflictos de carácter extrajudicial contemplado en el artículo 119 de la ley".

Sin entrar en más consideraciones, parece difícil que un acuerdo de las respectivas asambleas generales de ligas y federaciones sea suficiente a tales fines ya que las leyes indicadas exigen la mención estatutaria. En el caso de la Ley 60/2003 expresamente, y en el de la Ley 5/2012 por la referencia a los fines, que es una cuestión estructural que ha de recogerse en los Estatutos. También, que dependiendo el establecimiento del sistema de carácter extrajudicial de solución de conflictos de lo que reglamentariamente se establezca por el CSD, parece que ello no será inmediato ya que nada se advierte sobre ello en el *Plan Anual Normativo 2023* que fue aprobado por el Consejo de Ministros el 31 de enero de 2023, ya en vigor la Ley 39/2022.

En resumidas cuentas, si con el marco establecido a partir de la Ley 10/1990 el CSD no tenía potestad para anular acuerdos de una liga profesional, hoy menos. Ya vimos que la Sentencia de la Sala de los Contencioso-Administrativo de la Audiencia Nacional de 19 de enero de 2023, apreciaba que la Resolución del CSD de 12 de mayo de 2016 adolecía de un vicio de anulabilidad por no estar entre los supuestos del artículo 47.1 de la Ley 39/2015, de 1 de octubre, del Procedimiento Administrativo Común de las Administraciones Pública.

Hoy, con el marco establecido por la Ley 39/2022, una resolución del CSD con ese contenido resultaría nula de pleno derecho ex artículo 47.1 de la Ley 39/2015 por ser dictado "... por órgano manifiestamente incompetente por razón de la materia...", tal y como se indica en la letra b) del precepto.

Como indicamos en el título de este trabajo, con la Ley 10/1990 las competencias del CSD para dirimir los conflictos liga-federación ya eran limitadas. Hoy, directamente, no existen mientras haya convenio en vigor entre ambas entidades.